D1535176

L'ISLAM
VISTO
DA OCCIDENTE

Cultura e religione del Seicento europeo
di fronte all'Islam

a cura di
Bernard Heyberger, Mercedes García-Arenal,
Emanuele Colombo, Paola Vismara

Atti del convegno internazionale,
Milano, Università degli Studi, 17-18 ottobre 2007

MARIETTI *1820*

Il volume è pubblicato con il contributo della Fondazione Cariplo e dell'Università degli Studi di Milano – Dipartimento di Scienze della Storia.

Realizzazione editoriale: Arta snc, Genova
Stampa e confezione: Legatoria Varzi - Città di Castello (PG)

I edizione 2009

ISBN 978-88-211-9409-2

www.mariettieditore.it

Finito di stampare nel mese di febbraio 2009

Indice

II. Politica e religione di fronte all'Islam

INTRODUZIONE

Se nel XVI secolo l'Islam aveva costituito una delle principali ragioni della grande paura escatologica in Occidente, che vedeva nel Sultano di Costantinopoli – i cui eserciti avanzavano inesorabilmente in Europa – una delle incarnazioni dell'Anticristo e una delle teste della Bestia dell'Apocalisse, nel XVII secolo il «pericolo turco» appariva meno minaccioso. Nei primi decenni del secolo esso ispirava ancora proiezioni escatologiche angoscianti, per esempio nel frate minore Quaresmio[1], ma i timori sembrano allontanarsi dopo la sconfitta del secondo assedio di Vienna da parte degli Ottomani (1683). La vittoria sul campo di battaglia prefigurava, agli occhi di molti autori cristiani dell'epoca, la vittoria religiosa del cristianesimo sull'islam e suscitava nuove speranze di conversione come documentano, tra l'altro, numerose opere di gesuiti dedicate all'islam pubblicate negli ultimi vent'anni del XVII secolo (Colombo).

La frontiera con l'Impero Ottomano – e pertanto con l'Islam – permaneva nel cuore dell'Europa. Nella parte orientale dell'Ungheria si creò un nuovo Stato, il Principato di Transilvania, che rimase in vita dal 1556 al 1690 come Stato vassallo del Sultano di Istanbul. Nello stesso tempo, nonostante le conquiste ottomane e la conseguente islamizzazione dell'Europa sudorientale, una numerosa popolazione cattolica e ortodossa abitava le province turche. Fin dagli ultimi anni del XVI secolo il successo di luterani, calvinisti e antitrinitari nelle terre dell'Impero Ottomano[2] rappre-

---

[1] F. QUARESMIUS, *Historica Theologica et Moralis Terrae Sanctae elucidatio*, Anvers 1639.
[2] I.G. TÓTH, *Between Islam and Orthodoxy. Protestants and Catholics in*

senta un fenomeno interessantissimo (da poco divenuto oggetto di studio) che, come la presenza di musulmani in terre cattoliche, sia in Spagna che in Italia (García-Arenal, Ricci), ci obbliga a rivedere la nozione di frontiera nel periodo preso in esame in questo volume. Questi gruppi di musulmani o di cattolici di origine musulmana sono una prova allo stesso tempo della "porosità" della frontiera con l'Islam e di multiformi sfaccettature delle identità che presentano profili meno nitidi rispetto al secolo precedente[3].

Malgrado ciò l'antagonismo e il desiderio di esclusione continuavano ad essere una realtà palpabile e ci si chiede se non fossero motivati da una necessità interna, sociale: agli inizi dell'età moderna il sistema di credenze di chi affermava di sentirsi minacciato dal «turco» e dal «moro» dipendeva spesso proprio dall'elemento che si cercava di escludere.

Senza dubbio, con la Riforma e con la divisione della cristianità, anche l'identità dei cattolici era cambiata; questa separazione interna trasformò le nozioni di «nemico religioso» (e politico) che erano state tradizionalmente incarnate dall'Islam. Un ampio ventaglio di studi recenti esplora la nascita, a partire dal XVII secolo, di un atteggiamento più complesso e sfumato verso le religioni dell'«altro» in generale, e in particolare nei confronti dell'islam. La maggior parte di questi studi, compresi quelli che indicano il Seicento come il secolo in cui si può percepire la nascita di una «tolleranza» verso le religioni degli altri[4], si concentra sui paesi del Nord Europa[5]. Il fatto di considerare gli stessi problemi nei paesi meridionali e cattolici è un aspetto di originalità di questo volume.

Italia e Spagna avevano attraversato il XVI secolo quasi «immerse» nella loro situazione di Paesi di frontiera con l'Islam per il

---

south eastern Europe in *Reform and Expansion. 1500-1660. The Cambridge History of Christianity*, R.P. Hsia ed., Cambridge 2007, 536-556.
    [3] G. RICCI, *Ossessione turca. In una retrovia cristiana dell'Europa moderna*, Bologna 2002.
    [4] B. KAPLAN, *Divided by Faith. Religious conflict and the practice of Toleration in Early Modern Europe*, Cambridge 2007.
    [5] D.A. PAILIN, *Attitudes to other religions. Comparative religion in seventeenth- and eighteenth-century Britain*, Manchester 1984; G.J. TOOMER, *Eastern wisdom and learning. The study of Arabic in seventeenth-century England*, Oxford 1996; G.A. RUSSELL, *The «Arabick» interest of the natural philosophers in seventeenth-century England*, Leiden 1994.

predominio turco sul Mediterraneo e in entrambi i Paesi si era prodotta una mentalità da «città assediata», che nel caso spagnolo giunse al suo culmine con la ribellione morisca che condusse alla Guerra delle Alpujarras (1568-1570). Ma alla fine del secolo la Spagna aveva rinunciato al sogno della riconquista dell'Oriente e, poco dopo la morte di Carlo V, a quello della monarchia universale: è indicativo che il progetto di quest'ultimo di fare della cattedrale e del palazzo di Granada i simboli della propria idea imperiale fosse abbandonato da Filippo II, che stabilì a Madrid la propria capitale e all'Escorial la sede della monarchia (García-Arenal). Nel 1581 una tregua con gli Ottomani suggellava l'abbandono dei presidi sulla costa barbaresca e metteva fine al lungo conflitto tra le due potenze mediterranee. Dopo la «lunga guerra» cominciata nel 1593, la Pace di Szitvatorok tra la Sublime Porta e Rodolfo II nel 1606 avrebbe normalizzato per molto tempo le relazioni tra gli Asburgo d'Austria, che presto sarebbero stati assorbiti dalla Guerra dei Trent'anni, e i Turchi, occupati da disordini interni e dai loro interminabili conflitti con i Safavidi sulla frontiera orientale.

Le altre potenze cristiane si erano già orientate precedentemente verso una politica pragmatica nei confronti del nemico musulmano: Francesco I aveva stretto alleanza con Solimano il Magnifico sin dal 1536, alcune «Capitolazioni» erano state in seguito rinnovate più volte tra il Re Cristianissimo e la Sublime Porta, mentre nel 1581 l'Inghilterra otteneva a sua volta alcune «Capitolazioni», seguita nel 1612 dalle Province Unite.

Stati meno potenti come la Toscana e la Savoia potevano ricorrere alla retorica della crociata per far valere le loro pretese nel coro delle nazioni europee: dopo un episodio militare nei primi due decenni del XVII secolo (con un tentativo fallito di sbarco a Cipro nel 1607) i Granduchi, sotto il regno di Ferdinando II negli anni Trenta del Seicento, decisero di tornare a una politica più pacifica e più attenta agli interessi del commercio, mentre la Savoia si impegnò in un'offensiva diplomatica per giungere alla pace con Istanbul all'indomani di Lepanto.

In Italia la minaccia musulmana non raggiungeva più l'intensità che aveva conosciuto nel 1543 quando la flotta ottomana, dopo essersi impadronita di Nizza, svernava presso i propri alleati francesi a Tolone, o nel 1552, quando metteva in rotta una flotta italospagnola tra Roma e Napoli, mentre quest'ultima città era in rivolta contro il sovrano spagnolo. Ma i corsari barbareschi continuavano a perturbare gli scambi nel Mediterraneo e spesso in mare catturavano cristiani che venivano ridotti in schiavitù o trattenuti come prigionieri in attesa di riscatto (Vismara). Peraltro alcuni equipaggi che battevano bandiera di Malta o di Livorno muovevano attacchi analoghi sulle coste ottomane e all'inizio del Seicento la vendita di prigionieri musulmani era divenuta un'operazione commerciale estremamente lucrosa nei porti cristiani del Mediterraneo; anche l'Ordine di Malta compiva talvolta operazioni di pirateria con pretesti religiosi[6], mentre nello stesso periodo francesi, inglesi e olandesi organizzavano i loro commerci sulle coste dell'impero ottomano. Più tardi, all'epoca della guerra della Lega Santa, i francesi non avrebbero esitato a collaborare con i Turchi nel Mediterraneo, contro i veneziani e i loro alleati[7].

La perdita di Cipro da parte di Venezia fece rapidamente trionfare nella Repubblica il partito di quanti auspicavano un accordo con i Turchi, poco dopo la vittoria delle forze cristiane eccezionalmente unite a Lepanto (7 ottobre 1571). La Serenissima conobbe poi lunghi decenni di pace con gli Ottomani; tra gli stessi veneziani, in occasione del conflitto che oppose la Repubblica al papato con l'interdetto del 1606, alcuni esponenti della classe dirigente vedevano nei gesuiti un pericolo assai maggiore rispetto all'Islam. Per combattere il comune nemico – gli Asburgo d'Austria – il Sultano offriva nel 1617 la propria collaborazione alla Serenissima, che aveva bisogno del grano del Mar Nero e che avrebbe potuto reclutare truppe tra i sudditi ottomani dei Balcani. La guerra si sarebbe riaccesa con l'attacco e la conquista di Creta da parte degli Ottomani (1645-1669), con l'assedio di Vienna e con la guerra della Lega Santa, che vide l'avanzata militare austriaca e veneziana (1683-1699) (Pedani).

In questa complessa rete di scambi e di guerre è interessante osservare i prigionieri, che da entrambe le parti costituivano un

---

[6] A. BROGINI, *Malte, frontière de chrétienté (1530-1670)*, Rome 2006, 364-366; M. FONTENAY, *Corsaires de la Foi ou rentiers du sol? Les chevaliers de Malte dans le «Corso méditerranéen au XVIIe siècle»*, "Revue d'Histoire Moderne et Contemporaine", 35 (1988), 361-384.

[7] M. GREENE, *A Shared World. Christians and Muslims in the Early Modern Mediterranean*, Princeton 2000, 228.

punto di contatto tra le due culture. La sorte dei prigionieri cristiani, come quelli che a Salé si trovavano chiusi nella «mazmora», era spesso terribile: essi erano una merce di scambio tra Cristianità e Islam[8]. Ma le relazioni tra padroni musulmani e prigionieri o schiavi cristiani potevano essere più complesse e meno violente di quanto si apprenda dalle fonti apologetiche (Vismara); negli stessi anni i missionari latini, stabilitisi in Siria nei primi decenni del XVII secolo, scoprivano l'umanità concreta dei musulmani, anche se i loro racconti dovevano sottostare ai codici tradizionali della controversistica cristiana. Gli elementi positivi rilevati sono quasi sempre i medesimi: l'ospitalità e la generosità, la cura dei luoghi di preghiera, l'accoglienza favorevole dei Mevlevi che eseguivano le loro danze davanti ai visitatori europei... (Heyberger, Borromeo). D'altra parte a Venezia, nel lungo periodo dell'alleanza con la Sublime Porta, i musulmani potevano disporre di una sepoltura dignitosa in un cimitero riservato (anche se lontano dalla città), e di carne macellata secondo le regole rituali.

In Occidente l'islam era innanzitutto una realtà astratta, una retorica: mentre si manifestavano aperture inedite e atteggiamenti nuovi, la «cultura dell'antagonismo»[9] continuava ad essere tenuta in vita. In terra cattolica bisognava tenere alta la volontà di combattere il nemico, come garanzia del proprio attaccamento alla religione cristiana e del proprio impegno a difenderla, per sfuggire al sospetto di empietà, di dissimulazione o di tradimento (Khayati). Ma presso i missionari le necessità dell'apologetica mascheravano talvolta a fatica la curiosità antropologica che conduceva, seppur tra le righe, a conclusioni più sfumate o meno negative sull'islam e sui suoi seguaci (Colombo, Heyberger).

Perfino nella Spagna dell'Inquisizione e del controllo del credo religioso si manifestavano, se non un apprezzamento meno negativo e molto meno antagonistico sull'islam, alcune voci più distanti e scettiche, necessariamente perseguite dal Sant'Officio, poiché affermavano per esempio che «ciascuno può salvarsi seguendo la

---

[8] L. MAZIANE, *Salé et ses corsaires (1666-1727). Un port de course marocain au XVIIe siècle*, Caen 2007.
[9] G. POUMARÈDE, *Pour en finir avec la Croisade. Mythes et réalités de la lutte contre les Turcs aux XVIe et XVIIe siècles*, Paris 2004, 151.

propria legge» o che «la legge dei cristiani è valida quanto quella dei mori e degli ebrei, e tutti possono salvarsi»[10]. Si tratta, beninteso, di voci sotterranee anche se frequenti, che poco hanno a che vedere con il concetto moderno di «tolleranza».

In Francia la «cultura dell'antagonismo» doveva essere posta in sordina di fronte agli interessi politici, e non poteva esprimersi pienamente se non nei momenti in cui la Corte faceva la pace con gli Asburgo; l'enfasi sul tema della crociata, allora, segnava i periodi di riconciliazione tra i protagonisti cristiani. Nella prima metà del XVII secolo a Venezia la classe dirigente e mercantile favorevole all'alleanza con gli ottomani esprimeva giudizi positivi sul loro sistema di governo. Con l'inizio della guerra a Creta, al contrario, la mobilitazione dell'opinione pubblica contro il nemico richiese un mutamento delle argomentazioni (Pedani). Non deve dunque stupire che Gabriel Naudé abbia potuto trarre le logiche conseguenze del machiavellismo, negando ogni possibilità di una «buona ragione di Stato» e riducendo tutte le profezie a un'impostura al servizio di un progetto politico (Khayati).

I discorsi sull'islam esaminati in questo volume forniscono importanti elementi sul cattolicesimo post-tridentino, sui suoi metodi di mobilitazione dei fedeli e sulle sue battaglie intellettuali. La retorica sull'islam è parte integrante della «confessionalizzazione» cattolica. Le opere dedicate all'islam, anche quando hanno come oggetto la controversia e il metodo di conversione dei musulmani, nella maggior parte dei casi sono infatti indirizzate ai cattolici, allo scopo di educarli, disciplinarli e infiammare in essi lo zelo per la missione (Colombo, Heyberger).

Il discorso anti-musulmano contraddistingueva il clero, in particolare i francescani. Essi mantenevano viva l'attenzione sulla Terra Santa, di cui erano i custodi latini, attraverso i propri «procuratori», incaricati di raccogliere fondi nei paesi cattolici[11] e attraverso le opere e le cronache degli ex missionari, che avevano fatto ri-

---

[10] S.B. SCHWARTZ, *All can be saved. Religious tolerance and Salvation in the Iberian Atlantic World*, New Haven 2008, dedicato precisamente al XVII secolo. Una visione diversa in P. SCARAMELLA, *Inquisizioni, eresie, etnie. Dissenso religioso e giustizia ecclesiastica in Italia (sec. XVI-XVIII)*, Bari 2005.

[11] B. HEYBERGER, *Les Chrétiens du Proche-Orient au temps de la Réforme catholique*, Rome 1994, 215-223.

torno nella loro provincia d'origine dopo anni di servizio in Oriente (Heyberger, Vismara). I frati minori, ben introdotti e molto attivi nella Bosnia musulmana, mantenevano anche stretti legami
con l'Italia del nord. La cultura del martirio di fronte all'islam, che
si era formata alla fine del Medioevo intorno a sfide interne all'ordine e al suo ruolo nella Chiesa[12], caratterizza in modo specifico i
frati minori. I cappuccini, da parte loro, non esitavano a impe-
gnarsi direttamente a fianco delle truppe (Pedani); uno di loro,
Michel Febvre (Justinien de Neuvy), missionario ad Aleppo, è autore di numerose opere di stampo geopolitico dedicate a Luigi
XIV, al suo ministro della guerra Louvois o, nel caso di una riedizione del tempo della guerra della Lega Santa, a Lorenzo Donà,
«proveditor general» veneziano in Dalmazia (1684) (Heyberger). I
gesuiti scrivevano opere di controversistica in cui rileggevano la
storia della Chiesa alla luce dei recenti eventi militari, ma si dedicavano anche alle missioni in Oriente e in Occidente, di cui davano conto in numerosi manuali e trattati.

La paura del «Turco» e la «cultura dell'antagonismo» servivano anche per legittimare l'autorità e il prestigio: esse caratterizza-
vano talvolta la politica dei papi, che le utilizzavano per accresce-
re la propria influenza in politica estera, e le mettevano in scena
nelle cerimonie collettive a Roma. La figura di Pio V, artefice del-
l'insperata vittoria di Lepanto, fu centrale in questo senso (Nanni).

La mobilitazione contro i musulmani era mantenuta viva nel
popolo da confraternite e ordini religiosi, in particolare quelli che
si dedicavano al riscatto dei prigionieri. La triste sorte dei cristiani
in terra d'islam o le eroiche battaglie combattute dalla cristianità
contro il nemico musulmano a Roma e a Milano erano messe in
scena per il grande pubblico urbano con un marcato carattere di
teatralità, durante le cerimonie religiose e le feste profane (Vismara, Nanni, Ricci). A Milano le cerimonie che mostravano al pubblico le miserie della schiavitù e la grazia della redenzione rivolge-
vano ai fedeli anche degli insegnamenti edificanti sulla schiavitù e
sul riscatto spirituali, e miravano a ricostituire attorno ai prigionieri liberati il corpo mistico della comunità (Vismara).

---

[12] I. Heullant-Donat, *Les martyrs franciscains de Jérusalem (1391) entre
mémoire et manipulation*, in *Chemins d'outre-mer. Études d'histoire sur la Méditerranée médiévale offertes à Michel Balard*, Paris 2004, 439-459.

Nel XVII secolo l'islam era un importante oggetto delle controversie e competizioni intellettuali[13], come attestano molti contributi di questo volume. A Milano l'ideale di conoscenza universale del cardinale Federico Borromeo lo portò a costituire una biblioteca di manoscritti arabi e a istituire un insegnamento della lingua, il cui risultato più spettacolare fu probabilmente il *Thesaurus linguae arabicae* di Antonio Giggi (1632) (Buzzi). I manoscritti arabi della collezione che venne allora a costituirsi erano in gran parte cristiani e potevano essere utilizzati nella controversia sulle Scritture, la Chiesa e la Tradizione, che opponeva eruditi cattolici e protestanti, e anche sostenitori di opinioni opposte su questi temi. Durante il secolo precedente, in realtà, fin dalla conquista di Costantinopoli, umanisti e intellettuali avevano cercato di comprendere o chiarire il problema dell'attacco ottomano e di suggerire alcuni mezzi per contrastarlo. Lo fecero ricorrendo, tra l'altro, a uno dei loro mezzi euristici preferiti, la narrazione delle origini. I Turchi erano un popolo barbaro, crudele, feroce e sprovvisto di cultura, considerato per questo incapace di governare qualunque regione del mondo. A volte considerati discendenti dei troiani, altre volte degli sciti, erano per definizione nemici di quel mondo di cui l'Europa riteneva di essere l'erede. La storiografia sui Turchi, come dimostra un libro recente, contribuì e al tempo stesso fu condizionata dai dibattiti politici sulla minaccia ottomana, specialmente a Venezia, a Napoli e nella Roma pontificia[14] e il problema delle origini dell'islam continuò ad essere in primo piano.

Gli umanisti del Rinascimento ritenevano che l'origine dei popoli rivelasse aspetti cruciali della loro struttura politica contemporanea. Durante il Seicento la questione dell'origine dei popoli, delle lingue e delle religioni ebbe un posto importante nelle ricerche erudite (García-Arenal, Gobillot, Khayati, Elmarsafy) e vi fu un movimento che riportava le origini di vari popoli europei a un'epoca anteriore a quella greco-romana, cioè all'antichità medioorientale (con particolare interesse per egiziani e babilonesi), fino ad entrare in contatto con la zona geografica e con l'epoca della

[13] Si veda in particolare A. HAMILTON-F. RICHARD, *André du Ryer and Oriental Studies in Seventeenth-Century France*, Oxford 2004, 192.

[14] M. MESERVE, *Empires of Islam in Renaissance Historical Thought*, Cambridge 2008.

Bibbia, in cui il genere umano era stato più vicino al suo creatore. L'esempio più paradigmatico è costituito dal successo straordinario di Annio di Viterbo e della sua falsa cronaca attribuita a Beroso[15]. A Granada ne fu realizzata una falsificazione, eseguita da cristiani di origine musulmana, che servì per inventare, nella stessa linea di Annio, un passato sacro che potesse cancellare l'evidente passato islamico della città, per affondarne le radici in una cristianità primitiva di origine orientale. Al tempo stesso ciò faceva da contrappeso all'erudizione cattolica di Baronio o di Bellarmino, che mettevano in discussione miti molto forti per la Chiesa e per la Corona spagnola, come la venuta in Spagna di san Giacomo (García-Arenal). Questo sforzo di costruire una "storia sacra" secondo i metodi dell'erudizione cattolica, ma sotto la pressione delle forti problematiche locali, è caratteristico di quest'epoca. «Partout en Europe, et avec une spéciale intensité dans les régions de frontière religieuse, le catholicisme tridentin utilisait l'histoire pour fabriquer des terres saintes», scrive Jean-Louis Quantin, aggiungendo che «la Réforme catholique [...] favorise tous les récits des origines, locaux, provinciaux, nationaux, et aussi ceux des ordres religieux»[16]. A Granada questo lavoro condusse all'interessante creazione di una storia degli arabi e della lingua araba a prescindere dall'islam; tale storia dovrebbe essere confrontata con un tentativo analogo degli eruditi maroniti in quel tempo impiegati a Parigi e a Roma, che si fondava tuttavia su altre motivazioni e su altri metodi[17].

La conoscenza dell'islam e l'uso che se ne fa sembrano essere diversi nell'Europa protestante e in quella cattolica, dove si svilupparono tecniche di indagine ed ermeneutiche sostanzialmente diverse, anche se in qualche punto condivise. Una differenza fondamentale

---

[15] A. GRAFTON, *Invention of Traditions and Traditions of Invention in Renaissance Europe: the strange case of Annius of Viterbo*, in *The Transmission of Culture in Early Modern Europe*, A. Grafton-A. Blair eds., Philadelphia 1990, 8-38.

[16] J.L. QUANTIN, *Document, histoire, critique, dans l'érudition ecclésiastique des temps modernes*, "Recherches de Sciences Religieuses", 92/4 (2004), 600; 614. Un'esemplificazione in S. CABIBBO, *Santa Rosalia tra terra e cielo. Storia, rituali, linguaggi di un culto barocco*, Palermo 2004, 386.

[17] B. HEYBERGER, *Abraham Ecchellensis dans la République des Lettres*, in *Orientalisme, sciences et controverse: Abraham Ecchellensis (1605-1664)*, B. Heyberger ed., Turnhout, in corso di stampa.

tra protestanti e cattolici consiste nella considerazione delle chiese cristiane orientali: mentre i protestanti nel Cinquecento valutavano positivamente la loro indipendenza da Roma, i cattolici fecero uno sforzo immenso per la loro integrazione e favorirono la conoscenza dell'arabo a Roma. Si colloca qui la figura di Echellensis, convinto che l'eredità della lingua e cultura araba fosse patrimonio dei cristiani d'Oriente, mentre Gabriel Sionita riteneva che esse fossero uno strumento fondamentale per giungere a una migliore comprensione dei musulmani (Gobillot).

L'uso dell'islam al servizio del cattolicesimo o del protestantesimo non deve nascondere il fatto che i dibattiti sulle religioni, sulla loro origine e sul loro ruolo nella società furono vivaci, nonostante la censura, e che l'idea di separare lo studio delle lingue e delle civiltà dall'elemento sacro è emersa ben prima dei Lumi, in particolare in Inghilterra e nei Paesi Bassi, ma anche negli ambienti «libertini eruditi» francesi (Khayati, Gobillot, Elmarsafy). L'abbandono del cristocentrismo avrebbe condotto, nel pensiero «libertino», a giudicare tutte le religioni secondo criteri universali e quindi a sminuire lo statuto del cristianesimo, posto al livello di una «tradizione». Nell'Inghilterra del Seicento, era possibile concepire la scoperta e la contemplazione di Dio come qualcosa a cui la ragione naturale poteva attingere, senza l'intralcio degli insegnamenti testuali o del quadro istituzionale di una Chiesa. La posta in gioco era l'affermazione di una coscienza individuale, in grado di raggiungere la verità con i propri mezzi (Elmarsafy). Sarà inevitabile domandarsi, nelle future ricerche, quale fu il ruolo dell'Islam nel destare e dare legittimità storica ad alcuni pensatori radicali del periodo dell'Illuminismo e quale fu il ruolo dei manoscritti di opere prima sconosciute, portate in Europa dall'Oriente in questo secolo, come nel caso di Ibn Tufayl e della sua ricezione nell'Europa del XVII secolo. I sociniani e i deisti del Seicento tracciarono un ritratto «razionalista» dell'islam, che per essere verificato richiede di indagare se si trattasse di una conoscenza reale di pensatori o filosofi islamici o di una proiezione nata come immagine speculare dalle polemiche contro il cristianesimo cattolico e luterano[18]. Un esempio molto interessante è l'uso che

---

[18] Si veda l'interessantissima raccolta di saggi *Socinianism and Arminianism. Antitrinitarians, Calvinists and Cultural Exchange in seventeenth-century Europe*, M. Mulsow-J. Rohls eds., Leiden 2005.

John Toland, radicale irlandese di origine cattolica, fece nel suo *Nazarenus*[19] del Vangelo apocrifo di Barnaba (Gobillot), la cui origine in ambiente morisco è stata dimostrata da molti studiosi[20]. Una falsificazione, quella di un vangelo islamico anteriore all'islam, che si mostra assai vicina a quella dei «Piombi del Sacromonte» (García-Arenal). Minor attenzione ha ricevuto l'opera di un altro morisco, emigrato in Marocco e ambasciatore di Mawlay Zaydan nei Paesi Bassi (1610), chiamato Muhammad Alguazir. La sua opera *Apología contra la ley cristiana*, una polemica contro il cristianesimo soprattutto in chiave antitrinitaria, fu tradotta in latino e circolò nei paesi del nord Europa, soprattutto in Inghilterra[21], dove se ne conservano vari manoscritti[22].

Il XVII secolo segna un passo importante nelle conoscenze occidentali sull'islam. L'esigenza di una conoscenza più approfondita dell'islam era già stata espressa da Theodor Bibliander (sostenuto a questo proposito da Lutero), nonostante egli stesso non andasse oltre la pubblicazione del corpus medievale in materia. Edward Pococke Jr, nella prefazione alla sua traduzione di Ibn Tufayl, apparsa nel 1671 con il titolo *Philosophus autodidacticus*, lanciava un appello vibrante allo sviluppo in Europa, e in particolare in Inghilterra, degli studi arabi (Elmarsafy). Nel corso del secolo si sviluppò un notevole interesse per lo studio della lingua araba, che per molto tempo era stata fatta derivare dall'ebraico, a causa della somiglianza tra le due lingue. Nel Seicento la lingua araba acquistò la propria autonomia negli studi linguistici e si cominciò a studiarla a partire dai testi della tradizione islamica. In questo contesto è particolarmente importante lo sviluppo di una conoscenza erudita della lingua araba a Leiden, Oxford e Parigi, spesso legata allo studio filologico del te-

---

[19] Editato e studiato da J. CHAMPION, *John Toland. Nazarenus*, Oxford 1999.

[20] L.B. PONS, *El Evangelio de San Bernabé. Un evangelio islámico español*, Alicante 1995; ID., *El texto morisco del Evangelio de San Bernabé*, Granada-Alicante 1998.

[21] G.A. WIEGERS, *The Andalusi heritage in the Maghrib: the polemic work of Muhammad Alguazir (d. 1610)*, in *Poetry, Politics and Polemics.Cultural transfer between the Iberian Peninsula and North Africa*, O. Zwartjes-G.J. Van Gelder eds., Amsterdam 1996, 107-132.

[22] L.P. HARVEY, *A second Morisco Manuscript at Wadham College, Oxford*, "Al-Qantara" 10 (1989), 257-272.

sto biblico e alla sua esegesi. Esegesi, commentari, traduzioni, dizionari, lessici e collazioni furono trasformati in forme letterarie dedicate ad enunciare la voce della Scrittura.

Della lingua araba si sottolineava, di volta in volta, la traducibilità o l'intraducibilità. Mentre i termini arabi o turchi utilizzati nei racconti dei viaggiatori in Oriente erano proposti in lingua originale, benché fossero traducibili, per sottolineare la "distanza" e provocare fascino o repulsione (Borromeo), il lavoro di traduzione dei missionari aveva l'obiettivo di presentare il loro messaggio in modo che potesse armonizzarsi con la cultura locale. In altre parole essi credevano che il cristianesimo fosse traducibile e cercarono equivalenti locali per termini dogmatici e teologici. A Granada, con i convertiti di origine musulmana, tale tentativo risultò un fallimento (García-Arenal) e diede luogo a un dibattito molto interessante sull'utilità di valersi dell'arabo e delle lingue indigene dell'America per l'evangelizzazione. Chi era contrario, pensando che la fede fosse intraducibile, temeva che l'uso delle lingue volgari potesse produrre un sincretismo religioso o false conversioni e che i termini familiari impedissero la comprensione e una vera interiorizzazione dei nuovi concetti religiosi[23].

Al contrario a Roma, nel cuore della Chiesa cattolica, la necessità di sviluppare la conoscenza delle diverse lingue e culture era stata posta come fondamento dell'attività missionaria. Riguardo alla lingua araba, il suo apprendimento era tuttavia finalizzato alle missioni presso i cristiani orientali e alla possibilità di conoscere i loro testi e le loro tradizioni. L'insegnamento dell'arabo, che durante il Seicento si sviluppò negli ordini religiosi e per impulso della Congregazione «De Propaganda Fide» (peraltro con molte difficoltà) legava in modo stretto lo studio della lingua alla controversia; ciò non favoriva in modo alcuno l'acquisizione di nuove conoscenze sull'islam. Nell'insieme, il suo scopo sembrava più quello di preparare il missionario a conservare e trasmettere efficacemente la dottrina cristiana piuttosto che quello di comunicare con gli autoctoni, a maggior ragione se non erano cristiani (Pizzorusso).

[23] P. Broggio, *Evangelizzare il mondo. Le missioni della Compagnia di Gesù tra Europa e America*, Roma 2004; Y. El Alaoui, *Jésuites, Morisques et Indiens. Étude comparative des méthodes d'évangélisation de la Compagnie de Jésus d'après les traité de José de Acosta (1588) et d'Ignacio de las Casas (1605-1607)*, Paris 2007.

Questo non impedì tuttavia lo sviluppo di una scienza orientalista a Roma, la cui principale produzione era costituita da metodi e grammatiche di lingua ma anche, in ultima analisi, dalla confutazione del Corano di Ludovico Marracci (1698) che offre una testimonianza di grande valore sui progressi compiuti dall'islamologia nel corso del XVII secolo (Pedani)[24]. Le conquiste della scienza orientalista in Inghilterra si misurano nell'*Elenchus Scriptorum* che Pococke fornì insieme alla sua traduzione di Ibn Tufayl; il testo mostra una conoscenza di molteplici fonti per dare solide basi alla ricostruzione della biografia dell'autore e della diffusione della sua opera (Elmarsafy). I missionari cattolici che entravano in contatto con i musulmani non potevano vantare analoghe conoscenze. Resta tuttavia il fatto che nel corso del secolo, presso quanti ci hanno lasciato testi scritti, si possono individuare progressi significativi, pur se modesti, nelle conoscenze delle lingue e dei testi. Essi continuano a dare dell'islam un'immagine stereotipa, che poco si distacca dall'ansia apologetica e differisce di poco rispetto alla dottrina medievale (Heyberger).

Il modo di accostare l'islam e i musulmani era determinato in essi dall'antropologia cattolica della religione. L'idea che il cristianesimo fosse in accordo con la ragione, mentre l'islam era contrario ad essa, faceva nascere la convinzione che il musulmano potesse essere colpito da argomenti razionali. Ciò che con ogni probabilità differenziava i missionari del Seicento dai loro predecessori medievali era l'importanza che essi attribuivano alla pratica della lingua volgare, all'esperienza diretta con i musulmani e alla riflessione sul processo di conversione. La strategia gesuitica dell'«accomodamento» produceva in ciò i propri effetti, esattamente come in altre terre di missione. Riconoscendo, verso la fine del secolo, l'esistenza di un sincero senso religioso nei musulmani, essi si avviavano a riconoscere un valore alla religione musulmana (Colombo, Heyberger). Ma solo con il concilio Vaticano II la Chiesa cattolica avrebbe varcato questo traguardo.

Bernard Heyberger, Mercedes García-Arenal,
Emanuele Colombo, Paola Vismara

---

[24] M.P. Pedani, *Ludovico Marracci. La vita e l'opera*, in *Il Corano. Traduzioni, traduttori e lettori in Italia Italia*, M. Borrmans *et alii* eds., Milano 2000.

ABBREVIAZIONI

ACDF	Archivio della Congregazione per la Dottrina della Fede
ASO	Archivio del Sant'Offizio
AGS	Archivo General de Simancas
APF	Archivio storico della Congregazione "de Propaganda Fide"
SOCG	Scritture Originali riferite nelle Congregazioni Generali
CP	Congregazioni Particolari
ASDM	Archivio Storico Diocesano di Milano
ASR	Archivio di Stato di Roma
ASVe	Archivio di Stato di Venezia
ASVR	Archivio Storico del Vicariato di Roma
BA	Biblioteca Ambrosiana, Milano
BAV	Biblioteca Apostolica Vaticana
BNCVE	Biblioteca Nazionale Centrale "Vittorio Emanuele II", Roma
BNF	Bibliothèque Nationale de France, Paris
BNM	Biblioteca Nacional de España, Madrid
BRAH	Biblioteca de la Real Academia de la Historia, Madrid
DBI	Dizionario Biografico degli Italiani, Roma, 1960-

I
Immagini e pratiche dell'Islam nella cultura europea

SACRED ORIGINS AND THE MEMORY OF ISLAM: SEVENTEENTH-CENTURY GRANADA

Mercedes García-Arenal

When I first started work on this paper, my aim was to explore how early modern Spanish historians, and particularly local historians of the Andalusia region, had dealt with their own Islamic period, and to analyse the place they gave in their work to the patent and lingering memory of Islam. I was interested in the extent to which this memory could be converted into the matter of Spain, and in the links that might have existed between the incorporation of that memory and the development of Spanish imperial ideology. As my work went on, and the amount of material I had gathered steadily increased, I decided to narrow my focus to the case of the city of Granada and the forgeries of the Lead Books of the Sacromonte, a fascinating series of events which had the immediate effect of allowing historians to attempt a writing of the city's history. In considering these events here, I will also try to clarify the relationship between the kinds of historical interpretation made possible by the episode of the Lead Books and contemporary changes in attitudes towards the legitimacy of Spain's imperial ideology.

Two fundamental late fifteenth-century events – the final culmination of the Christian Reconquista and the discovery of the continent of America – had provided the Spanish monarchy with the belief that it possessed a special function of metaphysical origin which made it divinely chosen to embark on the grandest of political and spiritual undertakings. The two near-simultaneous achievements were confidently attributed to the workings of divine providential reasoning[1]. The conquest of the kingdom of

---

[1] J. CEPEDA ADÁN, *El providencialismo en los cronistas de los Reyes Católicos*, in *Historia de España. Estudios publicados en la revista "Arbor"*, Madrid 1953, 185-194.

Granada, and the extension of that conquest to the area of the Maghrib when first Melilla (1495) and then Oran (1509) were taken by military force under the leadership of Cardinal Cisneros, produced a wave of messianic enthusiasm which foresaw the definitive end of Islam, the conquest of Jerusalem, the re-establishment of the early Church and the conversion of all humanity to the Christian faith. Such messianic expectations inspired the conquest and evangelisation of America, as has been shown by Alain Milhou[2], and led as a consequence to a process of myth-making which saw the destiny of Spain in terms of its will to fight Islam.

At the same time, Islam had become, after the conquest of Granada, a more real and threatening presence than ever for contemporary Spaniards, and was to remain so throughout the entire sixteenth century. Spain confronted the Ottoman empire, which harried the coasts of Naples and Sicily and conquered the island of Menorca; it was under constant attack from Barbary pirates from the North African regencies who ravaged Spanish coasts and shipping, including the routes to the Indies, taking in the process large numbers of captives upon whom the religious orders of ransoming agents projected propaganda campaigns based on the captives' descriptions of the horrors inflicted upon them; and it felt constant unease at the not always peaceful presence of a Morisco population on Spanish soil, the dangers of which showed themselves in the harsh war of the Alpujarras (1568-70), which in turn produced a crop of literature on the countless atrocities perpetrated by the Muslims[3]. An emotional climate of fear and rejection made its influence felt in a wide range of areas. Poetry and the theatre played a role in constantly reminding Spaniards of their confrontation with Islam, in keeping alive their fear of the enemy *par excellence*[4]. Throughout the sixteenth century, theatrical works

---

[2] A. MILHOU, *Colón y su mentalidad mesiánica en el ambiente franciscanista español*, Valladolid 1983.

[3] See M. BARRIOS AGUILERA - V. SÁNCHEZ RAMOS, *Martirios y mentalidad martirial en las Alpujarras. De la rebelión morisca a las "Actas de Ugíjar"*, Granada 2001.

[4] M.A. DE BUNES, *La imagen de los musulmanes y del Norte de Africa en la España de los siglos XVI y XVII. Los caracteres de una hostilidad*, Madrid 1989.

continued to be written dealing with the epic theme of the siege, in which the enemy of Christendom was always the Ottoman empire. Such works appeared regularly, often carrying the word "cerco" or "siege" in their title, and based on historical episodes close in time to the world of the author and his audience. The former had little trouble implicating the latter in an emotional confrontation between Muslims and Christians[5]. In this climate of a real and mythical struggle against Islam, as Spain sketched out its destiny during the period of the construction of the historiography of a "national" character, it was clearly not going to be easy to include an account of the Islamic past of the Iberian Peninsula in the writing of its past history. General historical chronicles of the period tend to treat the Islamic presence as an external, temporary invasion which had been brought to an end by its total and complete eradication with the triumph of faith over the invading hordes of the followers of Muhammad. The Islamic period was portrayed as an alien one of parenthesis now closed, over which a triumph had been gained by rooting it out completely. It formed no important part of Spain's past or of its legacy, and even if it did form a part, it was only as the story of an armed mission. However, considerable problems remained, and above all, in the case of the Andalusian cities of Cordoba, Seville and Granada. When the history of such cities came to be written, or their archaeology and archaeological remains described and their epigraphic remains deciphered, what exactly could be done by historians? How could they deal with the story of the Islamic presence an Arabo-Islamic past was, in those cities, so obvious, so unavoidable and at the same time so glorious? How were they going to incorporate it, legitimate it or de-islamise it?

Local history, the writing of which proliferated in Spain, especially after the general history of Mariana (1592), was governed by very different imperatives to those of the historical chronicles promoted within official court circles. In such works, it became necessary to present the conversion of Andalusian cities into Christian cities as, at the very least, not just a process of transformation or creation but as one of restoration.

[5] S. Carrasco Urgoiti, *Estudio introductorio* a L. Vélez de Guevara, *El cerco del Peñón de Vélez*, Newark 2003.

Granada

This was particularly difficult to achieve in the case of Granada. For Granada, conquered barely a century before, the problem of its Muslim past was even graver and more obvious than for other cities: Granada had not even had a Christian population, like the cities of Cordoba or Toledo, and the names of its bishops, upon whose continuity other cities based an establishment of their Christian background, were not known. Such uninterrupted lists of succession of bishops bore witness to a city's antiquity and its adherence to Christianity, and they were an indispensable pre-requisite for the writing of the history of cities. On the one hand, Granada presented itself as the site of the definitive triumph of Christ over Islam, as a "New Jerusalem" rescued from the clasp of the Muslims. In this newly Christian Granada, the cathedral and palace of Charles V were the emblems of an architectural programme based on the imperial idea of Caesar and were a dynastic expression of the new monarchy of the Austrias[6]. This was true to such an extent that the Emperor had had not only made the city a cathedral seat but had decided to turn it into the pantheon of the imperial family, although this scheme was later abandoned, just at the beginning of the period I shall now be referring to. But on the other hand, the physical make-up of the city of Granada, with its great Islamic monuments and above all its Alhambra palace dominating the city skyline, made it impossible to ignore the Islamic character of the city. For this reason, historians found it impossible to write a "history of Granada" for the first one hundred years of its Christian history. No printed history of Granada exists from the period before the events of Sacromonte. Those events, as I am going to argue, allowed for a new development, a totally new interpretation of the origins, archaeological and architectural remains of the city.

---

[6] J. CALATRAVA, *La catedral de Granada: Templo y Mausoleo*, in *Jesucristo y el Emperador cristiano, Catálogo de la Exposición (Catedral de Granada)*, Córdoba 2000, 67-86.

The Lead Books of the Sacromonte

The events to which I am referring are the forgeries of the parchment and Lead Books which appeared in the Sacromonte hill of Granada between the years 1588 and 1595. Allow me to remind you briefly what they were[7]: in 1588, during the construction of the new cathedral of Granada, a group of workmen knocking down the old minaret of the main mosque, known as the Torre Turpiana, came across an old chest containing what appeared to be a very old parchment with writing on it in Latin, Arabic and Spanish, and supposedly dating from the times of the Roman Emperor Nero. In addition to this, the chest also contained a few bones and ashes appearing to be human remains, which were immediately identified as the relics of the Christian martyr of Granada Saint Cecilius, together with a cloth which was alleged to have belonged to the Virgin Mary. Very little was known of Saint Cecilius, one-time bishop of the Hispano-Iberian city of Iliberri, beyond the mention of his name in a list of bishops drawn up in 992 and recorded in the Codice Emilianense of the monastery of El Escorial.

Four years after the Torre Turpiana findings, and for a successive run of several years, there also then appeared in the caves of the hill of Valparaíso, now known as the Sacromonte (or Sacred Mount), a series of circular leaden tablets, written in a so-called "Salomonic scripture", which was in fact nothing other than angular Arabic without the use of diacritic marks. It appeared to be a new gospel, transmitted by the Virgin Mary, presenting a vision of Christianity close to, or symbiotic with, Islam, and explaining that the relics which had been found had belonged to a group of paleo-Christian Martyrs of Arab origin who had travelled to Spain with the apostle Saint James and had been converted and instructed by him before meeting their deaths in Granada. The names of these holy martyrs were Cecilius, Hiscius and Ctesifon. Thus could it be shown, or alleged, that the first Christian settlers in Granada had in fact been Arabs, and that the Virgin had spoken in Arabic to her faithful followers. In one of the Lead Books,

---

[7] *Los Plomos del Sacromonte. Invención y tesoro*, M. Barrios - M. García-Arenal eds., Granada-Valencia 2006.

entitled *Certidumbre del evangelio* [Certainty of the gospel], the Virgin replied in the following way when asked who were to be the saviours of the Faith: "I tell you that [it will be] the Arabs ... and they will be among the most marvellous of peoples, and their tongue one of the most beautiful". The Lead Books were written in a clearly eschatological style – one of them contains a prophecy of an apocalyptic nature – and no small contribution to this was made by that syncretism between the Islamic and the Christian which sought to reunite all humanity under one faith.

The intention of these obviously forged texts was to establish a common historical origin for Spanish Arabs and Christians by presenting an interpretation of Christianity very close to Islam in which there was no mention of the Trinity, the Divine nature of Christ, or the worship of images. In them, the Arabic language took on a primitive and eschatological nature as a chosen tongue. But they also sought to establish the antiquity of the Spanish Castilian language, and to vindicate the antiquity within the Iberian peninsula of the Arabic language as used by the Christian martyrs. Such a use of Arabic was deliberately separated out from a practising of Islamic religion. The texts sought to underpin the spiritual pre-eminence of the church in Granada at a time when several Spanish cities were engaged in a dispute over the privilege of being the church's main see, and they also supported the polemical dogma of the Immaculate Conception, and proved the truth of the coming of Saint James to the Iberian peninsula. Such a combination of factors meant that there was a great interest in wanting the findings to be authentic and miraculous. Given the circumstances, it was inevitable they should be a success, and should make the transition from "fraud" to "myth", i.e. to a construct of strictly emotional roots, independent of reality but with clearly pragmatic purposes[8]. Interpretations of the Lead Books were forced to adopt multi-faceted approaches: it was a miraculous apparition, a discovery and an invention all in one. They created a considerable dilemma for the Spanish monarchy, the Pope, the church in Granada, the Inquisition, and both for the leading contemporary humanists and for the common people.

[8] H.G. GADAMER, *Religious and Political Speaking*, in *Myth, Symbol and Reality*, A.M. Olson ed., Notre Dame-London 1980, 86-98, [92].

I do not intend to discuss here the theological and dogmatic content of the Lead Books. Neither will I discuss[9] the issue of the true identity of the authors of the forgeries, who were undoubtedly the same Granadan Moriscos who later undertook translations of the texts, possibly sponsored or encouraged by leading Granadan noblemen of Moorish origin, and very possibly also with the assistance of members of the local Granadan church. Neither is it my intention to consider in much detail the forgers' intentions within the context of diverse political and religious problems in the city at the time, one of the most important of which was the Morisco problem. I do not intend, in other words, to discuss either the possible authors, their motivations or their circumstances. What I would like to consider, however, are the historical consequences of the affair and the issue of how the Lead Books opened the way to the construction of a history that was fabulous in nature, i.e. that was both real and false. What I want to make clear here is that the religious syncretism of the Lead Books of the Sacromonte affected questions as general in importance as classical culture in Spain and allowed the creation of the story of the Biblical origins of Granada, and that these alleged Biblical origins in turn served to legitimise the Spanish monarchy. The whole affair was, in fact, much more than a local problem. I would like to show that the Leaden Books gave a highly significant impulse, as well as a change of direction, to the interpretation of the origins of the first settlers of the Iberian Peninsula, of its archaeology and architecture.

Since it was impossible to place in doubt the miraculous and authentic nature of the "discovery", given that it was useful for so many different purposes, it soon became necessary to provide an answer to the following questions: How was it that Spanish Castilian was spoken in the Iberian peninsula so soon after it had first been turned into a Roman province? In addition, why would Saint Cecilius and his colleagues have preached in Arabic during their time in the peninsula – who would have understood them?

---

[9] I have already done so in *El entorno de los Plomos del Sacromonte: historiografía y linaje*, in *Los Plomos del Sacromonte. Invención y tesoro...*, cit., 51-78.

Ever since the work of Nebrija, a century earlier, it had been known that Castilian derived from Latin, and it was equally well-established that Arabic was not spoken in Iberia until the Muslim invasion of the eighth century. This acquired "scientific" knowledge now enabled a small number of objectors to denounce the Lead Books as forgeries, but it led many other scholars to begin a process of re-writing the origins of history and the Spanish language, which now became a tongue originating in the Iberian peninsula which, far from deriving from a corrupted version of Latin, came directly from the division of tongues created in the Tower of Babel.

From the very moment of the finding of the parchment, the Lead Books brought about an enormous amount of literature. Pedro de Castro, archbishop of Granada and a vehement defender of the authenticity of the findings, delayed for as long as he possibly could the transportation of the Lead Books to the Vatican in Rome, by ordering one translation after another of the texts. The archbishop called upon all those with any knowledge of Arabic in the Spain of his day, ordered maronite, Lebanese friars to be brought from Rome, corresponded with European professors of Arabic such as Thomas van Erpen of Leiden, and engaged in efforts to persuade him to travel to Granada. Castro's activity was intense and incessant, as was his personal involvement in the affair. None of the translations carried out for him was ever satisfactory enough, especially if they carried any trace of Islamic doctrine, but also because Castro was opposed to the finding leaving the city of Granada or his own direct control, and the succession of different versions were a way of delaying and avoiding the affair being passed on to higher authorities. After Castro's death the Vatican managed to have the Lead Books taken to Rome, where a series of further translations were made and where, in 1682, a committee including the famous Jesuit polymath Athanasius Kircher eventually declared them to be false, though upholding the authenticity of the relics, which are still venerated to this day. Throughout this lapse of time, countless "Defensorios"[10] were written, and numerous histories of Granada based upon them

---

[10] M. BARRIOS AGUILERA, *Los falsos cronicones contra la historia (o Granada, corona martirial)*, Granada 2004.

were also published, and I shall be referring to some of those histories in a moment. Denunciations of the falsity of the texts also appeared in private correspondence, such as that of the famous hebraist Arias Montano, or in unpublished writings like those of Pedro de Valencia, Juan Bautista Pérez or Gonzalo de Valcárcel[11]. As we shall see, others like Bernardo de Aldrete or Pablo de Céspedes sought to find a compromise between the two positions, but also saw their thoughts and writings radically influenced by events on the Sacromonte.

Rome as a model

Until only a few years earlier, Rome had been the model and to a certain extent this continued to be the case. In 1492, after the conquest of the Islamic kingdom of Granada, Spain had been united under the Reyes Católicos or Catholic Kings, Ferdinand and Isabella. Rome had provided political models for this new monarchy to follow after the union of the crowns of Aragón (Ferdinand) and Castile (Isabella). An example of this can be seen in the work of the humanist Antonio de Nebrija (1444-1522) when in his *Gramática de la lengua castellana* of 1492 he defends the idea that Castilian Spanish will replace Latin as "the language of empire". Nebrija, who had studied in Rome for nine years, was taking up the idea first put forward by Lorenzo Valla that the old Roman empire could be recovered through the study of its culture and language. Nebrija applied these ideas to the new Spanish monarchy, providing it with a linguistic instrument with which to legitimise its policy of unification. Nebrija saw the new Spain as the clear heir to the old Roman empire and traced the line of its sovereigns back to the Roman emperors, helping to create a political and intellectual picture in which even the geographical terri-

---

[11] G. MAGNIER, *Pedro de Valencia, Francisco de Gurmendi and the "Plomos de Granada"*, "Al-Qantara", 24 (2003), 409-425; B. EHLERS, *Juan Bautista Pérez and the Plomos de Granada: Spanish Humanism in the Late Sixteenth Century*, "Al-Qantara", 24 (2003), 427-448; R. BENÍTEZ SÁNCHEZ-BLANCO, *El Discurso del licenciado Gonzalo de Valcárcel sobre las reliquias del Sacromonte*, "Estudis", 28 (2002), 137-165.

tory of the country was shown to be a direct inheritance from the Roman empire. Maps began to be produced in which the Iberian Peninsula was divided, as under the Romans, into three provinces (Citerior or Tarraconensis, Lusitania and Betica), together with its corresponding African territory (Hispania Transfretana, or Tingitana). Nebrija also promoted interest in recovering Roman vestiges and antiquities, which came to be seen as of key importance in tracing the political and cultural origins of the country. The continual movement of ambassadors, courtiers and viceroys between Spain and Italy also fomented the accumulation of collections of classical sculptures, busts and medals. Seville was termed the "New Rome" because of its abundance of such collections, the most important of them being that which is still kept in the Casa de Pilatos, where it remains to this day in a Mudejar surrounding[12]. These collections served their patrons' desire to identify with the past of Rome, but also with a present in which Spain now dominated Italy. The collections of Roman antiquities and sculptures provided their noble owners with symbols of power and prestige. The translations of treatises on architecture and the journeys to Italy of architects and artists also had a great influence on Spanish Renaissance architecture.

To summarise, it can be said that the first half of the sixteenth-century saw the gradual development of a profound syncretic assimilation of Christian and classical elements. An extended classical culture deeply rooted in society was taken up and redirected in a Christian manner, taking from it all that might be used in as part of a moralising or spiritual mission, in a way that was akin to what the Church Fathers had done with Hellenism. This was a culture that the Italianizing humanists knew to be contrary to the Christian faith, but whose traditional prestige was immense and to which their own educational formation was owed. They had no choice but to admit an element which they could not replace[13].

From the 1540s onwards there emerged in Spain a militant historiographical trend which can be described as "anti-Roman", in

---

[12] V. LLEÓ, *Nueva Roma. Mitología y humanismo en el Renacimiento sevillano*, Sevilla 1979.
[13] J. SEZNEC, *Los dioses de la Antigüedad en la Edad Media y en el Renacimiento*, Madrid 1983, 223-224.

direct opposition to the Italianizing humanism which had accorded pre-eminence among the European nations to Italy on account of its Roman foundations. In Spain – and in other nations, especially Germany – there grew in opposition to the Italian vision a pride in the "Gothic", developed by authors who were fully aware of the Italian Renaissance parameters they wrote against. At the same time, the Jewish and Christian tradition was placed in opposition to the achievements of classical antiquity, robbing the latter of its pretensions to cultural superiority. This growing tendency, to which the main forgeries of the period belong, inevitably encouraged a certain syncretism in which pagan elements began to be interpreted or reconciled in the light of Revelation[14]. Historiography of the period had a rhetorical function which sought to support the idea of messianic imperialism, and to fulfil this it recurred to a notable outpouring of idealisation and forgery, in a context where false chronicles acquired an increased importance.

The most influential exemplar of this new trend was the Italian scholar and forger Annio da Viterbo, who claimed to use as his sources the unpublished works of ancient authors and whose work constituted an integration of the Old Testament and cultures from the period before the Graeco-Roman world. Towns, cities and dynasties were thereby able to find or create a mythical background for their predecessors which was independent of the myths of classical culture. Annio focused above all on the Etruscans, but he was highly aware of the Spaniards and his work *Commentaria* is dedicated to the Catholic Kings. The book, or chapter XII, of these *Commentaria* is entitled *De primis temporibus et XXIV regibus Hispaniae et eius antiquitate*. In the same way that the Etruscans were, like the Hebrews, a chosen people, the Spaniards were given a similarly privileged past, which went back as far as Hercules, the son of Osiris and the grandson of Cam. Ancient wisdom had passed to Spain, without Graeco-Roman intermediaries, via the Egyptian Hercules, a popular figure in sixteenth-century Spain. In all manner of authors, from Florián de Ocampo, author of a *Crónica gen-*

---

[14] P. FERNÁNDEZ ALBADALEJO, *"Materia de España" y "edificio" de historiografía. Algunas consideraciones sobre la década de 1540*, in *La encuadernación: historia y arte*, Madrid 2001, 146.

eral de España which was cited often by the defenders of the Lead Books, down to the most important historians of sixteenth-century Granada, references to the Egyptian Hercules are very frequent[15]. Florián de Ocampo and all those who followed him, defended and illustrated the arrival in Spain of the Egyptian Hercules. After the Flood, Cam the son of Noah, had populated Spain and Cam's lineage was continued with Tubal and Nembrod, the architect of the Tower of Babel, in order to construct which he had employed the services of the Phoenicians.

The parchment and the Lead Books of Sacromonte gave added force to these interpretations. The Lead Books, in fact, belonged to that productive genre in Spain between the 1540s and the early years of the seventeenth century which was the literature of the origins of Spain, a literature which led to the "imaginary widening" of the horizons of early history[16]. All the textual, archaeological, genealogical and documentary forgeries produced during the period served not only to provide testimony to the greatness of an ancient past (whether the general past of the Spanish people or, more often, the history of particular cities, regions or even families) but also to confirm the authenticity of a glorious sacred past. "Ancient" and "sacred" became two overlapping concepts.

In this sense, the forgeries sought to show that the secular privileges of cities or families were not only supported by oral traditions but also by documentary, archaeological and chronicled evidence, and could therefore resist close examination. There was a veritable obsession with origins and with the association of these origins with pre-Roman Antiquity and local saints[17]. Local histories of cities wished to show either that the superiority of the present had its foundations in the past and was, therefore, no mere coincidence, or that a magnificent past made a city with a mediocre present deserving of greater enterprises previously undertaken by other cities with less illustrious pasts. Thus there was a projection

---

[15] D. RODRÍGUEZ, *La Memoria frágil. José de Hermosilla y Las Antigüedades árabes de España*, Madrid 1992, 46 s. Sobre Ocampo, P. FERNÁNDEZ ALBADALEJO, *"Materia de España"*…, cit., 151 s.

[16] P. FERNÁNDEZ ALBADALEJO, *"Materia de España"*…, cit., 135-163.

[17] M. JIMÉNEZ MONTESERÍN, *Vere Pater Pauperum. El culto de San Julián en Cuenca*, Cuenca 1999.

onto cities of what was already applied to individuals and family lineages[18]. In historiography and local archaeology, attempts were made to demonstrate rhetorically the existence of a noble antiquity which would be a deserving precedent of contemporary imperial glories and would go back as far as the classical period to show pre-eminence with respect to Italy and the Roman empire.

In this historiographical context, there was no separation between "fact" and "fiction" of a mythological nature, as the function of the latter was complementary[19]. As Delfín Rodríguez has shown, forgeries sought "proof of their authenticity in the memory of the ancients, in the fragility of its re-creation through plausible fragments. The difference between the true and the false was considered irrelevant by the authors of forgeries, which to us at all events were strictly *authentic* as a historical phenomenon"[20].

A number of historians seem to have behaved as if motivated by the idea that real documents and facts needed to be elevated and dramatised, since justice would not otherwise be done to what was seen as sacred material. It is therefore difficult to draw a line between those forgeries we might call clear and absolute fraud, and the genre of the chronicle which throughout the sixteenth century promoted ideals, and possessed a rhetorical purpose for which it was as content to draw on historiography as much as fiction, and particularly legends[21], for the construction of a myth. However, none of the forgeries which arose in the sixteenth century, and none of the "falsos cronicones" of false chronicles came close to achieving the same repercussions and influence as the findings of the Granadan Sacromonte.

[18] F. GASCÓ, *Historiadores, falsarios y estudiosos de las antigüedades andaluzas*, in *La Antigüedad como argumento. Historiografía de arqueología e historia antigua en Andalucía*, J. Beltrán - F. Gascó - J.T. Caracho Villalobos eds., Sevilla 1993, 15-16.

[19] H. DE CARLOS VILLAMARÍN, *Las Antigüedades de Hispania*, Spoleto 1996, 8-10; 42-46. Chronicles and "relaciones de sucesos" are considered by A. REDONDO, *Relación y crónica, relación y "novela corta". El texto en plena transformación*, in *El escrito en el Siglo de Oro. Prácticas y representaciones*, Salamanca 1998, 179-192.

[20] D. RODRÍGUEZ, *La Memoria frágil. José de Hermosilla y Las Antiguedades Arabes de España*, Madrid 1992, 59.

[21] P. CÓRDOBA, *Las leyendas en la historiografía del Siglo de Oro: el caso de los "falsos cronicones"*, "Criticon", 30 (1985), 235-253.

The appearance of the treasure

Let us return to Granada and its Lead Books. On 4 May 1588, two months after the first findings, (i.e. of the parchment in the Torre Turpiana and the ashes and bones of the saints), king Philip II wrote to the archbishop of Granada expressing his joy on the appearance of such a precious treasure during his own times. The treasure which had miraculously appeared, been discovered, or invented, (the term "invención" in early modern Castilian meant both finding and inventing) was seen as a sign of divine favour assisting the sovereign[22]. This treasure was not so much the parchment as the relics of the holy martyrs identified by the text and which soon began, in Granada, to give rise to a series of miraculous events, cases of *ignis fatuus*, illuminations of the night sky and other prodigies. There is a long tradition of finding or "inventing" holy bodies in unexpected places, followed by alleged prodigies, analysed magisterially for the world of Late Antiquity by Peter Brown, who has shown how ownership or custody of such items constituted a form of backing for the owner's political legitimacy, as well as being an undeniable nucleus of civil agglutination[23]. This is precisely what occurred in Granada. In addition, the Lead Books supported belief in the Immaculate Conception of Mary, a fact which caused a tremendous popular apotheosis in Granada, just as the Morisco authors of the texts must have known only too well was likely to occur. Evidence for popular enthusiasm in Granada for the Immaculate Conception, and for its relationship with the Lead Books, can be seen in the *Anales de Granada* of Francisco Henríquez de Jorquera[24], as well as in the work of Paracuellos Cabeza de Vaca, *Triunfales celebraciones* [Triumphal celebrations, referring to events of 1640]. Miguel Luis López-Guadalupe Muñoz, in his preliminary study to the facsimile edition of these *Triunfales celebraciones*, traces the trajectory of the cult of the Immaculate Conception and its incidence in Granada

---

[22] I. GÓMEZ DE LIAÑO, *Los juegos del Sacromonte*, Madrid 1975, 220.
[23] P. BROWN, *The cult of Saints*, Chicago 1981, 12; 94.
[24] There is a new edition, with study by P. Gan Giménez and L. Moreno Garzón, Granada 1987.

and later, in Seville, when Pedro de Castro, the archbishop of Granada, had moved to that city.

The finding was a source of political legitimacy and a sign of divine favour. This idea is explicitly stated in the letter written to Pedro de Castro by Diego de Yepes, the royal confessor: "I cannot express to your Holiness the joy I feel for such a great good as has come to that city, for I see evident signs of the prosperity that God promises to his Church and to these realms. The sign given to the sons of Israel of the restoration of the Temple destroyed by Nebuchadnezzar, as is told in Chapter II of the Maccabees, was the manifestation of the Ark of the Testament and the fire of the altar and incense... That God should bring to light this treasure hidden for so many years is a sure sign of His compassion; and since He kept it hidden so that it should not be profaned by Gentiles and Moors it is easily understood that now that it is discovered it is in order that it shall be revered by Christians for many years...".

Yepes clearly invokes the role of Imperial Spain as a people chosen by God and establishes an identification with the chosen people, with the Hebrew people of the Ark of Alliance and the Temple. The Tower of Babel, Noah's Ark and the reconstructed Temple were the pillars upon which an attempt was made, from that moment on, to base all human history and above all the history of Spain, as well as its legitimisation as the new chosen people.

Such was the procedure of the histories of Granada which proliferated during this period, and which I will mention in the following section. All of them defend, naturally enough, the authenticity of the Lead Books and their value as historical documents. The Lead Books were also used by supporters of the myth of Saint James' journey to Spain[25], constantly in need of support in the form of miracles. Saint James' alleged journey to Spain played a role in the rivalry between various Spanish cities for the privilege of being declared "Sede Primada" (the First Bishopric), a title disputed by Toledo, Santiago, Seville, Tarragona and Braga. Toledo seemed to have a number of advantages over the others; but Santiago argued that it possessed the apostle's sepulchre, whereas Tar-

---

[25] F. MÁRQUEZ VILLANUEVA, *Santiago, trayectoria de un mito*, Barcelona 2004.

ragona presented in its favour Saint Paul's landing in the city. Eventually, and after a series of lengthy disputes, Toledo managed to achieve the granting of Bulls confirming its primacy which included denials of James' journey to Spain and his participation in the battle of Clavijo. García de Loaysa included in his *Colección de Concilios* a description of the controversy during the IV Concilio Lateranense, between the archbishops of Toledo and Santiago in the course of which the Toledan Rodrigo Ximénez de Rada sought to demonstrate the lack of evidence for belief in James' journey. Ambrosio de Morales, in his *Crónica General de España*, Book IX, chapter VII also came out against the coming of the Apostle. At about the same time as the findings of the Sacromonte, in Rome, the cardinal Cesar Baronio, who had been appointed by Pope Clement VIII in 1592 as head of a committee entrusted with the task of revising the Roman Breviary of Pius V, accepted the reasons adduced by García de Loaysa in his *Collectio conciliorum* (1593) and expressed scepticism concerning James' Spanish journey, as did the Jesuit and cardinal Roberto Bellarmino (1542-1621). Rome's official denial of the Jacobean myth was received in Spain as a considerable affront and even led to the personal intervention, in February 1600, of the King Philip III[26]. The Lead Books therefore came at just the right time to provide the Compostelan myth with the sort of "historical" foundations which had, in the face of Rome's attitude, become so necessary. They provided the desired documentary proof of the Apostle's preaching: James was said to have led in Granada the first Mass to be celebrated in Spain, and was described as doing so surrounded by future Arab martyrs, shown in the iconography of the Sacromonte wearing ostentatious turbans[27]. Several authors moved to take advantage of such a necessary aid. Among them were the Constable of Castile Juan Fernández de Velasco, who in his *Dos discursos en los que se defiende la venida y predicación del Apóstol Santiago en España* [Two discourses in which is defended the idea of the coming and preaching of the Apostle James in Spain] (Valladolid,

---

[26] *Ivi*, 315 s.
[27] J.M. PITA ANDRADE, *La iconografía de Santiago en el Sacro Monte*, 893 s., cit. in F. MÁRQUEZ VILLANUEVA, *Santiago…*, cit., 313.

1605), includes the Granada findings, mentioning "this archive in the Torre Turpiana and caves of the Sacromonte", whose timely appearance seems to have been by providential decree: "For this mercy granted by God to these realms in these very days discovering the relics and ways of the Holy Mount in Granada, which are approved by the sentence of the very reverend don Pedro Vaca de Castro, Archbishop of that city"[28]. The findings were termed an "archive" because they constituted irrefutable documentary proof, such as those used by scholarly and critical historians. The priest Juan de Mariana (1535-1624) wrote with disdain of Fernández de Velasco's book, describing it as full of errors, but a few years later followed the same path in his treatise *De advente Jacobi Apostoli Maiori in Hispaniam*, included in his *Tractatus Septem* (Cologne, 1608). As Francisco Márquez has commented[29], "it is disconcerting to see a man join the side [of those who supported the notion of James's journey] who in his *De rege* had formulated the most daring political theses of his age, but who was now incapable of seeing more than a legal dispute of the monarchy rather than a historical problem which he could have contributed towards clarifying with his profound and honest scholarship...". When the forgeries of Granada appeared, Mariana avoided committing himself or issuing a technical report on them, but he did not fail to inform archbishop Castro that he was willing to support whatever line the latter might decide to take. In a letter to Castro on 26 June 1597, in response to the archbishop's request for his view on the findings, Mariana did not conceal his reservations, but was quick to add that he was also impressed by the arguments in favour that had been put forward by certain reasonable persons, even if none of those arguments had managed to quell all his doubts. Mariana thus avoided giving a straight answer, writing only that he believed God would illuminate the archbishop, "And I in particular will accept as the best and most reliable answer whatever it is that Your Holiness resolves in such a serious matter".

---

[28] J. FERNÁNDEZ DE VELASCO, *Dos discursos en los que se defiende la venida y predicación del Apóstol Santiago en España*, Valladolid 1605, 22, *apud* F. MÁRQUEZ VILLANUEVA, *Santiago...*, cit., 320.

[29] *Ivi*, 322.

Pedro de Valencia, who doggedly maintained from the beginning of the affair that the Lead Books were nothing more than a fraud[30], wrote with regard to the defence of James' journey that to hold such a belief was to place the patriotic desire to show oneself as one of a chosen people ahead of sensible knowledge and scholarship: "[The Catholics of other nations] will say that we are so culpably given to praise and bragging of our nation that we happily admit any form of flattery, however obvious and nonsensical it may be, and much honour they will do us those of Italy and Rome if they do not say that we have practised pretence in order to bear witness to the coming and preaching of Saint James and they might even say that in our desire to pretend we were ridiculous composers, lacking in ingenuity and erudition"[31]. In Valencia's view, the forgers were not only forgers, but clumsy forgers at that. As we will now see, "praise and bragging of the nation" certainly underpinned the chronicles of Granada which were written after the findings of the Sacromonte.

Histories of Granada

Granada found itself at that time in particular need of a revision or restructuring of its place in the hierarchy of Spanish cities. Economic and political decline had been affecting the city since the repression of the Morisco uprising which led to the harsh and bloody War of the Alpujarras (1568-70) and the subsequent deportation to Castile of all the Moriscos in the kingdom. But above all, and in this same decade of the 1570s, Granada had been sidelined in the process of imperial construction which had made it so noteworthy in the times of Charles V, especially after his plans to build a great cathedral there with its imperial pantheon[32]. Charles V's will of 1554 had ordered his body to be buried in Granada be-

---

[30] P. DE VALENCIA, *Sobre el pergamino y láminas de Granada*, G. Morocho Gayo ed., in *Pedro de Valencia, Obras Completas*, IV, León 1999. See his *Estudio Introductorio*.
[31] P. DE VALENCIA, *Tratado acerca de los moriscos de España*, Málaga 1999, 12.
[32] J. CALATRAVA, *La Catedral de Granada…*, cit., 76.

side that of the Empress Isabel of Portugal his wife, who had been buried there since May 1539, but the clause was amended by the king in the codicil he added to the will in Yuste in 1558[33]. The text of the Foundation of the grand monastery of San Lorenzo el Real de El Escorial, written in April 1567, made explicit the desire of Philip II, Charles V's son and successor, to fulfil Charles' codicil, and make El Escorial the site of the imperial mausoleum, associating it with the new capital, Madrid, and leaving the Royal Chapel of Granada for his parents and grandparents, who had been mere kings[34]. The Empress Isabel of Portugal had been buried in Granada in 1539 and the city had rendered homage to her in the form of a magnificent burial service and a period of mourning in which the entire population had taken part[35]. Later, in 1540, María of Portugal, Philip II's first wife, had also been buried there, together with the Infantes Juan and Fernando. In 1572, the decision was made to move these four royal corpses to the new imperial pantheon in El Escorial[36], and this action was carried out in 1574, the same year in which Charles V's body was transported to the pantheon from its original resting-place in Yuste. The cathedral of Granada thereby lost its role as the dynastic pantheon of the House of Austria, and the departure of the royal corpse was felt as a heavy blow by the ruling Cabildo of the cathedral and the whole city of Granada. The Lead Books, whose miraculous appearance came suspiciously soon after these events, provided the city with "sacred corpses" to replace the "royal corpses" so recently lost.

---

[33] A. BUSTAMANTE, *La octava maravilla del mundo (estudio histórico sobre El Escorial de Felipe II)*, Madrid 1994, 11.

[34] A. BUSTAMANTE, *La Octava maravilla del mundo…*, cit., 120-121. M. DOLORES PARRA ARCAS - L. MORENO GARZÓN, *Granada: panteón real de los Reyes Católicos y de la Casa de Austria*, in *Jesucristo y el Emperador Cristiano…*, cit., 395-407.

[35] A. GALLEGO Y BURÍN, *La Capilla Real de Granada*, Madrid 1952, 24 s.; *El triunfo que Granada hizo al recibimiento de la Emperatriz*, 197-205. A very interesting text for the importance and the feeling produced in Granada by the presence of the Empress.

[36] DUQUE DE T'SERCLAES, *Traslación de cuerpos reales de Granada a San Lorenzo de El Escorial. Siete cartas inéditas del Rey Felipe II*, "Boletín de la Real Academia de la Historia", 60, (1912).

The city's need for these celestial bodies is made explicitly clear in a "Memorial que escribió la ciudad de Granada" [Memorial that was written by the city of Granada] to Philip IV on September 22 1640, composed with the intention of preventing the Lead Books, by then at the royal court, from leaving Spain and being returned to Granada instead of being sent to Rome. The Memorial reminds the king that at the time of the appearance of the parchment and relics, Granada "lacked sacred treasures and relics of saints and as it wished to give favour in piety and religion, [the city] determined to ask His Holiness for a body of the many held by Rome to enrich itself and have it as its patron. God, who watches over the desires of the heart, was given to manifest on the Monte Sacro [Holy Mount] not one body but a mine of holy disciples of the Apostle James, the first preachers of the Gospel in Spain"[37]. The findings allowed the "sacred geography" of the city to be reconfigured, creating a new religious centre, the Abbey of the Sacromonte, which was founded by the archbishop Pedro de Castro. The relics and the miraculous circumstances related to them transformed the Sacromonte into a symbol of the new civic and religious identity of Granada, and moved the topographical sacred centre from the cathedral to the Abbey[38].

I said earlier that there were no written histories of Granada before the Lead Books, but it would be more accurate to say that there were no published histories. There were two manuscript exceptions: the first was a very brief *Historia del reino de Granada* [History of the kingdom of Granada], an anonymous history of the Moorish kings of Granada that was never published. The other was the manuscript history by Pedro Guerra de Lorca, *Vida y martyrio de Sant Ceçilio y sus seis compañeros llamados los Apostoles de Nuestra España* [Life and martyrdom of Saint Cecilio and his six companions known as the Apostles of Our Spain], dated

---

[37] Archivo de la Abadía del Sacromonte de Granada, Leg. VI, 2ª parte, f. 1193.
[38] K.A. HARRIS, *The Sacromonte and the Geography of the Sacred in Early Modern Granada*, "Al-Qantara", 22 (2002), 517-543. ID., *From Muslim to Christian Granada. Inventing a city's past in Early Modern Spain*, Baltimore 2007.

1583 or 1584[39]. Guerra de Lorca's text shows that interest in the saints and relics existed before the discoveries of the Sacromonte and indeed, may indicate Guerra de Lorca's involvement in the forgeries, whose authenticity he was later to defend very warmly. At all events, the authors of the parchment and the Lead Books were certainly not starting from zero, but made use of existing beliefs and expectations, especially the medieval legends concerning the so-called Apostolic Barons[40]. Guerra de Lorca wrote other books such as *Memorias eclesiásticas de la ciudad de Granada*[41] [Ecclesiastical memories of the city of Granada], to which I will refer immediately below.

The discovery of the Lead Books was followed by a flood of Granadan historical work by the following authors: Pedro Guerra de Lorca, Pedro Velarde de Rivera, Luis de la Cueva, Francisco Bermúdez de Pedraza, Justino Antolínez de Burgos. These authors were now able, with the providential assistance of the Lead Books and the relics, to construct a new version of the ancient and sacred origins of the city. Some authors openly admitted that this providential assistance had provided the motive for the writing of their works. Antolínez de Burgos, for instance, wrote[42] "Of our glorious pontiff and martyr Saint Cecilio we would have little news, and confused and uncertain news, if divine providence had not revealed his relics in our times and a parchment and books and leaden plates upon which his memory is conserved. These things, as they were the main motive that I had for writing this history, have all to be our guide into port in times of trouble...". Note the insistence on regarding the Sacromonte findings as an intervention of "divine providence", and a sign of the favour with which a people was chosen.

The local histories begin with the founder and often the eponymous hero of the places studied, and these histories run parallel to

[39] BNM, mss. 1499.
[40] F.J. MARTÍNEZ MEDINA, *Los hallazgos del Sacromonte a la luz de la historia de la Iglesia y de la teología católica*, "Al-Qantara", 23 (2002), 437-475, [454 s.].
[41] AGS, C48. Varios, fols. 166-377. A manuscript copy exists in the Archivo de la Abadia del Sacromonte, Granada.
[42] *Historia Eclesiástica de Granada*, Granada 1611, 91. There is a new edition with study by M. Sotomayor, Granada 1996.

the different generations of descendants of that founder. One common feature of the Granadan histories is that all of them hold the first inhabitants of Granada, and of Andalusia in general, to have been the famous "fenices", the Phoenician founders of the city of Cadiz who, in the opinion of some authors, were Arabic speakers or according to others were Jewish, but also Arabic speakers, and from the tribes that had been captured by the Assyrians and left Palestine in the period before the coming of Christ.

Guerra de Lorca was an eye-witness to the appearance of the relics and parchment and he was an enthusiastic defender of their authenticity. In his book of the *Vida y martyrio* he refers, as one of his sources, to another book (lost, unknown or invented), as "the book of the Antiquities ... of the city of Granada from its first foundation to present times" (f. 260v). The manuscript of *Memorias eclesiásticas* is undated, but internal evidence shows that it must have been written between 1595 and 1597. In this work, Guerra de Lorca claims that Granada was founded by Jews expelled by Nebuchadnezzar, i.e. by Jews belonging to the lost tribes of Israel, also known as the Ten Tribes. Like Guerra de Lorca, Luis de Cueva insisted on the great antiquity of the Spanish language, a fundamental premise for the authenticity of the parchment and the relics, and also defended the antiquity and Christianity of the Moriscos, descendants of those early Christians who spoke Arabic and on account of whom Saint Cecilio had written that Granada was built by Arab "fenices". Like Guerra and Velarde, Cueva wrote that in the parchment of the Torre Turpiana Granada possessed "the most ancient writings in Spanish to be found in all the world". In Cueva's view, Castilian Spanish did not derive from Latin, but on the contrary was the mother of Latin, since Spaniards had colonised Italy centuries before the emergence of the Roman empire[43]. For Cueva, Granada was the ancient Iliberis, a Christian city, but a Christian city inhabited by Arabic-speaking Phoenicians.

---

[43] L. DE LA CUEVA, *Diálogos de las cosas notables de Granada y Lengua española y algunas cosas curiosas*, Sevilla 1603. New edition, Granada 1993, with study by J. Mondéjar.

Pedro Velarde de Ribera, a priest of the college of San Salvador of Granada, dedicated to Philip II his *Historia eclesiástica del monte Santo* [Ecclesiastical history of the sacred mount][44], in which he explained how a number of Jews of the tribe of Gad and other tribes, parts of the lost Ten Tribes, had been exiled to Granada, arriving there many years before the coming of Christ (f. 90v). "These glorious saints who wrote in the Arabic tongue with the characters of Solomon were of those Hebrews who were sent to Samaria, or of those of the tribe of Gad and of Ruben, [of the lost tribes] which were in Spain where they could be converted by the lord Apostle James". These lost tribes spoke Arabic. Velarde de Ribera cites Saint Thomas, according to whom "Saint Paul went to the Arabias because it was a land of infidels and thus it seems that he went to the Arabias inspired by the Holy Spirit to communicate the language of the Arabs which was so necessary for the conversion of the ten tribes who were spread over the diverse provinces of the world and to treat and converse with our blessed saints Saint Cecilio and Saint Tesifón" (f. 11r-11v). Before his conversion Tesifón was called Abenhatar, from which he was "known to be a Hebrew by nation, of the line and descent of Aaron" (163r). The first coins to have been used in the Spanish peninsula were those of Noah, which bore the image of the figure of the god Janus (f. 184). The theme of the ten lost tribes, i.e. of the tribes deported by the Assyrians in the seventh century before Christ to a distant, unknown territory was a legendary one with a wide diffusion in Europe during the Middle Ages. In its Jewish version, after their deportation the ten lost tribes of Israel were cut off at the ends of the world by a river, the Sambation or "river of stones", a river which was so wide that it could not be crossed[45]. This river only ceased to flow on the day of the Sabbath, a circumstance which prevented the Tribes from ever crossing it. The belief was that when these tribes were found or freed, the time of Redemption would come; it was, in other words, a clearly messianic theme, especially because of the way it was linked with the theme of

---

[44] BNM, Mss. 1583.
[45] A.H. GODBEY, *The Lost Tribes, a Myth. Suggestions towards rewriting Hebrew History*, New York 1974.

Prester John, a Christian king living beyond the confines of the known world in India or Ethiopia whose identity and location led to numerous speculations in the West from the period of the Crusades. For the Portuguese, the idea of an alliance with Prester John, who during the sixteenth century was believed to be living in Ethiopia[46], against Islam, the common and ancestral enemy, became fundamental to Portugal's imperial destiny. Thus, by claiming that the Ten Lost Tribes were among the first settlers of Granada, a messianic period was evoked, that of the universal empire, at the same time that a connection was made with Biblical times through Jews upon whom it was not possible to hang the shame of having taken part in the persecution and execution of Christ.

Velarde de Ribera also echoed the belief, in his view wrongful because the ten tribes had settled in Andalusia, that these tribes were the origin of the American Indians. This belief and its messianic implications had formed the basis of the famous work of the Jewish writer of Portuguese origin based in Amsterdam, Menasseh ben Israel, entitled *Esperança de Israel* [Hope of Israel]. But before him, the Dominican Fray Francisco de la Cruz had been tried by the Inquisition of Lima between 1571 and 1596. The dreams and prophecies of Fray Francisco claimed that the American Indians were descendants of the ten lost tribes. These tribes, separated from Roboam and taken into captivity by Salmansar, had, according to Fray Francisco, decided to leave "in search of a more distant region where the human genre had never lived with the aim of following there the laws which had not been observed in their country". Fray Francisco spoke of himself as the "new David" who would redeem his people[47]. As in the texts on the history of Granada, the eschatological and redeeming content of such recourse to the lost tribes is made clear, with those tribes being seen as a part of the people of Israel during times in which this people was close to God, and who had left for unpopulated regions with the intention of keeping there the revealed Law in all its purity.

---

[46] C.F. Beckingham - G.W. Huntingford, *The Prester John of the Indies*, Cambridge 1961.

[47] V. Abril Castelló, *Francisco de la Cruz. Actas del proceso inquisitorial*, I, Madrid 1992, 46-477.

In this respect, the case of the Toledan Jesuit Jerónimo Román de la Higuera is particularly interesting. Higuera was an ardent defender of the Lead Books, and the author of a manuscript in defence of them still preserved in the Sacromonte of Granada, in which he maintained that the Arabian peninsula was almost entirely Jewish during the times of Christ, and that the populations there were Arabic-speaking Jews. The Arabic language was argued to be the closest of all tongues to Hebrew[48]. Thus it was that the saints of Granada had been "of the Arab nation and professing Hebrews". The "Phoenicians were of the same trunk as the Arabs and in their language they were all one and the same people"; "Now the Jews are the most despised people but in ancient times they were the most honoured since God gave them the treasures of his writings, and because among them Christ was born of his blood and flesh"[49]. Against the arguments of some who objected to the Leaden Books by saying that the "Solomonic characters" in them could not be true, given that Solomon had written in Hebrew, he claimed that Arabic derived from Hebrew, and devoted several pages to the issue, explaining among other things its vocalic system through lines and dots above or below its consonants. The language issue dominates his writing, as he wishes to answer the famous and crucial question asked by those who attacked validity of the Lead Books, which was: how could anyone in the Iberian Peninsula have known Arabic before the Islamic conquest? Román de la Higuera wrote, among many other texts, a false chronicle attributed to Dextro, a supposed ancient author who had written a history of the church in Hispania, and he wrote the supposed Latin chronicle with the aim of demonstrating that certain pious traditions of maximum importance for the religious history of the peninsula were rigorously true and based on documents which he himself had falsified. His aim was to write the history of the city of Toledo with an intention very similar to that of the Sacromonte books, i.e. to adjust the ecclesiastical history of

[48] M. GARCÍA-ARENAL - F. RODRÍGUEZ MEDIANO, "*Jerónimo Román de la Higuera and the Plomos of the Sacromonte*", in *Moriscos and Conversos and Spain and its world*, K. Ingram ed., forthcoming.
[49] Archivo de la Abadía del Sacromonte de Granada, Leg. 2, 47.

Spain to that of Toledo in particular, and his work was based on points such as James' journey to Spain.

Román de la Higuera's work had, like the Lead Books of Granada, an immense effect of religious, patriotic enthusiasm and local pride, since, in the words of Caro Baroja[50], Higuera "had a tendency which can be considered sentimental and romantic to find truth in the 'pious traditions' which were most attractive to the common people". In his *Historia de Toledo*, written after the Sacromonte findings, the Toledan Jesuit "demonstrated" that there were Jews in Toledo before the death of Christ (thus liberating Spanish Jews from the crime of "deicide") and presented documents according to which Spanish Jews sent representatives to the apostle so that the latter could send them people to give them instruction in the new Law. The Jews of Spain gladfully received instruction from Saint James himself, who came at their request. The appearance of the Virgin of the Pillar, the activity of Saint James' disciples, and the foundation of several episcopal seats, are minutely described in the chronicle of Román de la Higuera, who mixes true and false documents in his labour of manipulation and incrustation, all formulated in a style close to that of illumination and exaltation.

Of all the histories of Granada, the most important were undoubtedly *Antigüedad y excelencias de Granada* (1608) and *Historia eclesiástica de Granada* (1628) by Francisco Bermúdez de Pedraza[51]. Pedraza devoted many pages of his work to the city of Granada, and attempted to merge the two traditions which could provide it with historical prestige: the "ancient" one and the biblical. Granada was thus seen by him as founded by Liberia, greatgrandson of the Egyptian Hercules and the fourth grandson of Noah, many years before the foundation of Rome. Later he demonstrated that it was the ancient "Iliberia". Pedraza placed great store by epigraphic inscriptions, which he regarded as valu-

    [50] J. CARO BAROJA, *Falsificaciones de la historia (en relación con la de España)*, Barcelona 1992, 164.
    [51] J. CALATRAVA, *Encomium Urbis: La Antigüedad y Excelencias de Granada (1608) de Francisco Bermúdez de Pedraza*, in *Iglesia y sociedad en el Reino de Granada (ss. XVI-XVII)*, A-L. Cortés Peña - M.L. López-Guadalupe - A. Lara Ramos eds., Granada 2003, 467-485.

able proofs: stone inscriptions were seen by Pedraza as public and
authentic writings, and completely trustworthy. In the case of
Granada, Pedraza infers from its Roman inscriptions not only the
continuity of "Iliberia" but also the "freedom" of the city, never
crushed, and presents it as a friend and not a slave of the Roman
Empire. Granada was the seat of early, original Christianity, directly connected not only with the historical fact of the celebra-
tion of the Concilio Iliberitano, but with the mythical figure of
Saint Cecilius, "a native of Arabia and a contemporary of Christ".
The very arrival of Cecilio in the city is seen as an emblem of its
election as a privileged place, depository of an indelible faith wa-
tered with the blood of martyrdom even after the interval of Islamic dominance. The defining feature of the people of Granada,
in Pedraza's view, was their religiosity, whether they were Gentiles,
Moors or Christians. The special religious character with which
the city impregnated its inhabitants was even made manifest in the
behaviour of its Muslims: "Religion also flourished among the
Moors, as can be seen by the great number of major and minor
mosques in the city and Albaycin: testimony to the great venera-
tion which these deceived Arabs accorded to their false Prophet".
Book Three opens with a history of the Moorish kings of Granada
which seeks to demonstrate that even in that age of infidelity,
Granada was superior to all other Muslim kingdoms. The extremely difficult historiographical task of attempting to recover
something from the period of Muslim greatness in a Granada
which had only recently expelled the Muslims was brought off by
Pedraza through genealogical exaltation of the Granada-Venegas,
one of the most important noble lineages of Granada, of Nasrid
origin, who were not presented as Moriscos but as Christians even
before the period when Granada was recovered, and who were
shown to have descendants stretching back, like the Kings of
Granada, to the Visigoths through the Moorish kings of Aragon[52].
Thus, and in consonance with contemporary Gothic myths, Pedraza gave them the sort of legitimacy provided by a Gothic ge-

---

[52] J. CALATRAVA, *"Encomium urbis"*..., cit., 482. On the Granada-Venegas family and its connection to the Sacromonte affair, see M. GARCÍA-ARE-
NAL, *El entorno de los Plomo*, cit.

nealogical background. A manuscript copy of a genealogical work on the Granada-Venegas family, undoubtedly sponsored by them, and entitled *Origen de la casa de Granada* [Origin of the house of Granada] is preserved in the Library of the Royal Academy of History[53]. It is a genealogical history supported by documents, some of them false and others true, such as that which documents the favours granted the family by the Catholic Kings, vindicating, as did Pedraza, a Gothic origin for the house of Granada-Venegas. Pedraza pays great attention to the monuments of the city. He saw the old Arab alminar which now served as the tower of the church of San José as the "work of Phoenicians"[54], and which, together with the Torre Turpiana and that of San Juan de los Reyes, showed "how great was this city in those times". The cathedral was described by him as "the eighth wonder of the world", and clearly unsurpassed by El Escorial, whose foundation, [as we have seen,] had snatched from Granada its seat as an imperial mausoleum[55]. Like other defenders of the authenticity of the Leaden Books, Pedraza saw Spanish Castilian as a very ancient and primal tongue. It was not, in his view, derived from Latin, but was one of the tongues spoken on the day of the Pentecost. The Latin inscriptions in the city to which he attributed such importance were written in that language, and not in Spanish, for the sole reason that they were therefore easier for foreign visitors to understand.

Together with the work of Pedraza, the most interesting and richest book is that by Bernardo de Aldrete, *Varias antigüedades de España, Africa y otras provincias* [Diverse antiquities of Spain, Africa and other provinces] (Antwerp, 1614). Aldrete had taken part in the controversy concerning the antiquity of the Spanish

[53] BRAH, Colección Salazar y Castro, B-86; E. SORIA MESA, *Una versión genealógica del ansia integradora de la elite morisca: el Origen de la Casa de Granada*, "Sharq al-Andalus", 12 (1995), 213-221.

[54] J. ALVAR, *El descubrimiento de la presencia fenicia en Andalucía*, in *La Antigüedad como argumento...*, cit., 153-170.

[55] J. CALATRAVA, *La Catedral de Granada...*, cit., 69; ID., *Granada en la historiografía religiosa seicentista: la Historia Eclesiástica de Bermúdez de Pedraza (1639)*, in *La historia del Reino de Granada a debate. Viejos y nuevos temas. Perspectivas de estudio*, M. Barrios Aguilera - A. Galán Sánchez eds., Málaga 2004, 705-726.

language, arguing with the support of documents that it derived from Latin, which had been corrupted during the time of the Visigoths and that its denomination as a "romance" tongue testified to its origin[56]. His theories were explained and rigorously set out in his book *Del origin y principio de la lengua castellana* [On the origin and beginnings of the Spanish tongue], published in 1606, one of the first essays on the history of the Spanish language, and an extremely important book, which reveals great philological knowledge and earned him a number of attacks from defenders of the authenticity of the Lead Books. For example, one of the most passionate of such defenders, Gregorio López Madera, attacked the content of his work, which "impugned the excellence of our nation and language" by having it descend from Latin, but also its author for "rising up against the honour of our nation"[57]. In his desire to counter these attacks and show himself to be a defender of the Lead Books, Aldrete developed throughout several chapters of *Varias antigüedades* the idea that the appearance of written Spanish on the parchment was a miraculous and prophetic appearance. Were the Apostles not given by divine decree the gift of tongues so that they might transmit the message of Christ throughout the world? God could equally have disposed providentially of the date on which the Lead Books would be revealed before His new "chosen people" and had dictated the content of the parchment in the language which He in His omniscience had known would be spoken by that people at the moment of their appearance, i.e. in sixteenth-century Castilian Spanish. He also argued in great detail that Arabic was already spoken in North Africa before the arrival of the Muslims. Muhammad, he wrote, gave the Arabs a sect, but not a language. This was a very important statement, because one of the main objectives of the Sacromontan forgers was to separate the Arabic tongue, an early and eschatological one, from its identification with Islam. One of the Lead Books places the following words in the mouth of the Virgin Mary: "I tell you that the Arabs are one of the good nations

[56] K.A. WOOLARD, *Bernardo de Aldrete, humanist and laminario,* "Al-Qantara", 24 (2003), 449-475.
[57] G. LÓPEZ MADERA, *Excelencias de la monarquía y reyno de España*, Madrid 1625[2], 100.

and their language one of the good languages. God chose them to exalt his holy law and his sacred gospel and his holy church at the end of Time and I am sent to work with it what was worked by the Tablets of Moses"[58]. Thus the Moriscos, and especially the Granadan Moorish families, should be able to integrate within Christian society and keep their privileges at the same time that they kept some of their most important and dearest signs of identity. This idea had already been clearly formulated by the Moorish nobleman Don Francisco Núñez Muley in the Memorial he directed to the Audiencia of Granada in an attempt to prevent the effects of the Pragmatic of 1567 which prohibited the Moriscos of Granada from, among other things, using the Arabic tongue, arguing that that tongue should not be identified with Islam, and citing in his support the case of the eastern Christian churches which even employed it in their liturgies.

Aldrete was clearly uncomfortable with the theory of the historians mentioned above, and to whom must be added the names of Pablo de Céspedes and Román de la Higuera, that the first settlers of Granada were Jewish, and he explains how the Christians took time to become known as such and called by the name of Christians. In the caves of Granada/Garnata (the toponym for which he provides the following etymology: "Gar", cave, "natan" from "nata'alam", to learn), caves which were at one and the same time a sacred and primal place, Saint James had preached Christian doctrine to his disciples (pp. 317-326). Aldrete's position, like that of Mariana in the Saint James issue, was an extremely difficult one: he was faced with a dilemma between his "scientific" knowledge and his reason on one side, and his emotional position and pragmatic interests on the other. He was not able to deny that Spanish Castilian derived from Latin, but was unwilling to admit the falseness of the Lead Books, which he defended in Madrid and concerning which he maintained an interesting correspondence with the archbishop Pedro de Castro[59]. Aldrete himself explained how to resolve this dilemma, arguing that "the affairs of Saints are not

---

[58] As translated by Alonso del Castillo, BNM, mss. 6637, fol. 3v.

[59] J. MARTÍNEZ RUIZ, *Cartas inéditas de Bernardo de Aldrete (1560-1641)*, "Boletín de la Real Academia Española", 50 (1970), 77-135, 277-314, 471-515.

to be judged by ordinary rules, of which I write and with which I deal; beyond them lies the path of that which is supernatural"[60].

Bernardo de Aldrete coincided with Bermúdez de Pedraza in stating that the Torre Turpiana was the work of "Phoenicians", who had been employed by Nimrod in the building of the Tower of Babel: a link was thereby made between Arab architecture – Arab and not Islamic – and Biblical antiquity, i.e. the sacred times close to Revelation. After language, it is architecture which needed to be divorced from the religious faith to which it had been united.

Pablo de Céspedes, a colleague and personal friend of Bernardo de Aldrete, with whom he maintained an intense correspondence, wrote a highly important work on Cordoba, his native city. Céspedes, in charge of the accounts of the cathedral of Cordoba and a painter and humanist, also interpreted the origins of his city in terms of its foundation by the sons of Noah and sought to demonstrate by reference to architectural remains the intimate relation between the Cordoban temple dedicated to the God Janus (the god of Noah), above which was raised the great mosque and cathedral, and the Temple of Solomon in Jerusalem. The relationship between Troy and Rome through Aeneas is thus transformed into that between Jerusalem and Cordoba through Tubal, grandson of Noah and the first settler of the Iberian Peninsula after the Flood and the Ark[61]. For the pretended Hebrew pre-eminence was carried out through the application of the methodology and approach which humanists had taken from classical culture. In his *Discurso sobre la antigüedad de la iglesia de Córdoba y cómo fue templo del dios Jano*, where he carried out a fusion of the Biblical and the mythological, he considers the entire architectural construction of Cordoba a transplant of that of Jerusalem and an epitome of the transfer of Biblical spiritualism to the Spanish empire. Spanish imperialism was thereby endowed with a pre-eminence of divine origin which placed it above all other

[60] B. DE ALDRETE, *Varias antigüedades de España, Africa y otras provincias*, Antwerp 1614, 270.
[61] J. RUBIO LAPAZ, *Pablo de Céspedes y su círculo. Humanismo y contrarreforma en la cultura andaluza del Renacimiento*, Granada 1993, 101.

European countries. Everything associated with Islam was practically obliterated, avoided and silenced: "There remains to me another way of proving which consists of true architecture, and although all the temple certainly seems to be made by Moors in that Arabic manner of theirs, if it is considered well and its walls examined by experts, architects and that (sic) they had news of the walls made by the ancients, a great difference will be seen in those of this temple, although all made from square bricks and very large of those which cannot be laid unless it is with machines and very strong instruments"[62].

To summarise: the historians of Granada seem to have agreed that the pure language inaugurated by Noah after the Flood, spread around the world and that Castilian Spanish was directly derived from it. Expeditionaries sent by Noah took refuge in the caves of Granada and it was in them that Saint James had preached to his descendants, accompanied by Arab disciples, the first in the Peninsula to convert to Christianity. On the site of these ancient shelters the Romans had raised a temple which was to be the seat of the Concilio Iliberitano, celebrated at the start of the fourth century before Christ, making Granada the oldest city in the Iberian Peninsula with evidence of early Christianity. But there had also been preserved, from times before this temple, the vestiges of the Torre Turpiana and a few capitels from a previous construction, a work of the Phoenicians which resembled those of the Temple of Solomon, previous to Greek orders and derived from a Biblical architecture revealed by God[63]. Archaeology acquired a value similar to that of relics in the forgery of a past which differed from that of the classics. In this way, Arab architecture was definitively linked to the Temple of Solomon and found its origin in the divine architecture of the earliest Biblical period. A symbolic link was thus established between Islamic architecture and Biblical tradition, between the origins of architecture and ancient wisdom. Islamic architecture ceased to be Islamic and was directly linked with an Antiquity doubly sanctioned by the Bible and by archaeology.

---

[62] *Apud* J. Rubio Lapaz, *Pablo de Céspedes...*, cit., 329.
[63] D. Rodríguez, *La Memoria frágil...*, cit., 51-52.

Conclusion

It is at first sight highly surprising that the local histories of Granada, Toledo or Cordoba should claim among its first settlers the Jews and, further, supposedly Arabic-speaking Jews, during a period in which the Statutes of Purity of Blood (*Estatutos de pureza de sangre*) were in full vigour and in which both a Jewish and Muslim background were a stain in the life of any inhabitant of homogenous and Catholic Spain, but also in the anti-Spanish propaganda which was put together, above all in Italy[64]. Local history could not avoid the obvious existence of Muslims and Jews who were not only subject to political expulsion but to exclusion by the official historiographers of the period. The solution, brought by the findings of the Sacromonte, consisted in incorporating those Jews and Muslims by depriving them of their religious identity: turning the Arabs into Christians and the Jews into the Lost Tribes who had not been able to take part in the condemnation of Christ. Thus, the original settlers and the archaeological and architectural traces of the medieval period were linked with the Biblical Antiquity of the times in which the chosen people had been closest to its God. A new people chosen by virtue of this inheritance and the miraculous finding of the testimony of the word of God in the form of the Lead Books, those served in turn to feed the messianic ideology of the Spanish empire.

That explains, to my view, why the Lead Books had such a tremendous success from the Christian majority point of view, but it also explains part of the aims and intentions of the Morisco forgers. Miguel de Luna might have been one of them.

Miguel de Luna

Luna was a Morisco physician, translator and interpreter from Granada who is mainly known as the author of a false historical chronicle which claimed to be the translation of an Arabic manuscript written by an invented chronicler called Abentarique whose

---

[64] B. CROCE, *La Spagna nella vita italiana durante la Rinascenza*, Bari 1917.

work Luna alleged that he had come across in the library at El Escorial. The aim and main narrative thread of this work, Luna's *La verdadera Hystoria del Rey Don Rodrigo*, published in Granada in 1592[65], are clearly defined as displaying the nobility and past glories of lineages of Moorish origin. The book is also a history of the Islamic invasion of the Iberian Peninsula in which that Peninsula is saved by the recently arrived Muslims from the evil and corruption of its Visigothic rulers[66]. At the same time, the work is also a "mirror of princes" in which rulers are urged to distinguish between good and evil subjects independently of the religion which those subjects profess.

Miguel de Luna was a royal interpreter and the author of a short treatise in defence of baths. He was also, from the very moment of the discovery of the parchment and Lead Books of the Sacromonte, a translator of those texts who worked in the service of Archbishop Pedro de Castro, as well as being an active apologist for their authenticity. It has to be said that there was a remarkable consistency to Luna's activities. Throughout all his work, his strategy was to defend and preserve cultural features of Morisco identity by separating them off from the Islamic religion, with particular stress given to the importance of defending the Arabic language. Luna liked to present himself as a "cristiano arábigo" or Arabic Christian. His work aimed, above all, to re-write the origins of the history of Christianity in the Iberian Peninsula in such a way that the population of Arab origin would be considered "natives" of the land (an integral part of "one of us"), so that its members would not be expelled as foreign invaders but could gain access to honour and privilege. It is a strategy which exactly coincides with that of Núñez Muley's *Memorial* and other Moriscos in the social and intellectual elites who sought to build bridges which might provide them with a way into Christian society and thereby

---

[65] Facsimil edition with study by L. Bernabé Pons, Granada 2001.

[66] M. GARCÍA-ARENAL - F. RODRÍGUEZ MEDIANO, *Médico, traductor, inventor: Miguel de Luna, cristiano arábigo de Granada*, "Chronica Nova", 36 (2006), 187-231 and M. GARCÍA-ARENAL - F. RODRÍGUEZ MEDIANO, *Miguel de Luna, cristiano arábigo de Granada*, in M. BARRIOS - M. GARCÍA-ARENAL, *¿La historia inventada? Los libros plúmbeos y el legado sacromontano*, Granada 2008, 83-136.

become assimilated within it and enjoy its privileges, at the same time that they held onto a series of cultural characteristics which they were unwilling to give up, without this fact necessarily meaning that they were still Muslims *in pectore*. One outstanding example of such a group of Moriscos is the Granada-Venegas family, mentioned above, and possible sponsors of the Sacromonte forgeries. I will not repeat here arguments which I have outlined elsewhere[67], and as I have said above this family ordered the composition of a genealogical work, *Origen de la Casa de Granada*[68] which did not hesitate to argue that the Granada family had ties with the royal lineages of Hispania in the period before the Muslim conquest, thus giving themselves both a Gothic and a royal origin. The work also outlined the family's philo-Christian activities during the period of Muslim occupation. Luna's work followed the same line: his writings always imply the demonstration of the existence of "Moors" or "arábigos" who are good Christians, and it is in this direction that he seeks to influence the authorities and society in which he lived. Like so many other Spaniards of his time, Luna seems to have sought to open up a means of integration in a society which was dominated by the statutes of *limpieza de sangre* and had closed off all access to honour and glory to a huge number of people. What Luna, like others of his contemporaries, tried to do, was to propose an alternative history of this society. It was a history which necessarily traced itself back to its holy Christian origins, in line with the official narrative of an emerging proto-national historiography, but one which permitted the inclusion within the national story of those groups who were in fact destined to be left on the margins – the Christians of islamic or Jewish origin.

---

[67] M. GARCÍA-ARENAL, *El entorno de los Plomos: historiografía y linaje*, in *Los Plomos del Sacromonte. Invención y tesoro*, cit.
[68] Manuscipt copy in the BRAH, Colección Salazar y Castro, B-86.

LES APPROCHES DE L'ISLAM AU XVIIᴱ SIÈCLE À TRAVERS LA SCIENCE ET LA PHILOSOPHIE

Geneviève Gobillot

Le XVIIᵉ siècle représente indéniablement une période charnière pour tout ce qui, en Europe, a touché de près ou de loin à une réflexion sur les sujets religieux. Il ne fait aucun doute que l'évolution rapide des processus de la pensée sur ces questions à l'époque doit être envisagée en grande partie comme un effet des violentes oppositions entre catholiques et protestants engagées au siècle précédent, ainsi que de la poursuite des persécutions, même après l'édit de Nantes.

De tels événements ayant largement débordé le domaine de la théologie pour affecter tous les niveaux de la vie et de la pensée, aucune approche des autres religions, dont l'islam qui nous intéresse ici, ne peut être examinée hors du contexte moral et intellectuel qui en a résulté[1]. C'est pourquoi plusieurs références à ces circonstances émaillent la présentation qui va suivre d'un corpus encore rarement pris en compte par les historiens des idées. Il s'agit des écrits d'amateurs de sciences et de philosophes ayant commencé à se pencher de manière significative sur un domaine considéré jusque-là comme extérieur à leurs compétences.

Le sujet étant vaste, on se limitera pour l'heure à quelques coups de sonde dans les cercles concernés, en vue d'accéder à une

---

[1] Les historiens remarquent unanimement que l'édit de Nantes, entre autres, a marqué une étape dans l'évolution des mentalités en instaurant une distinction entre le sujet politique qui doit se soumettre à la loi du souverain et le croyant libre (en principe) de ses options religieuses. Il faut ajouter à cela les changements politiques et commerciaux qui firent du XVIIᵉ siècle «un laboratoire de politique moderne» vis-à-vis de l'islam. Voir G. DOTOLI, *La fin du centre, Les Méditerranées du XVIIᵉ siècle, Actes du VIᵉ colloque du Centre de Rencontres sur le XVIIᵉ siècle*, Tübingen 2002, 7-22, [8].

première présentation synthétique des questions qui semblent y avoir suscité le plus d'intérêt.

Trois domaines spécifiques seront abordés :

1. Celui de deux auteurs qui se sont intéressés aux sciences : biologie, éducation, histoire, histoire des idées, cosmologie : Abraham Ecchellensis et Gabriel Sionite, arrivés l'un après l'autre pour enseigner le syriaque et l'arabe au Collège royal entre les années 1614-1651, mais aussi traducteurs de textes arabes concernant divers domaines du savoir. En tant que chrétiens libanais invités pour leur connaissance de l'Orient, ils ont porté sur l'islam un regard destiné avant tout à informer le public européen. Leur situation particulière, si elle explique certaines de leurs positions, ne nuit en rien à l'intérêt historique de leurs approches, d'ailleurs diverses et contrastées, à travers des concepts liés à plusieurs disciplines.

2. Celui des pionniers de la toute nouvelle science de l'histoire des religions, comme John Spencer, dont le but, à travers son *De legibus Hebraeorum* (1685) était, conjointement, de nature philosophique, à savoir : dénoncer au moyen d'arguments catégoriques les superstitions des diverses religions, et John Toland qui, vers 1709, a exprimé sa certitude, à travers une analyse du faux *Evangile de Barnabé*, d'avoir découvert les origines chrétiennes de l'islam et en a tiré directement des conséquences d'ordre politique.

3. Celui des philosophes, dont on présentera trois aspects : la question de la tolérance chez Pierre Bayle, en particulier à travers quelques articles de son *Dictionnaire Historique et Critique* (1697), celle de «l'argument paresseux», traitée par Leibniz dans ses *Essais de Théodicée* (1710) ; enfin celle de la liberté chez Spinoza, dans son *Traité Théologico-Politique* (1670) et les éléments de sa *Correspondance* (1671) qui s'y rapportent.

Au cours de ces exposés seront proposées, en tenant compte des derniers acquis de la recherche, quelques appréciations sur le degré de pertinence ou, selon les cas, d'inadéquation des informations retenues par ces acteurs de l'entrée dans une réflexion nouvelle sur l'islam. L'intérêt de pouvoir mieux évaluer leurs démarches est d'autant plus grand que certains de leurs points de vue seront directement repris et développés, voire systématisés, par les orientalistes des siècles suivants.

L'héritage du XVIe siècle et son impact

Avant d'aborder ces textes, il convient de présenter en substance l'héritage relatif à la connaissance de l'islam dont pouvaient disposer leurs auteurs. Aucun corpus n'est plus représentatif à cet égard que le plaidoyer de Théodore Bibliander – intitulé *Apologia*[2] – pour la défense de son édition, en 1543, de la traduction latine du Coran effectuée quatre siècles plus tôt sur l'initiative de Pierre le Vénérable[3]. Publiée en introduction de cette première édition, l'*Apologia* représentait une somme de connaissances d'une valeur unique pour l'époque, à laquelle la présentation succincte et assez superficielle de l'islam par André du Ryer, premier traducteur du Coran en français, en 1647, ne peut être comparée[4].

Le premier point qu'il met en avant est la dimension monothéiste de l'Islam. Bibliander en a tiré l'argument selon lequel il est moins dangereux de publier le Coran que les auteurs païens, grecs et latins, que l'on diffuse sans état d'âme, car il a au moins le mérite de combattre le paganisme dont le monde chrétien s'est laissé envahir par le biais de cette littérature, sous le prétexte fallacieux d'étude des langues anciennes, d'intérêt pour la culture et de recherche éthique et morale[5].

Son deuxième argument témoigne d'une connaissance plus précise encore du texte coranique, à savoir que l'on publie sans aucune difficulté le Talmud, alors que «Mahomet est moins mauvais que les juifs puisque, si comme eux il rejette la divinité de Jésus, il admet l'état virginal de Marie, que ceux-ci refusent».[6] Il

[2] Il a été tout récemment publié en latin, accompagné de sa traduction française : *Le Coran à la Renaissance, plaidoyer pour une traduction* Théodore Bibliander, introduction, traduction et notes de Henri Lamarque, textes interlangues, Toulouse 2007.

[3] Il s'agit du texte figurant dans le corpus dit «De Tolède» (*Corpus Toledanum*) dont l'original se trouve à Paris, Bibl. de l'Arsenal, 1162. Cette traduction avait été réalisée par Robert de Ketton et elle a servi de matrice aux traductions, italienne, de Arrivabene en 1547, et allemande, de Salomon Schweigger en 1616, ainsi qu'à la traduction hollandaise anonyme de 1641.

[4] Publiée en 1647 et rééditée de nombreuses fois : A. HAMILTON - F. RICHARD, *André du Ryer and the Oriental Studies in Seventeenth-Century France*, Oxford 2004.

[5] *Le Coran à la Renaissance...*, cit., 44.

[6] *Ivi*, 48.

ajoute en complément à cette comparaison avec le judaïsme, que s'il ne fait aucun doute que les musulmans se permettent d'exercer la contrainte et la violence pour convertir, les juifs «se montreraient tout aussi violents qu'eux s'ils en avaient seulement la possibilité»[7]. Cette manière de présenter l'islam comme moins mauvais ou, en tout cas, «pas pire» que telle ou telle autre religion, va se perpétuer et même faire florès, en particulier à partir de la seconde moitié du XVIIe siècle, où elle sera souvent utilisée contre le catholicisme, par des auteurs protestants comme Pierre Bayle[8].

Un troisième type d'arguments est que l'exposé de la doctrine de Mahomet représente un intérêt indéniable en ce qu'elle est «une partie de l'histoire de l'Eglise»[9]. La méthode de Bibliander consiste à la présenter comme un composé de plusieurs hérésies chrétiennes. Dans cette perspective, lire les textes de l'islam, ce serait se détourner de l'impiété selon la méthode éprouvée des hérésiographes «classiques» comme Irénée. Les arguments qu'il donne à ce sujet prouvent son excellente connaissance de la christologie coranique qui lui permet de voir que le Coran rassemble diverses affirmations dogmatiques correspondant chacune à celle d'un groupe hérétique[10]. La seule question à laquelle il ne donne pas

---

[7] *Ibidem*. Il répond directement là, sciemment ou non, à Yehuda Hallévi qui, quatre siècles plus tôt, dans son *Kuzari*, renvoyait dos à dos chrétiens et musulmans dans les termes suivants : «Ils manifestent pour leur Dieu une pure dévotion, se vouent à son culte, pratiquent l'ascèse, jeûnent, prient, puis s'en vont fermement décidés à tuer leur prochain, convaincus que c'est le plus bel acte de piété qu'ils puissent accomplir et qui les rapproche de Dieu. Ils se combattent mutuellement et le chrétien, comme le musulman, croit que son voyage le mènera au Jardin Paradisiaque». *Le Kuzari ou l'apologie de la religion méprisée*, introduit, annoté et traduit à partir du texte original arabe par Ch. Touati, Paris 2001, *Livre premier*, 5.

[8] On rencontre très tôt ce type de réaction chez Pierre Abélard qui, en tant que philosophe et théologien incompris de ses contemporains chrétiens disait envisager, vers 1122, «de chercher chez les *gentiles* un havre de paix, pensant trouver en quelque califat, comme *dhimmî*, meilleur traitement qu'auprès de ses frères de foi». *Historia calamitatum*, Paris 1978, 97.

[9] *Le Coran à la Renaissance...*, cit., 56 s.

[10] Le nestorianisme, mais aussi le monophysisme et l'arianisme. Bibliander va même dans l'élan de son zèle, jusqu'à citer des groupes qui ne présen-

de réponse et qui, pourtant, aurait pu attirer son attention, est la difficulté de définir comme simple hérésie une doctrine qui combine, précisément, autant d'hérésies diverses[11].

Pour lui, l'islam n'est pas très dangereux sous cet angle dans la mesure où «les raisonnements de Mahomet sont languissants et poussifs lorsqu'il veut démontrer que le Christ n'est pas Dieu»[12] et il reprend un argument déjà avancé par Pierre le Vénérable, à savoir que la faiblesse théologique de cette religion a pour résultat que les partisans de Mahomet fuient toute controverse[13]. Ainsi, refuser la publication de la traduction du Coran serait faire le jeu des mahométans «qui cachent même leur livre et ne voudraient le voir traduit en aucune langue ou alphabet»[14]. Il est nécessaire de connaître leur doctrine pour se prémunir contre ses dangers en ces temps de péril extrême où il faut rassembler toutes les forces pour lutter contre l'«Antichrist». On doit l'étudier comme on ferait de n'importe quelle hérésie chrétienne : «Lis tous les textes qui te tomberont entre les mains, car tu es capable d'analyser et de juger chacun d'eux, puisque tel fut le départ de ta foi»[15].

Une telle application systématique de la raison à toutes les données de la foi se verra radicalement rejetée par Spinoza un siècle plus tard au nom de sa conception d'un État de type laïc au sein duquel chacun devrait avoir la liberté de croire ce qu'il veut, toute croyance ayant à ses yeux un fond d'irrationalité. En revanche,

---

tent pas de rapport avec les doctrines coraniques. Voir *Le Coran à la Renaissance...*, cit., 74 s.

[11] Il estime simplement qu'«un hérésiarque n'ayant jamais voulu passer pour le disciple d'un autre, alors qu'il enseigne la même impiété, ces criminels mystificateurs ont maquillé leur propre dogme pour pouvoir le vendre pour du neuf et ils l'ont présenté comme ayant été transmis par le ciel à Mahomet». Ceci implique sa connaissance du dogme musulman sur la révélation, descendue du ciel. *Le Coran à la Renaissance...*, cit., 76.

[12] *Ivi*, 58.

[13] «S'il [Mahomet] avait été sûr de la véridicité de sa religion, il n'aurait pas fui la confrontation» et «Ce qui est vrai recherche la lumière, autant que la fausseté se réfugie dans l'ombre». *Petrus Venerabilis, Schriften zum Islam*, editiert ins Deutsche übersetzt und kommentiert von Reinhold Glei, Corpus islamo-christianum, CIST, Altenberge 1985, *Contra sectam saracenorum*, I, 76, n. 34.

[14] *Le Coran à la Renaissance...*, cit., 60.

[15] *Ivi*, 64.

son contemporain John Toland reprendra, pour ainsi dire, le fil du raisonnement de Bibliander, mais pour aboutir cette fois à la conclusion que l'islam n'est autre qu'un christianisme à part entière, ayant ses racines dans les plus anciennes traditions de cette religion et devant être reconnu et respecté pour tel.

Toujours dans le cadre d'une réflexion sur l'hérésie, Bibliander constate que «L'astucieux pseudoprophète, voulant donner l'impression que sa doctrine était en accord avec les écrits canoniques de l'Ancien et du Nouveau Testament, l'a appelée tantôt supplément au Testament judaïque et à l'Evangile, tantôt confirmation». Le procès d'intention mis à part, il n'est rien de plus juste que cette remarque, le Coran se présentant à plusieurs reprises lui-même en ces termes[16]. Dans la foulée, il souligne que «certaines idées sont empruntées aux apocryphes des juifs et des chrétiens»[17]. Or, cette affirmation, remarquable de précision pour l'époque, touche un point essentiel, puisque le Coran revendique lui-même ces références[18]. On verra plus loin que Toland, emporté par l'élan de ses démonstrations, sera amené à minimiser, à tort, ce point.

Par ailleurs, Bibliander fait preuve, en différenciant à deux reprises des éléments provenant de la tradition prophétique et du corpus exégétique de ceux du texte coranique, d'une précision méthodologique remarquable pour l'époque[19], compétence que ne peuvent occulter ses associations réitérées entre le Malin et la

---

[16] Le mot exégèse (*tafsîr*) est lui-même un terme coranique, bien qu'il ne compte qu'une seule occurrence dans le texte (25,33) «Ils (les mécréants, *kuffâr*) ne te proposent aucune parabole (*mathal*) sans que nous n'apportions la vérité avec la meilleure explication (*tafsîr*)» c'est-à-dire que le Coran se présente comme l'exégèse des paraboles antérieures. Voir G. GOBILLOT, *Les méthodes actuelles d'exégèse et d'étude critique du texte coranique*, in *Exégèse et critique des textes sacrés, judaïsme, christianisme islam; hier aujourd'hui*, G. Gobillot - D. Delmaire éds., Paris 2007, 255-268, [227].

[17] *Le Coran à la Renaissance...*, cit., 76.

[18] Nous avons montré dans plusieurs publications que les «premiers feuillets» les «feuillets d'Abraham et de Moïse» peuvent être clairement identifiés, en l'occurrence au *Testament d'Abraham*, au *Testament de Moïse* et à l'*Apocalypse d'Abraham*. Voir G. GOBILLOT, *Apocryphes de l'Ancien et du Nouveau Testament*, in *Dictionnaire du Coran*, M.A. Amir Moezzi éd., Paris 2007, 57-63.

[19] *Le Coran à la Renaissance...*, cit., 78, 80.

doctrine de Mahomet[20]. Il s'exprime en effet de manière extrêmement juste au sujet de la puissance de salut conférée au Coran[21], ainsi que des descriptions des plaisirs physiques du Paradis et de l'affirmation selon laquelle le Christ ne serait pas mort[22].

Le quatrième type d'argument en faveur de sa publication du Coran est que, pour les gens pris en esclavage, la connaissance de quelques extraits de la doctrine de Mahomet ne suffit pas. En effet, il sait bien que ce texte règle toute la vie sociale et politique des fidèles[23].

Dans ce même cadre, Bibliander a été frappé par le rythme du texte coranique et il y a vu, très justement, l'un de ses facteurs de persuasion les plus agissants[24]. À côté de cela, il développe sans les différencier un certain nombre de critiques qui seront reprises au XVIIIᵉ siècle, en particulier par Voltaire, comme le fait qu'il véhicule de «sinistres fables, d'abominables et damnables sornettes, d'incohérences, de contradictions et de manque d'ordre»[25].

Il souligne cependant ensuite un avantage des musulmans : «ils lisent le Coran, ce que les chrétiens ne font pas avec l'Évangile», mais il ne réalise pas que cette lecture n'est, pour la masse des fidèles, que récitation sans réflexion particulière sur les sens théologiques. En effet, ce à quoi il fait référence, c'est, en tant que protestant, à une lecture rationnelle des textes[26].

Il poursuit en commentant un argument défensif que le Coran met dans la bouche des infidèles : «Nous suivons la religion de nos pères» et y voit une preuve de la faiblesse de la conviction des ara-

---

[20] *Ivi*, 76 s.
[21] *Ivi*, 80.
[22] *Ivi*, 82.
[23] *Le Coran à la Renaissance...*, cit., 98, bien qu'il manque à son appréciation une précision sur le rôle prépondérant de la tradition prophétique et de la jurisprudence.
[24] *Ibidem*.
[25] Les toutes récentes découvertes de la méthode d'analyse rhétorique ont eu raison de l'idée reçue relative à l'apparent désordre du texte coranique en montrant qu'au contraire il est composé selon les règles les plus élaborées de la rhétorique sémitique, qui sont celles, entre autres, de la Bible. Voir M. CUYPERS, *Le Festin. Une lecture de la cinquième sourate du Coran*, Paris 2007.
[26] *Le Coran à la Renaissance...*, cit., 102.

bes chrétiens en leur religion à l'époque[27], en rappelant néanmoins la manière violente et fanatique de s'imposer de Mahomet, qu'il compare aux anabaptistes[28].

Son cinquième argument est en relation directe avec l'actualité. L'époque où il écrit est un temps où les intérêts des Chrétiens et ceux des Turcs se heurtent et se confondent, certains royaumes s'alliant avec les Turcs (allusion à la France), les autres les combattant. Toutes les classes de la société chrétienne étant par ailleurs corrompues, il faut que les prisonniers puissent résister à la religion des Turcs et enseigner le christianisme aux musulmans ; de surcroît, il faut envoyer des missionnaires qui connaissent les langues tout en sachant qu'ils risquent leur vie[29]. Cette tâche s'impose dans la mesure où, si l'islam donne à son avantage l'argument de son ancienneté (900 ans à l'époque) et de sa réussite, à savoir qu'il occupe plus de la moitié du monde habité[30] et si ses adeptes ont une apparence de vie et de religiosité irréprochable, la vérité est que leur doctrine est fausse[31]. On est même appelé à se demander s'il

---

[27] (Coran, 7, 172-173). Bibliander prend à la lettre ces affirmations sur un plan historique. Il semble avoir ignoré la fonction rhétorique qu'ont ces affirmations dans le Coran dans la mesure où elles reprennent des arguments de théologie chrétienne du IVe siècle, en particulier des *Institutions divines* de Lactance. Il s'agit de l'excuse donnée par les polythéistes selon laquelle, leurs pères ayant adoré les idoles avant eux, ils n'ont fait que suivre leur exemple. Ce type d'explication s'intègre dans une démonstration théologique «classique» selon laquelle le monothéisme a précédé le polythéisme dans l'histoire humaine, contrairement à ce que l'on se figure, dans la mesure où, précisément, il correspond à la nature innée de l'homme (*Institutions divines*, II, VI, 7) : «Voilà les religions que leur ont transmises leurs ancêtres et qu'ils s'obstinent à protéger et à défendre avec le plus grand acharnement ; et ils n'examinent pas ce qu'elles sont, mais ils les considèrent comme véritables et démontrées, puisque ce sont les anciens qui les ont transmises…».Voir G. GOBILLOT, *Pacte prééternel (mîthâq)*, in *Dictionnaire du Coran…*, cit., 627-631.

[28] *Le Coran à la Renaissance…*, cit., 104.

[29] *Le Coran à la Renaissance…*, cit., 106. Il est à noter que Raymond Lulle faisait, deux siècles plus tôt, le même projet, assorti d'une remarque identique sur les risques encourus.

[30] Déjà Pierre le Vénérable pensait la même chose : «Ils se sont emparés de presque la moitié du monde» et *Summa Summa Totius Haeresis saracenorum, Petrus Venerabilis*, 16 : «dimidia pars mundi», in *Petrus Venerabilis, Schriften zum Islam*, cit., 18. 1.13.

ne s'agit pas de l'Antéchrist. Pour trancher, il faut l'étudier. Il s'agit d'une tâche urgente puisque «les Turcs se conduisent déjà comme l'Antéchrist à nos portes»[32].

Son sixième et dernier argument est qu'il est possible de tirer, malgré tout, une certaine édification du Coran sur deux points précis : les passages énergiques qu'il contient au service de la foi en la vie future[33] et son refus des icônes[34]. Rappelons que le premier point, fondamental dans le Coran, constituera, pour Spinoza une raison catégorique de ne pas admettre la validité de toute religion qui s'en réclame[35].

Abstraction faite de quelques jugements hâtifs portés en prenant les textes parfois trop «à la lettre», Bibliander a fait montre de connaissances précises, vastes et approfondies du Coran d'une part, de la réalité sociologique dans les contrées musulmanes d'autre part, que l'on ne retrouvera plus réunies par la suite de façon aussi complète. Par ailleurs, si l'on rencontre sous sa plume les prémisses d'une attitude fermement soutenue ensuite par Pierre Bayle et John Toland, à savoir sa déclaration : «Sarrasins plutôt que papistes»[36], il

---

[31] *Le Coran à la Renaissance...*, cit., 110.

[32] *Ivi*, 112.

[33] Cette question est en effet essentielle pour le Coran, puisqu'il cite à l'appui, précisément, des textes apocryphes de l'Ancien Testament dont *Le Testament d'Abraham* et *Le Testament de Moïse*.

[34] *Le Coran à la Renaissance...*, cit., 108.

[35] Voir A. BENDAVID, *La trahison de Spinoza*, in *La religion que j'ai quittée*, G. Tollet éd., Paris 2007, 113-126, [125]. Spinoza semble avoir ignoré qu'en réalité la Torah ne dit mot, ni sur la vie future, ni sur la rétribution dans l'au-delà, problème pourtant bien connu d'un auteur du XIIIe siècle, comme Ibn Kammûna, qui, contrairement à lui, y voyait une lacune qu'il a tenté de justifier historiquement en disant que, si la Torah ne fait que des très vagues allusions à une vie future et à une rétribution dans l'au-delà, c'est parce que l'urgence, à l'époque de sa rédaction, était d'abolir les pratiques idolâtres par lesquelles les païens espéraient obtenir des avantages immédiats, alors que tous, juifs comme païens, étaient persuadés de la réalité du monde à venir et de la vie éternelle. Voir *Sa'd b. Manṣûr Ibn Kammûna's Examination of the inquiries into the three faith's, A thirteenth-Century Essay in Comparative Religion*, Berkeley-Los Angeles 1967, 24.

[36] Cette déclaration est à prendre ici au même sens que celle du mystique al-Ḥallâj déclarant vouloir «mourir dans la religion de la croix». C'est-à-dire une déclaration essentiellement paradoxale, qui ne signifiait en rien un abandon de l'islam, comme l'a souligné L. MASSIGNON, *La passion de Ḥallâj*, Paris 1975, I, 651; 673.

dénonce encore à plusieurs reprises l'islam comme étant diabolique, ce à quoi Spinoza se refusera catégoriquement. Ce n'est véritablement qu'au XVIIe siècle que l'approche va changer en profondeur et que l'on cessera de diaboliser cette religion pour l'envisager essentiellement selon deux perspectives nouvelles : son instrumentalisation, que ce soit dans la polémique entre catholiques et protestants ou en vue de mieux dénoncer les points faibles de toutes les superstitions religieuses, et l'élaboration théorique des modalités d'une ouverture de l'Europe aux musulmans. Cette évolution, si elle marque un progrès en allégeant la pensée des lourdeurs de la polémique anti-musulmane, va, d'un autre côté, entraîner un abandon, très dommageable pour la connaissance historique des débuts de l'islam, des méthodes de recherche du siècle précédent, héritières directes des travaux de Pierre le Vénérable. Ces procédures, alors sur le point de rassembler un faisceau d'informations dont la diffusion aurait pu être historiquement décisive, vont se trouver brutalement et pour longtemps, interrompues.

Les points de vue de quelques amateurs de sciences exactes

Comme on l'a déjà montré en détail ailleurs, Abraham Ecchellensis s'est attaché à mettre à jour dans l'islam des failles susceptibles de faire douter, au fond, de son authenticité, en confrontant certaines informations contenues dans ses textes fondateurs avec les connaissances scientifiques de son époque. Sa démarche, en dépit de ce qu'elle a d'original, garde un fonds commun avec celle d'un Bibliander, soucieux de mettre en avant la fausseté de cette religion. C'est qu'Ecchellensis mû par un sentiment aigu du danger que pouvait représenter la puissance de l'islam politique pour la survie des communautés chrétiennes d'Orient et, en particulier, les Maronites du Liban, avait pris, dans sa jeunesse, des engagements personnels pour le combattre, et a, par la suite, lancé plusieurs appels au Roi de France en faveur de la croisade, dans les préfaces de certains de ses ouvrages[37].

---

[37] «Le Roi de France, duquel toute la chrétienté attend de vivre dans une situation saine tandis que nous, sphère orientale (de cette chrétienté) atten-

L'un de ses arguments consiste à relativiser un savoir qu'il présente comme «transmis par Mahomet» à propos des gemmes.
Pour ce faire, il part du principe que les musulmans prennent à la lettre la matérialité de toutes les descriptions du Paradis, à la différence des Pères de l'Église et des théologiens chrétiens qui envisagent de manière métaphorique les pierres précieuses citées dans le chapitre 21 de l'Apocalypse[38]. Sa critique portant alors sur ce qu'il a ainsi défini comme des représentations du réel, il s'appuie sur une argumentation selon laquelle le «pseudo-prophète»[39], lorsqu'il affirme que le Paradis est pavé de rubis «rouge» (*yâqût ahmar*) et d'émeraude «verte» (*zamarrud akhdar*)[40], définit ces gemmes au moyen de leurs couleurs respectives. Il fait donc preuve, tout comme les traditionnistes et les commentateurs[41] du Coran qui ont repris son enseignement[42], d'une ignorance de l'existence des émeraudes blanches, pourtant attestée par le texte d'un historien égyptien dont une copie figure dans la bibliothèque de Mazarin, qui signale que des émeraudes blanches étaient utilisées pour les anciennes sépultures pharaoniques[43].

dons de lui et de lui seul, la liberté». *De Proprietatibus ac virtutibus medicis animalium, plantarum ac gemmarum*, Epistola, Cramoisy, Paris 1647, 3. B. HEYBERGER, *Abraham Ecchellensis dans la République des Lettres*, in *Orientalisme, sciences et controverse : Abraham Ecchellensis (1605-1664)*, B. Heyberger éd., Tournai, en préparation.

[38] *Ivi*, 157.

[39] Expression présente plusieurs fois dans ce texte, mais aussi dans toutes ses autres traductions, utilisée systématiquement chaque fois qu'il parle du prophète de l'islam. Voir pour cette citation *De Proprietatibus ac virtutibus medicis animalium…*, cit., 157.

[40] «Paradisi voluptatis pavimentum pretiosum lateribus stratum est, scilicet iacuto rubro et smaragdo viride». *Ivi*, 157. Le texte est transcrit en italiques. Il s'agit donc d'une citation.

[41] Al-Bukhârî aurait dit dans son commentaire coranique que tous ceux qui auront respecté le jeûne de Ramadan se trouveront au Paradis dans des demeures de rubis rouge. A. ECCHELLENSIS, *De Proprietatibus…*, cit., *Notae interpretatis in Iacutinam disputationem sive in questionem de gemmis*, 156.

[42] Selon Ibn ʿAbbâs, les feuillages des palmiers du Paradis sont en émeraude. *Ivi*, 168.

[43] *Ivi*, 157-158. L'ouvrage aurait porté le titre de «Testaments et sépultures des rois de l'ancienne Egypte après le déluge».

La seconde touche à la cosmologie. Il constate que, même si le pseudo-phrophète Mahomet n'a jamais interdit formellement l'étude, force est d'admettre que les mahométans condamnent les philosophes, lesquels ne se sont pas privés de mettre en doute plusieurs propositions et principes du Coran. Partant de l'exemple du «mahométan Al-Ghazâlî» qui, non seulement a dit adieu, en ce qui le concerne, à toute philosophie, mais encore a produit ce piètre ouvrage qu'est *L'effondrement de la philosophie*, il se réjouit qu'Averroès lui ait répondu par cet illustre titre : *L'effondrement de l'effondrement de la philosophie*, dans la préface duquel il souligne l'aspect défectueux des lois islamiques, tout comme celui des commentaires coraniques. En effet, «aucun philosophe arabe n'est assez sot pour ne pas se gausser des inepties nombreuses qui émaillent le Coran». Or, l'une des plus considérables d'entre elles n'est autre, de l'avis d'Ecchellensis, que l'assertion de Mahomet selon laquelle la terre, suspendue dans les airs, est maintenue par les cornes d'un taureau.

Or, comme nous l'avons démontré en détail dans une précédente publication, aucun des deux arguments : ignorance de l'existence des émeraudes blanches et adoption d'un récit cosmologique légendaire au pied de la lettre par la tradition musulmane, ne résiste à un examen sérieux des textes[44].

---

[44] G. GOBILLOT, *Abraham Ecchellensis, philosophe et historien des sciences*, in *Orientalisme, sciences et controverse*, cit. Il n'est fait allusion au *yâqût* qu'une seule fois dans le Coran, pour une comparaison, au verset (55, 58) «Les houris seront semblables au rubis et au corail» (*ka-anna hunna kal-yâqût wal-marjân*) et, selon les plus anciens commentaires, la particularité de ce *yâqût* est d'être transparent et non pas rouge. Quant aux *hadîth*-s, si l'on en trouve quelques-uns qui font allusion à des gemmes (*yâqût*) figurant avec des émeraudes (*zamarrud*) au Paradis, un seul récit traditionnel associe le rubis «rouge» et l'émeraude «verte». Il s'agit d'une spéculation rapportée dans le *Bahr al-Muhît*, selon laquelle Al-Rabî[c] Ibn Anas aurait dit : «La Torah est descendue du ciel. On s'est demandé quelle était la matière de son support. Ibn Jubayr a dit qu'elle était en rubis rouge et Ibn [c]Abbâs en émeraude verte». Ecchellensis semble également avoir donné un coup d'épée dans l'eau en s'attaquant à la tradition musulmane par le biais de ce récit relatif au taureau. En effet, ces légendes ne figurent que dans des ouvrages consacrés à des recueils de mythes, ceux qui les rapportent les ayant présentées comme telles. De plus, aucune d'entre elles n'a été attribuée à Mahomet par une tradition musulmane reconnue. Certaines versions de cette très ancienne vision cosmologique d'origine indienne rapportent que les cornes du taureau sortent des ex-

Néanmoins, le fait d'avoir entrepris de critiquer le contenu de recueils religieux au nom du principe de la logique scientifique représente une initiative incontestablement nouvelle et originale pour son temps, même si cette critique s'inscrit dans un souci très traditionnel de controverse contre l'islam. Il est intéressant de noter que sa démarche sera en fait reprise, mais en sens inverse, par les polémistes musulmans du XXe siècle qui, comme Maurice Bucaille, tenteront avec le même insuccès[45], de démontrer que le Coran est authentique parce qu'il contient toutes les découvertes scientifiques du siècle.

En fait, Ecchellensis ne voulait pas, de toute évidence, systématiser ce genre de démonstrations. Deux ou trois exemples semblent lui a voir paru suffisants pour discréditer le sérieux de la révélation musulmane, son véritable but allant bien au-delà. L'ensemble de ses œuvres montre en effet que, convaincu que l'héritage de la langue et de la culture arabe revient avant tout aux chrétiens d'Orient, il ambitionnait de lui conférer un souffle nouveau, par le biais d'une reconnaissance officielle de cette origine, en particulier par les intellectuels européens aboutissant à leur «restitution», du moins morale, à ses vrais propriétaires, épurées de toute trace issue de l'islam[46].

trémités de la terre et s'entrelacent sous le Trône. Dans la plupart des récits, la terre est tenue par un ange qui, lui-même, s'appuie sur le taureau, lequel se tient sur une baleine. Voir à ce sujet le Pseudo Balkhî, ABÛ ZAYD AL-BALKHÎ, *Le livre de la création et de l'histoire*, éd. et trad. Clément Huart, I, Paris 1899; II, Paris 1901 (Publ. de l'École des langues orientales vivantes, IV série, vol. XVI et XVII). L'ouvrage, composé en 355/966 alors que Balkhî était mort en 322/934 semble avoir pour auteur Al-Mutahhar b. Tahir al-Maqdisî. Tawfik Fahd signale que cet auteur lui-même porte un jugement ironique sur les légendes qu'il rapporte en donnant leurs sources. Voir, *Pseudo-Balkhî*, II, 41, 5 et T. FAHD, *La naissance du monde selon l'islam*, in *La naissance du monde, Sources orientales*, Paris 1959, 235-279, [252-253].

[45] Voir, par exemple : *La Bible, le Coran et la Science, Les écritures saintes examinées à la lumière des connaissances modernes*, Paris 1976. L'insuccès en question est du même ordre que celui des théories d'Ecchellensis, à savoir que les idées avancées par ces polémistes ne sont pas défendables d'un point de vue scientifique. En revanche, elles ont connu un vaste succès populaire, surtout en Egypte et continuent même à être défendues de nos jours par certains universitaires musulmans.

[46] Comme en atteste son *Nomenclator arabico-latinus* : A. HAMILTON,

Dans cette prise de position concernant les origines chrétiennes de l'islam il se situe à mi-chemin entre les théories de Bibliander, qui considérait que les Arabes étaient promis au salut évangélique et qu'ils ont été pris au piège de l'islam car ils avaient été privés de bergers[47] et John Toland, qui verra en l'islam l'héritier tardif de la véritable tradition chrétienne des origines[48].

La position de Gabriel Sionite, son contemporain et souvent rival, est radicalement opposée dans la mesure où, au contraire, il semble miser sur la langue et la culture arabes pour espérer une entente toujours meilleure avec les musulmans[49].

Il a publié, entre autres, dans cette optique, un texte arabe, accompagné de sa traduction latine, auquel il a attribué une valeur historique absolue, lui donnant le titre de *Testament de Mahomet*. Il s'agit en fait d'une version (inconnue par ailleurs) du pacte de *dhimma*, peut-être l'un de ces textes rédigés à la hâte par les moines ou les responsables de villes et de régions chrétiennes fraîchement conquises par les musulmans, qui les exhibaient au moment de l'entrée de nouvelles troupes, espérant se prémunir, souvent, en vain, des pillages et des exactions de l'occupant en prouvant que la ville s'était rendue de bon gré.

Le contenu du texte, dont la traduction latine *Testamentum et pactiones initae inter Mohamedem et christiana fidei cultores*[50] a été

Abraham Ecchellensis et son Nomenclator arabico-latinus, in *Orientalisme, sciences et controverse*, cit.

[47] «Leurs évêques se sont mal conduits. Ils avaient perdu les sciences ecclésiastiques. Mahomet a pu s'imposer grâce à deux transfuges chrétiens et deux juifs apostats». *Le Coran à la Renaissance...*, cit., 96.

[48] «Hormis quelques interpolations mahométanes, trop palpables pour être méconnues». J. TOLAND, *Le Nazaréen ou le christianisme des juifs, des gentils et des mahométans*, Londres 1777, 112.

[49] Il fait, au contraire l'éloge de la belle langue arabe d'un texte qu'il a traduit, doutant qu'il ait su rendre cette harmonie en latin. Voir *Géographia Nubiensis idest accuratissima totius orbis in septem climata divisi descriptio continens praesertim exactam universae Asiae et Africae, rerumq; in ijshactenus incognotarum explicationem. Recens ex arabico in latinum verba a Gabriele Sionita et Ioanne Hesronita*, Blageart, Parisiis 1619, *Ad lectorem*.

[50] Traduction de العهد و الشروط التى شرطها محمد رسول الله لأهل الملة النصرانية

signée conjointemet par Sionite et Hesronite, est particulièrement irénique. Son édition, réalisée par Antoine Vitray, date de
1630[51]. Il a été publié en première partie de l'ouvrage et suivi de
96 pages de rudiments de la grammaire du turc. Il occupe en tout
32 pages, 16 pour le texte arabe et 16 pour la préface et la traduction latine. Aucune indication n'est donnée sur le manuscrit utilisé. On trouve seulement les noms des trente-six garants étant supposés avoir signé ce pacte, à savoir celui de Mahomet et de trente
cinq de ses compagnons, plus celui du secrétaire, qui aurait été
Muᶜâwiya Ibn Abî Sufyân. La date indiquée dans le texte est l'an
quatre de l'Hégire et le lieu de rédaction, Médine. Sionite le présente comme étant le Testament de Mahomet, qui se serait engagé
à protéger les chrétiens partout où ils se trouveraient dans le monde et aurait pris l'engagement pour tous les musulmans, en tous
lieux et en tous temps, d'agir de même, avec obligation absolue de
se conformer aux termes de ce pacte. Celui-ci ne présente en fait
que les aspects positifs du statut de *dhimma* : en échange de la *ji-
zya* (capitation), les chrétiens ne sont pas obligés de faire la guerre
aux côtés des musulmans. Aucun chrétien ne sera forcé de se
convertir à l'islam. On ne polémiquera avec eux que de la meilleure manière[52]. On se comportera envers eux avec la plus grande
miséricorde, et on leur évitera tous les désagréments. Si un chrétien voyage et s'il est attaqué, les musulmans doivent le protéger et
s'assurer qu'il arrivera à bon port. Ils doivent être solidaires des
chrétiens dans toutes les situations. On ne doit pas obliger leurs
filles à épouser un musulman. Si une chrétienne a, par sa propre
volonté, épousé un musulman, dans sa maison, il doit accepter son
désir de pratiquer sa religion. S'il l'empêche de le faire, il rompt le
pacte du Prophète et il est auprès de Dieu un menteur. Si les chrétiens ont besoin de restaurer leurs églises, leurs couvents ou tout
autre lieu de culte, les musulmans se doivent de les aider. En com-
pensation, les chrétiens ne doivent jamais aider en temps de guerre les ennemis des musulmans, ni en secret ni de manière visible,
de quelque manière que ce soit. Ils doivent aider les musulmans,

---

[51] Parisiis Excudebat Antonius Vitray, Linguarum Orientalium, Regis Ty-
pographus In Collegio Longobardorum.

[52] Phrase qui reprend le verset coranique (29, 46) «Ne disputez avec les
Gens du Livre que de la meilleure manière, sauf avec ceux qui sont injustes».

les recevoir 3 jours et 3 nuits chez eux et subvenir à tous leurs besoins.

Sans s'étendre trop sur les détails, on peut constater à quel point ce texte est éloigné des diverses «chartes de Omar», énumérant les principales contraintes imposées aux juifs et aux chrétiens, ayant circulé dans les milieux musulmans depuis les périodes de conquêtes[53].

La question que l'on peut se poser est celle du but réel de l'édition et de la traduction d'un tel texte. On la trouve clairement exprimée dans la préface où il est précisé : «Je le dis ceci est un testament, sans aucun doute possible un testament dont Mahomet a gratifié les chrétiens. Une chose, comme je l'espère, et un texte qu'il n'est pas mauvais de connaître et qui, pour la totalité des chrétiens comme pour ceux qui vivront en Orient, ne sera peut-être pas inutile dans l'avenir. Cette copie a été réalisée à Europum (ville de Syrie), par le religieux Père Pacificus Scaliger, de l'ordre des Capucins, qui se trouve encore dans ces régions pour servir avec zèle les activités de la sacrée propagande de la foi».

Il y a donc là à la fois un souci de présenter l'islam sous des couleurs favorables et une manière, héritée de la tradition chrétienne médiévale d'Orient, de se prémunir pour l'avenir en cas d'occupation de nouvelles régions chrétiennes par l'islam, en l'occurrence en Europe.

Cette tendance à voir un visage pacifique ou, du moins, pacifié, de l'islam, apparaît également dans la préface au *Géographe nubien*, qu'il a aussi traduit avec Hesronite. Il y met en évidence le respect du Christ et de la Vierge exprimé par l'auteur, supposé musulman[54], du texte.

Bien que leurs démarches respectives soient également marquées par leur appartenance au christianisme oriental, cette différence fondamentale dans la manière d'aborder l'islam pourrait expliquer au moins en partie les conflits qui ont opposé Ecchellensis et Sionite à Paris : le second reprochera en particulier au premier

---

[53] Voir à ce sujet l'article de M. BORRMANS, *La charte de ʿUmar et ses lectures contemporaines*, in *L'Orient chrétien dans l'empire musulman, hommage au professeur Gérard Troupeau*, G. Gobillot - M.T. Urvoy éds., Paris 2005, 91-108.

[54] *Géographia Nubiensis…, Ad lectorem.*

d'avoir pratiqué la piraterie en Méditerranée. L'autre lui répliquera qu'il agissait en patriote, pour la défense contre l'infidèle[55].

Quelques points de vue de la science de l'histoire des religions

Parmi les auteurs du XVIIᵉ siècle s'étant penchés sur l'histoire des religion, John Spencer (1630-1693) semble avoir été celui dont la démarche peut être considérée comme la plus fiable, scientifiquement parlant, si l'on en croit l'appréciation des *Nouvelles de la République des Lettres* (avril 1686) qui décrit son œuvre maîtresse, le *De legibus hebraeorum*, publié en 1685[56], comme un «magasin d'érudition sacrée et profane». Le thème central de cet imposant travail, reconnu comme le texte fondateur de l'étude des religions comparées, est la démonstration que la démarche prophétique des juifs est dérivée de celle des augures des anciens Egyptiens. Les deux premiers livres exposent les fondements moraux, rationnels et éthiques des prescriptions mosaïques relatives aux cérémonies et aux sacrifices. A la suite de Maïmonide, l'auteur suppose que Moïse aurait établi ces rituels pour éloigner la communauté juive des pratiques idolâtres comme celles des Sabéens. Dans le livre III, il développe l'idée selon laquelle les classes sacerdotales ont encouragé la superstition et les pratiques idolâtres en vue de leur propre intérêt. Les juifs, à force de les côtoyer, se seraient accoutumés à beaucoup de pratiques religieuses idolâtres. Moïse aurait alors exploité leurs tendances à la superstition pour créer sa loi.

Spencer illustre la correspondance et les affinités entre les rituels juifs et égyptiens, arguant que la supériorité de la civilisation égyptienne rend absurde l'hypothèse qu'elle ait pu s'inspirer des actes de barbares itinérants tels les juifs de l'époque. C'est donc l'inverse qui s'est nécessairement produit, et l'on doit en déduire que le judaïsme est en quelque sorte sorti du paganisme.

---

[55] Voir article *Ecchellensis*, in *Dictionnaire Historique et Critique de Pierre Bayle*, II, 135 et B. HEYBERGER, *Abraham Ecchellensis*, cit.

[56] J. SPENCERI, *De legibus Hebraeorum tritualibus earumque rationibus*, Tübingen 1739. La première édition est celle de Cambridge, 1685.

Ces remarques s'étendent à l'islam, que Spencer considère comme, à son tour, sorti pour partie du judaïsme et pour partie du christianisme. Il présente à l'appui de son hypothèse divers points de culte et de dogme, en particulier le lien établi entre les ablutions et la purification des fautes, et d'une manière générale, toutes les lois concernant la purification des diverses souillures qui, selon lui, relève de la plus pure superstition[57], le rejet du porc et l'horreur qu'il suscite[58], l'origine du vendredi issu, comme le Sabbat, de coutumes païennes[59].

Une section entière est consacrée aux Sabéens, à leur mention par le Coran et aux livres qui leur ont été attribués : Seth, les douze Patriarches, Abraham, Moïse, ou encore le corpus d'Hermès. Spencer, pour sa part, pense que ces ouvrages, bien que très antérieurs au Coran, n'ont pas pu avoir été traduits en arabe avant le septième et même le huitième siècle, et semblent avoir vu le jour en réalité dans des milieux juifs, puis avoir été transmis aux arabes par l'intermédiaire de ces Sabéens[60]. Ces hypothèses entrent dans le cadre de questionnements qui vont prendre de plus en plus d'importance vers cette fin du XVIIe siècle.

Un rapprochement s'impose en effet entre cette démarche de Spencer et celle de l'ouvrage de John Toland *Le Nazaréen ou le*

---

[57] *De legibus Hebraeorum*, livre 4, chapitre XIII, sections II et III, 1188-1189, *de purificationibus*. Selon lui, Gabriel Sionite a rapporté qu'il reste encore chez les Turcs des vestiges d'une opinion ridicule selon laquelle les musulmans croient, par leurs nombreuses ablutions, se purifier de leurs fautes. Ils auraient hérité cela des juifs, qui, eux-mêmes, auraient hérité de telles croyances des Sabéens (voir également *ivi*, livre 1, ch. XI, section II, 184-185 : *De personarum et rerum munditiis et immunditiis*).

[58] *Ivi*, livre 1, ch. VII, section IV, 132-133, *de animalium discrimine et ciborum delectu*.

[59] *Ivi*, livre 1, ch. V, section XI, *de judaeorum sabbato* : le sabbat était une ancienne coutume de ceux qui vénéraient le soleil et la lune. Le vendredi viendrait plus précisément d'un rite d'adoration de Vénus par les anciens arabes.

[60] Voir à ce sujet : *De legibus Hebraeorum*, livre 2, ch. I, II et III *de Zabiorum*, 280-281. En réalité, comme on l'a mentionné plus haut, le Coran cite, sous le titre de «premiers feuillets, feuillets d'Abraham et de Moïse» le *Testament d'Abraham*, l'*Apocalypse d'Abraham* et le *Testament de Moïse* qui fait partie du *Testament des douze Patriarches*.

christianisme des juifs, des gentils et des mahométans. Ce dernier texte a été écrit, selon les précisions données par son auteur, vers 1709[61], donc au début du XVIIIe siècle, mais ses idées forces du point de vue méthodologique sont à situer dans la droite ligne de celles de son prédécesseur, bien qu'il se différencie de lui, et même rejette radicalement plusieurs de ses thèses au niveau des contenus. Il a été composé à la suite de la découverte, par Toland, à Amsterdam[62], d'un nouvel Évangile, en langue latine et en caractères irlandais[63], l'Evangile de Barnabé, qu'il présente comme étant ignoré des chrétiens, mais reconnu à l'usage des mahométans[64].

S'appuyant sur ce faux, composé au XVIe siècle par un moine converti à l'islam[65], il entreprend de démontrer que les musulmans sont une sorte de chrétiens «pas les meilleurs, mais pas les pires»[66]. En partant du principe que les Nazaréens, que l'on trouve d'ailleurs cités par le Coran, furent les premiers chrétiens et les seuls à avoir existé durant un certain temps, il conclut que ce sont eux qui ont jeté les bases de toute l'économie chrétienne, bien qu'ils aient eu une notion «grossière et terrestre de la personne de Jésus Christ». Ce groupe, composé de Nazaréens «juifs» et «gentils» finit par subir une scission de la part des chrétiens gentils, qui prétendirent que Jésus avait aboli la loi de Moïse[67]. Animés par la haine des juifs et faisant tout pour se distinguer d'eux[68], ces gentils

---

[61] Texte utilisé : la traduction de l'anglais de Jean Toland, Londres 1777. On peut aussi consulter la dernière édition : J. TOLAND, *Dissertations diverses*, édition, introduction et notes par L. Mannarino, Paris 2005.

[62] L'auteur ajoute : «Cet Evangile est présentement dans la bibliothèque du Prince Eugène de Savoie». *Le Nazaréen ou le christianisme des juifs, des gentils et des mahométans, Introduction*, VI.

[63] *Ivi, Introduction*, XIX.

[64] *Ivi, Introduction*, XIX.

[65] Le Père Jacques Jomier a proposé, dans son article : *L'évangile de Barnabé*, "Mélanges de l'Institut Dominicain d'Études Orientales", 6 (1959-1961), 137-225, l'hypothèse selon laquelle cette forgerie pourrait dater du XVIe siècle et être apparentée aux «livres de plomb» retrouvés, vers la fin du XVIe, au Sacromonte, près de Grenade.

[66] *Le Nazaréen..., Introduction*, VI.

[67] Alors qu'il n'y avait rien changé, hormis la suppression des sacrifices. *Ivi, Introduction*, XI.

[68] Entre autres ils ont changé la date de la célébration de la Pâque pour ne rien avoir de commun avec eux. *Ivi, Introduction*, XIII.

auraient détruit le vrai christianisme. Dans cette optique, il affirme que «les Mahométans tirent la plupart de leurs articles de foi de l'Evangile de Barnabé, par lequel plusieurs passages de nos Evangiles pourraient être éclairés»[69], dans la mesure où ce texte contient le langage et la profession de foi des plus anciennes sectes. Considérant qu'Irénée, Eusèbe, Epiphane, Augustin et Théodoret sont d'accord pour dire que les Nazaréens et les Ebionites soutenaient que Jésus n'avait été qu'un homme comme un autre[70], il lance son argument décisif selon lequel : «Beaucoup, de nos jours, admettent que le christianisme n'est autre chose qu'un judaïsme réformé, la vraie religion n'ayant jamais été qu'une seule et la même depuis le commencement». Ne réalisant pas, de toute évidence, qu'à ce tournant, son discours embrasse dans sa totalité le point de vue même de l'islam qui affirme depuis toujours être cette vraie religion dont juifs et chrétiens se sont détournés, il ajoute : «dans un sens les mahométans peuvent être appelés chrétiens avec autant de justice que l'on appelle juifs les premiers chrétiens et s'il arrivait jamais que le Grand Seigneur exigeât en faveur de ses sujets le libre exercice de leur religion à Londres et à Amsterdam, il n'y aurait point d'inconvénient d'y consentir, puisqu'il permet à toutes les sectes de tous les chrétiens l'exercice libre de leur religion dans tous ses états»[71]. Son but est, en effet, de proposer la représentation d'une société idéale, fondée sur de véritables valeurs chrétiennes et opposée en tous points à celle qu'ont établie ses contemporains qui «persécu-

---

[69] *Ivi*, 40. Il ajoute, à l'appui de cette thèse, que «C'est avec beaucoup d'injustice que quelques auteurs chrétiens accusent les musulmans d'avoir tiré la plupart des choses qu'ils rapportent de Jésus Christ des livres apocryphes, comme si les Mahométans eussent été en état de les conserver avec plus d'exactitude que nous». Cette considération ne l'empêche pas d'adopter un peu plus loin (*ivi*, 138-139), à propos des apocryphes, une position totalement conforme, sans qu'il le sache, à celle du Coran lui-même qui les cite en leur conférant l'autorité de textes révélés. Il insiste sur le fait que rien ne s'oppose, en réalité, à ce qu'on les considère comme authentiques. «Pourquoi ceux qui sont cottés pour vrais par Clément Alexandrin, Origène, Tertullien et autres semblables ne sont-ils pas reconnus aujourd'hui pour authentiques ? Et quelle sûreté peut-on attribuer au témoignage de ces Pères qui non seulement se contredisent les uns les autres, mais encore qui ne sont pas d'accord avec eux-mêmes dans les divers récits qu'ils font des mêmes faits?».
[70] *Ivi*, 50.
[71] *Ivi*, 9.

tent les autres dans leur réputation, dans leurs droits, dans leurs biens et dans leurs personnes pour raisons d'opinions purement spéculatives et pour des choses qui sont naturellement indifférentes par elles-mêmes. Ces gens sont dépouillés d'humanité et de tout esprit de christianisme»[72].

N'ayant apparemment aucune connaissance précise de la polémique coranique contre les juifs et les chrétiens, ni des principes de base de la jurisprudence musulmane à l'égard des non-musulmans, il retient uniquement le fait que les musulmans ont conservé la loi de Noé (l'abstinence de sang et de chair étouffée) pour affirmer qu'ils sont restés fidèles à un principe de convivialité qui unissait les juifs et les chrétiens de l'Eglise primitive[73]. S'il semble avoir parfaitement raison sur ce point, comme le montrent les travaux les plus récents sur le texte coranique[74], il commet un lourd contresens par rapport au rempart théologique de l'islam lorsqu'il se figure que des musulmans à qui «il serait permis d'établir des mosquées dans toutes les parties de notre occident» accepteraient de la part de leurs hôtes d'être «mis dans la voie de parvenir à un christianisme plus parfait»[75].

La pensée des philosophes

Pierre Bayle et la tolérance

On trouve chez Bayle des accents tout à fait comparables à ceux que l'on vient de mettre en évidence chez Toland pour tout ce qui concerne la tolérance, en particulier celle qu'il convient d'avoir à l'égard de l'islam. Néanmoins, les fondements de son argumentation sont très différents. Bayle ne voit pas en l'islam une religion chrétienne, ni même liée au christianisme. Il l'aborde avant tout sous l'angle du contraste avec le christianisme et avec le catholicisme en particulier. Sa position à l'égard des religions est claire : il entend tout d'abord combattre des idées, mais toujours

---

[72] *Ivi*, 73-74.
[73] *Ivi*, 82; 89.
[74] Voir à ce sujet, M. Cuypers, *Le festin...*, cit., 82-83.
[75] *Le Nazaréen...*, cit., 113.

respecter la personne de l'adversaire[76]. En deuxième lieu, il se pose en défenseur de ce qu'il appelle la «conscience errante»[77], c'est-à-dire l'expression la plus large de la liberté de pensée, surtout au niveau du religieux. Enfin, en vertu de l'argument de réciprocité sans lequel aucun dialogue n'est possible, il entend prôner la liberté de conscience, le pouvoir civil devant admettre, ce qui est plus que tolérer, l'existence de plusieurs confessions religieuses, même non-chrétiennes[78].

Bayle part de la constatation que «L'adage de Tertullien "Ce n'est pas à la religion à contraindre ; la religion est une chose qu'il faut embrasser volontairement et non par force [...]" ferait honneur au christianisme si plusieurs Pères qui ont vécu sous des empereurs chrétiens n'avaient adopté une maxime toute opposée, de sorte que qui comparerait les principes sur lesquels les chrétiens ont raisonné en différents temps ferait la plus cruelle satyre du monde contre eux ; car ce serait faire voir qu'ils perdaient de vue les plus sensibles vérités dès que leur intérêt temporel souffrait qu'ils les oubliassent»[79]. Instruisant ainsi à charge «le dossier d'un christianisme infidèle à l'idéal évangélique»[80], Bayle poursuit ailleurs : «On dit que les chrétiens des premiers siècles cachaient leurs principaux dogmes aux païens, mais je crois que présentement, ce qu'il faut cacher aux infidèles, c'est l'histoire du christianisme ; car il y a bien de l'apparence que, si ces bons Indiens et Japonais savaient comment les chrétiens se sont traités les uns les autres pendant mille ans et comment ils ont traité les sauvages de l'Amérique, ils ne laisseraient pas mettre le pied dans leur pays à un chrétien»[81]. Marqué par les guerres de religion et par leur répercussion tragique sur l'histoire de sa propre famille, Bayle a consacré de nombreux travaux et, en particulier, le *Commentaire*

---

[76] H. BOST, *Pierre Bayle et la religion*, Paris 1994, 15.

[77] *Ivi*, 16

[78] *Ivi*, 17.

[79] *Nouvelles de la République des Lettres*, juin 1686, *Œuvres Diverses de M. Pierre Bayle*, 4 voll., La Haye, Husson-Johson, 1727, I, 576 a.

[80] H. BOST, *Pierre Bayle et la religion...*, cit., 47.

[81] *Nouvelles de la République des Lettres*, juin 1686, *Œuvres Diverses de M. Pierre Bayle*, I, 576 a. Cité dans H. BOST, *Pierre Bayle et la religion...*, cit., 46-47.

philosophique, à donner la preuve qu'il n'y a rien de plus abominable que de faire des conversions par la contrainte[82]. En y comparant l'attitude des catholiques de son époque à celle des Romains persécutant les premiers chrétiens, «il établit un lien de parenté entre l'attitude catholique qu'il dénonce et le paganisme. Lorsqu'il étend la comparaison avec l'islam et imagine des missionnaires musulmans qui, confrontés à un gouvernement chrétien, chercheraient à le convaincre du bien fondé de leur attitude, c'est encore à la même cible qu'il s'en prend. En effet, à la différence des catholiques, quand l'islam cherche à obtenir les conversions par la violence, il agit conformément à ses principes»[83]. Et cependant les musulmans se sont montrés dans la pratique plus tolérants que les chrétiens, puisque eux «ont conservé aux chrétiens de leur empire la faculté d'exercer leur religion»[84]. C'est pourquoi il conclut : «S'il prenait fantaisie au mufti d'envoyer en chrétienté quelques missionnaires, comme le Pape en envoie dans les Indes, et que l'on surprît ces missionnaires turcs s'insinuant dans les maisons pour y faire le métier de convertisseurs, je ne pense pas qu'on fut en droit de les punir [...] Pourvu qu'ils ne fissent rien contre le repos public, je veux dire l'obéissance due au souverain dans les choses temporelles, ils ne mériteraient pas seulement l'exil»[85]. Bayle imagine un État laïque au sein duquel toutes sortes de communautés religieuses pourraient être tolérées pour autant qu'elles ne troubleraient pas l'ordre public. Selon Hubert Bost, il serait le premier auteur de l'histoire des idées à avoir ébranlé l'opinion classique selon laquelle la tolérance serait signe de faiblesse : «Sa tolérance, c'est admettre que quelqu'un ne change pas d'idée s'il est persuadé de la vérité de ce qu'il croit»[86]. Car à ses yeux, le critère ultime, la pierre de touche de la vérité pour l'homme, c'est sa conscience. Il importe donc de tout faire pour

[82] H. Bost, *Pierre Bayle et la religion...*, cit., 52.
[83] *Ivi*, 55.
[84] *Commentaire Philosophique*, I/7, *Œuvres Diverses de M. Pierre Bayle*, II, 386 *b*, cité in *ivi*, 55.
[85] *Commentaire Philosophique* II/7, *Œuvres Diverses de M. Pierre Bayle*, II, 420a; cité in *ivi*, 56.
[86] *Commentaire Philosophique*, II/4, *Œuvres Diverses de M. Pierre Bayle*, II, 406 *b*, cité in *ivi*, 58.

que soit respectée la conscience de chacun, ce qui ne signifie pas que toutes les opinions se valent. Au bout du compte son appréhension des questions religieuses est fidèle à la doctrine réformée classique[87], et sa position consiste à vouloir être «philosophe chrétien», c'est-à-dire à se vouer à une entreprise de laïcisation de la religion chrétienne : en conserver les valeurs en les débarrassant des scories crédules ou idolâtres. Sa pensée est en cela très proche de celle de Spinoza. Néanmoins celui-ci approfondira davantage la question en émettant le doute que l'islam soit en mesure de s'adapter à l'État laïc idéal, qui considèrerait toutes les religions à égalité. En effet, à la suite de certaines appréciations, comme le fait que «le Nestorianisme doit sa conservation à la tolérance des princes mahométans»[88] ou encore que «les mahométans, selon les principes de leur foi, sont obligés d'employer la violence pour ruiner les autres religions, et néanmoins, ils les tolèrent depuis plusieurs siècles. Les chrétiens n'ont reçu ordre que de prêcher et d'instruire ; et néanmoins, de temps immémorial, ils exterminent par le fer et par le feu ceux qui ne sont point de leur religion»[89], Bayle manifeste une sorte de confiance particulière à l'égard de l'islam, confiance qui n'est due en réalité qu'à cet effet de contraste qu'il a lui-même institué avec le christianisme historique en n'abordant qu'une partie de la question. Il semble en effet ne s'être jamais demandé comment les groupes majoritaires en islam avaient traité leurs hérétiques, ou encore les communautés religieuses non rattachées aux Gens du Livre. Bien qu'il ait eu la possibilité d'être informé du sort réservé aux musulmans qui se convertissaient à une autre religion, dont témoignaient à l'époque des récits de missionnaires[90], il sem-

---

[87] *Ivi*, 114.

[88] *Dictionnaire Historique et Critique...*, «Nestorius», B.

[89] *Dictionnaire Historique et Critique...*, «Mahomet» AA.

[90] Voir par exemple à ce sujet : *Répertoire bibliographique des livres imprimés en France au XVIIᵉ siècle*, XVII, Lille, (*Bibliotheca Bibliographica Aureliana* CXXXIII), par A. Labarre, Baden-Baden et Bouxwiller, éd. Valentin Koerner, 1992, n. 106, 29 (1622) : *Brève relation du martyre de cinq persans nouvellement baptisez par les PP. Carmélites Deschaussez, qui demeurent en la mission de Perse – auprès du Roy en sa ville d'Haspahan – Tirée des lettres que le supérieur desdits PP. a dernièrement escrites à leur P. Général à Rome, où elles ont été imprimées en langue italienne et traduites depuis à Liège en François* (marque du monogramme IHS), Pierre de Rache, Lille 1622.

ble ne pas avoir eu assez d'information pour s'interroger sur les principes de la *dhimma,* sur leur origine et leurs conditions politiques et économiques d'application. Il aurait eu la surprise de constater que c'est bien plus de la jurisprudence fondée sur les traditions que du Coran lui-même que l'islam a tiré ses injonctions relatives à la pratique de certaines contraintes religieuses, le même processus pouvant s'appliquer à la question du *fatum mahométan* qui sera évoqué par Leibniz[91].

Leibniz et l'argument paresseux

Dans ses *Essais de théodicée*[92]. Leibniz appelle «raison paresseuse» un argument sophistique que l'on trouve, entre autres, chez Chrisippe et qui consiste à déclarer qu'il convient de n'avoir soin de rien et de se laisser aller à suivre le penchant des plaisirs présents dans la mesure où, si l'avenir est nécessaire, ce qui doit arriver arrivera quoi que l'on puisse faire[93]. Cette nécessité mal entendue a fait naître dans la pratique ce qu'il appelle le *fatum mahometanum*, à savoir «le destin à la turque, parce qu'on impute aux turcs de ne pas éviter les dangers, et de ne pas même quitter les lieux infectés par la peste sur des raisonnements semblables à ceux qu'on vient de rapporter»[94]. Il compare ensuite ce type de *fatum* avec celui des stoïciens, à l'avantage de ces derniers dont il estime que le point de vue se rapproche de la doctrine de Jésus, c'est-à-dire : prendre soin de ses affaires tout en étant habités de la tranquillité à l'égard des événements, comme y invite la parabole de l'Évangile, en ne se souciant pas du lendemain et en ne cherchant pas à ajouter un pouce à sa taille. Il conclut sur la supériorité de ce *fatum christianum*, qui consiste à faire son devoir et à être content

---

[91] Une étude intéressante sur les aspects théologico-philosophiques de cette question a été réalisée par Y. GARMI, *La critique leibnizienne du fatum mahométan*, in *Essais de Théodicée*, master I de philosophie, Université Lyon 3, juin 2007.

[92] G. LEIBNIZ, *Essais de théodicée sur la bonté de Dieu la liberté de l'homme et l'origine du mal*, J. Brunschwig éd., Paris 1969. Les références à cette question se trouvent dans la préface (30), et aux paragraphes 55, 59 et 367.

[93] *Ivi*, 30.

[94] *Ibidem.*

de ce qui en arrivera, non seulement parce qu'il est inutile de tenter de résister à la providence divine ou à la nature des choses mais encore parce que, Dieu étant un bon maître, il a soin de tout et a choisi en toutes choses pour ses créatures le meilleur.

De toute évidence, son objet n'est pas ici l'islam, mais une instrumentalisation de la notion de «destin à la turque» en vue de critiquer des attitudes qu'il a constatées dans le monde chrétien et, en particulier, chez certains philosophes. C'est d'ailleurs pourquoi il a pris soin de préciser qu'il s'agit de quelques chose que «l'on impute aux turcs» ce qui veut dire qu'il suppose qu'il pourrait bien, en réalité, en être tout autrement. Ces attitudes s'apparentent, dans la vie pratique, par exemple dans des situations où le bien ou le mal est éloigné et douteux et le remède pénible, au fait de faire un régime strict pour conserver sa santé, l'argument paresseux consistant, dans ce cas, à dire que nos jours sont comptés et qu'il ne sert à rien de vouloir lutter contre ce que Dieu nous destine.

L'argument paresseux consiste donc à s'exempter de raisonner comme il faut. «Cette paresse est en partie la source des pratiques superstitieuses des devins»[95]. Elle sert également à excuser le vice et le libertinage. L'argument que Leibniz donne à l'encontre de ce raisonnement est qu'il est faux que l'événement arrive quoi qu'on fasse ; il arrivera parce qu'on fait ce qui y mène ; et si l'événement est écrit, la cause qui le fera arriver est écrite aussi. Ainsi, la liaison des effets et des causes, bien loin d'établir la doctrine d'une nécessité préjudiciable à la pratique, sert à la détruire. Leibniz attaque ici Bayle qui préconisait que Dieu a voulu le péché[96]. En revanche, il n'aborde pas avec précision la position de l'islam sur ce point, se contentant de commenter le fait que le *fatum mahometanum* «peut être utile quelques fois pour porter certaines gens à aller tête baissée au danger, et on l'a dit particulièrement des soldats turcs» et il ajoute : «Mais il semble que le Maslach (sorte d'opium) y a plus de part que ce sophisme ; outre que cet esprit déterminé des Turcs s'est fort démenti de nos jours»[97]. Il termine donc sur une situation d'actualité, qui correspondait à l'époque aux pre-

[95] *Ivi*, 32.
[96] *Ivi*, 79.
[97] *Ivi*, 135 (paragraphe 55), première partie de la *Théodicée*.

miers signes du déclin de la puissance turque. Semblant ignorer les traditions musulmanes relatives à la question, Leibniz attribue pourtant au bout du compte la folle bravoure légendaire des Turcs à l'argument paresseux «il n'arrivera que ce qui doit arriver» alors qu'elle était surtout motivée, comme de nos jours l'indifférence à la mort de la plupart des kamikazes musulmans, par un raisonnement de cause à effet qui est l'obtention du paradis ou, du moins, de l'agrément divin, en échange de la perte de sa vie au combat. L'auteur de la *Théodicée* ne se serait-il pas laissé entraîner lui-même par un certain «argument paresseux» lorsqu'il s'est agi d'approfondir certains processus de la pensée de l'islam ? En tout état de cause, la prise en compte, à la lettre, de cette idée reçue a conduit pendant longtemps le monde chrétien à sous-estimer la motivation des musulmans pour le combat.

En revanche, sur le plan théologique, Leibniz ne s'était en rien trompé de cible, les courants majoritaires de l'islam, sunnites comme chiites, ayant le plus souvent cherché à imposer une conception radicalement déterministe des choses, dans le domaine politique parallèlement à la prédestination au salut (pour leurs fidèles) ou à la damnation (pour les «déviants»), attitude qui correspond point par point à ce qu'il nomme «ce Dédale malheureux, qui a causé une infinité de désordres, tant chez les anciens que chez les modernes»[98]. C'est cette composante de la pensée musulmane, qui exclut tout doute et toute mise en perspective de ses propres convictions, qui avait attiré, quelques années auparavant, l'attention de son contemporain, Spinoza.

Spinoza et le principe de liberté

Si Spinoza n'a consacré à l'islam que quelques lignes de son importante production, elles méritent, en raison de leur portée exceptionnelle qui lui a permis de toucher le cœur du problème, une attention toute particulière. Ayant abordé la question dans son *Traité théologico-politique*, il y cite les Turcs à deux reprises.

Le premier passage se rapporte aux moyens qui ont été mis en œuvre par les religions pour pallier l'inconstance de la multitude,

---

[98] *Théodicée*, troisième partie, paragraphe 367, 334.

toujours à la recherche de nouvelles superstitions. Cette inconstance «ayant causé beaucoup de troubles et de guerres atroces», pour éviter ce mal, on s'est appliqué avec le plus grand soin à entourer la religion, vraie ou fausse, d'un culte et d'un appareil propres à lui donner dans l'opinion plus de poids qu'à tout autre mobile et à en faire pour toutes les âmes l'objet du plus scrupuleux et plus constant respect. Or, «ces mesures n'ont eu nulle part plus d'effet que chez les Turcs où la discussion même passe pour sacrilège et où tant de préjugés pèsent sur le jugement que la droite Raison n'a plus de place dans l'âme et que le doute même est rendu impossible»[99]. Cette thématique du refus de la discussion et de la relativisation des croyances en islam est, comme on l'a vu plus haut, très ancienne. Néanmoins, elle revêt chez Spinoza une dimension particulière par son insertion multidimensionnelle, touchant tous les aspects de la vie humaine, y compris le social. Dans cette optique, la religion des Turcs, c'est-à-dire l'islam, est très défavorablement placée par rapport au système de société qu'il préconise.

En effet, tout son traité consiste à montrer comment, dans une libre république, organisation idéale selon lui, le «libre jugement propre ne peut être asservi aux préjugés ni subir aucune contrainte»[100]. Dans un tel système il ne saurait être question de séditions excitées sous couleur de religion, puisque celles-ci «naissent uniquement de ce que des lois sont établies concernant les objets de spéculation et de ce que les opinions sont tenues pour coupables et condamnées comme si elles étaient des crimes. Leurs défenseurs et partisans sont immolés, non au salut de l'État, mais à la haine et à la cruauté de leurs adversaires»[101].

Son idée centrale est l'établissement d'un droit public qui «poursuive seulement les actes, les paroles n'étant jamais punies». Il s'agit ici des fondements non seulement de la liberté totale de croyance, d'opinion et d'expression qui constituera un point fondamental de la charte des droit de l'homme, mais aussi des règles d'un Etat laïc, fondé sur la seule Raison humaniste et au sein duquel chacun devrait être totalement libre de pratiquer la religion

---

[99] Préface du *Traité théologico-politique*, Ch. Appuhn éd., Paris 1965, 21.
[100] *Ivi*, 22.
[101] *Ibidem*.

qui lui conviendrait et, ce, de manière tout à fait visible et officielle. Spinoza entend, de surcroît, prouver que si «cette liberté peut être accordée sans danger pour la piété et la paix de l'État, on ne pourrait la supprimer sans détruire la paix de l'État et la piété». «Telle est la thèse que mon principal objet a été de démontrer dans ce traité»[102]. Il va donc concentrer son effort sur la démonstration selon laquelle le christianisme, dans sa lumineuse vérité, se prête, précisément, tout à fait parfaitement à la mise en œuvre de cette liberté. Mais il s'agit dans son esprit du vrai christianisme, qui se définit par : amour, joie, paix, continence et bonne foi envers tous, le christianisme évangélique, en un mot, et non pas du christianisme défiguré qui, à son époque, ne se distingue plus des autres religions : «Voilà longtemps déjà, les choses en sont venues au point qu'il est presque impossible de savoir ce qu'est un homme : Chrétien, Turc, Juif ou Idolâtre, sinon à sa tenue extérieure et à son vêtement, ou à ce qu'il fréquente telle ou telle Église ou enfin à ce qu'il est attaché à telle ou telle opinion et jure sur la parole de tel ou tel maître. Pour le reste, leur vie à tous est la même»[103]. Ceci vient du fait que, dans l'Église chrétienne, le pouvoir a corrompu les ministres et qu'ils ont, en raison de cela, maintenu la foi dans les plus absurdes et irrationnelles superstitions. Ceci ne serait pas arrivé s'ils avaient eu ne serait-ce qu'une étincelle de la lumière divine. Elle les aurait rendus humbles et les aurait éloignés du fanatisme. Cette lumière divine, que Spinoza appelle la «parole révélée de Dieu», ce n'est pas un certain nombre de livres, mais une idée simple de la pensée divine telle qu'elle s'est fait connaître aux Prophètes par révélation : à savoir qu'il faut obéir à Dieu de toute son âme, en pratiquant la justice et la charité. C'est ainsi que la connaissance révélée n'a d'autre objet que l'obéissance et elle est en cela tout à fait distincte de la connaissance naturelle. Chacune a son domaine propre et elles n'ont pas à se combattre. D'autre part, dans la mesure où les hommes ont des complexions différentes il faut laisser à chacun la liberté de son jugement et de l'interprétation des fondements de sa foi. On jugera ainsi «la foi de chacun selon ses œuvres seulement, se demandant si elles sont confor-

---

[102] *Ibidem.*
[103] *Ivi*, 23.

mes ou non à la piété et seules la justice et la charité auront pour tous du prix. Les souverains, en tant que défenseurs du Droit Naturel de l'individu qui est de jouir de sa liberté propre, seront soutenus par tous les sujets, chacun étant le défenseur de sa liberté propre et tous ayant délégué au souverain leur pouvoir de les défendre et, surtout, de défendre leurs libertés. Ainsi, pour maintenir la sûreté de l'État, interprète du droit civil, comme du droit sacré, c'est-à-dire qu'il décrète ce qui est juste et ce qui est injuste, ce qui est conforme ou non à la piété, il faut laisser chacun libre de penser ce qu'il voudra et de dire ce qu'il pense»[104].

Il est évident que, d'une telle société, nul ne peut être exclu, à condition de se conformer aux ordres de l'État et de respecter la liberté des autres. Certains pourraient néanmoins être susceptibles de s'en exclure eux-mêmes, si leurs principes n'admettent pas la pratique de cette liberté. C'est justement ce qu'il constate à propos de l'islam en raison de son rejet de toute discussion et de toute liberté d'opinion. C'est, pour lui, le seul véritable problème que pose cette religion, question soulevée depuis le milieu du XIIe siècle par Pierre le Vénérable, et reprise au XVIe par Bibliander. Néanmoins, Spinoza n'exclut nullement l'idée que des musulmans qui se conformeraient à ces principes puissent vivre en paix dans la république idéale qu'il préconise. C'est ce qu'il explique dans une lettre adressée à son correspondant Jacob Osten en réponse à une critique de son ouvrage émanant de Lambert de Velthutsen. Celui-ci achevait la sienne (datée du 25 janvier 1671) adressée à Jacob Olsen, en réponse à sa demande de lui donner un avis sur le *Traité théologico-politique*, de la manière suivante : «On voit du moins clairement par cet écrit, que la méthode et les arguments de l'auteur ruinent toute autorité de l'Écriture et qu'il n'en est fait mention que pour la forme ; mais il résulte de cette position que le Coran peut au même titre être considéré comme la parole de Dieu. L'auteur, en effet, n'a aucun moyen de prouver que Mahomet ne fut pas un vrai prophète, puisque les Turcs aussi par les prescriptions de leurs prophètes, cultivent des vertus éthiques que personne ne met en question»[105]. Spinoza, très aga-

---

[104] *Ivi*, 27.
[105] B. SPINOZA, *Œuvres complètes*, R. Caillois - M. Francès - R. Misrahi éds., Paris 1954, 1217.

cé par cette critique qu'il estime liée à une totale incompréhension de sa pensée dont il ne sait si elle provient d'une ignorance ou d'une malveillance, répondit en ces termes : «Je passe à sa conclusion : il ne me reste plus, dit-il, aucun moyen de prouver que Mahomet ne fut pas un vrai prophète. C'est ce qu'il s'efforce de prouver à partir de ma doctrine, alors qu'il en découle clairement que Mahomet fut un imposteur. Il supprime, en effet, totalement cette liberté que reconnaît la religion catholique révélée par la lumière naturelle et les prophètes, et dont j'ai montré qu'il fallait absolument la reconnaître». La réponse est claire : l'islam ne peut, justement dans son système, être situé au même niveau que le catholicisme parce qu'il n'est pas apte à reconnaître la vraie liberté religieuse. Mais voici qu'il ajoute, entraîné par son agacement à l'égard de son critique : «Et même s'il (Mahomet) n'était pas un imposteur, suis-je tenu, je le demande, de prouver qu'un prophète fût un faux prophète ? C'étaient les prophètes au contraire, qui étaient tenus de prouver leur authenticité. Si l'on objecte que Mahomet a aussi enseigné une loi divine et qu'il a donné de sa mission des signes certains, comme le firent les autres prophètes, alors il ne reste aucune raison de nier que Mahomet ne fut pas un vrai prophète» et il ajoute : «Pour les Turcs et les autres nations, s'ils adorent Dieu par le culte de la justice et de la charité envers le prochain, je pense qu'ils ont en eux l'esprit du Christ et qu'ils sont sauvés, quelles que puissent être les croyances que, par ignorance, ils ont sur Mahomet et les oracles»[106]. Il ne fait aucun doute que le désir de heurter son critique pour lui faire prendre conscience de sa vraie position le pousse à instrumentaliser, en partie, sa propre position vis-à-vis de l'islam. Il veut faire comprendre par là à Lambert de Velthutsen que le fondement même de sa réflexion étant la liberté de penser, il était vraiment absurde de sa part de vouloir lui imposer de porter un jugement, en l'occurrence sur l'islam. C'est pourquoi il va jusqu'à supposer que, confronté à son système de liberté, Mahomet pourrait, au fond, ne pas passer nécessairement pour un imposteur. Dans ce cas, pourquoi voudrait-on lui imposer de démontrer qu'il est un faux prophète ? Il veut affirmer que cela non seulement ne fait

---

[106] *Ivi*, 1221.

nullement partie de ses préoccupations, mais va de surcroît radicalement à l'encontre de son système de liberté, dans lequel on se refuse d'imposer à l'autre sa vérité religieuse et où l'on respecte sa foi, à condition qu'il se conforme lui-même aux principes de la liberté. Selon son propre système, il n'a pas à se substituer à un juge, puisque ce sont les prophètes qui doivent faire leurs preuves en proposant une religion conforme au principe de liberté. C'est pourquoi il ajoute que si les Turcs, en particulier, se comportent avec justice et respect de l'autre, ils ont droit au salut, comme les autres, en dépit de leurs erreurs.

Ce philosophe dissocie pour la première fois, les hommes, fidèles de telle ou telle religion, de cette religion elle-même. L'individu, selon ce point de vue, peut transcender les erreurs de son propre dogme et il convient d'en avoir pleinement conscience. C'est ainsi que des musulmans, à condition de répondre aux critères de l'acceptation de la liberté pour tous, pourraient tout à fait être admis dans une société républicaine. Plus que cela, s'ils sont de bonne volonté, on doit admettre qu'ils sont sauvés par le Christ.

Ces quelques phrases, en un même mouvement, envisagent une ouverture inédite de la pensée chrétienne à l'égard des non-chrétiens et dévoilent la complexité du questionnement qui doit être lié à la compatibilité de l'islam avec la laïcité. Spinoza rappelle en effet que la question n'est pas simplement de savoir si le dogme de cette religion admet ou non ce principe, mais de voir comment les musulmans en tant qu'individus choisissent de se comporter par rapport à la lumière divine qui peut habiter chacun, y compris les idolâtres. Il n'est pas exagéré de dire qu'une application pratique de sa pensée sur ces points, à condition qu'elle fût venue beaucoup plus tôt, non seulement aurait pu mettre fin aux guerres de religion en Europe, mais encore éviter la scission tragique entre la culture chrétienne et l'esprit de la Révolution qui tenta, un peu plus d'un siècle plus tard, de la remplacer par le culte de l'être suprême. Pour l'heure, elle peut encore être porteuse d'espoirs dans le cadre du dialogue avec le monde musulman, à condition, bien entendu, que les concessions minimales qu'il préconise soient acceptées également par toutes les parties en présence.

Conclusion

Il ressort de ces quelques coups de sonde dans les milieux scientifiques et philosophiques du XVIIe siècle une tendance commune qui consiste à s'appuyer sur un ou plusieurs éléments ponctuels et à proposer une théorie sur l'islam à partir de la vision éclatée qu'ils en donnent. La saisie de cette religion qui en émane est le plus souvent – exception faite pour Spinoza, qui, en quelques mots, a touché le cœur de la question – directement instrumentalisée dans le cadre d'une visée qui l'englobe et la dépasse. De plus, ces productions se caractérisent par une forte imperméabilité, non seulement entre les disciplines, mais encore entre les opinions et les thèses propres à chaque auteur. Il semble que ce foisonnement d'idées diverses et divergentes puisse être envisagé comme représentatif d'une manière nouvelle d'aborder la question, toutes disciplines confondues.

Pour donner la mesure de l'étendue de ces processus de spécialisation pouvant aller jusqu'au cloisonnement, il est significatif de présenter, parallèlement à l'œuvre de Bibliander avec laquelle on avait ouvert cette réflexion, celle de l'un des plus grands spécialistes de l'islam au XVIIe siècle : Lodovico Maracci. Ce remarquable arabisant, qui a publié en 1698 le texte arabe du Coran accompagné de sa traduction latine et d'une *refutatio* selon un point de vue catholique a, comme le constate très justement Maurice Borrmans, jeté les bases de l'orientalisme moderne[107]. En effet, sa démarche consiste à s'appuyer, comme cela deviendra assez vite la règle, sur les Traditions prophétiques et les commentaires coraniques les plus répandus pour expliquer le Coran, donc à rendre compte des textes fondateurs de l'islam exclusivement par des écrits musulmans. Cette méthode sera approfondie par ses successeurs et rapidement débarrassée de tout commentaire apparenté à une réfutation pour aboutir à un orientalisme se fixant pour but essentiel de restituer fidèlement le discours que les divers courants de l'islam ont tenu sur eux-mêmes et sur leurs propres textes fondateurs.

---

[107] M. BORRMANS, *Ludovico Marracci et sa traduction latine du Coran*, "Islamochristiana", 28 (2002), 73-85, [76].

Une telle orientation de pensée est sans aucun doute redevable à certains des auteurs qui viennent d'être examinés ainsi qu'aux cercles qui ont transmis leurs idées. L'idéal de la tolérance, issu du drame des guerres de religion, en particulier sous la forme sous laquelle il a été défendu par Toland et Bayle, a certainement joué un rôle décisif dans cette nouvelle manière d'aborder l'islam et sur les impératifs moraux qui s'imposeront peu à peu aux spécialistes de ce domaine. Dans ce sens, les orientations qui ressortent des textes que l'on vient d'examiner confirment point par point le constat de Giovanni Dotoli selon lequel «la vision positive de l'islam à l'époque des Lumières naît au cours de la deuxième partie du XVIIe siècle»[108]. Par ailleurs, l'envoi d'une ambassade ottomane à Paris en 1669 a marqué une évolution rapide et décisive des relations avec ce pays, qui, d'ancien ennemi, est devenu un partenaire, la véritable problématique étant devenue peu à peu «l'intégration des Turcs dans le concert européen de la politique»[109]. A tous ces facteurs s'est adjoint l'impact des théories des héritiers, directs ou indirects, de Guillaume Postel (1510-1581) qui, comme Gianpaolo Marana (1642-1693), auteur de *L'espion du grand seigneur dans les cours des provinces chrétiennes*[110], ont établi, ainsi que le souligne Dominique Urvoy, les bases d'une islamophilie qui ira jusqu'à renverser les valeurs en affirmant que non seulement les chrétiens doivent prendre modèle sur les musulmans, mais encore que le christianisme lui-même doit se transformer en idéologie passe-partout[111]. Cette proposition, qui figure en termes clairs chez Toland, se trouve relayée par un théologien, protestant lui aussi : Jacques Abbadie (1654-1727), qui, «dans une section additionnelle de son *Traité de la vérité de la religion chré-*

---

[108] *Les Méditerranées du XVIIe siècle...*, cit., 11.

[109] *Ivi*, 10.

[110] Première édition en un volume, Paris 1684. Dominique Urvoy signale que l'ouvrage a été progressivement amplifié au cours de dix-neuf éditions en divers endroits jusqu'en 1756, aboutissant finalement à dix-neuf volumes. Voir *Les racines historiques de l'islamophilie chez les intellectuels français*, in *Pluralisme religieux, quelle âme pour l'Europe*, H.O. Luthe - M.T. Urvoy - G. Gobillot éds., Paris 2007, 65-79, [68, n. 60], qui renvoie à G. ALMANSI - D.A. WARREN, *Roman épistolaire et analyse historique : L'espion turc de G.P. Marana*, "XVIIe siècle", 110-111 (1976), 57-73.

[111] D. URVOY, *Les racines historiques...*, cit., 68.

tienne, affirme que si Jésus-Christ n'est pas vrai Dieu d'une même essence que son père, la religion mahométane est préférable à la religion chrétienne et Jésus Christ moindre que Mahomet»[112]. On peut ajouter à ce courant les noms de l'orientaliste Adrien Reland (1676-1718), auteur du *De religione mohammedica*[113] lequel, traduit en français par David Durand, a participé à revendiquer auprès du grand public une attitude visant à «être équitable» vis-à-vis de l'islam, et du déiste Anacharsis Cloots, dont les théories, exprimées dans sa *Certitude des preuves du mahométisme*[114] ont inspiré à Bonaparte ses déclarations de sympathie à l'égard d'un islam fortement épuré et idéalisé[115].

On va donc assister, à la suite de cette mouvance, à une spécialisation de plus en plus grande des domaines. D'un côté l'orientalisme, devenu peu à peu islamologie, une science hermétique au grand public, avec ses codes, son vocabulaire technique et l'élitisme issu du prestige attaché à la connaissance des langues du monde de l'islam, de l'autre, les philosophes, littéraires, penseurs et plus tard sociologues et politologues, souvent réduits à s'exprimer à partir d'idées reçues et d'informations vulgarisées ou excessivement fragmentées. Enfin, les historiens des religions comparées, enfermés eux aussi dans leur domaine spécifique, souvent désavoués par les islamologues en raison des souvenirs polémiques attachés à leur mise en évidence d'éléments antéislamiques dans les textes fondateurs de l'islam, et boudés par une majorité d'intellectuels peu intéressés, de façon générale, aux recherches sur l'intertextualité.

---

[112] Cité par D. URVOY, *Les racines historiques…*, cit., 70, n. 65, d'après la sixième édition, Rotterdam 1711, III, 6. Les deux premières parties ont paru en 1684 et ont connu plusieurs rééditions. La troisième partie a été ajoutée en 1689. Voir également D. URVOY, *La religion musulmane et la preuve de la divinité de Jésus selon Jacques Abbadie (1654-1727)*, "Islamochristiana", 12 (1986), 73-91.

[113] *La religion des Mahométans, exposée par leurs propres docteurs, avec des éclaircissements sur les opinions qu'on leur a faussement attribuées.* Tiré du latin de Mr. Reland, La Haye 1721, V (épître dédicatoire de 1701). Voir D. URVOY, *Les racines historiques…*, cit., 70, n. 66.

[114] Publié à Amsterdam en 1779, avec la rubrique Londres 1780. Cité par D. URVOY, *Les racines historiques…*, cit., 72, n. 74.

[115] *Ivi*, 72-73.

Se tenant à l'écart de la philosophie, la majorité des orientalistes se sont alors rarement interrogés sur certains points essentiels, comme le rapport entre les commentaires coraniques qu'ils utilisaient et le sens du texte tel qu'il était supposé être saisi par ceux auxquels il s'adressait à l'origine. Ce point a pourtant été soulevé à partir du XIXe siècle par les intellectuels musulmans du mouvement réformiste, mais sans aboutissement significatif. En revanche, on se heurte encore de nos jours à des réticences plus ou moins fortes selon les milieux, lorsqu'il s'agit de s'interroger sur les rapports entre la tradition prophétique et le Coran, que souvent elle contredit radicalement. Il en a été de même pour les oppositions et les contradictions entre exégèse chiite et exégèse sunnite, ressenties comme si gênantes que les orientalistes se sont divisés, au XXe siècle, en spécialistes du chiisme et spécialistes du sunnisme dont H. Corbin et L. Massignon ont été respectivement les deux grandes figures.

Ainsi, lorsque les penseurs du XVIIe siècle ont entrepris de considérer l'islam sous un angle nouveau, ils ont certes contribué à l'élaboration de l'excellente connaissance que l'on a de nos jours de la pensée musulmane à travers les contenus dogmatiques de ses diverses branches et expressions au cours de l'histoire, mais ils ont en même temps ouvert un «piège pour la pensée» dans lequel se sont engouffrés la grande majorité des orientalistes européens : la rupture avec l'étude des religions comparées[116]. Certains spécialistes tentent de renouer avec cette féconde tradition depuis quelques années, mais tous n'ont pas une conscience absolument claire des conditions indispensables à la réussite d'une telle entreprise. Elle ne pourra en effet aboutir que par la mise en place des multiples connexions permettant de rattacher point par point cette connaissance de l'univers de pensée de l'islam héritée de l'engagement des penseurs du XVIIe siècle, et l'étude approfondie des textes fondateurs de cette religion dans leur contexte d'origine, selon une perspective interculturelle et intertextuelle presque totalement interrompue depuis la publication de l'*Apologia* de Bibliander au XVIe siècle.

[116] Il y a toujours eu des exceptions à cette règle. Ignace Goldziher en constitue un remarquable exemple et il n'est pas le seul. Malheureusement, aucun des travaux de ces brillants chercheurs, n'a réussi à faire évoluer significativement à l'époque de sa publication les tendances générales de l'orientalisme en Europe.

GLI INTERESSI ARABISTICI DI FEDERICO BORROMEO: PATRIMONIO LIBRARIO E CULTURA ISLAMICA

Franco Buzzi

Dietro la volontà di aprire al pubblico nel 1609 la grande sala della Biblioteca Ambrosiana, c'era da parte del Cardinale Federico Borromeo un interesse culturale amplissimo, allargato, senza dubbio, a tutto il mondo allora conosciuto[1]. Egli stesso, che pure aveva fissato nel logo del Collegio dei Dottori («*Singuli singula*»)[2], una massima che assegnasse a ogni singolo studioso il proprio campo d'interesse, aveva dimostrato, fin dai tempi della sua personale formazione, un'esuberante curiosità intellettuale che peraltro non riuscì mai a saziare durante il corso di tutta la sua vita. Proprio a partire da tale consapevolezza, Federico volle suggerire quella norma di specializzazione che assegnò, come motto, ai Dottori del Collegio Ambrosiano. Costoro, nella sua intenzione, avrebbero dovuto essere singolarmente eccellenti in qualche campo specifico della cultura[3]. Tra i vari interessi culturali della for-

---

[1] Rimando in particolare ad alcuni lavori che dimostrano gli interessi di Federico Borromeo per l'Oriente: E. GALBIATI, *L'orientalistica nei primi decenni di attività*, in *Storia dell'Ambrosiana, Il Seicento*, Milano 1992, 89-120; P. BRANCA, *Gli interessi arabistici del Cardinal Federico Borromeo nel quadro dello sviluppo degli studi orientali durante il Seicento*, "Studia Borromaica", 16 (2002), 325-333; P.F. FUMAGALLI, *Orientalia Federiciana. Prospettive universali all'Ambrosiana*, "Studia Borromaica", 19 (2005), 351-363.

[2] Si tratta del famoso logo dettato da Federico per il Collegio dei Dottori, vale a dire: «*Singuli [faciant] singula*», ogni singolo dottore del Collegio Ambrosiano si specializzi in quell'ambito che solo gli compete.

[3] Sul progetto culturale generale di Federico vedi F. BUZZI, *Il progetto culturale milanese di Federico Borromeo*, in *Federico Borromeo fondatore della Biblioteca Ambrosiana*, a. c. di F. Buzzi - R. Ferro, "Studia Borromaica", 19 (2005), 203-245.

mazione personale di Federico Borromeo incontriamo anche quello per le lingue semitiche, nelle quali egli si fece a più riprese istruire fin dai tempi della sua permanenza romana[4].

La competenza linguistica personale del Cardinale

A partire da queste notizie, tutto sommato ancora abbastanza generiche, sarebbe nondimeno difficile poter stabilire con assoluta certezza quale fosse il grado di conoscenza della lingua araba che egli possedeva. Qui però può venirci in soccorso la documentazione manoscritta conservata presso la Biblioteca Ambrosiana. Sono soprattutto tre i documenti interessanti:

1. Ci è conservata una traduzione latina dei primi tre capitoli della *Genesi* a partire da una versione araba del testo biblico. La si trova nella terza parte del ms. G 2 inf., ff. 131r-132v.
2. C'è anche un tentativo di stabilire vari modi di leggere e di comprendere il testo dei Salmi a partire da una versione araba a stampa. Si veda il ms. G 4 inf., ff. 408r-426r: *Psalmorum lectio varia ex textu arabico impresso.*
3. Resta pure ben documentato lo sforzo di addentrarsi nel campo semantico di alcune parole arabe, nel tentativo di comprenderne la duttilità e la finezza. Si veda in proposito il ms. G 21 inf., ins. I, ff. 1-79: *Explicatio vocum quarundam arabicarum.* In concreto si tratta di una rubrica ovvero di un indice di circa centoventi parole arabe.

Da un semplice esame sommario di questi testi si evince quale fosse il livello di conoscenza dell'arabo di cui disponesse personalmente il Cardinale Federico Borromeo: egli sapeva leggere e comprendere il testo arabo con l'aiuto di una buona traduzione latina letterale.

---

[4] Lo ricorda egli stesso nel suo *De suis studiis commentarius*, Mediolani 1627, 38, per quanto riguarda l'apprendimento della lingua ebraica da un monaco di Vallombrosa che allora reggeva la chiesa di Santa Prassede.

Il suo interesse per la formazione orientalistica dei Dottori

Tuttavia la sincerità del suo interesse per la lingua araba emerse ancora nel momento in cui, desideroso di offrire ai Dottori del Collegio un insegnante di madre lingua, chiamò a Milano Michele Micheli, detto il Maronita, perché era stato appositamente venire dal Collegio Maronita di Roma, allora retto dai gesuiti[5].

Questo Michele Micheli fu il maestro diretto del Dottore Antonio Giggi, al quale si deve il famoso *Thesaurus linguae arabicae* in 4 volumi[6]. Al maestro Michele il Cardinale Federico affidò il compito di svolgere la grande ricerca dei mss. arabi nei Paesi del Vicino Oriente. Il Maronita Michele morì appunto ad Aleppo nel 1613, dove si trovava per incarico di Federico a fare incetta di libri arabi.

Il Giggi a sua volta fu chiamato al Collegio di Propaganda Fide da Urbano VIII, come insegnante di lingue orientali, ma la morte sopraggiunta nel 1634 gli impedì di aderire a questa proposta. Il Giggi era stato nel frattempo anche maestro di Giacomo Filippo Buzzi († 1677) che appartenne alla seconda generazione del Collegio dei Dottori e confezionò traduzioni inedite di testi arabi[7].

L'acquisto dei manoscritti arabi

Gli interessi arabistici di Federico si riflettono chiaramente nel patrimonio dei manoscritti arabi conservati fin dagli inizi all'Ambrosiana. Evidentemente si tratta di quei circa duecento manoscritti, reperiti nella stragrande maggioranza dallo stesso Michele Maronita, che costituiscono il cosiddetto Fondo Arabo Antico della Biblioteca Ambrosiana[8]. Altri testi del Fondo Antico pro-

---

[5] Cfr. E. GALBIATI, *L'orientalistica nei primi decenni di attività...*, cit., 101-113.

[6] A. GIGGEIUS, *Thesaurus linguae arabicae*, Ex Ambrosiani Collegij Typographia, Mediolani 1632.

[7] Cfr. E. GALBIATI, *L'orientalistica nei primi decenni di attività...*, cit., 116-117.

[8] Non mi dilungo analiticamente sulla presentazione del Fondo Antico. Ricordo solo che il riferimento indispensabile, al quale volentieri rimando anche per le relative segnature, resta O. LÖFGREN - R. TRAINI, *Catalogue of the*

vengono dal lascito di David Colville, quel dotto e pio sacerdote scozzese che, nel settembre del 1629, morì in casa del Cardinale Federico Borromeo[9].

I manoscritti di questo Fondo si distinguono schematicamente in manoscritti cristiani e manoscritti islamici.

Nei primi occorre ulteriormente distinguere tra
• testi biblici
• altri testi o testi extrabiblici
Nei secondi occorre distinguere analogamente tra
• il Corano
• gli altri testi

a) *Manoscritti cristiani*

I testi biblici in arabo presenti in questo Fondo sono:
1. I profeti anticotestamentari, tra cui i quattro maggiori (Isaia, Geremia, Ezechiele e Daniele) e i dodici profeti minori (C 58 inf.).
2. Giobbe[10] (& 193 sup.).
3. I quattro Vangeli (C 47 inf.; E 95 sup.).
4. Gli Atti degli Apostoli (B 20 inf.; I 10 sup.; & 84 sup.).
5. Le lettere di san Paolo (B 20 inf.).
6. Le epistole cattoliche: Giacomo; 1-2 Pietro; 1-2-3 Giovanni; Giuda (B 20 inf.).
7. Apocalisse di Giovanni (I 217 inf.).
8. Alcuni Evangeliari (E 95 sup.).
9. Epistola apocrifa di Paolo ai cristiani di Laodicea (& 84 sup.).
10. Commento al Simbolo di Nicea (I 10 sup.).

Arabic Manuscripts in the Biblioteca Ambrosiana, I, *Antico Fondo and Medio Fondo*, Vicenza 1975.
    [9] Cfr. E. GALBIATI, *L'orientalistica nei primi decenni di attività...*, cit., 114.
    [10] Segnalo, per maggior precisione relativa ai fondi arabi dell'Ambrosiana che completa questa lista di manoscritti biblici, un manoscritto acquistato nel 1910 da Achille Ratti che contiene i libri sapienziali dell'Antico Testamento: Proverbi, Qoelet, Cantico dei Cantici, Giobbe, Siracide.

Gli altri testi cristiani documentati sono:

1. Vangelo apocrifo di Giovanni (E 96 sup.): pubblicato in arabo con traduzione in latino da Giovanni Galbiati, Milano 1957.
2. Precetti e canoni giuridico-morali per Arabi cristiani, pubblicati con traduzione italiana da G. Galbiati e S. Noja, Milano 1964 (E 96 sup.).
3. Collezioni di inni cristiani in metrica varia su Maria, Cristo e Lazzaro (A 17 sup.; C 89 inf.).
4. Sentenze del filosofo Secondo, detto il Taciturno (C 89 inf.). Sul Taciturno vedi gli studi di Johannes Bachmann portati a termine tra 1887 e il 1888.
5. Commentario della Genesi (C 1 sup.).
6. Miscellanea di vari testi edificanti (E 1 sup.).
7. Miscellanea di testi cristiani (G 11 sup.).
8. Miracoli di Basilio di Cesarea; Martirio e dodici miracoli di S. Giorgio; l'Apocalisse di Gregorio di Nazianzo; collezione di leggende sui martiri cristiani (I 17 sup.).
9. Due falsi apocrifi (I 259 inf.).
10. Codice arabo palinsesto che reca le seguenti scritture: greco, greco e latino, ebraico, siriaco e arabo; in esso G. Galbiati ha identificato un Virgilio latino e greco (L 120 sup.).

Altri codici contengono:
- miscellanee di scritti vari tra cui molte omelie e storie (R 15 sup.).
- un'Apocalisse di san Paolo (R 15 sup.).
- un salterio, un orologion (S 8 sup.).
- un commentario di Atanasio sui salmi (& 1 sup.).

b) *Manoscritti islamici*

Il Corano

- Dodici codici che contengono copie complete del Corano[11].

---

[11] O. LÖFGREN - R. TRAINI, *Catalogue of the Arabic Manuscripts...*, cit., 39-44.

- Sedici codici che contengono frammenti o estratti, insomma antologie coraniche[12].

Altri testi (ne scelgo solo alcuni e solo a titolo esemplificativo):

- parti dell'*Enciclopedia medica (al-Qānūn fī t-tibb)* di Abdallāh Ibn Sīnā, Avicenna (tra il 900 e il 1000), poi tradotto in latino da Gerardo da Cremona nel XII secolo (A 42 inf.);
- diverse opere, o parti delle opere, di Ibn Butlān (medico di Baghdad, sec. XI), tra cui il *Symposion medicorum* (A 125 inf.);
- i commentari di Galeno a Ippocrate, copiati da un codice a El Escorial da David Colville nel 1624 (B 135 sup.);
- diversi manuali di preghiere magiche, per lo più di autori anonimi, e raccolte di formule cabbalistiche, testi di prognostici astrologici (per esempio: M 21 sup.; & 20 sup.; & 25 sup.);
- un prezioso manoscritto miniato che contiene la zoologia, il *Kitāb al-Hayawān* (*Il libro degli animali*), di al-Ğāhiz († 868), il quale in parte si rifà ad Aristotele, in parte è invece indipendente e creativo (D 140 inf.);
- opere cosmografiche, come la mappa medievale del mondo realizzata da Ibn al-Wardī (A 67 sup.) e il dizionario geografico di Abdallāh ben Muhammad ben Ayyūb al-Bakrī (C 33-35 inf.);
- opere di matematica, scienza (tra cui cronologia e astronomia), geometria e musica (per es. il famoso trattato sulla musica di Muhammad ben Muhammad al-Fārābī, C 40 inf., tradotto da G.F. Buzzi);
- un dizionario arabo-turco di Muhammad b. Hasan at-Tibrīzī (A 74 sup.) e opere grammaticali di altri autori;
- un *Dictionarium trilingue Chaldaicum, Arabicum et Latinum* di Elia arcivescovo di Nisibis (N 240 sup.);
- Il riassunto, in 40 capitoli, dell'opera principale di Abū Hāmid Muhammad b. Muhammad al-Tūsī al-Gazzālī (1058-1111), *Ihyā' 'ulūm al-dīn* (*La rinascita delle scienze re-*

---

[12] *Ivi*, 45-48.

ligiose, C 53 inf.; C 56 inf.), ad opera del fratello meno noto Aḥmad b. Muḥammad b. Muḥammad al-Gazzālī (& 27 sup.).

Dall'insieme si ricava che Federico desiderava allargare e approfondire la conoscenza del mondo arabo quanto più fosse possibile, senza limitazione di campi per ciò che concerne le scienze, la lingua, la storia, la geografia e le lettere in generale (poesia e prosa). Almeno una decina di argomenti sui cinquantasette, elencati da lui come ambiti tematici di possibili ricerche lodevolmente praticabili dal Collegio dei Dottori, comporterebbero una certa considerazione della lingua e della letteratura araba. Mi limito a segnalare i seguenti: il riferimento esplicito agli autori arabi per quanto riguarda lo studio della medicina, l'attenzione alla storia della scrittura, necessità di compilare cataloghi dei libri arabi, studio dei riti e cerimoniali del mondo arabo, studio della lingua con particolare attenzione alla geografia[13].

L'interesse per l'evangelizzazione degli islamici

Tra i vari manoscritti personali di Federico conservati presso la Biblioteca Ambrosiana[14], ce n'è uno, recentemente pubblicato[15], che riveste un interesse particolare per il nostro tema. Si tratta del piccolo scritto intitolato *Lux matutina*. Federico Borromeo lavorò a lungo attorno a questo pezzo letterario, il cui genere si muove tra quello catechistico e quello rappresentato dal dialogo interreligioso. Si tratta della volontà di spiegare – non con improbabili argomenti apodittici, ma con ragioni semplici e plausibili – le principali verità del cristianesimo a un persiano di fede islamica. Il Cardinale Federico si attendeva molto da questa sua opera che

[13] Vedi l'elenco completo degli argomenti in F. Buzzi, *Il progetto culturale milanese di Federico Borromeo...*, cit., 234-239.

[14] Per i mss. di Federico si veda il catalogo di C. Marcora, *Catalogo dei manoscritti del Card. Federico Borromeo nella Biblioteca Ambrosiana*, Milano 1988.

[15] F. Borromeo, *Luce mattutina. Dialogo sulla vera fede tra un cristiano e un musulmano*, a c. di M. Bonomelli - F. Buzzi, Milano 2005.

avrebbe voluto tradotta anche in persiano e in arabo, quale semplice strumento per l'evangelizzazione cristiana tra i fedeli musulmani. Tra l'altro è curioso osservare come la *Dichiarazione più copiosa della dottrina cristiana* del Bellarmino, a partire dal 1613, sia stata tradotta più volte nelle lingue orientali per servire ai cristiani d'Oriente. Proprio qui sta la differenza tra il testo di Federico e quello del Bellarmino. Il libro del Cardinale arcivescovo di Milano, infatti, non era destinato a chi già fosse credente in Cristo, ma rappresentava il tentativo di comunicare in modo semplice la fede cristiana a coloro che erano di religione islamica, tenendo conto anche della loro particolare sensibilità e religiosità.

Gli interessi per l'arabistica, bene attestati nei primi decenni di vita dell'Ambrosiana, in verità, in adempimento alle intenzioni del suo fondatore[16], non sono mai venuti meno nel corso dei secoli presso la prestigiosa istituzione milanese. Oggi, a seguito della promulgazione dello «Statuto dell'Accademia Ambrosiana» ad opera del Cardinale Dionigi Tettamanzi[17] (in data 20 marzo 2008), si prevede, con la nascita della classe VI che si dedicherà agli Studi sul Vicino Oriente, un nuovo periodo di grande interesse anche per l'arabistica. Del resto ciò è doverosamente richiesto anche dal consistente fondo ambrosiano di manoscritti arabi che, complessivamente, si aggira attorno a duemila codici di alta qualità[18].

---

[16] Cfr. P.F. FUMAGALLI, *Orientalia Federiciana...*, cit., 356.
[17] D. TETTAMANZI, *Statuto dell'Accademia Ambrosiana*, "Rivista Diocesana Milanese", 99 (2008), 352-355.
[18] Molto presto, a cura del prof. Renato Traini, Accademico dei Lincei e Dottore *honoris causa* della Biblioteca Ambrosiana, sarà ultimato e pubblicato anche il quarto volume del catalogo dei manoscritti arabi dell'Ambrosiana.

Descrivere l'Islam nel Seicento.
Riflessioni sull'uso di termini ottomani nelle relazioni dei viaggiatori occidentali nell'Impero del Gran Signore[1]

Elisabetta Borromeo

Introduzione

Per i viaggiatori occidentali dell'Età Moderna salpare verso Levante, attraversare i paesi sotto il dominio ottomano o visitare Costantinopoli rappresentava un periplo ricco di significati alla scoperta dell'Impero del «Turco», il nemico musulmano per antonomasia. I viaggiatori del Seicento, al di là delle origini e dello scopo del viaggio, avevano un'immagine ambivalente del mondo del «Gran Signore», una civiltà che era insieme fonte di fascino e riprovazione[2]. Tali tratti emergono spesso nell'ambito di una stessa relazione[3]: l'Occidente cristiano guardava in effetti con ammirazione un Impero, che era però anche il nemico per eccellenza tanto dal punto di vista temporale quanto da quello spirituale[4].

---

[1] Ringrazio affettuosamente Maria Matilde Benzoni che ha riletto con cura questo testo, dandomi dei preziosi consigli.

[2] Mi permetto di rimandare al mio articolo e alla bibliografia relativa, E. BORROMEO, *Le «Turc» en Europe: itinéraire d'une image (du XVIᵉ siècle au début du XVIIᵉ siècle). Quelques réflexions*, in *Images des peuples et histoire des relations internationales*, a c. di M.M. Benzoni - R. Frank - S.M. Pizzetti, Milano-Paris 2008, 3-14.

[3] Come dimostrato da Franck Lestringant, tale ambiguità si coglie anche nelle teorie sull'origine dei «Turchi» che i viaggiatori proponevano ai loro lettori, cfr. F. LESTRINGANT, *Guillaume Postel et l'«obsession turque»*, in *Guillaume Postel 1581-1981. Actes du colloque d'Avanches*, Paris 1985, 89-298.

[4] Dal Cinquecento fino almeno alla metà del Seicento, tale rappresentazione ambivalente resterà una costante dell'immagine che l'Occidente aveva del «Turco», anche se naturalmente si colora di sfumature e significati diversi secondo l'epoca e la personalità del viaggiatore (cfr. E. BORROMEO, *Le «Turc»…*, cit.).

Questa sorta di duplicità nella rappresentazione del «Turco» –
l'*altro* ripugnante e allo stesso tempo seducente – emerge anche
nel modo in cui i viaggiatori utilizzavano all'interno dei loro resoconti parole non tradotte per descrivere gli aspetti della realtà ottomana di cui non riuscivano (o a volte non volevano) trovare un
equivalente nella loro lingua[5]. I viaggiatori si avvalevano di termini ottomani per descrivere soprattutto ciò che suscitava stupore ai
loro occhi – stupore che poteva nascere da un'ammirazione since-
ra, ma anche da riprovazione o dal fantasma della sensualità di un
Oriente sognato. Attraverso queste parole «esotiche», essi espri-
mevano così la fascinazione che esercitava su di loro l'impero ottomano, nemico detestato e rispettato: un impero che nel Seicento si configurava ancora come un attore importante dei complica-
ti equilibri geopolitici dell'Europa cristiana[6]. L'analisi delle relazioni di viaggio ha in effetti permesso di rilevare che non tutti i termini ottomani erano intraducibili: alcuni servivano semplicemente ad impreziosire il testo.

Perché, per esempio, giunti alla descrizione delle persone al
servizio del Gran Signore nel Serraglio, quasi tutti i viaggiatori
preferivano impiegare il termine turco *dilsiz*, invece di «muto», se
non per dare risalto al carattere mostruoso del potere del sultano,
aggiungere una nota esotica alla loro relazione e insieme vantarsi
della loro padronanza sull'*altro* e sulla sua diversità?

Lo studio delle nozioni e delle realtà relative alla religione e al
governo ottomano che risultavano per i viaggiatori al fondo intraducibili o che essi decidevano scientemente di non tradurre può
pertanto contribuire in modo assai rilevante ad arricchire la nostra
comprensione dei meccanismi della costruzione della rappresentazione dell'Islam in Occidente nel corso dell'età moderna.

In simile prospettiva, in questa sede ci si soffermerà sull'uso – e
sulle ragioni e i significati di tale uso – di termini ottomani da parte
di un variegato campione di viaggiatori secenteschi per presentare

[5] E. BORROMEO, *Quand l'alterité n'est pas traduite. Réflexions sur l'emploi
de mots ottomans par les voyageurs occidentaux dans le sud-est européen*, in
Identité et altérité dans le domaine turc à travers le vocabulaire, a c. di F. Geor-
geon, Paris 2008, in corso di stampa.

[6] Cfr. G. POUMARÈDE, *Pour en finir avec la Croisade. Mythes et réalités de
la lutte contre les Turcs aux XVIe et XVIIe siècles*, Paris 2004.

concetti relativi alla religione musulmana e al sistema giuridico-istituzionale dell'Impero, di cui l'Islam era appunto una delle basi.

Si tratta di personaggi diversi per origini e formazione, distinti nelle motivazioni del loro viaggiare nei paesi del Levante o del loro risiedere a Costantinopoli, eppure accomunati dal fatto di essere quasi tutti cattolici e dall'aver visitato l'impero ottomano nella prima metà del secolo.

Mi riferisco a Domenico Hierosolimitano, un ebreo ottomano che, dopo essere stato rabbino a Gerusalemme e in seguito terzo medico del Gran Signore Murad III (1546-1595) a Costantinopoli, alla fine degli anni Settanta del Cinquecento partì per l'Italia, dove si convertì al cattolicesimo e divenne censore dei libri in ebraico a Roma[7]; al gentiluomo francese Henry Beauvau che, partito alla volta di Costantinopoli nel 1604 al seguito dell'Ambasciatore di Francia Jean de Gontaut-Biron, Baron de Salignac, visitò la Terra Santa e l'Egitto durante il viaggio di ritorno[8]; al suddito spa-

---

[7] D. HIEROSOLIMITANO, *Relatione della gran città di Costantinopoli. [...] di Domenico Hierosolimitano già gran medico della persona di Sultan Amurat Avo del presente Gran Turco, che regna hora dell'anno 1611*, BNF, Département des Manuscrits Occidentaux, *Italien* n. 254, ff. 205r-302r. Il testo, di cui esistono molteplici manoscritti conservati in diverse biblioteche europee, è stato pubblicato più volte nel corso del Seicento da autori che se ne attribuirono la paternità (A. CHIERICI, *Vera Relatione della Gran Città di Costantinopoli et in particolare del Serraglio del Gran Turco*, Bracciano 1621 (Bracciano 1639; Poschiavo 1671); N. MUSSI, *Relatione della Città di Costantinopoli e suo sito. Con i Riti, e Grandezze dell'Ottomano Impero del Colonnello Nicolò Mussi*, Bologna 1671 (1677) e poi tradotto in francese agli inizi del Settecento dal dragomanno dell'Ambasciatore di Francia (LENOIR, *Nouvelle description de la ville de Constantinople. Avec la Relation du voyage de l'Ambassadeur de la Porte Ottomane, & de son séjour à la Cour de France*, chez Nicolas Simart et Charles Osmont fils, Paris 1721). È stato recentemente tradotto in inglese accompagnato da un importante apparato critico (D. HIEROSOLIMITANO, *Domenico's Istanbul, translated with an Introduction and Commentary by Michael Austin*, a c. di G. Lewis - E.J.W. Gibb, Warminster 2001). Cfr. M. BERNARDINI, *Costantinopoli nella Relatione di Domenico Gierosolimitano (1611)*, in *Miscellanea di studi in onore di Raffaele Sirri*, a c. di M. Palumbo - V. Placella, Napoli 1995, 17-38; E. BORROMEO, *Costantinopoli ottomana e la descrizione di Domenico Hierosolomitano (fine del XVI secolo)*, "Miscellanea di Storia delle esplorazioni", 25 (2000), 119-134.

[8] H. BEAUVAU, *Relation iournaliere du voyage du Levant. Faict et descrit par Messire Henry de Beavau baron dudit lieu, et de Manonuille, seigneur de Fleuville*, par François du Bois, Imprimeur du Roy, Toul 1608.

gnolo di origini siciliane Octavio Sapiencia, schiavo degli Ottomani dal 1604 al 1609 e poi, fino al 1616, cappellano dell'Ambasciatore del Re Cristianissimo a Costantinopoli[9]; al nobile romano Pietro Della Valle, famoso viaggiatore che, dal 1614 al 1616, durante i suoi 12 anni di peregrinazioni si spinse fino a Goa[10]; al francese Gilles Fermanel che visitò l'impero ottomano tra il 1630 e il 1632[11]; all'inglese Henry Blount, osservatore attento e curioso dell'impero ottomano negli anni 1630[12]; o ancora al dalmata Athana-

---

[9] O. SAPIENCIA, *Nuevo tratado de Turquia, con una descripcion del sitio, y ciudad de Constantinopla, costumbres del gran Turco, de su modo de govierno, de su Palacio, Consejo, martyrios de algunos Martyres, y de otras cosas notables. Compuesto por D. Otavio Sapiencia Clerigo presbytero natural de la ciudad de Catania en el Regno de Sicilia, que estuvo cautivo en Turquia cinco años, siete con libertad. Dedicado a la Magestad del rey Catolico don Felipe IIII nuestro Señor*, Alonso Martin, Madrid 1622.

[10] P. DELLA VALLE, *Viaggi di Pietro Della Valle il Pellegrino. Con minuto ragguaglio di tutte le cose notabili osservate in essi, descritti da lui medesimo in 54 lettere familiari. Da diversi luoghi della intrapresa peregrinatione, mandate in Napoli all'erudito, e fra più cari, di molti anni suo amico Mario Schipano, divisi in tre parti, cioé la Turchia, la Persia, e l'India, le quali per aggiunta, se Dio gli darà vita, la quarta parte, che conterrà le figure di molte cose memorabili, sparse per tutta l'Opera, e loro esplicatione*, appresso Vitale Mascardi, Roma 1650-1663. Sul viaggio nell'impero ottomano di Pietro Della Valle, cfr. R. SALVANTE, *Il "Pellegrino" in Oriente. La Turchia di Pietro Della Valle (1614-1617)*, Firenze 1997 (con una ricca bibliografia); E. BORROMEO, *Pietro della Valle e l'ars peregrinandi*, "Miscellanea di storia delle esplorazioni", 22 (1997), 101-128.

[11] G. FERMANEL, *Le Voyage d'Italie et du Levant de Messieurs Fermanel, Conseiller au Parlement de Normandie. Fauvel, Maistre des Comptes en ladite Province, Sieur d'Oudeauville. Badouin de Launay. Et De Stochove, Sieur de Ste Catherine, Gentilhome Flamen. Contenant la description des Royaumes, Provinces, Gouvernemens, Villes, Bourgs, Villages, Eglises, Palais, Mosquées, Edifices, anciens et modernes, Vies, mœurs, actions, tant des Italiens, que des Turcs, Juifs, Grecs, Arabes, Arméniens, Mores, Nègres, & autres Nations qui habitent dans l'Italie, Turquie, Terre Sainte, Egypte, et autres lieux de tout les païs du Levant. Avec plusieurs remarques, merveilles et prodiges desdits pays, recueillis des Escrits par lesdits Sieurs pendant ledit voyage*, chez Jacques Herault, Rouen 1664.

[12] H. BLOUNT, *A voyage into the Levant: a brief relation of a journey lately performed by master Henry Blount, from England by the way of Venice, into Dalmatia, Sclavonia, Bosnia, Hungary, Macedonia, Thessaly, Thrace, Rhodes and Egypt, unto Gran Cairo; with particular observations concerning the moderne condition of the Turkes, and other people under that empire*, Andrew Crooke, London 1636. Cfr. G. MAC LEAN, *Blount's Voyage: The Ottoman Le-*

sio Georgiceo, inviato nel 1626 dagli Asburgo nei Balcani per informare sullo stato delle comunità cattoliche in Bosnia e sull'opera apostolica dei missionari francescani[13]; ad Angelo Alessandri, segretario dei baili di Venezia a Costantinopoli dal 1629 al 1637[14]; al francescano Pietro Bogdani Bakšič, vicario apostolico della Moldavia e della Valacchia, nominato nel 1641 vescovo di Sofia[15] e, infine a François Le Gouz de la Boullaye, che viaggiò in Oriente tra il 1644 e il 1650, spingendosi fino in India[16].

Negli scritti di questi viaggiatori – testi che si presentano sotto molteplici forme, dalla raccolta epistolare[17] al trattato sui «Turchi»[18], dalla relazione di viaggio[19] al rapporto ufficiale[20] e alla de-

vant, 1634-1636, in *The Rise of the Oriental Travel. English Visitors to the Ottoman Empire, 1580-1636*, New York 2004, 115-176.

[13] A. GEORGICEO, *Relatione data all'Imperatore dal Sign. Athanasio Georgiceo del viaggio fatto in Bosna l'anno 1626*, in M.N. BATINIC, *Njekoliko priloga k bosanskoj crkvenoj poviesti*, "Starine", 17 (1885), 116-136. Cfr. I.G. TÓTH, *Naputu kroz slavoniju pod krinkom (1626). Putovanje dalmatinskog humanista Atanazija Jurjeviæa (Georgiceo) – novi rukopis i nova interpretacija*, "Scrinia Slavonica", 3 (2003), 95-120.

[14] A. ALESSANDRI, *Relazione di Costantinopoli fatta nel anno 1637*, in *Relazioni degli ambasciatori veneti al Senato*, XIV, *Relazioni inedite (1512-1789)*, a c. di M.P. Pedani Fabris, Padova 1996, 635-683.

[15] P. Bogdani Bakšič ci ha lasciato diverse relazioni delle sue visite apostoliche; si analizzerà in questa sede la relazione della sua visita apostolica in Valacchia e in Bulgaria del 1640. P. BOGDANI BAKŠIČ, *La visita della Bulgaria e della Valacchia al 1640*, in *Acta Bulgariae ecclesiastica ab a. 1565 ad a. 1799*, a c. di Fr.E. Fermendziu ("Monumenta spectantia Historiam Slavorum meridionalium", 18), Zagabria 1887, 68-106.

[16] F. LE GOUZ DE LA BOULLAYE, *Les voyages et Observations du sieur de La Boullaye Le Gouz, gentilhomme angevin, où son décrites les religions, gouvernements et situations des Estats et royaumes d'Italie, Grèce, Natolie, Syrie, Perse, Palestine, Karaménie, Kaldée, Assyrie, Grand Mogol, Bijapour, Indes Orientales des Portugais, Arabie, Egypte, Hollande, Grande Bretagne, Irlande, Danemark, Pologne, isles et autres lieux d'Europe, Asie et Affrique où il a séjourné, le tout enrichi des belles figures*, François Clousier, Paris 1653. Il testo è stato parzialmente ripubblicato a c. di Maussion de Favières, Paris 1994.

[17] P. DELLA VALLE, *Viaggi...*, cit.

[18] O. SAPIENCIA, *Nuevo tratado de Turquia...*, cit.

[19] H. BEAUVAU, *Relation iournaliere...*, cit.; H. BLOUNT, *A voyage...*, cit.; G. FERMANEL, *Le Voyage d'Italie et du Levant...*, cit.; F. LE GOUZ DE LA BOULLAYE, *Les voyages et Observations...*, cit.

[20] A. ALESSANDRI, *Relazione...*, cit.; P. BOGDANI BAKŠIČ, *La visita della Bulgaria...*, cit.; A. GEORGICEO, *Relazione...*, cit.

scrizione di Costantinopoli e del Serraglio[21] – i termini non tradotti che si riferiscono alla sfera del religioso sono sempre gli stessi. Si tratta di circa una trentina di parole – di origine prevalentemente araba, la lingua del Corano e della religione[22] – che riguardano essenzialmente due aspetti dell'Islam: le pratiche di devozione e l'organizzazione giuridico-religiosa dell'impero ottomano. I termini non tradotti relativi alla dottrina e alla teologia della religione musulmana, impiegati solo da qualche autore, sono invece più rari.

Riti e pratiche devozionali

Per ciò che riguarda i riti e le pratiche devozionali, i termini indicanti i luoghi sacri (*moschea*), le persone incaricate di chiamare i fedeli alla preghiera (*muezzin*), il mese di digiuno (*ramadan*), le feste religiose (*bayram*), i membri delle confraternite religiose (*dervisci*), sono quelli che ricorrono più sovente e che servono da cornice alla descrizione di come i musulmani praticavano la loro fede e pregavano.

Moschea e le sue varianti nei diversi idiomi, parola presente in tutte le relazioni di viaggio che qui esamino, non è quasi mai accompagnata da una glossa esplicativa: si tratta infatti di un termine che già allora faceva parte del vocabolario delle lingue occidentali e la cui origine deriva del resto da un equivoco etimologico. È bene sottolineare che il termine *moschea* e la sua variante *meschita* sono in effetti entrambi una deformazione di *mescid*[23], parola di origini arabe che definisce una sala di preghiera; nel mondo islamico è invece il termine *cami*[24] a designare quello che nelle lingue occidentali è tradotto con moschea, cioè il luogo dove si tiene la funzione del venerdì.

Alcuni viaggiatori, più attenti, si rivelano tuttavia consci della molteplicità dei luoghi di culto musulmano e tentano di precisare l'origine del termine *moschea/mesquita*, ricadendo in ogni modo in definizioni spesso inesatte.

---

[21] D. Hierosolimitano, *Relazione...*, cit.

[22] Ricordo che l'ottomano classico è una lingua a caratteri arabi in cui vi sono, in un quadro grammaticale turco, molte espressioni arabe e persiane, oltre naturalmente a una base importante di vocabolario turco.

[23] Dalla radice araba *mscd*: luogo della prosternazione.

[24] La cui radice in arabo indica un'assemblea.

Così, per esempio, nella relazione intitolata *Le Voyage d'Italie et du Levant*[25], pubblicata nel 1664, il viaggiatore normanno Gilles Fermanel si confonde e definisce le *cami* come delle *mescid*, e le *mescid* come delle *tekke*[26].

Il est incroyable – scrive infatti il viaggiatore nelle pagine dedicate alla descrizione di Aleppo – la quantité de mosquées qu'il y a, mais il faut sçavoir qu'il y en a de trois sortes, les unes principales qui servent comme des paroisses, & sont appellées Mosquea, dans lesquelles les Turcs sont obligez de faire leur prières tous les Vendredis: la seconde sorte est appellée Mosquita, qui servent à des religieux Mohometans; & la troisième est appellée Yemi, qui ne sont que de petites chapelles basties par des particuliers pour la commodité des voisins[27].

Pur affascinati dalla bellezza delle moschee, tutti gli autori tendono ciò nondimeno a osservare che la maggior parte di questi monumenti erano anticamente delle chiese e che a Costantinopoli tutte le moschee imperiali non erano altro che una pallida imitazione di Santa Sofia. Essi privano così i luoghi di culto musulmano di ogni possibile originalità, relegandoli al rango di pallide copie dei santuari cristiani. Si comprende allora perché i termini che si riferiscono all'architettura religiosa sono rari: in quasi tutte le relazioni di viaggio, i minareti diventano in effetti delle specie di campanili[28], di torri[29] o di piramidi[30]. Quanto alle *tekke*, esse tendono ad essere identificate con i conventi[31].

---

[25] La relazione di Gilles Fermanel è una revisione del testo del fiammingo Vincent Stochove (*Voyage du Levant Du Sr. De Stochove Escr. de Ste. Catherine. Seconde Edition reveuë, et augmentée*, chez Hubert-Anthoine Velpius, Imprimeur de la Cour, Bruxelles 1650), arricchita da alcuni passaggi estrapolati dalla relazione manoscritta di Robert Fauvel (BNF, Fond Français, Nouvelles acquisitions 1671), entrambi suoi compagni di viaggio. Cfr. E. BORROMEO, *Voyageurs occidentaux dans l'Empire ottoman (1600-1644)*, Paris 2007, II, 873-885.

[26] Edifici religiosi dove vivevano i membri delle confraternite musulmane.

[27] G. FERMANEL, *Le Voyage d'Italie et du Levant…*, cit., 417.

[28] Cfr. P. DELLA VALLE, *De' Viaggi di Pietro della Valle… Parte prima, cioé la Turchia*, appresso Vitale Mascardi, Roma 1650, 63.

[29] Cfr. F. LE GOUZ DE LA BOULLAYE, *Les voyages et Observations…*, cit., 37.

[30] Cfr. G. FERMANEL, *Le Voyage d'Italie et du Levant…*, cit., 148.

[31] *Ivi*, 270.

I *muezzin* (termine raramente citato[32]) assurgono poi agli occhi degli Occidentali a una sorta di sostituto umano delle campane, la cui assenza nelle moschee è del resto sempre fonte di stupore. Octavio Sapiencia scrive per esempio a proposito dei *muezzin* (termine di cui però non si avvale): «Vozean en las altas piramides, llamando los Turcos al zalà (que es como dezir orar) pues que ellos por mandamiemto de su ley, no pueden tener campanas»[33].

Lo *zalà* citato da Octavio Sapiencia rinvia qui senza dubbio al termine arabo *salat*, definito da altri viaggiatori con la parola turca *namaz*, vale a dire la preghiera che i musulmani sono tenuti a recitare cinque volte al giorno, ma – come precisano giustamente gli autori delle relazioni di viaggio – senza necessariamente recarsi nelle moschee.

Les bons Mansulmans – scrive per esempio il viaggiatore francese François de La Boullaye Le Gouz nel 1657 – vont dans la Moskée faire la namas, & principalement le Vendredy [...]. Leurs Doctes tiennent que la prière est aussi bonne dans une campagne, ou dans une chambre nettoyée, que dans la Moskée[34].

Benché non menzionino sempre il termine *namaz*, i viaggiatori spiegano nondimeno sempre che si tratta di uno dei cinque obblighi dell'Islam – spesso definiti come comandamenti, descrivendo con precisione le abluzioni rituali che precedono la preghiera (*abdest*[35]).

Non meno ricorrente, nei testi, risulta il fascino suscitato nei viaggiatori dal fervore religioso manifestato dai musulmani[36]. Un fervore religioso che, secondo i viaggiatori, i *dervisci* mostrano in modo particolare, fino all'eccesso e alla lussuria. Non è dunque un caso che il termine *derviscio* ritorni spesso nelle relazioni: la paro-

---

[32] Fra i viaggiatori qui studiati, solo Henry Beauvau cita il termine *muezzin*: «Chascune Mosquée, a un homme, appellé des Turcs Messin, qui va tous les iours cinq fois sur icelle charter à la louange de Dieu, affin d'exciter les hommes a le prier». H. BEAUVAU, *Relation iournaliere...*, cit., 43.

[33] O. SAPIENCIA, *Nuevo tratado de Turquia...*, cit., 27r.

[34] F. LE GOUZ DE LA BOULLAYE, *Les voyages et Observations...*, cit., 37.

[35] «Et questo lavacro di chiama abdes», D. HIEROSOLIMITANO, *Relazione...*, cit., 282v.

[36] «È di grandissimo stupore della molta devotione, et silentio, che hanno in dette moschee, quando dicono le orationi». *Ivi*, 286v.

la non tradotta esprime in effetti, come già ricordato, la seduzione che esercitava su questi osservatori occidentali l'Islam.

Se il dalmata Athanasio Georgiceo, che visitò la Bosnia nel 1626, si limita a spiegare: «Dervis è nome di certi religiosi»[37] e associa quindi, come peraltro tutti i viaggiatori, i *dervisci* al clero regolare, Pietro Della Valle offre invece ai suoi lettori una descrizione più dettagliata.

> Sono questi dervisci, fra' turchi, uomini – scrive il famoso viaggiatore romano – che a guisa de' nostri religiosi hanno per istituto d'havere abbandonato il Mondo e vestendo abito rozzo, del colore quasi dei nostri Cappuccini, e di forma differente dagli altri vivono in comune e professano povertà; che appunto il loro nome Derviscio significa povero, benché metaforicamente s'intenda anche per mansueto[38].

L'autore insiste poi sulla religiosità e l'atteggiamento mistico solo apparente dei *dervisci* e termina la descrizione con una presentazione particolareggiata dello *zikr*[39] dei *dervisci mevlevi*[40], a cui assistette a Galata nell'autunno del 1614. Pietro della Valle è stregato dalle rapidissime danze roteanti che, insieme alla ripetizione dei 99 nomi di Dio, favoriscono il raggiungimento dell'estasi da parte dei *dervisci* e, pur ammirato dalla musica che accompagna il rituale e stupito dalla loro resistenza fisica, ne sottolinea con enfasi il carattere mostruoso e bestiale.

> Certo è cosa da stupire – osserva infatti Pietro Della Valle – come possano resister con la testa a girar tanto e così presto, che molti dureranno meza hora, e fin più di un'hora vi sarà chi lo faccia. Quando non possono più, alcuni di loro si fermano e riposano, fin che di nuovo invigoriti ritornino al ballo; altri, più infervorati, non cessano mai, finché non cadano in terra tramortiti, e tali ve ne sono che per lo tan-

---

[37] A. GEORGICEO, *Relazione...*, cit., 126.
[38] P. DELLA VALLE, *Viaggi... Parte prima, cioé la Turchia*, cit., 103.
[39] Lo *zikr* è la cerimonia centrale di tutto il rituale delle confraternite musulmane e indica di solito la ripetizione dei 99 nomi di Dio o di apposite giaculatorie.
[40] Sulla *tarikat sufi* dei *Mevlevi*, cfr. *Les Voies d'Allah. Les ordres mystiques dans le monde musulman des origines à aujourd'hui*, a c. di A. Popovic - G. Veinstein, Paris 1996.

to girare e per lo molto gridare "Hù", con gran forza di fiato e di petto, va uscendo loro sozzamente della schiuma dalla bocca[41].

Della Valle si sofferma infine sul presunto comportamento lussurioso dei *dervisci*:

Costoro, che fra' mahomettani dovrebbono esser migliori degli altri, è fama con tutto ciò che in secreto siano i più di loro molto vitiosi, e tra le altre cose, benché in apparenza facciano grande ostentazion di castità, che siano stranamente dati all'amor de' fanciulli[42].

I viaggiatori non hanno però tutti lo stesso atteggiamento di Della Valle. Il normanno Fermanel insiste per esempio sul carattere esemplare della condotta morale dei *dervisci*[43]. Manifesta nondimeno tutta la sua disapprovazione su coloro che chiama «*Santons*», che accusa di sodomia e dipinge come diavoli e stregoni[44]. I «*Santons*[45]» di Fermanel sono in realtà anch'essi dei *dervisci*: le due descrizioni si riferiscono, in effetti, a *dervisci* appartenenti a differenti *tarikat sufi*[46]. Il viaggiatore inglese Henry Blount nella sua relazione pubblicata nel 1636, ricorda inoltre i nomi di alcune confraternite, a partire dai «*Calenderim*»[47], vale a dire i *Qalander*, *dervisci* erranti, seguaci di un movimento mistico eterodosso di origine iraniana[48].

Domenico Hierosolimitano, nella sua *Relatione della gran città di Costantinopoli* – testo scritto alla fine del Cinquecento, pubblicato più volte nel corso del Seicento e tradotto in francese agli inizi del Settecento, ma mai sotto il nome del suo vero autore – pre-

[41] P. DELLA VALLE, *Viaggi… Parte prima, cioé la Turchia*, cit., 105.

[42] *Ivi*, 103-104.

[43] «Ils vivent en commun, & s'entretiennent de ce qu'ils peuvent gagner, chacun exerçant quelque metier: ils vivent moralement bien, ne faisant ny mal ny tort à persone», G. FERMANEL, *Le Voyage d'Italie et du Levant…*, cit., 171-172.

[44] *Ivi*, 172-174.

[45] Con il termine «*santons*», Fermanel si riferisce probabilmente ai capi delle confraternite, chiamati *baba*, *shaykh* ecc.

[46] Confraternite mistiche.

[47] H. BLOUNT, *A voyage…*, cit., 79.

[48] La Qalandariyya si sviluppò nel Khorassan (nord-est dell'Iran) nell'XI secolo. Cfr. *Les Voies d'Allah…*, cit.

cisa inoltre che alla testa di tali *tarikat* vi erano i «sechè», cioè gli *shaykh*, che erano in realtà i capi viventi delle confraternite *sufi*, venerati dai loro discepoli[49].

I viaggiatori si dilungano anche nell'illustrare lo svolgimento del mese di digiuno musulmano, il *ramadan*, un altro dei cinque obblighi del fedele musulmano. In questo caso, essi utilizzano sempre il termine non tradotto, seguito da una breve glossa.

Pietro Della Valle indica per esempio che si trattava del periodo dell'anno che nel calendario lunare corrisponde al mese di *ramadan*: «I cinque del presente mese di ottobre, – scrive il viaggiatore – cominciò quest'anno la Quaresima o digiuno che fanno ogni anno i turchi»[50] e prosegue: «Chiamano questo lor mese del digiuno ramazàn, o ramadhàn»[51]. Egli pone poi l'accento sulla devozione particolare che i musulmani manifestano in questo mese, osservando che essi si recano più numerosi del solito, soprattutto di notte, a pregare nelle moschee. Come tutti i viaggiatori, anche Della Valle esprime dunque la sua ammirazione per il fervore religioso dei musulmani durante il *ramadan*.

Quando descrivono i banchetti e le feste notturne che seguono la rottura del digiuno, i viaggiatori non tralasciano però di dare anche risalto al carattere ai loro occhi lascivo delle gozzoviglie e dei divertimenti e paragonano l'atmosfera delle notti di *ramadan* a Carnevale.

> Durant cette Lune – commenta per esempio il già citato Fermanel – ils demeurent tout le jour sans pouvoir boire ny manger, mais en recompense ils boivent & mangent toute la nuict de la chair & du poisson tant que bon leur semble. Ils peuvent aller pendant la nuict par tout dans les cabarets qui sont ouverts à tout le monde, où l'on void representer plusieurs farces & jeux de marionettes, le tout fort sale & lascif; ils ménent mesme quantità de statues & machines par les rues, faisans les mesmes rejouissances que l'on fait en la Chrestienté durant les jours gras[52].

---

[49] D. Hierosolimitano, *Relazione...*, cit., f. 224v-225r.
[50] P. Della Valle, *Viaggi... Parte prima, cioé la Turchia*, cit., 108.
[51] *Ivi*, 109.
[52] G. Fermanel, *Le Voyage d'Italie et du Levant...*, cit., 147-148.

I brani dedicati al *ramadan* sono in genere seguiti dalla descrizione della festa che ne celebra la fine, lo *sheker bayram*[53] e, come nella relazione di Pietro Della Valle, da una digressione più generale sulle feste religiose musulmane[54].

De' turchi – scrive il viaggiatore romano – ho veduto fin adesso l'uno e l'altro beiramo grande[55] e piccolo [*sheker bayram*], che sono le pasque loro, e celebrano non con altro che con mangiamenti straordinari e con giuochi publici per le strade e con luminarie et orationi nelle meschite[56].

In un'altra lettera – ricordo che la relazione di Della Valle si presenta come una raccolta di lettere inviate all'amico napoletano Mario Schipano –, il viaggiatore descrive la festa del 15 *shaban*[57] – festa a cui assistette durante il suo soggiorno ad Aleppo – e propone ai suoi lettori una lista delle principali feste musulmane, confondendosi del resto sul senso di alcune di esse[58].

Altri viaggiatori sono meno prolissi, ma, come ho già ricordato, citano almeno i tre giorni di festa che seguono la fine del *ramadan*. Così Octavio Sapiencia scrive nel suo *Nuevo Tratado de Turquia*, pubblicato nel 1622: «Pasqua, que los Turcos llaman Bayram, y la fiesta de la natividad de Mahoma, que llaman Romatan»; il viag-

---

[53] Espressione turca che significa festa dello zucchero, così detta perché vi era la tradizione di donare dolciumi. In arabo *'id al-fitr* («festa della rottura [dall'astinenza]») o *'id al-saghir* («festa piccola»).

[54] Cfr. anche D. HIEROSOLIMITANO, *Relazione...*, cit., f. 174r-175v.

[55] In turco, *kurban bayram*, ossia «festa del sacrificio» (in arabo *'id al-adha* o *'id al-kabir*, «festa grande») che commemora l'immolazione di Ismaele, progenitore dei musulmani, che Allah aveva chiesto e poi impedito ad Abramo. La festa, che dura quattro giorni, inizia il 10 di *zu'l-hicce*, il mese del pellegrinaggio alla Mecca.

[56] P. DELLA VALLE, *Viaggi... Parte prima, cioé la Turchia*, cit., 156.

[57] «Questa sera, ò per dir meglio questa notte, haveremo per tutta la città bellissime luminarie, con molte feste, e grandissimo concorso di gente per le strade; perché è la notte della Luna, e per conseguenza della metà del mese di Sioabàn, a i Mahomettani molto solonne». P. DELLA VALLE, *Viaggi... Parte prima, cioé la Turchia*, cit., 632. Si tratta della festa che celebra la notte in cui l'arcangelo Gabriele ricevette la lista dei nomi di tutti coloro che sono predestinati a morire nel corso dell'anno.

[58] *Ivi*, 632-633.

giatore confonde qui il *ramadan* con la festa del 12 *rebiyül-evvel*, celebrazione che commemora la nascita del Profeta (*mevud-i she-rif*), notte di digiuno e preghiere.

Sono invece meno numerosi i viaggiatori che citano dei termini ottomani quando descrivono il pellegrinaggio alla Mecca, la *sadaka* (elemosina volontaria) e i riti di passaggio, quali la circoncisione, il matrimonio o la conversione.

Per quanto riguarda il pellegrinaggio (un altro dei cinque «pilastri della religione» musulmana), spesso descritto ma mai intrapreso[59], solo Octavio Sapiencia e François de La Boullaye Le Gouz, fra gli autori qui studiati, ricordano che coloro che lo intraprendono assumono il titolo di *hacı* («agi» in entrambi i testi)[60].

Tutti i viaggiatori sono poi affascinati dalla generosità dei «Turchi» e dal loro spirito caritatevole e alcuni di loro osservano che uno dei doveri di un buon musulmano è appunto fare l'elemosina. Domenico Hierosolimitano è l'unico ad utilizzare un termine non tradotto per descrivere la *sadaka*[61]. Il francese Fermanel è però più preciso: distingue, infatti, senza tuttavia utilizzare parole ottomane, tra *zakat* (l'obbligo di «purificazione» della propria ricchezza) pagata una volta all'anno in proporzione alle ricchezze possedute e *sadaka* (vale a dire, come già ricordato, l'elemosina volontaria). Il viaggiatore si sofferma anche sul modo in cui i musulmani realizzano opere di bene, citando, fra altri esempi, l'istituzione dei *vakf* (fondazioni pie). Anche in questo caso senza però servirsi del termine ottomano[62]. Benché Gilles Fermanel esprima dunque tutta la sua ammirazione per la gran carità dei musulmani, egli tende ciò nondimeno a delinearne un profilo caricaturale. Così, per esempio, il viaggiatore osserva, con tono sprezzante, che i «Turchi» fanno l'elemosina anche agli animali[63].

---

[59] I non-musulmani non potevano, in effetti, visitare la città santa dell'Islam.

[60] O. SAPIENCIA, *Nuevo tratado de Turquia...*, cit., 28; F. LE GOUZ DE LA BOULLAYE, *Les voyages et Observations...*, cit., 532.

[61] «Sadachà», D. HIEROSOLIMITANO, *Relazione...*, cit., f. 195v.

[62] «Les Turcs qui sont riches font des fondations quand ils viennent à mourir, les uns bastissent une Mosquée, les autres un Caravansaral, & les autres quelque Hospital, où tous les passans, de quelque Religion qu'ils soient, sont logez & nourris l'espace de trois jours». G. FERMANEL, *Le Voyage d'Italie et du Levant...*, cit., 150.

[63] *Ivi*, 149.

Nei passaggi dedicati alla circoncisione, alcuni viaggiatori trascrivono la professione di fede musulmana, la *shahada*. Fermanel, dopo aver spiegato che «l'entrée de cette religion est la circoncision [...] qu'ils appellent suneth [*sünnet*]», ricorda che i bambini devono pronunciare la frase «*la Hilla heilla, Alla Mehemet resul Alla*»[64], formula che è citata anche da François de La Boullaye Le Gouz quando descrive come ci si converte all'Islam.

Infine, i viaggiatori trattano di norma assai succintamente dei matrimoni musulmani, senza fare uso di termini non tradotti. Essi insistono per lo più sul carattere «civile» della cerimonia, con considerazioni sul divorzio e la poligamia.

Fra gli autori qui studiati, solo Domenico Hierosolimitano alla fine del Cinquecento e Gilles Fermanel negli anni 1630, impiegano un termine non tradotto per definire il matrimonio: entrambi non lo definiscono però con il termine arabo *nikah*, ma con il verbo turco *evlemek*, sposarsi[65].

L'organizzazione giuridico-religiosa dell'impero ottomano

Da questi esempi, emerge che per descrivere i riti e le pratiche devozionali dell'Islam, di norma i viaggiatori mutuano dalla propria religione concetti a loro familiari: paragonano così il *ramadan* alla Quaresima, il *bayram* a Pasqua, i campanili ai *muezzin*, i *dervisci* ai monaci cristiani ecc.

Alla stessa stregua, anche quando trattano della gerarchia giuridico-religiosa dell'impero ottomano, i viaggiatori si rifanno all'organizzazione ecclesiastica cattolica, malgrado l'assenza nell'Islam di un vero e proprio clero paragonabile a quello delle Chiese cristiane[66].

---

[64] *Lâ illâha ilâ'llâh Muhammad rasûl Allâh* (Non c'è Dio se non Dio e Muhammad è il Suo inviato).

[65] «Elimech», D. HIEROSOLIMITANO, *Relazione...*, cit., 290r; «eulemeck», G. FERMANEL, *Le Voyage d'Italie et du Levant...*, cit., 166.

[66] La religione musulmana non contempla, infatti, il sacerdozio inteso come funzione che si ponga istituzionalmente e sacramentalmente come tramite fra Dio e credente. Cfr. G. VERCELLIN, *Istituzioni del mondo musulmano*, Torino 1996.

Giunti dall'Occidente cristiano in terra islamica, questi osservatori tendono così a paragonare gli *imam* – incaricati di presiedere la preghiera nelle moschee, in particolare quella del venerdì – a dei preti, anche se in realtà nel mondo islamico esercitare questa funzione non comporta alcuna investitura sacramentale e richiede solo la cognizione del rito. «Grands Prestres qu'ils appellent Iman», scrive per esempio Henry baron de Beauvau nella relazione del suo viaggio nell'impero ottomano (1604-1605). La definizione che François de La Boullaye Le Gouz nel glossario che chiude la sua relazione[67] propone ai suoi lettori è diversa: «sainct ou patriarche en Turq, – spiega l'autore – comme Hassan Imam, Houssain Imam»[68]. Il viaggiatore francese, si riferisce qui al senso di Guida che la parola assunse nell'Islam sciita e in particolare in una delle sue varianti, l'imamismo[69].

Il *muftì*, termine presente nella maggior parte delle relazioni, è definito correttamente dal missionario francescano Pietro Bogdani Bakšič come l'esperto in grado di fornire un parere giuridico o un'opinione legale (*fetva*), fondandosi sull'interpretazione della *sharia*, la legge rivelata da Dio[70].

Gli altri autori qui studiati assimilano il *muftì* al Papa o a un Patriarca. Octavio Sapiencia scrive per esempio «Muffiti, assi llaman a su falso Pontefice»[71] e Pietro della Valle «Mofti, che fra di loro è il capo della religione, come frà di noi il Patriarca»[72].

---

[67] F. LE GOUZ DE LA BOULLAYE, *Explications de plusieurs mots, dont l'intelligence est necessaire au lecteur*, in *Les voyages et Observations...*, cit., 531-558.

[68] *Ivi*, 543.

[69] Secondo gli imamiti (chiamati anche Duodecimani), l'*imam*, un discendente maschile di Ali e Fatima, è guida infallibile e solo interprete della legge religiosa. Dopo Ali, contato come primo, ammettono come validi e legittimi dodici *imam*, fra i quali Hassan e Husayn – citati anche dal viaggiatore francese – sono il secondo e il terzo.

[70] «Et stanno in questa città [Sofia] il cadi grande chiamato mula, come l'arcivescovo, et un altro chiamato Muffti, cioè interpretator legis; et quando altri giudici non possono decidere qualche causa, si va da esso, et esso subito secondo la legge e canoni loro vi da una scrittura che si chiama fetfa; et il giudice non puol fare altrimenti, se non far secondo la legge, e non si intromette questo Mufti nell'altre cose, solamente nelle cose della legge et giustizia», P. BOGDANI BAKŠIČ, *La visita della Bulgaria...*, cit., 72.

[71] O. SAPIENCIA, *Nuevo tratado de Turquia...*, cit., 52r.

[72] P. DELLA VALLE, *Viaggi... Parte prima, cioé la Turchia*, cit., 119.

Al contrario di Pietro Bogdani Bakšič, i due viaggiatori non rimandano quindi ai *muftì* in generale, ma ad un *muftì* in particolare, quello di Costantinopoli, il quale assunse il titolo di *sheyhülislam*[73], come precisa del resto lo stesso Pietro Della Valle in un altro passaggio della sua relazione epistolare[74]. Paragonato al papa o
ad un patriarca e definito come capo della religione, il *muftì* è riconosciuto allora da questi osservatori occidentali come la massima autorità spirituale dell'impero ottomano. In realtà, il potere del
muftì di Costantinopoli era ancora più esteso. Egli ricopriva, infatti, la carica più elevata dell'intero ordinamento amministrativo
religioso dell'Impero, diventando una figura centrale dello stato
ottomano, soprattutto sotto l'impulso di Abu'l-Su'ud, *muftì* di Costantinopoli dal 1545 al 1573[75].

Octavio Sapiencia e Pietro Della Valle non sembrano in effetti
cogliere pienamente tutta l'importanza che la carica di *muftì* aveva
assunto nell'impero ottomano nel corso del Cinquecento e la sua
originalità in seno al mondo mussulmano. Altri viaggiatori si rivelano tuttavia più attenti, dipingendo giustamente il *muftì* di Costantinopoli come un personaggio nodale nell'ambito della gestione del potere da parte dei sultani.

La dignità del muftì è tanto sublime in quello stato – scrive per esempio
nella relazione presentata al Senato nel 1637, Angelo Alessandri, segretario del bailo di Venezia, Pietro Foscarini – che è pareggiata egual-
mente con quella del visir grande […]. È il muftì l'interprete della legge et il diffinitor d'ogni esplicatione dubbiosa delle scritture del Profeta; è quello che in tutte le cose, a qualsivoglia materia appartenente ri-
solve la dubietà tanto nel foro della conscientia quanto nel foro della
giustizia, dando l'ultima diffinitione di quanto permette la legge[76].

Il tono particolarmente obiettivo usato da questo osservatore
del mondo ottomano è degno di nota e dimostra ancora una volta

---

[73] Lett. capo dell'Islam.
[74] «Moftì che è il sceich elislàm», P. DELLA VALLE, *Viaggi… Parte prima,
cioé la Turchia*, cit., 288.
[75] Cfr. R.C. REPP, *The Müfti of Istanbul. A study in the Development of the
Ottoman Learned Hierarchy*, London-Oxford 1986.
[76] A. ALESSANDRI, *Relazione…*, cit., 677.

l'acume dello sguardo dei rappresentanti della Serenissima nei confronti della Sublime Porta.

Anche altri viaggiatori, pur rinviando al papa, colgono tutte le specificità della carica e della funzione del *muftì* di Costantinopoli. Il francese Fermanel osserva negli anni 1630:

> Ceux qui rendent la Justice sont Turcs naturels[77], & ont pour chef le Mufty, qui tient le mesme rang parmy les Mahometans, que le Pape parmy les Catholiques, n'y ayant point d'autre difference que celle de Souveraineté, & que le Grand Seigneur le peut établir & déposer toutes & quantes fois qu'il luy plaist. Il n'y a personne dans l'Estat à qui ce Prince défere davantage, & porte plus de respect qu'à ce Mufty[78].

E qualche pagina dopo, precisa:

> Le Grand Seigneur [...] n'entreprend aucune chose, soit de paix ou de guerre, sans la luy consulter & avoir son advis, pour sçavoir si elle se peut faire selon la Loy & en conscience, mesme il ne fait jamais mourir aucun de ses subjets sans luy en demander son advis par écrit. Mais comme le Grand Seigneur suppose toujours qu'ils ont failly, comme il a esté dit ailleurs, il seconde ordinairement les intentions du Prince, & adhere à ceux qu'il luy plaist[79].

A Fermanel non sfugge dunque che il *muftì* di Costantinopoli era il detentore della carica più elevata dell'intero ordinamento giuridico amministrativo religioso dell'Impero. È bene però segnalare che il viaggiatore, evidenziando il carattere assoluto e dispotico dello stato ottomano, e insistendo sul fatto che le sorti di questo importante dignitario dipendevano dal sultano, descrive in realtà una delle peculiarità dell'organizzazione del potere ottomano. Lo *sheyhülislam* si configura infatti come un fenomeno senza equivalenti nella tradizione islamica. Se è vero che i sultani lo nominavano e lo destituivano a loro piacimento, il muftì di Costantinopoli era infatti alla testa di coloro che Fermanel definisce come «ceux qui rendent la Justice», vale a dire di tutti quei funzionari

---

[77] Vale a dire musulmani dalla nascita.
[78] G. FERMANEL, *Le Voyage d'Italie et du Levant...*, cit., 127.
[79] *Ivi*, 136-137.

(gli *ulema*) che garantivano l'osservanza della *sharia*[80] e si impiegavano al suo adeguamento ai *kanunname* (corpo di leggi emanate dal sultano)[81].

Per definire gli *ulema*, termine assente nelle fonti qui analizzate, alcuni viaggiatori parlano di «huomini dotti in legge[82]» o di «gens de lettres, où sont compris les Ecclesiastiques, qui rendent la justice au peuple»[83]. Queste spiegazioni rispecchiano la diversità delle funzioni e degli incarichi ricoperti da chi apparteneva al corpo degli *ulema*[84]. Ne facevano parte, oltre gli *imam* e i *muezzin* di cui ho già trattato, gli *hoca* (istitutori), i *müderris* (professori delle scuole coraniche) e i *kadilasker*, i *kadi* e i *naib* (i detentori del potere giudiziario), tutti termini di cui i viaggiatori si servono, accompagnati da glosse più o meno esatte.

Gli *hoca* sono così correttamente definiti da Octavio Sapienza come «escrivanos maestros de su ley que llaaman Cogià»[85].

Fermanel, invece si sbaglia quando scrive «Moudaris, qui est comme lecteur de la mosquée, pour y lire l'Alcoran»[86]. Il viaggiatore confonde probabilmente i *müderris* (professori) con gli *hafiz*, che in realtà non leggevano il Corano, ma lo recitavano.

Se *hoca* e *müderris* sono parole non tradotte presenti solo in qualche relazione, tutti i viaggiatori si servono invece di termini ottomani per designare i funzionari «giuridici» dell'Impero.

I *kadilasker* di Rumelia e di Anatolia[87], che – dopo lo *sheyhülislam* – erano le massime autorità degli *ulema* nei rispettivi setto-

---

[80] Legge rivelata da Dio.

[81] Dall'epoca di Solimano il Magnifico, gli *ulema* costituivano un vero e proprio corpo giuridico-religioso retribuito dallo stato e parallelo alle strutture politiche, politico-militari e burocratiche del governo ottomano. Ciò significò un inquadramento dello *status* e dell'autorità dello *sheyhülislam* e degli *ulema* in una struttura burocratica governativa che svolgeva un ruolo rilevante nell'amministrazione dell'Impero. Cfr. R.C. REPP, *The Müfti...*, cit.

[82] P. DELLA VALLE, *Viaggi... Parte prima, cioé la Turchia*, cit., 230.

[83] G. FERMANEL, *Le Voyage d'Italie et du Levant...*, cit., 126.

[84] Singolare di *alim*, il cui senso è difficile da rendere, perché significa insieme dotto, intellettuale, scienziato, teologo e giurista.

[85] O. SAPIENCIA, *Nuevo tratado de Turquia...*, cit., 27r.

[86] G. FERMANEL, *Le Voyage d'Italie et du Levant...*, cit., 136.

[87] Letteralmente «i giudici dell'esercito».

ri geografici, sono menzionati dai viaggiatori nelle parti dedicate alla descrizione del divano (il consiglio imperiale)[88].

Il termine non tradotto forse più frequente è però *kadi*, funzionario con cui i viaggiatori avevano spesso a che fare durante il loro itinerario e soggiorno nell'impero ottomano: a lui, infatti, dovevano rivolgersi per farsi rilasciare un salvacondotto, notificare delle transazioni commerciali o in caso di litigi con dei sudditi ottomani (che fossero musulmani o non musulmani).

Anche se di norma definiscono il *kadi* semplicemente come un giudice, i viaggiatori sono consapevoli dell'ampiezza delle sue competenze (giudice, notaio, magistrato, amministratore...[89]) e alcune volte ne danno anche più di una definizione. Octavio Sapienzia per esempio scrive: «Juez que llaman Cadi»[90]; poi in un altro passaggio osserva: «Ay en Constantinopla, y en otras partes del Turco muchos escrivanos notarios publicos que allà llaman Cadi»[91].

Il francese Fermanel si sofferma anche sul *cursus studiorum* et *honorum* del *kadi*. Egli precisa così che l'aspirante *kadi*, terminati gli studi coranici, si metteva in un primo tempo al servizio di un *kadi* in carica, diventando in seguito suo assistente («naip» per *naib*[92] nel testo) e che «au bout de cinq ou six ans d'exercice ils sont faits Cadis»[93]. Il viaggiatore osserva poi che i *kadi* delle grandi città erano chiamati «Mulla Cadis»[94], vale a dire *molla*, dei funzionari che Pietro Bogdani Bakšič paragona a degli arcivescovi[95]. Fermanel precisa anche che i *molla* potevano aspirare alla carica di *kadilasker*, che – osserva correttamente il viaggiatore – «tiennent les premiers rangs entre les gens de loy, & de leur nombre l'ont

---

[88] Tutti i viaggiatori dedicavano sempre almeno qualche riga alla descrizione del divano, alcune volte dilungandosi persino su più pagine.

[89] Cfr. R.C. REPP, *The Müfti...*, cit.

[90] O. SAPIENCIA, *Nuevo tratado de Turquia...*, cit., 26v.

[91] *Ivi*, 27r.

[92] I delegati del *kadi*. Cfr. G. VEINSTEIN, *Sur les nâ'ib ottomans*, "Jerusalem Studies in Arabic and Islam", 25 (2001), 247-267.

[93] G. FERMANEL, *Le Voyage d'Italie et du Levant...*, cit., 136.

[94] *Ibidem*.

[95] «Cadi grande chiamato mula come l'arcivescovo». P. BOGDANI BAKŠIČ, *La visita della Bulgaria...*, cit., 72.

fait ordinairement Mufty, qui est la plus grande & la plus eminen-
te dignité où ces gens là peuvent aspirer»[96].

Aspetti dottrinali e teologici

Fino ad ora mi sono soffermata sui termini ottomani usati dai
viaggiatori per descrivere alcuni aspetti concreti della religione
musulmana, con particolare riferimento alle sue manifestazioni
esteriori e alla sua organizzazione temporale.

È emerso così che quando si trattava di descrivere i riti e le pratiche devozionali, le parole non tradotte erano spesso usate dagli
autori delle relazioni di viaggio quali ornamento della narrazione,
espediente per dare rilievo al carattere ai loro occhi superficiale e
inconsistente dell'Islam – carattere che poi veniva spesso esplicitato. Al tempo stesso, questi termini rivelano lo stupore e l'ammirazione dei viaggiatori di fronte a costumi diversi.

Le parole ottomane utilizzate per illustrare l'apparato giuridico-religioso dell'Impero, indicano invece una volontà da parte di
questi osservatori occidentali di conoscere e penetrare i meccanismi dell'organizzazione del potere della Porta ottomana. I viaggiatori descrivono così nell'insieme con precisione e obiettività le cariche e le dignità giuridico-religiose, la cui designazione tramite
termini ottomani diventava una necessità: la loro traduzione in
una lingua occidentale non poteva, in effetti, rispecchiare la diversità e l'*alterità* del sistema ottomano.

I termini non tradotti riguardanti la dottrina e la teologia musulmana sono invece meno numerosi e soprattutto non sono presenti in tutte le relazioni qui analizzate. I «Turchi» per gli uomini
del Seicento, erano ancora i temibili «Infedeli»: per i viaggiatori
dell'Europa post-tridentina, l'Islam continuava ad essere una falsa
religione e per questo non venivano di norma usate parole originali per illustrarlo.

Ho già ricordato che quando descrivevano alcuni riti di passaggio, diversi viaggiatori trascrivevano la *shahada*; eppure, tale ci-
tazione non era altro che un ornamento della narrazione: anche se

---

[96] G. FERMANEL, *Le Voyage d'Italie et du Levant…*, cit., 136.

talvolta ne davano la traduzione, essi tralasciavano però di spiegare, salvo eccezioni[97], che si trattava della dichiarazione da parte del
fedele musulmano del fondamento dogmatico dell'Islam, quello
dell'unicità assoluta di Dio.

È pur vero che alcuni viaggiatori mostrano di avere qualche
nozione sulle origini della religione musulmana. Essi dedicano così, a volte, qualche pagina alla vita del «falso profeta Maometto»[98],
dipinto sempre e da tutti come il negativo di Cristo. Ricordano
che l'emigrazione di Maometto dalla Mecca a Medina (622), che –
scrive Fermanel – è chiamata «en leur langage egire»[99], segna l'i-
nizio dell'era musulmana.

Alcuni autori punteggiano poi le relazioni di riferimenti al libro
sacro dell'Islam (sempre chiamato *Alcoran*)[100]. Dai commenti che
accompagnano tali citazioni, che riprendono il tono e i contenuti
dell'apologetica anti-islamica e della controversistica cattolica,
emerge che per questi osservatori occidentali il Corano non era
frutto della pura Rivelazione divina, ma opera di Maometto[101], il
quale si era limitato – commenta per esempio François de La Boul-

---

[97] Cfr., per esempio, D. HIEROSOLIMITANO, *Relazione...*, cit., 301v.

[98] P. DELLA VALLE, *Viaggi... Parte prima, cioé la Turchia*, cit., 230.

[99] G. FERMANEL, *Le Voyage d'Italie et du Levant...*, cit., 141.

[100] I viaggiatori avevano a loro disposizione diverse traduzioni del Corano: dalla prima edizione a stampa in traduzione latina curata dal protestante
Theodor Buchman, detto Bibliander (1504?-1564), pubblicata a Basilea nel
1543 (*Machumetis Saracenorum principis...*, un rifacimento della traduzione
medievale commissionata da Pietro il Venerabile a Robert de Ketton nel
1142, entrata a far parte, con numerosi altri scritti sull'Islam, della grande
raccolta detta *corpus di Cluny* o *Collectio Toletana*), alle traduzioni in lingua
moderna, che a loro volta si basavano sulla traduzione latina di Bibliander. Mi
riferisco alle traduzioni in francese di A. Du Ryer (*L'Alcoran de Mahomet*, Paris 1543), in italiano di A. Arrivabene (*L'Alcorano di Maometto*, Venezia
1547), in tedesco di S. Schweigger (*Alcoranus Mahometicus*, Norimberga
1616) e a quella anonima in olandese (*De Arabishe Alkoran*, Amburgo 1641).
Alla fine del Seicento, Ludovico Maracci propose una versione con testo a
fronte e rivista criticamente (*Al corani textus universus ex correctioribus Arabum exemplaribus...descriptus*, Padova 1698). Cfr. L. FELICI, *L'Islam in Europa. L'edizione del Corano di Theodor Bibliander (1543)*, "Chromos", 12
(2007), 1-13.

[101] Cfr. D. CARNOY, *Représentation de l'Islam dans la France du XVIIe siècle*, Paris 1998, 228-235.

laye Le Gouz – a riprendere i libri sacri ebraici e cristiani e testi di altre religioni per poi aggiungere e omettere qualche passaggio[102].

Anche se a volte un po' confusi nelle loro spiegazioni, alcuni viaggiatori indicano nondimeno che gli Ottomani – «come gli Arabi... & infiniti altri»[103], ricorda Pietro Della Valle – sono sunniti («sonniti[104]»); i Persiani e – precisa François de La Boullaye Le Gouz – tra i sudditi ottomani i *kızılbash*[105], sono sciiti («Shai»[106]).

Alcuni ricordano le quattro principali scuole giuridiche-religiose sunnite (*madhhab*) e la loro diffusione geografica.

Des Turcs[107]– scrive per esempio Henry de Beauvau nel passaggio dedicato alla descrizione delle diverse religioni professate a Gaza, città che visitò nel 1605 – y en a quatres sortes qui ont un Moufty, qui est à dire un grand Preste (comme ils disent) apart, lesquels croyent tous bien l'Alcoran de Mahomet, mais l'interpretent differenment. Les premiers sont appellez Hanefi [Hanafiti], qui sont de creance du Grand Seigneur. Les seconds Cheafery [Shafiiti], qui sont Mores. Les troisiesmes Malichi [Malikiti], & tels sont les Mores de Barbarie, qui ne sont que de cette creance, mais les autres Mores & Arabes, croient diversement aux trois derniers. Les quatriesmes sont nommez Hambeli [Hanbaliti][108].

---

[102] «Il [Mahomet] se rendit en suite mastre de la Mecque & commança d'escrire l'Alcoran sur les conferances que il avoit eues avec quelaues sçavans Chrestiens, Iuifs, Parsis & Sabis [...]. Il fit un extrait à la faintaisie de leurs Escritures tant saintes que prophans dont son Livre est composé que il supposa luy avoir esté envoyé du ciel à diverses fois». F. LE GOUZ DE LA BOULLAYE, *Les voyages et Observations...*, cit., 44-45.

[103] P. DELLA VALLE, *Viaggi di Pietro della Valle,... La Persia, parte prima [-seconda]*, Vitale Mascardi, Roma 1658, 123.

[104] *Ibidem*.

[105] Letteralmente «testa rossa». Questo termine designava i seguaci dello *shaykh* Haydar perché indossavano un copricapo rosso a dodici punte. Nell'impero ottomano il termine fu utilizzato in senso peggiorativo per designare i ribelli sciiti.

[106] F. LE GOUZ DE LA BOULLAYE, *Les voyages et Observations...*, cit., 106-107.

[107] Vale a dire i musulmani sunniti.

[108] H. BEAUVAU, *Relation iournaliere...*, cit., 119-120. Cfr. anche D. HIEROSOLIMITANO, *Relazione...*, cit., f. 281v-282r.

I viaggiatori, perlomeno alcuni, dimostrano dunque una certa conoscenza della religione musulmana: malgrado i pregiudizi, essi tratteggiano, in effetti, un quadro assai esatto dell'Islam, o meglio dei molti volti in cui l'Islam si manifestava nello spazio ottomano. Pietro Della Valle, Gilles Fermanel, François de La Boullaye Le Gouz e altri ricordano così che gli Ottomani erano sunniti e hanafiti, senza però tralasciare di descrivere le confraternite mistiche e sottolineare la presenza nell'impero degli sciiti.

Che dedicassero interi capitoli alla descrizione della religione musulmana, o che disseminassero la loro relazione di digressioni su tale e tale aspetto dell'Islam, gli autori delle relazioni ricordano di norma anche i cinque «pilastri della religione»[109].

Il francese Fermanel, nel capitolo intitolato *De la religion des Turcs*, scrive per esempio:

> Par leur religion ils sont obligez particulièrement à cinq point; le premier est de ne connoistre qu'un Dieu, & Mahomet son Prophete; le second de faire cinq fois par jour leurs prieres; le troisième de jeusner une lune entière tous les ans; le quatrieme de donner l'ausmone, & d'estre charitable & le cinquième d'aller une foi dans leur vie visiter la sepulture de leur Prophète à Medine, & le lieux de sa naissance à la Mecque[110].

Nel capitolo sul «Rito della legge di Maometto» della sua *Relazione di Costantinopoli*, anche Domenico Hierosolimitano descrive i pilastri dell'Islam, che considera però come facenti parte di una sorta di decalogo proprio alla religione musulmana[111]. L'autore rinvia dunque alla tradizione giudeo-cristiana, termine di riferimento ineludibile di cui – l'ho già sottolineato – i viaggiatori si avvalevano anche per descrivere le pratiche devozionali e l'organizzazione giuridico-religiosa dell'impero ottomano, per descrivere i principi fondamentali della religione musulmana.

L'esame del decalogo proposto da Hierosolimitano rivela inoltre che «i dieci comandamenti musulmani» riflettono assai eatta-

---

[109] *Arkan al-din*, vale a dire i doveri fondamentali che regolano la vita del fedele musulmano.

[110] G. FERMANEL, *Le Voyage d'Italie et du Levant...*, cit., 145.

[111] D. HIEROSOLIMITANO, *Relazione...*, cit., f. 281v-302r.

mente le basi della fede musulmana. Oltre ai cinque pilastri dell'Islam, l'autore – che si avvale sovente di espressioni ottomane – descrive infatti tanto alcune pratiche devozionali e alcuni riti di passaggio (l'obbligo delle abluzioni prima della preghiera, la circoncisione, il matrimonio, i riti funerari), quanto alcuni precetti che si ritrovano nella *sure* 17 del Corano (come il rispetto per i genitori e i defunti)[112]. Infine, Hierosolimitano include nel suo «decalogo musulmano» anche il *jihad*[113]: interessante notare come il viaggiatore non lo intenda solo come guerra contro coloro che si oppongono alla religione musulmana, ma anche come sostegno morale e materiale che si deve dare a chi si converte all'Islam[114].

Osservatore particolarmente perspicace e attento, Domenico Hierosolimitano illustra dunque i principali fondamenti della religione musulmana in modo insolitamente obiettivo e preciso, utilizzando tuttavia sempre l'aggettivo «maomettano/a» per descrivere l'Islam.

Dall'esame di questo variegato campione di relazioni seicentesche, appare, in effetti, che i viaggiatori erano reticenti ad utilizzare l'espressione «religione musulmana».

Alcuni parlavano di «religione dei Turchi» e conferivano così all'Islam una connotazione più politica che religiosa: i musulmani venivano identificati con una popolazione precisa, quei «Turchi» che certo assediavano i confini orientali della Cristianità, ma con cui ci si poteva anche alleare per combattere, eventualmente, i propri avversari europei e con cui, in ogni caso, si commerciava[115].

La maggior parte degli osservatori europei preferiva tuttavia avvalersi della formula «legge», «credenza» o «religione maomettana» o dei «maomettani». In altre parole, era negato all'Islam, ridotto alla confessione dei seguaci di Maometto, il carattere di religione rivelata. L'uso ricorrente dell'aggettivo «maomettano/a» per definire l'Islam – uso inadeguato filologicamente ed eretico dal

---

[112] *Il Corano*, a c. di A. Bausani, Firenze 1955.
[113] «Cheaflardogusy [*kafirler* (infedeli) *dövüshü* (battaglia, lotta)]», D. HIEROSOLIMITANO, *Relazione*…, cit., f. 193v.
[114] *Ivi*, f. 194r. Letteralmente *jihad* significa «sforzo verso Dio». Il termine è poi stato interpretato anche come «guerra santa».
[115] Cfr. G. POUMARÈDE, *Pour en finir*…, cit.

punto di vista islamico – significava dunque svuotare la religione musulmana di ogni senso e relegarla al rango di una miscredenza: tale carattere eretico attribuito all'Islam diventava ancora più esplicito e violento quando i viaggiatori, con tono sprezzante, si servivano della locuzione «setta maomettana»[116].

Conclusioni

Da questa rassegna delle parole non tradotte presenti nelle relazioni di viaggio seicentesche, emerge che i viaggiatori per descrivere l'Islam non si avvalevano di termini ottomani tanto per spiegarne gli aspetti teologici e dottrinali, quanto per descriverne i riti e le cerimonie e per tratteggiare un quadro dell'organizzazione giuridico-religiosa dell'Impero del Gran Signore, di cui l'Islam costituiva, come già ricordato, uno dei cardini del sistema di governo.

Uno sguardo alle parole ottomane impiegate dai viaggiatori per descrivere quegli aspetti dell'Impero che non rientravano nella sfera del religioso rivela peraltro che la maggior parte dei termini non tradotti si riferivano all'apparato governativo e militare dell'Impero[117]. Illustrare l'organizzazione politica, amministrativa e giuridico-religiosa con parole ottomane è segno della volontà dei viaggiatori di comprendere dall'interno le istituzioni del governo del Gran Signore. La ricerca di una conoscenza più approfondita dell'Infedele nasceva evidentemente anche dalla volontà di sconfiggere il nemico per antonomasia dell'Europa post-tridentina, un

---

[116] Il termine «Islam», che significa sottomissione, abbandono [a Dio], sarà utilizzato per la prima volta alla fine del Seicento non da un viaggiatore, ma dal grande orientalista Barthélémy d'Herbelot (1625-1695) nella sua *Bibliothèque Orientale* (Paris 1697) s.v. *Esla'im*. Cfr. D. CARNOY, *Représentation de l'Islam...*, cit., 17.

[117] Da una ricerca precedente, dedicata all'uso delle parole ottomane nelle relazioni di viaggio nei Balcani (prima metà del Seicento), è apparso che su circa 170 termini non tradotti, quasi la metà (un'ottantina) si riferivano all'organizzazione politico-militare e amministrativa, una sessantina agli usi e costumi dei «Turchi» e alla vita economica e commerciale dell'Impero; solamente una trentina riguardavano la religione e le istituzioni giuridico-religiose (cfr. E. BORROMEO, *Quand l'alterité n'est pas traduite...*, cit.).

Impero che aveva conquistato l'Europa balcanica e centrale e che si era spinto fino alle porte di Vienna[118].

Nelle relazioni in esame, sono numerose anche le parole non tradotte usate dai viaggiatori per descrivere le pratiche devozionali. In questo caso, l'impiego di termini ottomani, come ornamento della narrazione e manifestazione dello stupore e della meraviglia dello scrivente di fronte agli usi e costumi dei «Turchi», rivela anche, malgrado gli *a priori*, lo sguardo da etnografi *avant la lettre* dei viaggiatori, attenti e perspicaci osservatori dei riti e delle cerimonie dei musulmani.

Il fatto poi che i viaggiatori fossero reticenti ad usare parole non tradotte per spiegare gli aspetti dottrinali e teologici dell'Islam non era fortuito. Per gli autori delle relazioni, in effetti, era un modo per denigrare la religione musulmana, per sottolinearne la falsità e soprattutto per dimostrare che l'Islam non era altro che una pallida e imperfetta contraffazione della sola vera fede, la cristiana.

Eppure, nonostante le imprecisioni e i pregiudizi, alcuni dei viaggiatori qui considerati dimostrano una conoscenza assai esatta della religione musulmana. La loro conoscenza si fondava tuttavia su un'interpretazione errata o quantomeno parziale dell'Islam. Le loro spiegazioni e i loro commenti svelano in effetti l'atteggiamento di chiusura e di rifiuto di questi osservatori seicenteschi di fronte all'*alterità* dell'Islam – una religione che sin da come era denominata dai viaggiatori, persino dai più illuminati, appare come una corruzione del cristianesimo.

---

[118] Vienna fu assediata, senza successo, nel 1529 ai tempi di Solimano il Magnifico (1520-1566) e nel 1683 durante il regno di Maometto IV (1648-1687). Cfr. *Histoire de l'Empire ottoman*, a c. di R. Mantran, Paris 1989, *passim*.

Le statut de l'islam
dans la pensée libertine du premier XVIIᵉ siècle

Loubna Khayati

Il est aujourd'hui convenu d'attribuer aux dernières décennies du XVIIᵉ siècle, puis plus largement au XVIIIᵉ siècle et aux mouvement des Lumières, d'abord radicales puis plus modérées, une nouvelle conception de l'islam, plus compréhensive, plus tolérante, voire plus favorable. On a alors coutume de citer la *Vie de Mahomed* de Boulainvilliers ou les *Essais sur les mœurs* de Voltaire[1]. Cette vision traditionnelle des Lumières comme rupture avec l'obscurantisme médiéval ne permet pourtant pas toujours de comprendre la nature et les enjeux de ce changement de conception de l'islam. Un de ses écueils est de proposer une lecture linéaire de l'histoire qui amène à analyser rapidement, quand ce n'est pas fort sévèrement des écrits tels que le *Traité des trois imposteurs*[2], perçus comme une énième façon de véhiculer le *topos* médiéval d'un

---

[1] Voir par exemple l'œuvre ancienne et fondatrice de P. Martino, *L'Orient dans la littérature française au 17ᵉ et 18ᵉ siècles*, Paris 1906 ou encore T. Hentsch, *L'Orient imaginaire: la vision politique occidentale de l'Est méditerranéen*, Paris 1988. Plus récemment, cette nouvelle conception de l'islam a été étudiée dans son contexte anti-religieux au XVIIIᵉ siècle : voir A. Thomson, *L'utilisation de l'islam dans la littérature clandestine*, in *La philosophie clandestine à l'Âge classique*, A. McKenna - Al. Mothu éds., Paris-Oxford 1997, 247-256 et J. Israël, dans son chapitre très suggestif, *Rethinking Islam: Philosophy and the "Other"*, in *Enlightenment contested: philosophy, modernity, and the emancipation of man, 1670-1752*, Oxford-New York 2006, 615-639, mais tributaire de sa conception historique des Lumières radicales comme produit de la rupture spinoziste, qui l'amène à affirmer «The dissident complex of ideas about Islam began to emerge in the late seventeenth century», 616.

[2] A. Gunny, qui étudie la figure de Mahomet dans les différentes versions du *Traité* parle par exemple de «bavardage malveillant» dans son article *L'image du prophète de l'islam dans quelques textes clandestins*, in *La philosophie clandestine à l'Âge classique…*, cit., 257-265, [260].

Mahomet imposteur. C'est là oublier que la *Vie de Mahomed* a aussi servi à l'élaboration d'une des versions du *Traité*[3], et que ces deux visions, apparemment contradictoires, d'une religion fausse mais peut-être bonne, ou du moins pas plus mauvaise qu'une autre, d'un Mahomet imposteur mais grand législateur, sont le fruit d'un même mouvement de pensée, qui trouve son origine dans ce qu'après René Pintard, on désigne communément comme le «libertinage érudit de la première moitié du XVIIe siècle»[4]. L'autre écueil est de donner une lecture rétrospective de l'histoire des idées, en considérant les auteurs antérieurs qui ne sacrifient pas à l'orthodoxie comme de simples précurseurs, alors même que le plus souvent, leur pensée s'inscrit dans un courant intellectuel bien déterminé. Des travaux récents ont ainsi montré la filiation entre la pensée libertine du premier XVIIe siècle et les Lumières radicales[5]. C'est dans cette perspective que nous allons essayer de retracer l'histoire de ce changement de conception de l'islam, en analysant la place qu'y occupèrent les libertins.

La place de la connaissance de l'islam dans l'érudition libertine

Il est aujourd'hui clairement établi que de nombreux «orientalistes» étaient des proches des cercles libertins[6] : François Savary

[3] Il s'agit de l'édition de 1768, in F. CHARLES-DAUBERT, *Le «Traité des trois imposteurs» et L'Esprit de Spinoza. Philosophie clandestine entre 1678 et 1768*, Oxford 1999, 741-742.
[4] Depuis l'ouvrage fondateur de R. PINTARD, *Le libertinage érudit dans la première moitié du XVIIe siècle*, rééd. Genève 1983, les études sur le libertinage connaissent un très grand essor, en Italie et en France. Pour une mise au point sur la notion et la critique actuelle, voir J.P. CAVAILLÉ, *Libertinage, irréligion, incroyance, athéisme dans l'Europe de la première modernité (XVIe-XVIIe siècles), Les dossiers du Grihl*, 2007-02, *Libertinage, irréligion: tendances de la recherche 1998-2002*, [En ligne], mis en ligne le 12 avril 2007. URL : http://dossiersgrihl.revues.org/document279.html.
[5] Pour une synthèse sur la question, voir J.P. CAVAILLÉ, *Libertinage, irréligion…*, cit., 99-116.
[6] A. HAMILTON - F. RICHARD, *André Du Ryer and oriental studies in seventeenth-century France*, London-Oxford 2004, 16 : «there is no doubt that a high proportion of them [French orientalists] had some connections with the broad circle of more or less free-thinking intellectuals known as the *libertins érudits*».

de Brèves, ambassadeur à Constantinople, bien connu pour sa grande connaissance de l'empire ottoman et sa participation aux travaux orientalistes de l'époque, était tuteur de Gaston d'Orléans, et fréquentait des figures importantes du Cabinet Dupuy, tels que Gaulmin[7]. C'est Michel Baudier, lui aussi un habitué de l'académie putéane[8], qui publie en 1625 l'*Histoire générale de la religion des Turcs*, la première somme sur l'islam en langue française[9]. Plus tard, c'est celui que Savary de Brèves considérait comme son héritier spirituel, André du Ryer, qui traduit le Coran pour la première fois en langue française[10]. Est-ce à dire qu'au XVIIe siècle, il faut être «libre penseur» pour s'intéresser à l'islam ? Loin s'en faut. Les plus proches collaborateurs de Savary de Brèves furent des maronites du Collège de Rome et c'est avant tout le courant missionnaire qui, depuis le XIIe siècle, n'a cessé de montrer la nécessité de mieux connaître l'islam pour mieux le réfuter[11]. Ce n'est donc pas tant l'intérêt pour l'islam qui est ici en jeu, que la nature de cet intérêt. En réalité, les «orientalistes», comme les autres savants, pouvaient, au sein de cette sociabilité savante qu'est la «République des Lettres», travailler dans un esprit fort différent de ceux avec qui ils partageaient leur savoir, et inversement, partager cet esprit avec des hommes qui ne partageaient pas leur savoir. Ainsi, le projet de Savary de Brèves, de former une nouvelle génération d'orientalistes au sein d'un collège où l'on enseignerait dans leur contexte propre les langues et la culture de ce que l'on appelle aujourd'hui la civilisation «arabo-musulmane», témoigne d'une vision du monde désacralisée qui s'émancipe à la

---

[7] Cfr. *ivi*, 41-44. Voir aussi G. DUVERDIER, *Savary de Brèves et Ibrahim Müteferrika: deux drogmans culturels à l'origine de l'imprimerie turque*, "Bulletin du bibliophile", 3 (1987), 322-359.

[8] Cfr. R. PINTARD, *Le libertinage érudit...*, cit., 183.

[9] Paris 1625. Elle connut deux autres éditions en 1632 et 1641. Cet ouvrage, qui a pourtant grandement contribué à la diffusion d'une connaissance d'«honnête homme» sur l'islam, a été plutôt négligée par l'historiographie orientaliste, parce qu'il s'appuyait surtout sur des sources de seconde main. Sur l'auteur, voir S. UOMINI, *Cultures historiques dans la France du XVIIe siècle*, Paris 1998, 191-202. Pour un aperçu sur l'œuvre, voir D. CARNOY, *Représentations de l'Islam dans la France du XVIIe siècle*, Paris 1998, 33-41.

[10] *L'Alcoran de Mahomet*, A. de Sommaville, Paris 1647.

[11] Sur ce sujet, voir Y. MOUBARAC, *Recherches sur la pensée chrétienne et l'Islam dans les temps modernes et à l'époque contemporaine*, Beyrouth 1977.

fois du projet missionnaire et de la tradition de l'orientalisme chrétien[12]. Or c'est ce «détachement progressif du sacré» caractéristique de la pensée libertine[13] que l'on retrouve chez les habitués du Cabinet Dupuy lorsque, bien que n'ayant pas de connaissance directe de la civilisation ottomane, ils expliquent les raisons qui les poussent à se rendre dans le Levant[14] : François-Auguste de Thou parle ainsi d'«un extreme desir de voir le Levant, comme un païs qui pour l'estat passé des choses, le gouvernement d'aujourd'hui, et la différence des meurs et coustumes, est possible le plus remarquable qui soit au reste du monde»[15]. L'intérêt pour l'«état présent» du Levant réunit ainsi l'aspect politique («gouvernement») et anthropologique («meurs et coutumes»), sans donner de place spécifique à la religion, l'assimilant ainsi à la tradition.

Certes, cette curiosité «profane» pour la politique et la culture ottomane, qui voit l'islam d'abord comme la religion ou la «loi» d'un grand empire n'est pas nouvelle et surtout non spécifique aux libertins, comme en témoignent la fréquence de ces chapitres consacrés successivement au «gouvernement», à la «religion», aux «coutumes» des Turcs dans les récits de voyage au Levant comme dans les récits de pèlerins[16]. Mais si politique et morale se trou-

---

[12] Ses collaborateurs maronites ont en effet un projet plus classique, qui reproduit celui du Collège maronite de Rome. Cfr. A. HAMILTON - F. RICHARD, *André Du Ryer...*, cit., 41-43. L'orientalisme chrétien envisage la connaissance de l'arabe en vue d'une meilleure compréhension de l'hébreu et des Écritures. Voir sur ce sujet G.J. TOOMER, *Eastern Wisedome and Learning. The Study of Arabic in Seventeenth Century England*, Oxford 1996.

[13] T. GREGORY, *Genèse de la raison classique, de Charron à Descartes*, Paris 1999, 16-17, qui parle aussi de «son exclusion de l'histoire, la réduction des rites et des mythes religieux à la sphère des comportements extérieurs, pratiques, politiques».

[14] La plupart des habitués du Cabinet Dupuy envisagèrent de partir pour l'Orient à un moment ou un autre de leur vie. Le projet le plus ambitieux, mais qui ne se réalisa finalement pas, fut celui de l'ambassadeur Marcheville, qui voulait en faire une expédition scientifique formée des plus grands érudits, dont Gassendi. Voir A. HAMILTON, *"To divest the East from all its manuscripts and all its rarities". The unfortunate embassy of Henri Gournay de Marcheville*, in *The Republic of Letters and the Levant*, A. Hamilton - M.H. van den Boogert - B. Westerweel eds., Leiden-Boston 2005, 123-150.

[15] Cité par R. PINTARD, *Le libertinage érudit...*, cit., 182.

[16] Pour un aperçu sur ces récits viatiques, voir Y. BERNARD, *L'Orient du*

vent liées dans un intérêt indépendant de toute visée apologétique, il s'émancipe surtout radicalement de toute conception sacrée du monde. Ce n'est donc pas tant l'intérêt profane qui est à
relever ici que le terme de «différence», qui, en rendant la comparaison possible avec son lieu d'énonciation, l'Europe chrétienne,
intègre la religion chrétienne dans cette analyse en termes de
«meurs et coutumes»[17].

François Luillier manifeste lui aussi son désir d'accompagner
Ismaël Boulliau dans son voyage en Orient en des termes qui ne
trompent pas :

> Vostre amitié, vostre fidelité, vostre curiosité et diligence dans la re-
> cherche et dans l'observation des choses pour lesquelles on doit faire
> voiage me sont eprouvées ; or comme ces choses sont de deux sortes
> et qu'elles regardent ou la nature et les antiquités, ou la politique et la
> morale vous tirerés peu de secours de moy pour les premiers quoyque
> je ne vous y sois pas entierement inutile ; mais pour les deux autres,
> je ne m'y trouve pas entierement inepte et *nous ferons d'assez agrea-*
> *bles observations et de bons lucianismes, sur les façons de faire de ceux*
> *que nous aurons laissés et de ceux parmi lesquels nous serons*[18].

---

*XVIe siècle à travers les récits des voyageurs français. Regards portés sur la so-
ciété musulmane*, Paris 1988 et D. CARNOY, *Représentations…*, cit., *passim*.

[17] Il faut noter la place de P. Charron dans la diffusion de cette conception,
pour qui la religion est établie «par mains et moyens humains» (*De la Sagesse*,
1601/1604, texte revu par B. de Négroni, Paris 1986, II, 8, 495). Sur l'influence charonienne sur la pensée libertine, voir T. GREGORY, *Genèse de la raison
classique…*, cit., et plus récemment, la mise au point de J.P. CAVAILLÉ, *Pierre
Charron, «disciple» de Montaigne et «patriarche des prétendus esprits forts»*, Les
dossiers du Grihl, Libertinage, athéisme, irréligion. Essais et bibliographie, mis
en ligne le 9 juin 2007. URL: http://dossiersgrihl.revues.org/document
280.html.

[18] Luillier à Boulliau, 21 septembre 1646, in M. DE MONMERQUÉ - P. PA-
RIS, *Les Historiettes de Tallemant des Réaux*, Paris 1855, IV, 509. Nous souli-
gnons. Les lettres de Luillier se trouvent aux pages 489-516. (Source : H.J.M.
NELLEN, *Ismaël Boulliau, 1605-1694, astronome, épistolier, nouvelliste et in-
termédiaire scientifique: ses rapports avec les milieux du libertinage érudit*,
Amsterdam 1994, 150). Sur Ismaël Boulliau, bibliothécaire des frères de
Thou, vivant donc sous le même toit que les frères Dupuy, voir cet ouvrage.
Nous étudions *infra* le récit de son voyage en Orient.

Si la comparaison est ici possible, c'est bien que la vision christocentrique est abandonnée : pratiquer «de bons lucianismes», c'est ainsi surtout, à la manière du héros de l'*Icaroménippe*, déplacer son point de vue, et ne plus parler en chrétien mais en «esprit fort», prenant plaisir à mener avec ses semblables des conversations «déniaisées» sur les lois qui régissent les hommes[19]. Ces «lucianismes», en établissant les parallèles qui s'imposent, mettent ainsi autant à mal l'exception chrétienne que l'exception musulmane qui lui fait pendant, comme son antithèse absolue[20].

Jusque là en effet, la monarchie française, tout en pratiquant une politique pragmatique à l'égard de la Porte, entretenait une forte idéologie anti-turque mêlant les considérations politiques et religieuses, qui permettait à la fois de ménager le milieu dévot, très hostile à cette politique pragmatique et d'ériger le monarque français «très-chrétien» en défenseur des Chrétiens du Levant et de la chrétienté[21]. On pouvait donc traiter de la religion des Turcs librement[22], si tant est que le lieu d'énonciation de l'auteur (le christianisme) était clairement affirmé. Michel Baudier dédie ainsi son

[19] Sur la réception de l'œuvre de Lucien, voir C. LAUVERGNAT-GAGNIÈRE, *Lucien de Samosate et le lucianisme en France au XVIe siècle: Athéisme et polémique*, Genève 1988 et C. ROBINSON, *Lucian and His European Influence*, London 1979.

[20] La fonction de l'apologétique anti-musulmane aurait ainsi eu pour fonction essentielle, depuis le Moyen-Âge, de renforcer l'identité du christianisme en montrant en quoi il se distinguait en presque tout de la fausse religion «de» Mahomet, création humaine, sensuelle, violente et irrationnelle. Voir sur ce sujet l'ouvrage classique de N. DANIEL, *Islam et Occident*, Paris 1993 (Edinburgh 1960).

[21] Cfr. G. POUMARÈDE, *Pour en finir avec la Croisade. Mythes et réalités de la lutte contre les Turcs aux XVIe et XVIIe siècles*, Paris 2004, 104-128. C'est le gallicanisme qui explique le projet de croisade de Savary de Brèves, qui y voyait le moyen de faire de la France le champion du projet militaire contre l'empire ottoman. Voir à ce propos G. DE VAUMAS, *L'Éveil missionnaire de la France au XVIIe siècle*, Paris 1959, 89-93. Voir aussi F. GABRIEL, *Libertinage et gallicanisme*, "Littératures Classiques", 55 (2005), 69-76.

[22] La connaissance de la civilisation ottomane était même encouragée par la politique culturelle de la France, et beaucoup d'orientalistes sont des proches du pouvoir : Savary de Brèves était ambassadeur, André du Ryer, encouragé par Mazarin. Baudier, qui ne compte comme véritable mécène que le roi de France, semble avoir répondu aux préoccupations politiques de l'époque en choisissant de commencer sa carrière d'historiographe du roi par un *Inventaire d'histoire générale des Turcs*, qu'il prend soin de dédier au jeune Louis XIII.

Histoire générale de la religion des Turcs «à l'Eglise de Dieu», et André du Ryer démontre dans une longue préface l'intérêt que pourront trouver les missionnaires dans une traduction du Coran en français[23]. A l'inverse, tous ceux qui, dans leurs pratiques ou dans leurs écrits laissaient planer le doute sur leurs convictions, sont fustigés comme des traîtres à la nation chrétienne, des crypto-musulmans ou des collaborateurs. Mersenne, dans son apologie anti-libertine, reproche ainsi à Charron avec une violente ironie de n'avoir pas écrit sa *Sagesse* en «brave chrestien» :

> [...] apres avoir mis l'opinion, et l'erreur des gentils, des juifs, et des mahometans en parallele avec la vraye religion, au lieu de refuter, et renverser les pretenduës raisons de ces irreligions, il laisse le tout à la force des armes, se contentant de dire en passant, qu'il luy seroit fort facile de responde à leurs raisons. Est-ce pas là un brave chrestien, et un excellent champion, lequel pour tout payement, *apres avoir esten-du l'empire de l'erreur turquesque dans la chrestienté* par toutes les rai-sons dont il s'est peu adviser, il dit que s'il vouloit, il chasseroit bien les ennemis ; à Dieu ne plaise que nous nous servions de telles gens pour deffendre la verité de nostre religion [...][24].

De façon significative, c'est sur le danger de l'islam que se concentre le reproche, et la métaphore militaire, en perpétuant l'a-nalogie topique de la lutte par le glaive et par la plume, montre en

---

[23] Ce qui ne l'empêchera pas de voir son ouvrage interdit de publication, et malgré les appuis de Mazarin, par le «conseil de conscience» qui comptait saint Vincent de Paul parmi ses membres les plus influents. Laisser publier le texte intégral du Coran, en français et par un éditeur tel que Sommaville, c'est-à-di-re comme un texte littéraire parmi d'autres, présentait le risque d'usages in-contrôlables, malgré tous ces garde-fous rhétoriques. Sur la crainte de l'Église de la diffusion des thèses hétérodoxes par l'imprimerie, voir H.-J. MARTIN, *Li-vres, pouvoirs et Sociétés à Paris au XVIIᵉ siècle*, Genève 1969, 6-7. Le succès de la circulation clandestine de l'ouvrage (cfr. A. HAMILTON - F. RICHARD, *André Du Ryer...*, 54-55 et R. PINTARD, *Le Libertinage érudit...*, 85-86), ainsi que son utilisation transgressive dans la critique anti-religieuse, comme on le verra plus loin, montrent que cette crainte n'était pas dénuée de fondement.

[24] *L'impiété des déistes, athées et libertins de ce temps: combattue et ren-versée de point en point par raisons tirées de la philosophie et de la théologie, ensemble la réfutation du "Poème des deistes"...*, Bilaine, Paris 1624, 217-218. Nous soulignons.

creux comment il faut traiter de la fausse religion par excellence lorsque l'on est un bon chrétien. L'accusation intolérable de collusion avec l'ennemi turc, dans sa violence polémique, ne rend donc pas compte de l'opinion de l'apologète sur les intentions réelles de l'auteur, mais sous-entend qu'il faut décidément être bien éloigné des intérêts de la «vraie religion» pour la défendre aussi négligemment. C'est donc avant tout l'impiété qui est visée par cet anathème, choquant en contexte chrétien[25], et il est significatif que tous ceux que l'on a désignés comme des «mahométans», soient justement ceux que l'on identifiait comme des incroyants[26].

Ce que pensaient les libertins de cette propagande peut se lire à travers l'ironie avec laquelle, au Cabinet Dupuy, on plaisanta Ismaël Boulliau, en l'accusant de dissimuler son appartenance au mahométisme lorsqu'il exprima son désir de se rendre au Levant pour voir de plus près les coutumes et la politique des Turcs[27]. Les moqueries reprennent précisément les termes mêmes de la propagande anti-turque en soutenant que s'il avait prédit la chute de La Canée alors qu'elle résistait encore à l'invasion ottomane, c'est qu'il devait avoir une sympathie cachée pour le mahométisme[28]. Les protestations désespérées d'un personnage aussi soucieux de sa réputation que l'était Ismaël Boulliau[29] et le succès de la plai-

---

[25] C'est nous semble-t-il la valeur qu'il a prise dans toutes les controverses internes au christianisme, comme ce *Calvino-Turcismus, id est Calvinisticae perfidiae cum Mahometana collatio* de William Rainolds en 1597 auquel répond un *De Turcopapismo, hoc est, de Turcarum et papistarum adversus Christi ecclesiam et fidem conjuratione* de Matthew Sutcliff en 1599. En montrant ce que l'adversaire a en commun avec ce que tout chrétien *devait* considérer comme la fausse religion par excellence, il s'agissait de montrer en quoi il trahissait de ce fait l'esprit du christianisme.

[26] C'est le cas de Savary de Brèves ou de son ami Gédoyn précisément appelé «le Turc» : «Ce M. de Brèves, à ce qu'on dit, appela le pape *le grand Turc des chrestiens*. Il cria : «Alla!» en mourant, et sans Gedouin le Turc, qui croyoit en Nostre-Seigneur comme luy, il ne se fust jamais confessé ; mais Gédouin luy dit qu'il le falloit faire par politique», G. TALLEMANT DES RÉAUX, *Historiettes*, I, 242, cité par A. HAMILTON - F. RICHARD, *André Du Ryer…*, cit., 44.

[27] L'histoire est relatée par R. PINTARD, *Le Libertinage érudit…*, cit., 373-375 et amplement développée par H.J.M. NELLEN, *Ismaël Boulliau…*, cit., 142 s., dont nous reprenons ici les informations.

[28] Voir par exemple Grémonville à Dupuy, 15 juillet 1645, Coll. Dupuy vol. 349bis, f. 50v.

[29] Ce souci est à mettre en lien avec l'instabilité de sa position sociale, qui

santerie, devenue un véritable leitmotiv[30], nous montrent à la fois
la gravité de l'accusation en contexte chrétien et la distance ironique avec laquelle elle pouvait être traitée par des «esprits forts»[31].

On retrouve cette même distance chez Gabriel Naudé, lorsqu'il évoque la connaissance de l'islam dans sa *Bibliographie politique*, présentée comme une nécessité politique pour tout monarque qui désire s'installer en terre musulmane : en plus de subvertir le discours missionnaire pour lui donner une fonction essentiellement politique, il vise la censure en indiquant une liste d'ouvrages à l'usage de «ceux qui à cause des censures de l'Église ne
peuvent pas lire l'Alcoran & la Sunna de Mahomet»[32]. En évo-
quant un usage biaisé de la connaissance de l'islam, Naudé désigne ainsi en filigrane l'usage que lui-même et d'autres libertins en
font dans leurs écrits, et qui met en place pour longtemps la relation entre érudition orientaliste et critique anti-religieuse[33].

l'amena à se chercher constamment la protection de personnalités influentes,
sans en trouver une en particulier : «Il importait de ne pas les indisposer
contre soi par une prise de position indépendante, une attitude indocile ou
provocante». H.J.M. NELLEN, *Ismaël Boulliau…*, cit., 520. A comparer avec
la plus grande liberté des Dupuy ou de la Mothe le Vayer, protégés directement par le pouvoir royal. Cfr. I. MOREAU, *«Guérir du sot». Les stratégies d'é-
criture des libertins à l'âge classique*, Paris 2007, 181-195. Sur le clientélisme à
l'époque moderne, voir A. VIALA, *Naissance de l'Écrivain. Sociologie de la littérature à l'âge classique*, Paris 1985.

[30] De 1645 à 1647, elle émaille la correspondance des habitués de l'Académie. Cfr. H.J.M. NELLEN, *Ismaël Boulliau…*, cit., 149 s.

[31] Luillier réputé pour son indifférence religieuse, pousse même la plai-
santerie jusqu'à faire montre d'ouverture d'esprit en écrivant à Boulliau que
s'il voulait bien l'accompagner sur les Lieux Saints, il l'accompagnerait dans
son pèlerinage en Arabie. Luillier à Boulliau, 18 mai 1646, in M. DE MON-
MERQUÉ - P. PARIS, *Les Historiettes*, cit., 504. Boulliau commente dans une
lettre à Dupuy (16 juillet 1646) : «… il a aussi peu envie d'aller à *Aelia Capi-
tolina* [Jérusalem] que j'en ay d'aller vers la mer Erythrée». (Cité par H.J.M.
NELLEN, *Ismaël Boulliau…*, cit., 154.)

[32] *La bibliographie politique du Sr. Naudé*, trad. du latin, chez la veuve de
Guillaume Pele, Paris 1642, 66. Il cite entre autres auteurs Michel Baudier et
Guillaume Postel. Sur la mise du Coran à l'Index, voir A. HAMILTON - F. RI-
CHARD, *André du Ryer…*, cit., 93, et la bibliographie qu'il propose.

[33] Si les libertins du premier XVIIe siècle s'appuient surtout sur l'orientalisme de la Renaissance, notamment Guillaume Postel ainsi que sur les récits
viatiques, au cours de la seconde moitié du siècle, puis au siècle suivant, la

Islam et stratégies d'écriture libertines

Si juger toutes les religions selon des critères universels empêche le maintien de l'exception chrétienne par rapport aux autres
religions, citer l'islam met aussi en cause, on l'a vu, l'identité même du christianisme, puisque l'on met à mal à un lieu commun
qui, à la différence de la réfutation du paganisme antique, reste vivace. C'est donc avant tout dans son rapport polémique et transgressif à la tradition chrétienne que l'on peut mesurer l'enjeu de
cette référence à l'islam. La première modalité de la subversion
consiste à reprendre le discours d'influence charronienne sur la
diversité des religions et des croyances[34], pour aborder les coutumes ou les croyances des musulmans, et notamment les points les
plus forts de la controverse anti-musulmane, sans apporter la réfutation attendue. C'est ce que fait Guy de la Brosse dans son *Traité sur la médisance*, pour montrer qu'il n'existe pas de critère universel possible pour juger du vice et de la vertu :

> La vertu & le vice sont autres chez le Iuif, que chez le Mahometan, &
> encore toutes autres chez le Chrestien, L'Italien, l'Espagnol, l'Alle-
> mand, l'Anglois, le François, & tous les habitans de la terre, ont les
> opinions des actions de la vie differentes, & sont tous dissemblables
> en leurs mœurs, l'un estime ce que l'autre blasme, & cette autre con-
> damne ce que cestuy cy approuve & prise[35].

En mettant sur le même plan, non seulement les trois religions
entre elles, mais aussi les religions et les coutumes nationales, Guy
de la Brosse désacralise le statut du christianisme en le réduisant à
une simple tradition. Mais plus encore, il refuse la distinction fon-

---

critique religieuse ne cesse de s'enrichir des avancées de l'érudition orientaliste, et de sa diffusion au-delà du cercle des spécialistes, encouragée par l'en-
gouement du public pour le Levant. Le *Dictionnaire historique et critique* de
Bayle est à cet égard exemplaire, qui enrichit son propos au gré des éditions
successives par les apports des travaux orientalistes les plus récents.

[34] «C'est premierement chose effrayable, de la grande diversité des religions, qui a esté et est au monde». *De la Sagesse*, cit., 445.

[35] G. DE LA BROSSE, *Traicté contre la mesdisance*, chez Jérémie & Christo-
phle Perier, Paris 1624, 11. Sur cet auteur et ses relations avec le libertinage
érudit, voir A. ADAM, *Théophile de Viau et la libre pensée française en 1620*,
Genève 1965, 413-414.

damentale opérée par l'apologétique entre la «morale» instituée par le Christ et la *lata et spatiosa via* dont Mahomet s'est servi pour propager sa fausse religion[36].

Libérée de son statut d'antithèse du christianisme, la référence à l'islam prend ainsi toute sa force polémique. Devenue simple exemple, elle met à mal le statut que la tradition lui avait consacré, et peut désormais illustrer ce qu'elle était sensée contredire le plus. Jules-César Vanini, la grande source de la critique anti-religieuse[37] et du futur *Traité des trois imposteurs*[38], utilise ainsi le lieu commun sur le Paradis sensuel de Mahomet pour illustrer l'instrumentalisation de l'espoir du peuple crédule par les Législateurs :

> Seul, évidemment, le petit peuple, que l'on abuse aisément, admettait cette religion. Mais les grands et les philosophes, pas du tout. Eux ne considéraient pas la religion comme une fin, mais comme le moyen d'une fin, qui était de conserver et d'augmenter l'Empire, ce qui ne peut être assuré sans quelque prétexte de religion. On promettait des récompenses éternelles à ceux qui mouraient pour la République, comme aujourd'hui chez les Turcs[39].

Le parallèle établi entre les religions païennes et la religion musulmane renverse ici totalement les visées de l'apologétique

---

[36] Voir, pour l'établissement de ce canon dans l'Occident latin, N. DANIEL, *Islam et Occident…*, cit., 185-220. Il faudrait aussi étudier dans cette perspective l'utilisation du dixième trope sceptique par La Mothe le Vayer, qui banalise les points les plus litigieux de la controverse anti-musulmane, et notamment la question de la sensualité. Voir par exemple la seconde Homélie académique «Sur les mariages», in G. DE LA BROSSE, *Œuvres*, chez Michel Groell, Dresde 1756, III/2, 18.

[37] Sur l'auteur, voir D. FOUCAULT, *Un philosophe libertin dans l'Europe baroque: Giulio Cesare Vanini. 1585-1619*, Paris 2003. Sur la réception de son œuvre en France, M. LEOPIZZI, *Les sources documentaires du courant libertin français: Giulio Cesare Vanini*, Fasano-Paris 2004.

[38] Cfr. F. CHARLES-DAUBERT, *Le "Traité des trois imposteurs"*, cit. Le récit de l'imposture de Moïse, Jésus et Mahomet est directement tiré du *De Admirandis* de Vanini.

[39] G.C. VANINI, *De Admirandis Nature Reginae Deaque Mortalium Arcanis*, Périer, Paris 1616, *Dialogue L*, 367. Traduction de J. Penent - D. Foucault in *Vanini-Libertinage et philosophie à l'Époque moderne*, "Kairos", 12 (1998), 366-367.

chrétienne : en reprenant le *topos* du paradis sensuel de Mahomet pour illustrer la thèse de l'imposture universelle, il met sur le
même plan la réfutation de l'islam pour la défense de la vraie foi
et l'analyse du paganisme par les philosophes de l'Antiquité pour
fonder leur incroyance, cette même analyse que Vanini applique
au christianisme pour démontrer son imposture. L'apologétique
chrétienne, retournée contre elle-même, est ainsi mise au service
de sa propre ruine. De la même façon, le choix par Vanini du
faux miracle pour illustrer l'imposture de Mahomet prend tout
son sens :

> C'est ainsi que l'impie Mahomet persuada à l'un des siens de se ca-
> cher dans un trou ; puis s'étant rendu vers cet endroit, on entendit
> une voix qui disait : «Je suis Dieu, et je vous affirme à tous que j'ai
> désigné Mahomet pour être mon grand Prophète chez toutes les na-
> tions» ; ce qui fut regardé comme véritable. Mais craignant que sa
> ruse ne fut connue, Mahomet se tournant vers le peuple déjà fasciné,
> il lui ordonna au nom du Seigneur, comme autrefois Jacob, d'élever
> un autel où Dieu s'était fait entendre ; tous aussitôt jetèrent des pier-
> res dans la fosse, et le malheureux fut écrasé ; ce monceau de pierres
> fut regardé comme le fondement de la religion Mahométane, qui,
> après mille ans, augmente encore en puissance et ne semble menacée
> d'aucune ruine[40].

Si la tradition apologétique insiste plutôt sur le fait que Mahomet est un prophète sans miracle, Vanini reprend à son compte,
mais pour le retourner contre lui-même, le courant plus minori-
taire, qui réfute les miracles supposés de Mahomet, en montrant
qu'ils sont ridicules, preuve supplémentaire que Mahomet n'en a
accompli aucun[41]. Si l'origine de ce récit n'est encore à ce jour pas
définie[42], il s'inscrit parfaitement dans la tradition apologétique.

---

[40] G.C. VANINI, *De Admirandis Nature Reginae Deaque Mortalium Arcanis*, Adrien Périer, Paris 1616, 442. Traduction de X. Rousselot dans *Œuvres
philosophiques de Vanini*, Librairie Gosselin, Paris 1842, 289-290.
[41] On établit ainsi au Moyen Âge des listes qui recensent les faux miracles
attribués à Mahomet. Voir N. DANIEL, *Islam et Occident...*, cit., 107-108.
[42] Jusqu'à présent, nous ne l'avons trouvée nulle part ailleurs que chez
Vanini et ses lecteurs. Elle n'est pas non plus recensée par N. Daniel, mais il
faudrait vérifier dans ces listes de faux miracles et notamment l'*Apologie sy-*

Plus encore, il a l'avantage de renforcer le parallèle entre les trois religions en montrant que l'application du même critère ne peut aboutir qu'aux mêmes conclusions, à savoir l'imposture de Moïse et de Jésus. Le *topos* des trois imposteurs, s'il ne fait d'abord qu'appliquer les analyses du paganisme par les philosophes de l'Antiquité, confère ainsi à Mahomet une fonction tactique, en mettant le chrétien devant un choix impossible :

> L'argument, dirigé contre la divinité du Christ, se double du fait que Vanini met sur le même plan Moïse, Jésus-Christ et Mahomet. Ce qui contraint d'admettre, soit que Mahomet était un faux prophète et que Jésus-Christ n'était qu'un habile politique ; soit que Jésus-Christ avait bien une mission divine et que Mahomet était un vrai prophète. L'analyse de Vanini fait en sorte, en leur appliquant la même méthode de lecture, que les trois grands prophètes soient solidaires[43].

En cela, l'utilisation par Vanini de Mahomet ruine de l'intérieur des siècles de polémique anti-musulmane, et la méthode scolastique elle-même, puisque c'est elle qui a établi les critères distinctifs entre vraie et fausse prophétie, pour les appliquer, et même les adapter à Mahomet, devenu l'«imposteur» par excellence [44]. En appliquant universellement la méthode scolastique pour traquer les faux prophètes, Vanini ne ferait ainsi que suivre à la lettre, et avec bien plus de rigueur que saint Thomas lui-même les paroles de saint Mathieu : «Méfiez-vous des faux prophètes qui viennent à vous déguisés en brebis, mais au-dedans sont des loups rapaces»[45]. On mesure bien la force subversive d'un tel usage de

---

rienne. Cfr. N. DANIEL, *Islam et Occident*, cit. Une version anglaise du *Traité des trois imposteurs* recensée par A. GUNNY, *L'image du prophète...*, cit., 261, lui donne en effet une origine orientale. On ne peut aussi exclure que ce soit simplement une invention de Vanini ou la transposition d'un récit qui rappelle l'histoire de Jacob.

[43] *Ivi*, 284.

[44] Cfr. N. DANIEL, *Islam et Occident...*, cit., 103-106. Mahomet reste pour longtemps l'exemple même de l'imposteur, comme en témoignent le *Dictionnaire Universel* de Furetière, mais aussi toutes les éditions du *Dictionnaire de l'Académie* de la première à la sixième (1832-1835!), qui citent systématiquement Mahomet pour illustrer l'usage du terme «imposteur».

[45] Matthieu, 7,15-20.

la *doxa*[46], qui transgresse radicalement la frontière instituée entre vraie et fausse religion, et retourne contre lui-même l'effort scolastique destiné à prouver la vérité de la religion chrétienne par la raison[47]. Vanini montre ainsi que la distinction entre vraie et fausse religion n'est qu'un parti pris arbitraire en faveur du Christ, qui ne tient plus au regard de la raison[48]. C'est très exactement ce refus de l'exception chrétienne auquel conduit l'article *Mahomet* du *Dictionnaire* de Bayle, lorsqu'il rejette, au nom de la raison, la légitimité des Chrétiens à condamner la propagation de l'islam par la violence[49].

Intégrée dans un contexte où elle n'est plus preuve *ad hominem* mais illustration d'une thèse universelle, l'imposture de Mahomet recèle alors une efficacité redoutable : elle permet de mener une critique anti-religieuse et anti-chrétienne, sans pour autant en

---

[46] En ce sens, il faut renverser l'assertion de J. Israël lorsqu'il écrit : «It is true that something of the old fierce hostility to the figure of Muhammad as an 'impostor' ligered on in the [...] *Traité des trois imposteurs* – except that now Muhammad is construed as following Moses and Jesus in deliberately deceiving the people». J. ISRAËL, *Enlightenment contested...*, cit., 616. C'est plutôt *parce que* la figure de Mahomet imposteur est un canon de la tradition chrétienne, qu'il est utilisé par la critique anti-religieuse, contre cette même tradition.

[47] Cet usage détourné de la scolastique est à mettre en relation avec l'utilisation subversive que Vanini fait de l'exercice scolastique. Voir sur ce sujet J.-R. ARMOGATHE, *Jules-César Vanini, une rhétorique de la subversion*, "Kairos", 12 (1998), 143-158.

[48] C'est précisément contre la légitimité de cette universalisation que se soulève l'apologétique anti-libertine de la seconde moitié du XVIIᵉ siècle, en tâchant de rétablir la distinction ontologique entre Mahomet et Jésus. Voir sur ce sujet G. COUTON, *Libertinage et apologétique. Les Pensées de Pascal contre la thèse des trois imposteurs*, "XVIIᵉ siècle", 127 (1980), 181-196.

[49] «Ce serait une folie que de reprocher aux Mahométans la violence qu'ils ont employée pour la propagation de l'Alcoran : ils nous feraient bientôt taire [...] Car voici ce qu'il [Mahomet] pourrait dire en argumentant *ad hominem* : Si la contrainte était mauvaise de sa nature, on ne s'en pourrait jamais servir légitimement : or vous vous en êtes servis depuis le IV Siècle jusques à cette heure, et vous prétendez n'avoir rien fait en cela que de très louable», *Dictionnaire historique et critique*, Amsterdam 1740, III, 260. Pour une analyse thématique de l'influence des libertins érudits sur Bayle, voir L. BIANCHI, *Pierre Bayle et le libertinage érudit*, in *Critique, savoir et érudition à la veille des Lumières. Le Dictionnaire historique et critique de Pierre Bayle*, H. Bots éd., Amsterdam-Maarssen 1998, 251-268.

subir les risques. Il suffit ainsi de reprendre le récit vaninien sur Mahomet, sans faire référence à l'imposture du Christ, pour faire entendre au lecteur «déniaisé», qui saura reconnaître la source, que tous les prophètes, et surtout le Christ, sont visés. L'utilisation de l'exemple musulman s'inscrit donc parfaitement dans la stratégie énonciative de la dis/simulation propre aux libertins : faire mine de perpétuer la doctrine la plus orthodoxe, ici la condamnation de Mahomet comme faux prophète, pour la subvertir[50]. Gabriel Naudé reprend ainsi par deux fois ce récit en l'intégrant dans une biographie de Mahomet qui reprend les *topoï* connus du canon médiéval[51]. Cet usage de l'islam comme masque du christianisme aura, on le sait, un bel avenir, avec *Le Fanatisme, ou Mahomet le prophète* de Voltaire, ou de façon plus subversive, chez un Claude Gilbert[52].

[50] Sur l'énonciation libertine, voir J.-P. CAVAILLÉ, *Dis/simulations. Religion, morale et politique au XVIIe siècle. Jules-César Vanini, François La Mothe Le Vayer, Gabriel Naudé, Louis Machon et Torquato Accetto*, Paris 2002.

[51] Dans son *Apologie pour tous les grands personnages qui ont esté faussement soupçonnez de magie*, in *Libertins du XVIIe siècle*, Paris 1998, 230 et dans ses *Considérations politiques sur les coups d'État*, L. Marin - M.O. Perulli éds., Paris 1988, 113-114.

[52] On retrouve en effet cette utilisation détournée de l'islam comme paravent du judaïsme et surtout du christianisme dans l'utopie de C. GILBERT, l'*Histoire de Calejava ou de l'isle des Hommes raisonnables, avec le paralelle de leur morale et du christianisme*, [s.n.], [s.l.] 1700. Édition BNF/Gallica, que nous citons ici (voir aussi l'édition moderne par S. Rivière, University of Exeter, 1990, et sa riche introduction), très représentative de la filiation intellectuelle entre le libertinage érudit et les lumières radicales. Si le débat mené entre les héros et l'Avaïte sur le judaïsme et le christianisme est retranché par le narrateur fictif, «parce qu'il ne seroit peut-être pas de nôtre goût», celui sur l'islam est conservé. La censure simulée et ostensible des deux chapitres apparaît clairement comme une stratégie qui vise à faire faire au lecteur le parallèle entre les trois religions. Cela d'autant plus que les thèmes abordés conviennent directement à l'analyse du christianisme : tour à tour, en reprenant les arguments des premiers libertins contre la religions, sont ruinés, par des citations directes au Coran de du Ryer, le pari de Pascal, la superstition, les miracles et l'amour de Dieu. (Livre IX, «Du Mahométisme», 182-205). Voir aussi B. TOCANNE, *Aspects de la pensée libertine à la fin du XVIIe siècle: le cas Claude Gilbert*, "XVIIe siècle", 127 (1980), 213-224.

La religion de Mahomet : «imposture» ou «religion naturelle» ?

L'autre raison pour laquelle Naudé reprend ce récit de la fosse aux oracles, c'est qu'il constitue un paradigme de politique prudentielle et de secret d'État[53] : le chef, avisé et prudent, se sert du faux miracle pour littéralement subjuguer les foules ignorantes et superstitieuses, et se débarrasser par la même occasion du témoin encombrant par un acte fondateur réunissant le peuple autour d'une construction collective qui deviendra «monument», lieu de mémoire et de culte. C'est dire en d'autres termes qu'un crime est toujours aux «fondations», et ici la métaphore architecturale est réalisée, de toute politique qui prospère. En s'appuyant sur l'intertexte vaninien, mais aussi sur la «légende» de Mahomet, telle qu'elle a été véhiculée par des siècles de controverse, Naudé forge l'image d'un Mahomet «esprit fort», qui illustre parfaitement sa théorie du «coup d'État». Mode unique d'action politique, qui annule la distinction entre politique ordinaire et action exceptionnelle[54], le coup d'État se réalise par la seule vertu extraordinaire de l'esprit fort : Mahomet, épileptique, a ainsi su sublimer sa pathologie en transformant ses crises en «autant d'extases & de signes de l'esprit de Dieu», pour établir l'Empire «aujourd'huy le plus puissant du monde»[55]. Ici, la biographie de Mahomet que Naudé reconstruit à partir de Guillaume Postel et de Vanini n'est pas citée pour sa véracité historique, mais bien plutôt pour sa valeur illustrative. Elle apparaît alors davantage comme une «fiction véritable», théoriquement valide, qui montre une fois encore l'usage subversif qui peut être fait des écrits orthodoxes.

[53] Pour une étude récente de la politique prudentielle chez les libertins, voir S. GOUVERNEUR, *Prudence et subversion libertines. La critique de la raison d'État chez François de La Mothe le Vayer, Gabriel Naudé et Samuel Sorbière*, Paris 2005. C'est aussi comme un modèle possible d'imposture que la place de l'islam est justifiée dans les différentes versions du *Traité des trois imposteurs*. Voir par exemple l'*Esprit de Spinoza* : «disons quelque chose de Mahomet, lequel a fondé une Loy sur des maximes tout opposées à celles de Jésus-Christ», in F. CHARLES-DAUBERT, *Le "Traité des trois imposteurs"…*, cit., 511.

[54] Sur la raison d'État chez Naudé, voir S. GOUVERNEUR, *Prudence et subversion libertines…*, cit., 164-165.

[55] G. NAUDÉ, *Considérations…*, cit., 113. Voir aussi p. 80 : «Mahomet se veut-il faire de Marchand Prophète, & de Prophete souverain d'une troisiéme partie du Monde, il luy reüssit».

Plus encore, en introduisant Mahomet comme figure exemplaire de Législateur, Naudé met fin à toute possibilité d'une lecture chrétienne de la «bonne raison d'État»[56]. En cela, il dévoile ce qui n'apparaissait qu'en filigrane chez Machiavel, lorsqu'il fait de Mahomet une des sources d'inspiration de Savonarole[57]. Mahomet, et d'autres princes musulmans[58] contribuent ainsi à l'élaboration d'une thèse politique du coup d'État radicalement séparée de la question du bien et du mal. L'imposture universelle, nécessité historique et anthropologique[59], bouleverse donc la notion même d'imposture, ne laissant pas la place à ce qu'aurait pu être une politique sans imposture.

En ce sens, un effet de cette thèse est de réhabiliter la figure de Mahomet comme modèle possible de Législateur. Le *Theophrastus redivivus*, manuscrit clandestin composé vers 1659[60], nous indique le lien entre la thèse de l'origine politique des religions et une conception plus favorable de l'islam : c'est justement parce qu'elles sont toutes par essence politiques, parce qu'il n'y a plus de bonne ou mauvaise raison d'État, que l'on peut juger toutes les religions, non du point de vue de leur «vérité» (transcendante), mais de leur vertu politique[61]. C'est donc justement parce qu'elle est

[56] À comparer par exemple avec *Le Prince* de Balzac, qui fait de Mahomet le paradigme de la mauvaise raison d'État, et l'antithèse du prince chrétien modèle, in H. BALZAC, *Le Prince*, Paris 1996, 207-209. Voir sur les rapports entre anti-machiavélisme et christianisme Y.CH. ZARKA, *Singularité de l'anti-machiavélisme*, in *L'antimachiavélisme de la Renaissance aux Lumières*, C. Frémont - H. Méchoulan éds., Bruxelles 1997, 7-14.

[57] «N'ignorant point par les exemples d'Arrius & de Mahomet que le respect de la religion a une extreme puissance sur nos esprits». G. NAUDÉ, *Apologie…*, cit., 312.

[58] Voir par exemple l'utilisation de l'histoire de la révolution almohade, *ivi*, 312, et *Considérations…*, cit., 142 s.

[59] Cfr. S. GOUVERNEUR, *Prudence et subversion libertines…*, cit., 47-65.

[60] Voir *Theophrastus redivivus*, G. Canziani - G. Paganini éds., Firenze 1981-1982, XV-CXXIII, et la monographie de T. GREGORY, *Theophrastus redivivus. Erudizione e ateismo nel Seicento*, Napoli 1979.

[61] C'est cet aspect qui distingue quelque peu Mahomet des autres, plus attentif qu'il a été à l'aspect politique de son entreprise. Cfr. G. PAGANINI, *Legislatores et impostores. Le Theophrastus redivivus et la thèse de l'imposture des religions au milieu du XVIIᵉ siècle*, in *Sources antiques de l'irréligion moderne: le relais italien (XVᵉ-XVIIᵉ siècles)*, D. Foucault - J.-P. Cavaillé éds., Toulouse 2001, 181-218, [205].

davantage une politique qu'une religion, qu'elle pourrait être préférable aux autres.

La relation de voyage que rédige Ismaël Boulliau pour Léopold de Médicis, frère de Ferdinand, grand-duc de Toscane[62] est révélatrice à cet égard : l'éloge qu'il y fait de l'islam repose sur son caractère rationnel et éloigné de toutes superstitions, somme toute est-elle une morale plus qu'une religion[63]. Si le christianisme n'est jamais directement visé et que l'impiété de Boulliau ne peut être affirmée[64], il n'en reste pas moins qu'il écrit ici davantage en «esprit fort» qu'en chrétien, et juge de la religion en-dehors de la religion, pour ses vertus civiles, où la question du salut est évacuée[65]. C'est en «esprit fort» qu'il explique par exemple le peu de succès de la mission chrétienne auprès des musulmans, par rapport aux exploits accomplis auprès des païens : alors que ces derniers se libéraient par leur conversione de rites fastidieux, les musulmans, dans leur adoration d'un Dieu unique Créateur de toutes choses, ne pouvaient voir l'utilité ni la nécessité d'abandonner leur foi pour devenir chrétiens[66]. Or cette explication reprend exactement, en la renversant, le rôle que les missionnaires attribuent au monothéisme des musulmans,

---

[62] BNF, f. fr. 13039, f. 11r-34r. H.J.M. NELLEN en a publié des fragments in "Lias", 18 (1991), 152-169. Pour un aperçu du contenu de ce récit, voir le même auteur in *Ismaël Boulliau…*, cit., 168 s.

[63] «Musulmani, quorum religio moralibus praeceptis praecipue constat, res physicas subtiliter non investigant, aearumque contemplationem dogmatibus suis non immiscent, nec […] populo naturae opera ut adoranda mysteria proponunt. Immutati propterea ipsorum ritus permanserunt, simplicesque», f. 22v, "Lias", cit., 158.

[64] Sur la récusation d'Ismaël Boulliau comme libertin, voir H.J.M. NELLEN, *Ismaël Boulliau…*, cit., 511-550, qui préfère le ranger parmi les «humanistes érudits».

[65] L'adoption de ce point de vue «déniaisé» est à mettre en lien avec la commande que lui fit Léopold de Médicis : «Quando non le fuisse d'incomodo, desiderarei un poco di relazione del viaggio fatto da lei in Asia e delle cose piu notabili […] persuadendomi pure, che havera raccolte con questa occasione mille belle e recondite reflessioni sopra varie materie curiose», cité par H.J.M. NELLEN in "Lias", 18 (1991), 4. Boulliau, toujours à la recherche de protecteurs ne devait donc pas décevoir les attentes du prince, qui était aussi versé dans la science moderne.

[66] f. 21r, *ivi*, 157.

comme premier pas de leur conversion[67]. Ici, la réduction de l'islam
à des règles morales et au déisme, et l'explication de sa persistance
pour ces raisons mêmes, conduit surtout à une définition de la religion réduite à son noyau rationnel[68]. La lecture du récit de voyage
d'Ismaël Boulliau nous montre ainsi que c'est l'abandon du point
de vue religieux pour analyser l'islam qui conduit à la considérer
comme une bonne religion. Cet éloge d'un islam comme religion *a
minima* s'inscrit donc pleinement dans le cadre de la pensée libertine, même s'il est plus rare qu'au siècle suivant[69].

La version la plus radicale au XVIIe siècle de cette thèse se
trouve dans le compte rendu du procès devant le tribunal de l'Inquisition de Lima de Nicolas Le Gras, personnage fascinant et peu
connu, que René Pintard a découvert tardivement grâce à une étude de Marcel Bataillon[70]. Ce prêtre, médecin et surtout grand voya-
geur, qui a été chapelain du duc d'Orléans, surtout connu pour

[67] Chez un Postel, par exemple. Cfr. *Histoire et considération de l'origine,
loy, et coustume des Tartares, Persiens, Arabes, Turcs, & tous autres Ismaelites
ou Muhamediques*, in *De la république des Turcs*, Enguibert de Marnef, Poi-
tiers 1560, 45. Voir aussi l'article de F. LESTRINGANT, *Guillaume Postel et
l'"obsession turque"*, in *Guillaume Postel (1581-1981). Actes du Colloque International d'Avranches (5-9 septembre 1981)*, Paris 1985, 265-298.

[68] Et qui de ce fait, rend inutile le christianisme. C'est cet usage que fait la
Mothe le Vayer de la «religion de Confucius» dans sa *Vertu des payens*. Voir
I. MOREAU, *«Guérir du sot»…*, cit., 188-195.

[69] Voir par exemple dans cette perspective l'éloge de l'islam fait dans le
Colloquium heptaplomores attribué à Jean Bodin, en relation avec la pureté de
son culte pour Dieu. Une attribution de l'œuvre à un érudit du premier
XVIIe siècle est discutée aujourd'hui. Voir, pour une discussion récente, *Pseu-
do-Bodin's Colloquium Heptaplomeres and Bodin's Démonomanie*, in *Magie,
Religion und Wissenschaften in dem Jean Bodin zugeschriebenen «Colloquium
heptaplomeres». Ergebnisse der Tagungen Paris 1994 und Villa Vigoni 1999*,
K. Faltenbacher ed., "Beiträge zur Romanistik", 6 (2002), 175-225. Pour le
XVIIIe siècle, voir A. THOMSON, *L'utilisation…*, 252 s.

[70] Voir R. PINTARD, *Aspects et contours du libertinage*, "XVIIe siècle", 127
(1980), 131-162, qui s'appuie sur l'article de M.H. BATAILLON, *L'Académie
de Richelieu, Indre et Loire*, in *Pédagogues et juristes. Congrès du C.E.S. de la
Renaissance de Tours*, Paris 1963, 255-270 et sur la biographie du personnage
d'après le résumé de l'affaire effectué par J.T. MEDINA, *Historia del Tribunal
de la Inquisición de Lima, 1569-1820*, Santiago de Chile 1956, II, 170-184.
Plus récemment, J.-P. Tardieu a publié un compte rendu plus détaillé de ces
Relaciones de causas, comptes-rendus des procès destinés à la métropole (les

avoir fondé l'Académie royale de Richelieu, s'installe, après des re-
vers de fortune, à Lima avec trois autres Français dans les années
1660[71]. Quelques années plus tard, après une obscure histoire de
règlements de comptes et la crainte de subir des persécutions, il est
dénoncé par ses compagnons à l'Inquisition de Lima pour athéisme, lui-même se défendant en les accusant du même crime. Le seul
écrit qui nous reste est le compte-rendu de la dénonciation de ses
comparses, compilée dans la relation du procès, que le tribunal de
l'Inquisition de Lima a envoyé en métropole. L'intérêt de ce témoignage est qu'il reconstitue un type-idéal de discours libertin, déve-
loppant tour à tour tous ses *topoï*. La critique anti-théologique y a
une grande place, ainsi que la référence obligée à Vanini[72].

Pour ce qui nous interesse Nicolas Le Gras reconnaît au cours
du procès avoir prononcé la plupart de ces propos impies mais il
les met au compte de «crises» sceptiques ou du désir de surenché-
rir aux propos de son ami, Pedro de Hom, qui avait été convaincu
d'athéisme quelques années avant le procès[73].

Pour ce qui nous intéresse Nicolas le Gras est accusé d'avoir
soutenu que la morale sexuelle imposée par le christianisme était
une morale répressive et contre-nature, que la fornication n'était
pas un péché et que l'islam était en cela préférable parce qu'il se
rapprochait plus de la loi naturelle en autorisant la polygamie. En
cela, s'il était appelé à disparaître pour être remplacé par d'autres
religions, il l'emporterait sur le christianisme, car plus conforme à
la nature[74]. L'éloge paradoxal, dont il faut souligner le caractère

---

manuscrits se trouvent à Madrid) et notamment celui de l'affaire qui nous intéresse, auquel nous sommes redevables ici, mais qui ne cite malheureusement jamais l'original. J.-P. TARDIEU, *L'Inquisition de Lima et les hérétiques
étrangers (XVIe-XVIIe siècles)*, Paris 1995, 101-139.

[71] La biographie du personnage, reconstituée à partir de la «relation de
vie» qu'il fit au cours de son procès, se trouvent aux pages 104-118 de l'ouvrage de J.-P. Tardieu.

[72] Imposture des religions, négation des dogmes et des sacrements de l'É-
glise, humanité du Christ, blasphèmes sur la Vierge et le Christ, éternité du
monde, mortalité de l'âme, critique des pratiques et des institutions religieuses,
des miracles, mais aussi condamnation de l'entreprise missionnaire en Amérique. J.-P. TARDIEU, *L'Inquisition de Lima...*, cit., 118-122. Sur ces thèses, voir F.
CHARLES-DAUBERT, *Les libertins érudits en France au XVIIe siècle*, Paris 1998.

[73] J.-P. TARDIEU, *L'Inquisition de Lima...*, cit., 105; 128.

[74] *Ivi*, 122-123. Cfr. M. DE BOULAINVILLIERS, *Histoire des Arabes, avec La*

transgressif et quasi blasphématoire[75], repose ici sur le retourne-
ment de la *doxa* anti-musulmane contre elle-même mais aussi sur
le détournement du *topos* augustinien de la vertu des infidèles[76] :
la vertu des musulmans ne réside plus dans sa proximité avec
l'esprit du christianisme, dont se sont éloignés les mauvais chrétiens, mais dans ce qui remet radicalement en cause la doctrine
chrétienne elle-même. L'éloge de l'islam procède ainsi d'une véritable «révolution copernicienne», jugé qu'il est non plus du point
de vue du christianisme, mais du point de vue de la «loi naturelle». Dans la lignée du *Philosophe antichrétien*, manuscrit clandestin composé vers 1640[77], est ici affirmée, contre l'apologétique
chrétienne qui tente de les concilier, l'incompatibilité radicale entre la morale chrétienne fondée sur la répression et la morale philosophique, fondée sur la jouissance dans les limites de la raison
naturelle. La préférence accordée à l'islam est donc aussi une façon de révéler les contradictions du courant philosophique de la
religion naturelle en montrant que leur démonstration de la proximité du christianisme avec la religion philosophique est un parti pris dénué de fondement, à partir du moment où l'on ne juge
plus en chrétien, mais en philosophe[78].

Nicolas le Gras est aussi accusé d'avoir justifié ses propos en
soutenant que la monogamie instituée par le christianisme avait

---

Vie de Mahomed, Pierre Humbert, Amsterdam 1731, 114. «On pourra juger
par là des fondements sur lesquels Mahomed a établi un système de Religion,
non seulement propres aux lumières de ses Compatriotes […] mais encore tel-
lement proportionné aux idées communes du Genre humain, qu'il a entraîné
plus de la moitié des Hommes dans ses opinions, en moins de 40 années».

[75] Et qui prouve une fois encore l'arbitraire de la distinction entre libertinage érudit et libertinage de mœurs. Voir, sur ce sujet S. VAN DAMME, *Libertinage de mœurs/libertinage érudit. Le travail de la distinction*, "Libertinage et
philosophie au XVIIe siècle", 8 (2004), 161-180.

[76] Sur l'utilisation de ce *topos* par les missionnaires en terre d'islam au
XVIIe siècle, nous nous permettons de renvoyer à notre article *Edification et
confutatio alcorani : les missionnaires jésuites dans l'Empire ottoman au XVIIe
siècle*, à paraître.

[77] Édité par J.P. CAVAILLÉ, in *Minora Clandestina, 1. Le Philosophe antichrétien et autres écrits iconoclastes de l'âge classique*, "Frech Studies", 59
(2005).

[78] Sur la religion naturelle au XVIIe, voir J. LAGREÉ, *La raison ardente: religion naturelle et raison au XVIIe siècle*, Paris 1991.

été un ajout, une perversion par ses apôtres et disciples de la loi
prônée par le Christ. Cette reprise du discours de la réforme pour
justifier l'idée d'un christianisme réduit à la seule loi naturelle
n'est pas sans rappeler l'usage que fera le courant déiste anglais de
l'islam comme christianisme primitif, en réutilisant les thèses soci-
niennes et unitaristes[79]. L'intérêt manifesté pour l'islam est ainsi
directement lié à l'antichristianisme, et, pourrait-on dire, comme
inscrit en lui[80]. On ne peut douter en effet que l'apologétique elle-
même y a été pour beaucoup en insistant sur la sensualité de cette
religion et sa complaisance envers la faiblesse humaine, tout en la
décrivant comme un monothéisme radical, dans la perspective
missionnaire à la recherche d'un *consensus*.

Il ne faudrait toutefois pas prendre cette préférence à la lettre.
Ainsi, même si certains libertins ont effectivement envisagé de se
convertir à l'islam[81], c'est avant tout parce qu'ils la voyaient comme un moindre mal, où leur liberté serait mieux préservée, et jamais parce qu'ils pensaient y voir la réalisation entière de la «loi
naturelle», que seule une vie philosophique pouvait réaliser. La
conception de la religion et de la politique comme imposture rend
impossible une adhésion véritable du sage, à l'islam réel, comme à

---

[79] Les sociniens et unitariens avaient en effet prouvé leurs thèses en s'appuyant sur les travaux orientalistes sur l'islam, qui, dans la tradition de l'o-
rientalisme chrétien, pouvaient éclairer la compréhension du christianisme
primitif. A partir de ces travaux, ils montraient que la monogamie ou la doctrine de la Trinité était un ajout ultérieur. Les déistes, tels que Toland, avec
son fameux *Nazarenus* ou Stubbe, ont repris ces thèses pour, non plus montrer ce qu'était le vrai christianisme, mais pour définir cette fois une religion
réduite à son noyau rationnel et paradigme d'une «religion civile». Voir sur ce
sujet J. CHAMPION, *The Pillars of Priestcraft Shaken: The Church of England
and its Enemies, 1660-1730*, Cambridge 1992, 99-132.

[80] Nicolas Le Gras annotait ainsi une traduction française du Coran (celle donc de du Ryer) et avait rédigé une étude sur l'islam, par simple curiosité
et pour mieux en parler dit-il pour se justifier lors de son procès, J.-P. TAR-
DIEU, *L'Inquisition de Lima...*, cit., 127. Le Tribunal l'a, dans la pure tradition
apologétique étudiée *supra*, accusé de crypto-mahométisme.

[81] L'ami de Nicolas Le Gras, Pedro de Hom, a ainsi le désir de se rendre
en Turquie pour renier sa foi. R. PINTARD, *Le Libertinage érudit...*, cit., 128,
cite aussi Duncan de Cérisantes, qui «de huguenot, songe à se faire musulman, puis se fait catholique». Voir sur ce personnage G. MONTGRÉDIEN, *Un
original de l'Hôtel de Rambouillet*, "Revue d'Histoire littéraire de la France"
(1929), 504-506.

toute autre loi instituée[82]. Par conséquent, nos auteurs n'ont jamais pu penser non plus que les philosophes «arabes», qui leur avaient donné accès à une nouvelle lecture des philosophes grecs, aient pu eux-mêmes être des musulmans convaincus. En prenant leur défense dans son *Apologie*, Naudé les met ainsi au rang de ces «grands personnages», qui, pour s'être dévoués à la connaissance rationnelle de la nature, ont été faussement accusés de magie, victimes de l'ignorance et des intérêts de leurs accusateurs[83]. Renversant les termes de la tradition anti-averroïste qui en faisait des ennemis du christianisme, ils relisent de façon dissimulée leur anti-christianisme comme le signe de leur appartenance à la patrie des philosophes[84]. Dans la droite ligne de l'averroïsme latin, ils en font ainsi le jalon qui les unit à la sagesse antique[85]. La figure d'Averroès est exemplaire à cet égard : prenant bonne place dans l'histoire de l'athéisme retracée par Campanella[86], il incarne la figure du philosophe déniaisé, qui leur a transmis la thèse de l'imposture des religions instituées, clandestine depuis la condamnation à

[82] Cfr. J.P. CAVAILLÉ, *Imposture politique des religions et sagesse libertine*, in *Libertinage et politique en France au temps de la monarchie absolue*, "Littératures Classiques", 55 (2005), 27-42.

[83] Voir par exemple chp. XIV, cit., 274-277 où il prend la défense d'Al-Kindî (Alchindus) et de d'Abu Musa Jabir ibn Hayyan (Geber). Pour une lecture de l'*Apologie* dans le contexte de la controverse anti-libertine et du procès de Théophile de Viau, voir I. MOREAU, *«Guérir du sot»...*, cit., 137-148.

[84] Voir par exemple F. DE LA MOTHE LE VAYER, qui écrit d'Averroés (*De l'ignoranc*e, in *Œuvres...*, III/2, 169) : «son impieté [...] lui fit prononcer hautement, que sortant de ce Monde il aimoit beaucoup mieux, que son ame allât avec tant d'excellens Philosophes de la Gentilité, que parmi de misérables Chrétiens qui passoient tous dans son esprit aveuglé d'infidélité, pour des ignorans».

[85] Voir dans cette perspective la lecture qui a été faite du *«Philosophus autodidactus»*, d'Ibn Tufayl, traduit par E. Pocock. Cfr. J. ISRAËL, *Enlightenment contested...*, cit., 628-631, et la contribution de Z. Elmarsafy dans le présent ouvrage. Il faudrait aussi étudier dans cette perspective la place importante occupée par le *Semita sapientiae*, ouvrage traduit par Abraham Ecchellensis, dans toute l'œuvre de La Mothe le Vayer.

[86] G. Paganini montre ainsi que Campanella, dans son *Atheismus triumphatus* «établit un lien direct avec le «vrai» péripatétisme d'Averroès et la thèse de l'imposture des religions», in *"Legislatores" et "impostores"...*, cit., 183.

mort de Socrate[87]. Le *Theophrastus redivivus* perpétue ainsi cette image d'un Averroès incrédule en faisant une lecture radicale de ses commentaires d'Aristote, pour prouver l'inexistence de Dieu[88]. La Mothe le Vayer s'en sert aussi, en lui redonnant, dans la pure tradition averroïste, le statut de Commentateur par excellence, pour légitimer une lecture naturaliste d'Aristote, libérée de la scolastique[89]. Cette lecture, plus qu'elle ne démontre un intérêt pour la civilisation musulmane, substitue de façon subversive à la distinction religieuse entre fidèles et infidèles, une nouvelle ligne de partage, transversale et indifférente à leur origine, entre les *sapientes* et les autres[90]. Elle trouvera son expression la plus brillante chez Bayle, avec sa fameuse utilisation de la secte de Mehmet Effendi, pour prouver l'existence d'athées vertueux[91].

Ainsi, même si les écrits sur l'islam sont au XVIIIᵉ siècle plus développés et plus informés que ceux du siècle précédent, c'est bien la première moitié du XVIIᵉ siècle qui a cristallisé la rupture avec la tradition, en liant directement la référence à l'islam et la critique anti-religieuse. Cette rupture ne se situe pas tant dans la curiosité pour cette religion, que dans le statut qu'ils lui attribuent, en rupture radicale avec les visées de l'apologétique. La subversion libertine réside ainsi moins dans l'image qu'ils donnent de l'islam que dans le point de vue à partir duquel ils la considè-

---

[87] Voir par exemple La Mothe le Vayer dans l'homélie académique «Sur la divinité», in *Cincq dialogues faits à l'imitation des Anciens, par Oratius Tubero*, Jean Savius, Francfort [i.e. Trévoux] 1716 (édition BNF/Gallica), 358-359. Édition moderne par André Pessel, Paris 1988. Sur cette lecture d'un Averroès incrédule chez Bayle, voir J. ISRAËL, *Enlightenment contested...*, cit., 620-628.

[88] Cfr. G. PAGANINI, *"Legislatores" et "impostores"...*, cit., 209.

[89] Cfr. T. GRÉGORY, *Aristotélisme et libertinisme*, in *Genèse de la raison classique...*, cit., 63-80.

[90] C'est un aspect qui n'est pas assez souligné par la critique, peut-être trop tributaire du concept de civilisation «arabo-musulmane». Voir par exemple N. MATAR, *Islam in Britain: 1558-1685*, Cambridge 1998, qui analyse ainsi toute la réception de la philosophie arabe, et même la plus hétérodoxe, comme un signe d'intérêt pour l'islam.

[91] Voir J. ISRAËL, *Enlightenment contested...*, cit., 631-632 et la bibliographie qu'il propose. C. Gilbert reprend le même exemple dans son *Histoire de Calejava...*, cit., 84.

rent : c'est en adoptant un regard extérieur à la religion pour analyser les religions, qu'ils transgressent la frontière sacrée établie
depuis des siècles entre la religion du Christ et celle de Mahomet.
De la même façon, c'est en abandonnant le point de vue chrétien
pour celui de la loi naturelle ou de la raison qu'ils peuvent y voir
une loi préférable au christianisme. Les usages apparemment
contradictoires de l'islam comme miroir ou comme antithèse du
christianisme trouvent ainsi leur unité dans le rapport subversif
que les libertins entretiennent avec la tradition[92]. Cette dernière
fonctionne véritablement comme un moteur du discours, puisque
c'est par sa contestation, *sur* sa contestation que se fonde l'écriture. Et c'est justement le poids de cette *doxa* dans le monde chrétien qui donne à la référence musulmane une force polémique sin-
gulière, dont les libertins, mais aussi leurs détracteurs ont mesuré
la portée dévastatrice.

---

[92] S. GOUVERNEUR, *Prudence et subversion...*, cit., définit ainsi le libertinage comme «une pratique littéraire et philosophique visant à la subversion
dissimulée du discours de l'adversaire», 29.

PHILOSOPHY SELF-TAUGHT:
REASON, MYSTICISM AND THE USES OF ISLAM IN THE EARLY ENLIGHTENMENT

Ziad Elmarsafy

The following paper re-traces the history of the translations of an Arabic text – Ibn Tufayl's *Risalat Hayy ibn Yaqzan*, the story of how a boy raised in complete isolation from human society reasons his way to the idea of God – that became something of a bestseller in the late seventeenth century. My aim is to examine the uses of Islam in relation to ideas of reason, individuality and belief during the early Enlightenment. My paper builds on pioneering research by G.A. Russell, who argued that Locke was at least familiar with, if not influenced by, the publication of *Hayy ibn Yaqzan* in the development of his thinking around the *Essay on Human Understanding*[1]. In what follows I would explore a different part of this process to show that it is not only empiricism, but individualism that develops in relation to religion. Amidst the fer-

---

[1] The remark appears in an essay that traces the English discovery of Ibn Tufayl's text in admirable detail by G.A. RUSSELL, *The Impact of the Philosophus Autodidactus: Pococke, John Locke and the Society of Friends*, in *The "Arabick" Interest of the Natural Philosophers in Seventeenth-Century England*, G.A. Russell ed., Leiden-New York 1994, 239. G.J. Toomer, on the other hand, calls this an interesting speculation at best, *Eastern Wisedome and Learning: The Study of Arabic in Seventeenth-Century England*, Oxford-New York 1996, 222. Additional useful accounts of the early modern translations of *Hayy ibn Yaqzan* are found in A.J. ARBERRY, *Oriental Essays: Portraits of Seven Scholars*, London 1960, 18-28; J. ISRAEL, *Enlightenment Contested: Philosophy, Modernity, and the Emancipation of Man, 1670-1752*, Oxford-New York 2006, 628-631. On Ibn Tufayl see L. GAUTHIER, *Ibn Thofäil: sa vie, ses œuvres*, Paris 1909 and more recently L. GOODMAN, *Ibn Tufayl*, in *The Literature of Al-Andalus*, M.R. Menocal-R.P. Scheindlin-M. Sells (eds.), Cambridge 2000.

vour with which ideas of religion were debated in early Enlightenment England, the question of the believer's relationship to God
and the organized church is foregrounded repeatedly, and, on occasion, violently[2]. As part of this process, Islam and the Orient were used to show up the failures of the Church, and were sometimes promoted carefully as instances of a purer monotheism than
Christianity. The reception of *Hayy ibn Yaqzan* illustrates the uses
of Islam and Orientalism as tools that are, to borrow a phrase,
"good to think with," helping scholars, polemicists and men of the
Church to make work out the changes that were deemed necessary to established religious practice. Furthermore the strategies
followed by various translators – what they choose to include and
what they remove from Ibn Tufayl's text – says a great deal about
the seismic changes in the understanding of religion during this
period. One strategy in particular – the decision as to whether or
not to translate Ibn Tufayl's prologue – will become the criterion
according to which a given translator reads and interprets this difficult text. This prologue operates as an intellectual historical archive with respect to which Ibn Tufayl situates his fable. Several
Sufis and philosophers make an appearance there: their function
as Ibn Tufayl's interlocutors has been the object of a thorough
study by Dominique Mallet[3]. While most of the details of the connections linking Ibn Tufayl to them – especially Ibn Sina, Al-Farabi, Al-Ghazali and Ibn Bajja – were overlooked in the translations
under scrutiny here, the decision regarding their inclusion varies
with the theological and ideological position of the translator.

What cannot be overlooked, however, is the importance of
Hayy's isolation from society. Far from being a philosophical con-
ceit, this is in fact an essential component of the epistemological
link between the solitary situation of Hayy and the conception of
the individual. In his *Essais sur l'individualisme*, Louis Dumont
proposes a thought-provoking theory of the birth of the indivi-

---

[2] These questions are examined very thoroughly in P. HARRISON, "*Religion" and the Religions in the English Enlightenment*, Cambridge-New York
1990; J.A.I. CHAMPION, *The Pillars of Priestcraft Shaken: The Church of England and Its Enemies, 1660-1730*, Cambridge-New York 1992.

[3] D. MALLET, *Les livres de Hayy*, "Arabica", 44/1 (1997), 1-34.

dual. Whereas individualism is often seen as a distinctly modern trait consequent upon the Enlightenment and the rise of capitalism in the West, Dumont proposes that in fact the earliest "individuals" in the modern sense of the term were the ascetics of South Asia who flourished centuries ago. In Dumont's perspective, the ascetic swaps the mechanisms of social integration – the rights and duties that insert him into a social hierarchy, thereby making him a *homo hierarchicus* – for the liberation that comes from a commitment to a tutelary deity and a life outside the bonds of society. The individual is thus born outside society, becoming, in the first instance, an *individu-hors-du-monde*. The history of Western Europe, as Dumont sees it, is the gradual re-insertion of this extra-social "bubble" within the stuff of society, which starts to resemble a collection of marbles by the time we reach the very individualistic late twentieth century[4]. At the risk of sounding trite, one of the more important consequences of Dumont's theory is that individualism is not a mass phenomenon, but rather one marked by a religious and spiritual philosophical inflection that drives its early history. Individualism has much to do with the intellectual, intuitive relationship between the believer and God, and rather less with organized religion. It is precisely this tension – between an extra-social, individual believer on the one hand, and socially sanctioned religious practices on the other–, that frames the history of the translation and reception of Ibn Tufayl's *Hayy ibn Yaqzan* during the late seventeenth and early eighteenth centuries.

Ibn Tufayl's fable is composed as if to answer to the practical question of what the homeless ascetic does all day, how he "learns" about the world left behind and the deity to which he dedicates himself. *Risalat Hayy ibn Yaqzan* tells the story of a man who finds himself living on an abandoned island on the equator (not far from India). Ibn Tufayl presents two theories about how he got there: he was either spontaneously generated out of the earth, which near the equator is perfectly suited for such things, or he was abandoned by his mother, an Indian princess from a neigh-

---

[4] L. DUMONT, *Essais sur l'individualisme. Une perspective anthropologique sur l'idéologie moderne*, Paris 1983, 35-81.

bouring island who feared for his life. Ibn Tufayl seems to prefer the second theory[5]. Reared by a gazelle, Hayy ibn Yaqzan teaches himself everything, progressing through the natural sciences, reasoning his way up the scale of existence starting from the soul and going all the way to God. At the age of fifty, Hayy has a series of mystical experiences. At this point in the story, two other human characters are introduced, Salaman and Asal (also known as Absal), the king and vizir of a neighbouring island. Asal teaches Hayy a number of things about human beings in society. They then return to Asal's island to try to convert its population to an understanding of revealed religion based on reason, but, perhaps inevitably, they fail. The reasons for this are significant: Hayy is an extra-social individual who cannot share his mystical experiences with other people, reaching the embittered conclusion that only crude, legalistic versions of religion are suitable for the masses, and that the higher truths he has reached are only good for the happy few individuals[6]. As a result he returns to his island with Asal, where together they spend the rest of their lives in worship and mystical contemplation.

The prologue that frames the story clarifies its *raison d'être*: having been asked by an interlocutor about Ibn Sina's "Eastern Wisdom" (*al-hikma al-mashriqiyya*) Ibn Tufayl proceeds to enumerate the ways in which several other philosophers and thinkers have dealt with the question, before offering the story of Hayy ibn Yaqzan as a sort of response. Dimitri Gutas has definitively demonstrated that Ibn Tufayl's version of "Eastern Wisdom" has little to do with Ibn Sina's[7], who is simply being adduced as part of a necessary fiction in the text that legitimizes Ibn Tufayl's argument re-

---

[5] D. MALLET, *Les livres de Hayy...*, cit., 31.

[6] This crude summary does not do justice to the intricate claims that Ibn Tufayl is making regarding the relationship between the philosopher and public life, or to his radical devaluation of the latter. On this point see *ivi*, 25-30.

[7] According to Gutas, Ibn Sina's definition of *al-hikma al-mashriqiyya* consists of the gift of cultivating the "sacred faculty" (*al-hikma al-qudsiyya*), namely being able to intuit the middle term of every syllogism from its conclusion (roughly the cause from the effect), a gift that, at its most perfect, is possessed by prophets. *Ibn Tufayl on Ibn Sina's Eastern Philosophy*, "Oriens", 34 (1994), 235-236.

garding the use of reason alone as a ladder leading to a mystical
experience and union with God. Ibn Tufayl's use of Ibn Sina is
thus not free of distortion: the opening paragraph of *Hayy ibn
Yaqzan* clearly alludes to the prologue of Ibn Sina's *Kitab Al-Shifa'*,
but whereas Ibn Sina says that the reader who wants the "straight
truth" should read his book on Eastern philosophy, Ibn Tufayl argues that whoever wants the straightforward truth should acquire
the Eastern wisdom itself, and not a book about it[8]. Knowledge of
God and the intelligible world can be gained by means of reason,
but can be gained with still greater clarity and brilliance by means
of vision[9]. In other words, Ibn Tufayl is already moving in a more
mystical, less bookish, more other-worldly direction than Ibn Sina.
Apart from Ibn Sina, though, Ibn Tufayl argues that none of the
philosophers and Sufis that he reviews have given adequate descriptions of mystical experiences (which are ineffable and incom-
municable by definition) in theoretical, philosophical terms. Al-
Farabi, Ibn Baja and Al-Ghazali all fall short of Ibn Tufayl's expectations. What Ibn Tufayl offers instead is the fable of *Hayy ibn
Yaqzan* as a way of getting his friend "started" on the road to knowledge of God.

Ibn Tufayl's text was published with a Latin translation in 1671
under the title, *Philosophus autodidactus, in qua ostenditur quomodo ex Inferiorum contemplatione ad Superiorum notitiam Ratio humana ascendere possit*. Although the official translator is Edward
Pococke Jr, it is almost certain that most of the work was done by
his father, the legendary seventeenth-century Arabist Edward Pococke Sr[10]. In order to help his readers through the prologue, Pococke provides them with an *Elenchus scriptorum* giving a brief
idea of the lives and works of Al-Farabi, Ibn Bajja, Al-Ghazali, Ibn
Sina, Ibn Rushd and Junayd. This was to remain the most complete source of information about Ibn Tufayl's intellectual points
of reference until the end of the century. Pococke also mentions

---

[8] *Ivi*, 230.
[9] *Ivi*, 239.
[10] A detailed account of Pococke's career is found in G.J. TOOMER, *Eastern Wisdome and Learning…*, cit., 71-79, 116-167, 212-226. On the *Philosophus autodidactus* in particular, 218-222.

the fact that several of the names listed were accused, at one point or another, of being heterodox or worse, possibly to alert the reader to the radical freethinking context in which Ibn Tufayl's text is inscribed, and, possibly, to ward off any charges that he himself is actively opposing the established Church. We learn that Al-Farabi, who was one of the greatest Muslim philosophers, was also one of accused of having "suspect" religious credentials, along with Ibn Sina and Al-Kindi, as well as the fact that Al-Ghazali made serious objections to Al-Farabi and Ibn Sina in the *Tahafut Al-Falasifa*, and that some of the ecstatic pronouncements (*shatahat*) of Junayd and Al-Hallaj brought them charges of heresy and, in the case of Al-Hallaj, execution[11]. Pococke's preface covers the life and work of Ibn Tufayl with his usual learned brilliance, gleaning from multiple sources a fairly accurate account of the author's person and outlook, and repeatedly emphasizing the vast reach of this *Hayy ibn Yaqzan*, among readers and philosophers both Arabic and Jewish. Pococke's preface justifies the translation by invoking the European race to increase and improve the quality of Arabic studies, remarking that despite strong competition on the continent, too little had been done in England until Archbishop Laud and Thomas Adams created chairs of Arabic at Oxford and Cambridge respectively. Pococke does, however, invoke a distant predecessor, the twelfth-century scientist Adelard of Bath who translated a number of mathematical works and was a contemporary of Ibn Tufayl's. Modesty and tradition aside, there were probably significant political reasons for Pococke's remarks on the state of Arabic studies; namely the need to demonstrate that England was the equal of its intellectual rivals in terms of culture and learning during the Restoration[12]. In view of the radical potential of Ibn

[11] More detailed accounts of these movements and trends are found in W. MONTGOMERY WATT, *Muslim Intellectual: A Study of Al-Ghazali*, Edinburgh 1963, 25-71, 128-154; M. FAKHRY, *A History of Islamic Philosophy*, New York 1983, 107-162, 234-270.

[12] In the introduction to his edition of Al-Tughrai's *Lamiyat al-ᶜajam*, (the *Carmen Tograi*), which was aimed at students of Arabic, Pococke expresses the desire that, through a more active approach to Arabic, English readers might read the works of Ibn Sina, Al-Farabi and Ibn Baja – i.e. the same names that occur in Ibn Tufayl's prologue – in the original and freely express

Tufayl's fable, Pococke takes pains to explain that the author is in fact presenting a new method for attaining knowledge of higher things but that it does not necessarily displace or obviate the need for revelation: indeed, it merely underlies the limitations of human reason[13]. Pococke encourages the reader to make an individual judgment about the purpose and meaning of *Hayy ibn Yaqzan*, taking account of the differences between twelfth-century Spain and seventeenth-century England[14]. Although perhaps unassailable on technical theological grounds, Pococke's preface makes a strong case for the individual rather than, and perhaps in opposition to, the institution. His aim is to encourage readers to read Arabic originals and form an independent judgment about them, instead of relying on faulty translations or ignorant religious institutions. Despite Pococke's prudence, there seems to be a proliferation of individual modes of behaviour emanating from the text and as it were influencing its readers and translators, whereby the individualism that is implicit in the fable becomes almost explicit and is strongly encouraged in the translation.

The questions that Ibn Tufayl raises – whether individual human reason and innate ideas are sufficient as a pathway to God –

---

their opinions about them: «Quid ni pari jure ipsi *Aristoteli*, Barbari alicujus Interpretis ore loquenti, barbariei notam inurimus? Utinam fieret aliquando ut *Alfarabium, Avicennam, Avenpacem*, eâ qua scripserunt lingua legeremus, & tum demum liberè de *Arabum* doctrina sententiam ferremus». AL-HUSAYN IBN ALI AL-TUGHRA'I, *Lamiato l Ajam, carmen Tograi poetae Arabis doctissimi, una cum versione Latina, & notis praxin illius exhibentibus. Opera Edvardi Pockockii; accessit Tractatus de prododia Arabica*, Hall, Oxford 1661, n.p.
[13] Toomer rightly considers this claim to be disingenuous. See his lucid comments on Pococke's preface: G.J. TOOMER, *Eastern Wisedome and Learning…*, cit., 219.
[14] «Sed quid sibi proposuerit Author noster, Lector ipse, perlecto, si libet, opera, melius perspiciet, qui interim ut aequum de eo judicium ferat, rogandus est ut secundum istorum temporum quo vixit ille, non praesentis aetatis genium, qui in multis forsan ab eo discrepant, statuere velit». MUHAMMAD IBN ABD AL-MALIK IBN TUFAYL, *Philosophus autodidactus, sive, Epistola Abi Jaafar ebn Tophail de Hai ebn Yokdhan in quâ ostenditur quomodo ex inferiorum contemplatione ad superiorum notitiam ratio humana ascendere possit. Ex Arabicâ in linguam Latinam versa ab Edvardo Pocockio*, Hall, Oxford 1671, *Praefatio ad Lectorem*, n.p. See also G.J. TOOMER, *Eastern Wisedome and Learning…*, cit., 221.

are ones that were very much in the air during the early English Enlightenment. The difficult question of the relationship between salvation and knowledge on the one hand, and the kind of authority granted to nature writ large (a nature not unlike the one that Hayy studies on his island to reach his understanding of God) on the other, was the root cause of much writing and controversy. The Cambridge Platonists – probably the most significant collective attempt at coming to terms with the question of other religions in seventeenth-century England – made a principle out of the application of reason unshackled by ecclesiastical or biblical authority to religion and nature[15]. By reinscribing revealed religion within nature, and by describing the existence of God as an innate idea (i.e. something intuitively obvious, and on which everyone could agree), they argued for a "reading" of the universe that would, through the exercise of reason, detect those truths that had hitherto been the preserve of revealed knowledge in nature. Thus we find Ibn Tufayl's claims about the possibility of reaching revealed knowledge through the exercise of reason in interaction with nature repeated in a slightly different register in Ralph Cudworth's *True Intellectual System of the Universe* (1678). Although it is not clear that Cudworth was thinking specifically of Ibn Tufayl when he wrote *The True Intellectual System*, the re-appearance of such ideas shows their popularity and the readiness with which they were received by a hungry readership. Before Cudworth, Joseph Glanvill had argued that religious institutions smothered the light of nature through education and dogmatizing. Benjamin Whichcote made the case that any religion could be true if morally edifying[16]. In other words the ground in Seventeenth-

---

[15] P. HARRISON, *"Religion" and the Religions...*, cit., 28-60; *The Cambridge Platonists*, C.A. Patrides ed., Cambridge-New York 1980, 1-41; J.B. SCHNEEWIND, *The Invention of Autonomy: A History of Modern Moral Philosophy*, Cambridge-New York 1998, 194-214.

[16] P. HARRISON, *"Religion" and the Religions...*, cit., 48-49. Harrison refers to a passage in which Whichcote actually attacks Muhammad and Islam with the argument that the immorality of the one leads to the immorality of the other, and that Islam is therefore an immoral religion. Whichcote's conclusion regarding the link between the truth of a religion and its capacity for moral edification, however, contradicts this claim.

Century England was ripe for a text that, like *Hayy ibn Yaqzan*, promoted contemplation of the divine as the goal of human existence and presented the discovery of God through the light of nature alone, unencumbered by textual learning. This also means, however, that the individualist message of *Hayy* could be perceived as being at odds with Ibn Tufayl's textual archive and paratextual conversation with philosophers and Sufis.

It is therefore no surprise that, some three years after the publication of the *Philosophus Autodidactus*, a new translation appears that resolves this contradiction by doing away with the textual archive. In 1674, George Keith, a former Anglican who became a Quaker, translated *Hayy ibn Yaqzan* out of Pococke's Latin into English. Keith had turned Quaker in part as a result of reading the Cambridge Platonist Henry More's *Explanation of the Grand Mystery of Godliness* (1660)[17]. In this text, More argued that reason was not only the highest intellectual faculty, but also the highest spiritual one, proceeding to make a case for the freedom of individual conscience[18]. Although More was horrified to learn that his writings drove Keith to (what he considered) apostasy, his correspondence shows that George Keith actually visited him on numerous occasions, and that on the first such occasion (August 1674) George Keith presented him with a copy of his translation of *Hayy ibn Yaqzan*. In his letter recounting the event More takes the trouble to point out that he found Keith very different from the "ridiculous rusticity of that [Quaker] sect", describing him as "very considerably learned, of a good witt and

---

[17] J.S. CHAMBERLAIN, *Keith, George (1638?-1716)*, in *Oxford Dictionary of National Biography*, H.C.G. Matthew - B. Harrison eds., Oxford 2004; online ed., Lawrence Goldman ed., October 2005, http://www.oxforddnb.com/view/article/15264 (accessed March 20, 2008). Keith's relationship to Platonism is covered in detail in M. NICOLSON, *George Keith and the Cambridge Platonists*, "The Philosophical Review", 39/1 (1930), 36-55.

[18] H. MORE, *An explanation of the grand mystery of godliness, or, A true and faithfull representation of the everlasting Gospel of our Lord and Saviour Jesus Christ, the onely begotten Son of God and sovereign over men and angels*, printed by J. Flesher for W. Morden, London 1660. It bears pointing out that the Quakers (and, inevitably, Muslims) come in for very harsh treatment in More's epistle to the reader. *Ivi*, 5-6. This would eventually change as More increased his contact with the Quakers.

quick apprehension, and... heartily breathing after the attainment of a new life of a Christian; he is very philosophically and platonically given, and is pleased with the Notion of the Spiritt of Nature"[19]. The lines of tension between mysticism and erudition in *Hayy ibn Yaqzan* are reflected in the opposition between the Quaker and the Platonist on the one hand, and within the instability of Keith's own behaviour as a Quaker and, eventually, ex Quaker on the other.

Keith's long title indicates the extent of his departure from Pococke's translation:

> An Account of the ORIENTAL PHILOSOPHY, Shewing The Wisdom of some Renowned Men of the East; And particularly, The profound Wisdom of Hai Ebn Yokdan, both in Natural and Divine things; Which he attained without all Converse with Men, (while he lived in an Island a solitary life, remote from all Men from his Infancy, till he arrived at such perfection).

There is no indication here of a rational ascent from worldly to heavenly matters, nor indeed is there any indication of reason. The prominence of the terms "wisdom" and "Oriental philosophy" underline George Keith's strategy: his aim is to emphasize the mystical, visionary dimension of the work rather than its "rational" one. The implication is that Hayy's vehicle is gnosis rather than reason. The reference to the "renowned Men of the East" announces Keith's care in communicating Ibn Tufayl's dialogue with his predecessors and contemporaries (though he does not translate Pococke's *Elenchus* or notes). Finally, the emphasis on Hayy's lack of social contact foregrounds extra-worldly solitude as a condition for the acquisition of wisdom. The title announces, therefore, Keith's affinity with the link between mysticism and individualism that Ibn Tufayl implies and Louis Dumont explains.

Among his motives, Keith's lists his first fondness for two verses that are quoted by Ibn Tufayl – "Preach not thou the sweet favour of a thing thou hast not tasted; and again where he saith: In the rising of the Sun is that which maketh, that thou hast not need

---

[19] M. NICOLSON, *George Keith...*, cit., 44.

of Saturn"[20]. Keith's second motive is ethical. His taste for the allegory of the blind and the seeing translates his native concern with the immediacy of religious belief:

> [Ibn Tufayl] showeth excellently how far the *knowledge* of a man, whose eyes are spiritually opened, differeth from that knowledge that men acquire simply by *hear-say*, or reading: and what he speaks of a degree of knowledge attainable, that is not by premisses premised, and conclusions deduced, is a certain truth, *the which is enjoyed in the conjunction of the mind of man with the supreme Intellect, after the mind is purified from its corruptions, and is separated from all bodily images, and is gathered into a profound stillness*[21].

Keith stresses the neo-Platonic aspects of the mystical prescriptions of *Hayy ibn Yaqzan*, especially those reminiscent of the ascent of the soul towards God, so that the "conjunction of the mind with the supreme Intellect" (what Ibn Baja would call *ittisal*) becomes the goal of human existence. The point of all this, Keith says, is to guard against the denigration of belief inspired by the light of nature in favour of social and institutional modes of religious practice:

> The design of the Author is far (I believe) from perswading men to slight or refuse the help of *outward means of knowledge, such as the testimonies of good and wise men; and indeed it is as far from my own design, who have undertaken this Translation: It is the too much relying and resting upon them, and neglecting those* native *and* inward *testimonies in the soul and mind of man it self, that both the scope of the Book and my design in the Translation doth fence against*[22].

---

[20] MUHAMMAD IBN ABD AL-MALIK IBN TUFAYL, *An account of the Oriental philosophy shewing the wisdom of some renowned men of the East and particularly the profound wisdom of Hai Ebn Yokdan, both in natural and divine things, which he attained without all converse with men, (while he lived in an island a solitary life, remote from all men from his infancy, till he arrived at such perfection). Writ originally in Arabick by Abi Jaaphar, Ebn Tophail; and out of the Arabick translated into Latine by Edward Pocok ... and now faithfully out of his Latine, translated into English*, trans. G. Keith, London 1674, *Advertisement to the Reader*, n.p.

[21] *Ibidem.*

[22] *Ibidem.*

George Keith proceeds to remind the reader that one need not be "outwardly" Christian to display those virtues that are deemed Christian including Ibn Tufayl and Hayy ibn Yaqzan, adducing the cases of Job and Justin Martyr's famous description of Socrates as a Christian to bolster his case. Keith concludes that righteous living is the result of divine inspiration and not necessarily harnessed to membership in the Church. Personal experience matters more than dogma. Keith's decision to keep from the reader any information about the names mentioned in the prologue is odd to say the least, though one might surmise that it was his way of deciding the contest between learning and gnosis in favour of the latter. This is not the only shortcoming of the translation – despite Keith's training in Oriental languages, the last word of the *basmalah* as "commiserator" and only catches two of the numerous allusions to the Qur'an in Ibn Tufayl's text[23]. Of course, given the degree of persecution of the Quakers in the 1670s, it is remarkable that Keith would have praised anything that referred to the Qur'an in a positive light. The language of the translation is literal, sometimes clumsy, but at least it is there for all to see and read.

Although Keith would eventually break with the Quakers and return to the Anglican fold[24], the troubling implications of the *Philosophus autodidactus* and the mass appeal of the concept of an individual journey towards God unmediated by an established Church was such that another clergyman was compelled to translate Ibn Tufayl's fable again in 1686. George Ashwell, an Anglican rector and, like Pococke, a lifetime royalist[25], published his version under the title *The History of Hay ibn Yokdan, an Indian Prince, or the Self-Taught Philosopher*. The title makes clear Ashwell's preference for the "realistic" theory of Hayy ibn Yaqzan's birth (as opposed to the theory of spontaneous autochthonous

---

[23] *Ivi*, 113-114.
[24] Details of Keith's schism with the Quakers are found in W.C. BRAITH-WAITE, *The Second Period of Quakerism*, Cambridge 1961, 482-488.
[25] On the life of Ashwell see P. DIXON, *Ashwell, George (1612-1694)*, in *Oxford Dictionary of National Biography*, http://www.oxforddnb.com/view/article/788 (accessed March 20, 2008).

genesis) and elides the questions of mystical gnosis and "Eastern wisdom", returning the centre of gravity to the body of the fable rather than the prologue. Ashwell is motivated by his concern about the mores of the restoration and its religious plurality. He hopes that his translation will

> profit also in some measure and Degree, in regard of its Commodiousness and Seasonableness, Men of this licentious Generation, whereof some are too loose in their Principles, and others in their Practices; the one living by no Rule, and the other by no certain one, but giddily following their own Phancies, or other Mens Opinions, whom they have unadvisedly chosen to themselves for the Guides of their Faith and Manners[26].

Whereas the term "licentious" might at first be read as connoting disapproval of the lax morality of the Restoration, one would not be far wrong in detecting, behind the closing phrase of the sentence, a certain fear and suspicion of the multiple non-conformisms implied by the image of people being misled by various false prophets and manipulators[27]. Ashwell is also very clearly working in the intellectual and ideological wake of Pococke, who is so well known that he has no need to be named: he is simply "our learned Professour of the Oriental Tongues in the University of *Oxford* who caused this History to be set forth in the Original Arabick, and thence translated into Latine", and whose warnings against the Fanaticism, Sadducism and Atheism voiced in the preface to the *Philosophus Autodidactus* he repeats. The rest of the preface is more or less a paraphrase of key passages from Pococke's preface to the *Philosophus Autodidactus*, with less time accorded to the

---

[26] MUHAMMAD IBN ABD AL-MALIK IBN TUFAYL, *The history of Hai Eb'n Yockdan, an Indian prince, or, The self-taught philosopher written originally in the Arabick tongue by Abi Jaafar Eb'n Tophail...; set forth not long ago in the original Arabick, with the Latin version by Edw. Pocock...; and now translated into English*, trans. G. Ashwell, Chiswell-Thorp, London 1686, *Epistle Dedicatory*, n.p.

[27] This is precisely the image of Muhammad that would be promulgated a decade after Ashwell's translation by H. Prideaux in his *True Nature of Imposture Fully Displayed in the Life of Mahomet*, William Roger, London 1697.

textual genetic matters and more to theological ones. Ashwell goes beyond George Keith in not only ignoring Pococke's *Elenchus*, but in refusing to translate Ibn Tufayl's prologue, explaining this as part of a deliberate strategy:

> I have omitted two Discourses in my Translation, which I conceived little or nothing pertinent to the main Design of the History. The one treats of the several Sects among the Mahometans, with the Heads of those Sects, and passeth a censure on their Opinions. The other argues the possibility of Mans Body being formed and produced out of the Earth, as Frogs and Mice, and some other of the ignobler Animals sometimes are, though more ordinarily bred of Male and Female. 'An opinion which our Author is said to have received from Eb'n Sina, commonly known by the name of Avicenna, who held that some Earth may be so well fitted and prepared through the excellent Temper and Disposition thereof, as to become a convenient Habitacle for an humane Soul, to be infused thereinto by God[28].

The absence of the prologue is therefore part of Ashwell's case for reason and natural theology as supplements to, rather than substitutes for, revelation. Elsewhere in the preface Ashwell takes clear aim against George Keith and the proponents of the light of humane reason as a basis for revelation:

> It must be granted indeed, that some very ingenious and learned Men of this latter Age, have endeavoured to demonstrate the main fundamental Truths of Religion by the Light of Humane Reason, and the Principles of Natural Theology, which are generally acknowledged by mankind, although much differing in other points. And this may seem to render such a Discourse as this, of little or no use to the World in these Times. Yet I am willing to think otherwise, when I consider that the Discourses of these learned Men concerning this Subject, consist, for the general, of such Notions, Grounds, and Proofs, as are too subtle, sublime, and metaphysical for common understandings: so that they leave men still in the dark; yea, more perplexed than they were before. Whereas this Author proceeds by such gentle steps, in an easie and familiar way of reasoning, which is obvious to every ones apprehension, that He leads his Reader in sensibly

---

[28] *The History of Hai Eb'n Yockdan, an Indian prince...*, *The Preface*, n.p.

onward, without any toilsom labour, or perplexing of his Brains, in the search of the Truth, till He have brought him, before he is aware, unto the end of his journey. Or like the easie ascent of winding Stairs, which conduct to the top of an high Tower, or Pyramid, such as that in Aegypt: Or rather like the leisurely mounting of Jacob's Ladder, whereon he saw the Angels ascending, as well as descending; for like the Rounds of that, are the degrees whereby He conducts his Reader, till He have brought him up to the very top of the Ladder, where God presents Himself unto his view[29].

Ashwell the natural theologist finds the Quaker reading of *Hayy ibn Yaqzan* misguided, returning to Pococke's argument that, far from dispensing with revelation, the fable teaches the reader just what the limits of reason might be. Reason leads the philosopher-thinker to both God and revelation, but is no substitute for the latter. Ashwell's approach is not without its problems, however: the ambiguous language that he uses to criticize both other writers' inability to communicate clearly and the general public's capacity for understanding, seems to accuse his rivals of re-enacting the mistake that Hayy made on Salaman's island, namely preaching something destined to fall on deaf ears. This could be read as a defense of the "two-fold philosophy," according to which not all the truths of revelation are suitable for public dissemination, but the rest of Ashwell's preface contradicts this view[30]. If anything, Ashwell aims at the widest possible dissemination of his publication and harbours some serious ambitions for its social impact:

This is the Summ and the main Design of the ensuing History; which possibly (being thus Englished) may do some good (as I even now

---

[29] *Ibidem.*

[30] The term «two-fold philosophy» was used extensively as part of the freethinking critique of a corrupt clergy, especially by John Toland. Although I would hesitate to ascribe a similar aim to Ashwell's preface to the *Indian Prince*, the similarities are notable, and many readers saw in *Hayy ibn Yaqzan* a warning about the need to keep certain truths – philosophical and theological – secret. P. HARRISON, *"Religion" and the Religions...*, cit., 85-92; J. ISRAEL, *Enlightenment Contested...*, cit., 615-639; J.A.I. CHAMPION, *The Pillars of Priestcraft Shaken...*, cit., 163-169.

said) in this Profane and Fanatical, as well as lewd and luxurious Age.
Let them then who wilfully shut their Eyes against the light of Revelation, as being too pure and bright for them, at least suffer themselves to be guided by the less splendid and more familiar light of natural Reason. Let the Enthusiasts also, who pretend so much to supernatural Revelations, and are dazled with their fanciful lights, and sublime speculations, through the delusion of the Prince of Darkness,
transforming himself into an Angel of Light, learn from hence to
know themselves better, and to be wise unto Sobriety. Let the profane Jesters and Scoffers who speak slightingly and scornfully of the
most serious and sacred things, and turn all Religion into ridiculous
Drollery, learn to speak more reverently of God, and things Divine,
from a meer natural Philosopher, who is the Subject of this History,
and a Mahometan who is the Author of it[31].

Ashwell's hostility to the Enthusiasts (i.e. the Quakers) and hopes for the natural theology that he sees at work in *Hayy ibn Yaqzan* show the extent to which Islam was seen to be socially and
morally useful, if theologically and doctrinally objectionable on
certain points. Ashwell's decision not to translate Ibn Tufayl's prologue to the fable indicates a desire to bring a certain tolerant view
of Islam to the wider public as a user-friendly thinking tool and
heuristic theological device. His diluted version of Ibn Tufayl's
text hopes to make the world a better place by simultaneously
promoting a certain individualism – he does not denigrate the
light of humane reason completely, but emphasizes its empirical
rather than mystical dimension – while at the same time taking care not to ask too much of the wider public. The absence of the
prologue and *Elenchus* indicate a desire to inscribe the individual
in an empirical, rather than mystical, space.

Some twenty years later another reader decided that Ibn Tufayl's text had experienced far too many mutilations and had to be
translated properly from the Arabic once and for all. The Arabist
Simon Ockley was opposed to the use of Islam and the Orient as
weapons in theological dispute[32]. Writing in the wake of the Soci-

---

[31] *The History of Hai Eb'n Yockdan, an Indian prince…*, *The Preface*, n.p.
[32] On Ockley's life, see P.M. HOLT, *Ockley, Simon* (bap. *1679*, d. *1720*), in
Oxford Dictionary of National Biography, http://www.oxforddnb.com/view/ ar-

nian controversy of the 1690s, Ockley was intent on bringing the story of Hayy ibn Yaqzan back to the space of impartial learning and scholarship, as witness his dedication to Edward Pococke, Jr, the putative translator of the *Philosophus autodidactus*[33]. His translation of Ibn Tufayl is marked not only by its fluency and accuracy (both major improvement on all that had gone before) but also the deliberate care he takes to protect the reader from error by adding an appendix in which he clearly states his theological positions. Furthermore, Ockley uses footnotes extensively as a way of keeping the reader informed and of correcting the errors of his predecessors. The net result is that the reader is constantly kept on a proper intellectual and theological footing.

The reader of Ockley's translation is met with a frontispiece featuring Averroes and Avicenna climbing the steps to what looks like a temple of learning, topped with a dome and crescent and inscribed, "D.O.M" (presumably "*Deo optimo maximo*"). The annotation to the frontispiece underlies the fact that all aspects of God's Creation are in constant communication with those who take the trouble to observe them carefully: "*Dei enim Invisibilia condito Mundo manifesta fiunt.*" At the top of the page a banner reads, "*Philosophus Autodidactus: or The Life of Hayy Ben Yokdhan*". All aspects of this illustration announce the fact that we are

---

ticle/20494 (accessed March 21, 2008) and A.J. ARBERRY, *Oriental Essays...*, cit., 11-47.

[33] The details of the Anti-Trinitarian controversy are beyond the scope of the present essay. Suffice it to say that Socinians tended to present Islam as an acceptable monotheistic variant to Christianity, which had followed a downward spiral of corruption and deviation from the spirit of its founders ever since the Nicene Council and the formulation of the Athanasian Creed. The Anglican counter-polemic rested on the charge that the Socinians were de facto Muslims and therefore heretics, a charge that was leveled indiscriminately and even used against John Locke. J.A.I. CHAMPION, *The Pillars of Priestcraft Shaken...*, cit., 99-132. Ockley was well aware of the extent to which Oriental scholarship was liable to manipulation and misconstruction, having seen how John Selden encouraged Edward Pococke's research into the *Annals* of Archbishop Eutychius of Alexandria as a way of refuting the case for an episcopacy in England. *Ivi*, 103-104 and G.J. TOOMER, *Eastern Wisedome and Learning...*, cit., 164-165.

squarely in the space of Oriental learning as an intellectual exercise, aimed first and foremost at adding to our knowledge and reason. The hybrid architecture of the temple of learning implies a world in which knowledge transcends religious differences and rules under divine protection. The title page makes no mention of the other translators, but rather emphasizes the age of the text and its argument:

> The Improvement of Human Reason / Exhibited in the Life of / Hai Ebn Yokdhan: / Written in Arabick above 500 Years ago, by Abu Jaafar Ebn Tophail. / In which is demonstrated, / By what Methods one may, by the meer / *Light of Nature*, attain the Knowledge / of things *Natural* and *Supernatural*; / more particulary the Knowledge of GOD, and the Affairs of another Life.../ Newly Translated from the Original Arabick, / by SIMON OCKLEY, A.M. Vicar of / Swavesey in Cambridgeshire. / With an APPENDIX, / In which the Possibility of Man's attaining the True Knowledge of GOD, and / Things necessary to Salvation, without / *Instruction*, is briefly consider'd.

The 1708 edition comes with a marketing pamphlet, "The Bookseller to the Reader," in which erudition and the history of Arab learning are foregrounded as motives for the publication, and in which Ockley's opposition to "Enthusastick Notions" is re-iterated. Every paratext included in this translation, therefore, aims at a dissociation from the errors of Keith and Ashwell, as well as an assurance that the reader will not be led astray by reading this book.

The preface foregrounds Ockley's irritation with his predecessors, especially George Keith: "I was not willing (though importun'd) to undertake the translating it into English, because I was informed that it had been done twice already; once by Dr. Ashwell, another time by the Quakers, who imagined there was something in it that favoured their Enthusiastick Notions"[34]. Ockley occasionally gets carried away with his insistence on discrediting enthusiasm. In his translation of Ibn Tufayl's prologue (which he calls

---

[34] MUHAMMAD IBN ABD AL-MALIK IBN TUFAYL, *The improvement of human reason, exhibited in the life of Hai ebn Yokdhan*, trans. Simon Ockley, E. Powell, London 1708, "Preface", n.p.

the introduction), his accurate translations are sometimes inflected with a very personal touch. His note on Al-Ghazali cites a passage quoted in Pococke's *Specimen* on the widespread claims to visionary experience, which reads:

> What Abu Hamed Algazâli thought concerning those Men who were so wild and Enthusiastick as to use such extravagant expressions [i.e. the *shatahat* quoted by Ibn Tufayl], appears plainly from those words of his quoted by Dr. Pocock in his Specimen p. 267, where he says, "People ran on to such a degree (of madness you may be sure) as to pretend to an Union with God, and a sight of him without the interposition of any Veil, and familiarly discourse with him"[35].

Now while this is an accurate translation of the text found on page 267 of Pococke's *Specimen*, there is nothing either in the Arabic original or in Pococke's translation that equates enthusiasm (or the enthusiasm that it generated) with madness; the interpolation is original to Ockley. The note ends as follows:

> Thus far Algazali. How exactly this answers the wild extravagancies of our Enthusiasts, let themselves judge. And withal I would have them from hence learn the Modesty not to pretend to be the first after the Apostles who had endeavour'd to turn Men from Darkness to LIGHT, since they see so many worthy Persons among the Mahometans gone before them[36].

Ockley takes further liberties in translating the Arabic phrase, *laysa fi-l-thawbi illa Allah* ("there is nothing in the vest but God"; Pococke: "Non est sub hâc veste nisi Deus") by "I am God"[37]. In each of these instances the tone of the translation is directed towards doing away with (what Ockley takes to be) the contemporary scourge of religious enthusiasm by comparing them to the Sufis.

Ockley's opposition to enthusiasm becomes more explicit in his Appendix, which might be read as a defense of the Church against

---

[35] *Ivi*, 4 n.; cfr. E. POCOCKE, *Specimen historiae Arabum*, 267-268.
[36] MUHAMMAD IBN ABD AL-MALIK IBN TUFAYL, *The improvement of human reason…*, cit., 5 n.
[37] *Ivi*, 5; E. POCOCKE, *Specimen historiae arabum*, 4-5.

any and all claims of communication between God and humanity after Jesus. The only means of such communication that Ockley deems acceptable is that of the prophets. No amount of virtuous or reasonable behaviour could possibly serve as a substitute for revelation or induce communication with God. Unlike the arts and sciences, Ockley argues, religious experience is trapped in a downward trend, so it is impossible that privileges that were unavailable to the contemporaries of Moses or Jesus could possibly be available to anyone born after them, least of all to the contemporaries of Muhammad or his followers in twelfth-century Spain. Finally, the claim to universal salvation that the Muslims and "enthusiasts" have in common is dismissed as being absurd, as it renders Christ's sacrifice meaningless[38]. Ockley sees little difference between early eighteenth-century enthusiasm and Sufism, setting himself up as an orthodox religious scholar whose aim is to bring them back to reason. He pleads for the social and political priority of the Church in defining individual belief. The impact of the fable of *Hayy ibn Yaqzan* as an object lesson in the grounding of individualism in mystical experience, and the extra-worldly place it prescribes for the philosopher, are completely dissolved in the established Church.

The four translations surveyed in this article tell us a number of key facts about the relationship between the early Enlightenment in England and Islam. Chief among these is the fact that, far from presenting a united front against the Orient, Western readers differed significantly in their approach to Islam. Whatever discursive violence these readers and translators employed was directed at each other rather than at Arabs or Muslims (though perhaps some of it might have been used in that way if the occasion presented itself). Using the same text and the same tools, the four readers we have covered seem to compete for two things: first, the best and most accurate representation of Islam, and second, the representation best suited for mass appeal. In this respect their behaviour is not unlike that of the contemporary media. Third, the use of Islam as an alternative monotheistic tradition allows all readers, regardless of their feelings about Islam, to think through the chan-

---

[38] MUHAMMAD IBN ABD AL-MALIK IBN TUFAYL, *The improvement of human reason...*, cit., 167-195.

ges in the social and religious value of the individual during a phase when it was extremely unstable. Within this process, the strategies employed by various translators indicate the extent to which they are prepared to countenance the insertion of that other-worldly unit, the individual, within the framework of a social and political world in constant flux.

II
Politica e religione di fronte all'Islam

DA LEPANTO A PASSAROWITZ
ECHI DELLO SCONTRO CON GLI OTTOMANI
SULLA RELIGIOSITÀ E LA CULTURA POPOLARE IN ITALIA

Giovanni Ricci

Dietro la grande politica e gli scontri militari epocali, dietro le sottigliezze dei teologi e degli inquisitori, esiste la dimensione delle reazioni quotidiane. La religiosità e la cultura popolare della prima Italia moderna risentono intensamente dello scontro con i turchi. D'altronde, l'Italia è uno spazio speciale dal punto di vista dei rapporti fra Cristianità e Islam. Centro della Cristianità latina, l'Italia è anche una regione di frontiera; è immersa in un mare come il Mediterraneo, dove le grandi religioni del Libro si fronteggiano. L'Italia: un baricentro periferico della Cristianità soggetto ai vincoli materiali e mentali connaturati alla sua condizione.

I termini cronologici di questa relazione – battaglia di Lepanto nel 1571, pace di Passarowitz nel 1718 – sono sicuramente condizionati dal taglio del convegno, che è incentrato sul Seicento: e il mio, in effetti, è una sorta di lungo Seicento. Ma questi termini hanno anche una loro giustificazione interna. Lepanto per la prima volta incrinò il mito della invincibilità ottomana: a noi che qui seguiamo le emozioni collettive, poco importa che non ne siano derivate conseguenze strategiche. Un secolo e mezzo dopo, Passarowitz per la prima volta sancì un definitivo arretramento territoriale dei turchi. In mezzo, si scalano alti e bassi per l'opinione italiana: la drammatica perdita di Candia veneziana, l'euforico salvataggio di Vienna assediata, la riconquista di Buda, le azioni e reazioni di corsari e pirati… Dall'ambito militare, l'intero complesso della sensibilità collettiva venne coinvolto.

Una storia di percezioni come questa si distende inevitabilmente sulla lunga durata. C'è un prima e c'è un dopo, rispetto ai termini indicati. Il prima si agglutina intorno a momenti alti di crisi: la caduta di Costantinopoli, beninteso e anzitutto; e poi le incursioni turche in Friuli, la presa di Otranto, la disfatta dell'Ungheria a Mohács, il primo assedio di Vienna, gli assalti a Malta, Chio, Cipro. Il dopo è meno tumultuoso da ogni punto di vista, a conferma della cesura costituita da Passarowitz. Il trascinarsi della cosiddetta Questione d'Oriente ha implicato interessi di politica internazionale, non pericoli di sopravvivenza o emozioni popolari. E oggi il dibattito sulla adesione della Turchia all'Unione Europea, per quanto pervaso da «ambiguità», «tumultuosità» e altre qualità problematiche[1], non suscita le passioni che si agitarono dal tempo di Lepanto al tempo di Passarowitz.

L'impresa di Lepanto produsse forti ondate di emozione. I turchi avevano appena assediato Malta difesa dai Cavalieri di San Giovanni; avevano appena conquistato senza fatica la genovese Chio e con fatica la veneziana Cipro[2]. I timori per la ripresa del loro espansionismo fecero nascere la Lega Santa fra la Spagna, il Papato, Venezia e altri minori contraenti. Spese militari accresciute e inasprimenti fiscali vennero di conseguenza, e il malcontento popolare serpeggiò. A metà dell'anno 1570 morì il doge Pietro Loredan, che di quella politica estera era stato artefice e vittima insieme: non era stato lui a invitare i turchi a Cipro. Allora un anonimo non privo di cultura compose un *Lamento dei pescatori veneziani* che può essere letto come una sorta di controcanto degli ardori bellici. Già durante i funerali del doge il popolo osò protestare per le restrizioni imposte. Si gridò: «Viva San Marco con la Signoria,/ ch'è morto il doge della carestia». E solo la pioggia battente impedì una insubordinazione ancora più grave. Infatti quattrocento uomini si erano portati i miseri pani di miglio con cui erano costretti ad alimentarsi e volevano lanciarli sulla salma del Serenissimo.

Il componimento piscatorio converge su questi motivi. Si deridono gli oligarchi che «han paura che gli siano arraffati/ dal Gran

---

[1] CFR. H.B. ELMAS, *Turquie-Europe. Une relation ambiguë*, Paris 1998; *La Turquie et l'Europe: une coopération tumultueuse*, a c. di A. Insel, Paris-Montréal 1999; *Ottoman Past and Today's Turkey*, a c. di K. Karpat, Leiden 2000.

[2] Cfr. A. BROGINI, *Malte, frontière de Chrétienté (1530-1670)*, Roma 2006; PH. ARGENTI, *The Occupation of Chios by the Genoese and their Administration of the Island 1346-1566*, Cambridge 1958; *Cipro-Venezia: comuni sorti storiche*, a c. di C.A. Maltezou, Venezia 2002.

Turco i cocomeri e i meloni». Si stigmatizzano i peccati dei cristiani: «Non i Turchi ma ben Dio ci fa la guerra,/ per tante nostre usure o poltronerie/ che è meraviglia non si apra la terra». Si menziona, appunto, «quel pan duro di miglio [...] che fino il Doge faceva vender [...] che fu causa di tante malattie». E si conclude con uno scandaloso appello al Turco vendicatore delle ineguaglianze sociali: «Ma perché Dio non vuole che il tiranno/ regni troppo sul mondo, ha apparecchiato/ per far giustizia il Turco e un gran Sultano»[3].

Tutto ciò, ovviamente, non impedì alla guerra di scoppiare. Sappiamo che la vittoria navale a Lepanto fu netta, ma che le discordie fra le potenze cristiane impedirono di trarne frutti politici: Venezia puntava a recuperare la sua influenza nel Levante, la Spagna era più interessata a stabilire un controllo sull'Africa del nord. Benché provati dalla sconfitta subita sui Piccoli Dardanelli (così veniva chiamata la bocca del golfo di Corinto dove si combatté), i turchi si accorsero presto che l'equilibrio del potere mediterraneo non sarebbe cambiato[4].

Dopo Lepanto, però, in Italia si credette diversamente, almeno per qualche tempo. Messe a tacere le voci dissonanti, lo stato d'animo fu rispecchiato da un flusso di pubblicazioni istantanee. Subito apparvero gli «avvisi», ricolmi, come al solito, di dettagli strabilianti: il commercio editoriale era in sviluppo e bisognava pur vendere. In qualche caso, a essere avvisato fu lo stesso sultano Selim, ironicamente, in dialetto veneziano[5]. Appena dopo (ma si parla di pochi mesi) si presentarono vere e proprie raccolte di «avvisi»[6]. Intanto uscirono i primi poemetti: se ne videro di popolare-

---

[3] *Il fiore della lirica veneziana*, a c. di M. Dazzi, Venezia 1956, 441-449 (l'originale in dialetto veneziano).

[4] Cfr. O. YILDIRIM, *The Battle of Lepanto and its Impact on Ottoman History and Historiography*, in *Mediterraneo in armi (secc. XV-XVIII)*, a c. di R. Cancila, Palermo 2007, 533-556.

[5] Per esempio, *Aviso della felicissima vittoria havuta contra l'armata del Turco*, Cacchi e Bax, Neapoli 1571; R. BENEDETTI, *Novi avisi venuti a N.S. Pio V della grande e meravigliosa vittoria ottenuta dalli cristiani contra l'armata turchesca vicino al golfo di Lepanto*, s.l. s.d.; *Aviso a sultan Selim de la rotta de la sua armada*, s.l. s.d.

[6] Cfr. *Avisi de diverse parte sì de Costantinopoli come de Negroponte [...] dopo la felice giornata*, Verona s.d.

schi in veneziano e di dotti in volgare illustre[7]. Si cimentò nel genere anche un letterato di successo come Anton Francesco Doni: nel 1572-74 dedicò un poema alla guerra di Cipro – la premessa di Lepanto – senza avere però il tempo di pubblicarlo[8].

Vennero poi significativi atti rituali. Papa Pio V aveva dedicato la vittoria alla Madonna di Loreto. Rientrando dalla battaglia, l'ammiraglio pontificio Marcantonio Colonna sostò a Loreto, seguito dai rematori cristiani liberati dalla schiavitù; lo stesso fece nel 1575 don Giovanni d'Austria, il comandante in capo della spedizione. Entrambe le volte furono depositate ai piedi della Vergine le catene degli schiavi. Fondendo il ferro, furono poi fabbricate le cancellate interne della basilica. Secondo la tradizione, l'origine del santuario stava nell'arrivo dalla Terrasanta della casa della Madonna, che uno stuolo di angeli aveva portato in salvo dagli infedeli. Lo stesso mito di fondazione faceva dunque di Loreto un baluardo della resistenza cristiana all'Islam.

In seguito i due miti – di Lepanto e di Loreto – crebbero insieme. La memoria di Lepanto trasformò (abusivamente) la battaglia in un appuntamento decisivo del conflitto fra i cristiani e i musulmani. La prima pietra della fortezza friulana di Palma (oggi Palmanova) fu posta il 7 ottobre 1593, il giorno esatto del ventiduesimo anniversario di Lepanto. Ma la scia di quel successo illusorio ha continuato a operare. Fra il XX e il XXI secolo sono nati in Italia e in Europa gruppi politico-religiosi fortemente anti-islamici che si intitolano a Lepanto.

Quanto a Loreto, nel 1683, durante il secondo assedio turco a Vienna, il re di Polonia Giovanni III Sobieski catturò lo stendardo

---

[7] *Raccolta di varii poemi latini e volgari fatti nella vittoria reportata da christiani contra Turchi*, Parma e Angelieri, Venezia 1571 (poi anche Ventura, Venezia 1572); L. GROTO [Cieco d'Adria], *Trofeo della vittoria sacra ottenuta dalla christianissima Lega contra turchi nell'anno 1571*, Bordogna e Patrigni, Venetia [1572]; Z. THOMASI, *I felici pronostici da verificarsi contro a'infedeli a favor della Chiesa christiana*, Bevilacqua, Venezia 1572; T. COSTO, *Della rotta di Lepanto canti cinque*, Cappelli e Bax, Napoli 1573. Cfr. A. MEDIN, *La storia della repubblica di Venezia nella poesia*, Milano 1904; C. DIONISOTTI, *La guerra d'Oriente e la letteratura veneziana del Cinquecento*, in *Venezia e l'Oriente fra tardo Medioevo e Rinascimento*, a c. di A. Pertusi, Firenze 1966, 471-493.

[8] Cfr. A.F. DONI, *La guerra di Cipro*, a c. di V. Jacomuzzi, Torino 2001.

del sultano Maometto IV e lo offrì al santuario, dove si trova tuttora. Prima però ci fu un trionfale viaggio attraverso l'Italia, fino a Roma. Le cronache della donazione a Loreto notarono con sollievo come ormai fosse fallita l'ambizione ottomana di fondare una monarchia universale. A Loreto giunse anche la preziosa tenda del visir sconfitto a Vienna, Mustafa Karà; col tessuto della tenda fu poi confezionato un baldacchino per le processioni e vari paramenti liturgici[9]. La sacralizzazione della guerra fece sì che le prede del nemico ufficiale venissero convertite a gloria del proprio Dio. Numerose altre chiese restano oggi decorate da simili spoglie di guerra. Famosa fra tutte è la chiesa dell'Ordine corsaro di Santo Stefano, fondato a Pisa nel 1562. Lì alle pareti pendono numerosi stendardi istoriati di versi del Corano; alcuni provengono dal bottino di Lepanto[10].

Non che la parte avversa si comportasse diversamente. Alla fine del Cinquecento, sulla porta della Marina di Algeri furono appese, a testa in giù, tre polene con figure di santi strappate a navi cristiane[11]. Il maggior covo della corsa barbaresca celebrò se stesso con una sorta di esecuzione in effigie di simboli cristiani. C'era inoltre l'abitudine dei corsari musulmani di ideologizzare le loro imprese, innalzando stendardi con scritte d'insulto anticristiane. Per comprensibili ragioni psicologiche, lo facevano soprattutto i cosiddetti rinnegati, bisognosi com'erano di legittimarsi nella loro nuova identità. Esemplare, al riguardo e fra altri, è il caso del ferrarese Francesco Guicciardo. Era stato catturato da bambino mentre lavorava come mozzo su una nave veneziana in Adriatico. Portato schiavo a Tunisi, era passato all'Islam col nome di Alì ed era stato affrancato. Aveva poi cominciato a raccontare di essere nato a Sinope, assumendo anche il soprannome di *Caradagilse*, «del mar Nero». Salito al rango di raïs, nel 1624 la sua nave cadde in mano della flotta spagnola di Sicilia. Allora la sua biografia im-

---

[9] L. SCARAFFIA, *Loreto*, Bologna 1998, 25-26; M. MORONI, *L'economia di un grande santuario europeo. La santa Casa di Loreto tra basso Medioevo e Novecento*, Milano 2000, 24-31.

[10] Cfr. *Pisa e il Mediterraneo. Uomini, merci, idee dagli Etruschi ai Medici*, a c. di M. Tangheroni, Milano 2003, 299-303, 321-325, 490.

[11] Cfr. J. HEERS, *I Barbareschi: corsari del Mediterraneo*, Roma 2003, 211.

maginaria gli permise di resistere per vent'anni alle pressioni del-
l'inquisitore di Palermo[12].

Il giudice sospettava di trovarsi davanti a un rinnegato, soprattutto dopo aver appreso che sullo stendardo della sua nave cam-
peggiava, «a lettere d'oro», la seguente affermazione: «La fede cristiana è falsa». Sventolata, è il caso di dire, ai quattro venti, la be-
stemmia divenne famosa a Malta; di lì fu comunicata a Roma, al
cardinale Francesco Barberini, il potente nipote di papa Urbano
VIII[13]. Ignoriamo in che lingua fosse propriamente redatta la
scritta anticristiana: italiano, spagnolo, lingua franca, chissà. Ma il
fatto che se ne sia interessato un livello ecclesiastico così elevato,
mostra quanto il punto fosse considerato importante in termini generali, oltre che per contribuire all'identificazione dell'imputato.
La carenza della documentazione ci impedisce di sapere come si
sia concluso il braccio di ferro fra l'inquisitore di Palermo e Fran-
cesco/Alì, il corsaro polemista.

Le congiunture politico-militari continuavano a scaricarsi sul
sentimento collettivo. La guerra di Candia (1645-69) fu subita da
Venezia con la rassegnazione di chi comprendeva che il ripiegamento dal Levante era ormai inevitabile[14]. Sembrò che gli stessi
prodigi celesti, sempre molto coinvolti nelle questioni turche[15],
non fossero più favorevoli come un tempo. Nel 1456, l'apparizio-
ne della cometa di Halley aveva approvato il ritiro turco da Belgrado; nel 1565, prima del fallimento turco a Malta, si erano visti
«alcuni diavoli per l'aria quasi tre ore combattere insieme», come
certifica una raccolta di «segreti meravigliosi di natura»[16]. Invece
nel 1661 comparve in cielo «una non piccola cometa, da molti osservata, da alcuni interpretata e da niuno indovinata». Il segno era

[12] Cfr. G. Ricci, *Ossessione turca. In una retrovia cristiana dell'Europa moderna*, Bologna 2002, 87-89.
    [13] BAV, ms. *Barb. Lat.* 6676. Il vescovo di Bagnarea al cardinale Francesco
Barberini, Malta, 18 giugno 1624.
    [14] Cfr. *Venezia e Creta*, a c. di G. Ortalli, Venezia 1998.
    [15] Cfr. E. Casali, *Le spie del cielo. Oroscopi, lunari e almanacchi nell'Italia
moderna*, Torino 2003, 195-197.
    [16] T. Tomai, *Idea del giardino del mondo*, Rossi, Bologna 1582, 96.

forte, di conseguenza la decifrazione fu volenterosa: «forse a danno dei turchi per presagio delle lor future angosce». Molto future. Infatti nel 1669 si dovette piangere la resa di Candia. Dopo quest'esperienza, nel 1682 nuovi segni celesti furono interpretati con pessimismo. «Per preludio forse de' venturi disastri della christianità, comparvero in cielo due ben osservabili comete, le quali per non breve tempo persistendo, diedero che pensare». Si scoprì infine che cosa annunciavano: le manovre dei «perfidi ugonotti» in Francia e la «mossa de' turchi» contro Vienna nel 1683[17].

Fu questa la svolta. La sconfitta sotto Vienna assediata dimostrò che anche i turchi non erano invincibili[18]. In tutt'Italia si festeggiò rumorosamente all'arrivo della notizia, che esotici trofei esposti al pubblico convalidavano[19]. Fra scampanii e salve di cannone, luminarie, falò e fuochi d'artificio, oratori in musica e solenni *Te Deum*, elemosine e amnistie straordinarie, si dispiegò l'intera gamma delle allegrezze popolari e colte, spirituali e temporali. Si imbastirono ovunque parodie e azioni sceniche a base di esecuzioni in effigie del sultano, di visir ingabbiati e impalati, di fortezze ottomane esplose in una girandola di fuochi d'artificio[20]. Si ripubblicarono profezie astrologiche e oroscopi che diedero per certa la fine dell'impero ottomano e della sua religione. Persino un personaggio letterario come il romano Meo Patacca, il capofila degli eroi guasconi e parolai, si inserì nei «trionfi di Vienna» per ricavarne lustro senza spesa e senza rischio[21]. Dalla sua officina bolognese, Giuseppe Maria Mitelli dedicò numerosissime incisioni satiriche al sultano, al visir, ai dignitari ottomani, alle prodezze cristiane e alle sconfitte turche. Questa espressiva produzione icono-

---

[17] G. BARUFFALDI, *Dell'istoria di Ferrara [...] dall'anno MDCLV fino al MDCC*, Pomatelli, Ferrara 1700, 319-320.
[18] Cfr. J. STOYE, *The Siege of Vienna*, Edinburgh 2000², 187-214.
[19] Repertoriati nel catalogo della mostra *Die Türken vor Wien. Europa und die Entscheidung an der Donau*, Wien 1983.
[20] Cfr. G. RICCI, *Ossessione turca...*, 95-110.
[21] G. BERBERI, *Meo Patacca ovvero Roma in feste ne i trionfi di Vienna*, Campana, Roma 1695; Cfr. R. NIGRO, *Giustiziateli sul campo. Letteratura e banditismo da Robin Hood ai nostri giorni*, Milano 2006, 52-54.

grafica si diffuse in tutta Italia e anche fuori, a illustrazione di fogli volanti e di poemetti festosi[22].

Ma non mancò il rovescio della medaglia. Non dimentichiamo che l'apertura dell'epoca ufficialmente «moderna» è segnata nel Mediterraneo dal triplice conflitto fra le grandi religioni monoteistiche, tutte quante impegnate, a modo loro, in sforzi di ridefinizione reciproca[23]. In questo quadro, nessuna relazione interreligiosa riesce a essere strettamente bilaterale senza ripercuotersi sulla terza parte in commedia. Difatti ciò accadde anche in quel frangente. Come al tempo delle crociate medievali, vi furono casi di violenze contro gli ebrei, sospettati di intelligenza col turco[24]; per la stessa ragione, passarono momenti difficili i sudditi del re di Francia in viaggio per l'Italia. Verso i secondi fu un'ondata passeggera; verso i primi no. Che i sospetti fossero fondati o meno (e non si vede perché gli ebrei avrebbero dovuto parteggiare per i cristiani) resta il fatto che l'antigiudaismo e la caccia alle minoranze e al dissenso sono i corollari fissi delle guerre religiosamente impostate.

L'ennesima Lega Santa, fra l'Austria e la Polonia, benedetta da papa Innocenzo XI, fu estesa anche a Venezia. La vecchia repubblica aristocratica sembrò rianimarsi[25]. Fra il 1684 e il 1699 il generalissimo Francesco Morosini riconquistò la Morea e l'Arcipelago che Venezia aveva perso un secolo e mezzo prima[26]. L'entusia-

---

[22] Cfr. A. NAGY, *Eco bolognese della guerra di liberazione in Ungheria, 1683-1686*, Bologna 1943, 8-9, 21-25, 43-45; *Le Collezioni d'arte della cassa di Risparmio in Bologna. Le incisioni*, a c. di F. Varignana, Bologna 1978, I, n. 280-304, n. 327-329; G. RÓZSÁ, *La riconquista di Buda nell'arte del Seicento in Italia*, in *Venezia e Ungheria nel contesto del barocco europeo*, a c. di V. Branca, Firenze 1979, 265-268.

[23] Cfr. B. LEWIS, *Culture in conflitto. Cristiani, ebrei, musulmani alle origini del mondo moderno*, Roma 1997; G. ANIDJAR, *The Jew, the Arab. A History of the Enemy*, Stanford 2003.

[24] Un caso specifico: D. TOLLET, *Les Juifs furent-ils, dans la Confédération polono-lituanienne, les agents des Turcs?*, in *I Turchi il Mediterraneo e l'Europa*, a c. di G. Motta, Milano 1998, 152-168.

[25] Cfr. E. EICKHOFF, *Venedig, Wien und die Osmanen: Umbruch in Sudost-europa 1645-1700*, München 1973.

[26] Cfr. F. LESTRINGANT, *Le livre des îles. Atlas et récits insulaires de la Genèse a Jules Verne*, Genève 2002, 93-102; *Venezia e la guerra di Morea. Guerra, politica e cultura alla fine del '600*, a c. di M. Infelise - A. Stouraiti, Milano 2005.

smo per la rinascita dell'impero coloniale, l'ebbrezza di vendicare le molte umiliazioni, impedirono di capire che l'impresa era senza futuro. In quegli anni capitò di risentire discorsi crociati, soprattutto nelle parti d'Italia soggette al controllo spagnolo[27]; qualcuno osò persino alludere al Santo Sepolcro da liberare. Ma soprattutto si enumerarono i toponimi della Grecia antica ove gli eserciti e le flotte veneziane si insediavano: con inedita miscela, il cristianesimo medievale venne affiancato dal compiacimento neoclassico[28]. Ciò non impedì a Morosini di cannoneggiare l'Acropoli di Atene, adibita dai turchi a polveriera, e di semidiroccarla. Incunabolo di una sensibilità archeologica, seguì a Venezia un apprezzabile dibattito su questi danni collaterali dei bombardamenti, come oggi li si chiamerebbe.

Le vittorie venete in Dalmazia e in Morea produssero un nuovo flusso di trofei bellici verso l'Italia. Stendardi non sempre sultaniali, sostarono in palazzi patrizi o vennero donati a santuari mariani minori. Ma a Venezia affluivano sempre cose di prim'ordine. Era di Maometto IV lo stendardo che, nell'agosto nel 1685, Francesco Morosini conquistò in Morea. Insieme con due code di cavallo, insegne del pascià lì sconfitto, la preda fu portata a Venezia, «da stare perpetuamente esposta» sull'altare di San Gaetano ai Tolentini. Il cosmografo ufficiale della repubblica, Vincenzo Coronelli, ne pubblicò l'incisione, una descrizione in più lingue e una dotta decifrazione[29].

Nel corso di questa guerra, che si sarebbe conclusa con la pace di Karlowitz nel 1699, accadde un episodio molto strano. Per quanto gravato da successive dispute teologiche, appartiene alla dimensione della religiosità vissuta quotidianamente. Nel 1694 l'armata veneziana capitanata da Antonio Zeno occupò l'isola di

---

[27] Cfr. M.C. GIANNINI, «*Limosna para guerra contra infieles y herejes*». *L'introduzione della bolla della* Cruzada *nel Regno di Napoli e nello Stato di Milano tra religione, politica e fiscalità (XVII secolo)*, in *I linguaggi del potere. Politica e religione nell'età barocca*, a c. di F. Cantù, Roma 2008.

[28] Cfr. A. STOURAITI, *Memorie di un ritorno. La guerra di Morea (1684-1699) nei manoscritti della Querini Stampalia*, Venezia 2001.

[29] V. CORONELLI, *Conquiste della serenissima repubblica di Venezia nella Dalmazia, Epiro e Morea*, Venezia 1686, 33-36.

Chio, nell'Egeo orientale; l'ausilio di vascelli pontifici e maltesi contribuì a dare all'impresa una vernice crociata. Gli abusi perpetrati dagli occupanti, le vessazioni esercitate sugli ortodossi «scismatici» portarono presto la popolazione greca a rimpiangere il dominio turco. Sin qui nulla di strano, era il meccanismo che solitamente si innescava nel Levante. Il punto specifico è un altro. Nell'isola furono trovate circa trecento donne vestite alla turca che chiesero pietà, proclamando in lingua turca di essere cattoliche. Avrebbero potuto andarsene – o tentare di andarsene – con il contingente turco in base ai patti di resa. Non l'avevano fatto, eppure avevano trovato rifugio in una moschea, così come, in casi opposti, i cristiani si rifugiavano in una chiesa. Insomma, la ritirata di un esercito e un cambiamento di regime portarono alla luce strati di realtà sommersi o contraddittori. Queste donne erano il lascito del dominio genovese su Chio, durato dal 1346 al 1566. La presenza cattolica si era comunque perpetuata a Chio anche in forme più ordinarie e legittime: un vescovado, varie parrocchie e conventi di ordini religiosi[30].

Sottoposte le donne a una prima verifica, si appurò che solo alcune erano rinnegate desiderose di tornare alla fede originaria. Le più numerose non avevano rinnegato, si erano semplicemente adattate al clima locale, a matrimoni forzati o riparatori, con l'assenso dei gesuiti dell'isola. Da parte domenicana si accusarono però i gesuiti di aver autorizzato comportamenti nicodemitici, di aver ammesso ai sacramenti i rinnegati, di aver tollerato la simultanea professione del Cristianesimo e dell'Islam[31]. Non seguiamo le sottigliezze di una disputa che si giocò soprattutto in Italia, depositandosi in opuscoli, perizie e interrogatori per vent'anni buoni. Infine la vicenda si saldò con la tormentata questione del sincretismo fra cristianesimo e confucianesimo attuato dai gesuiti in Cina (i cosiddetti «riti cinesi»)[32]. L'assenza di documentazione

[30] Cfr. PH. ARGENTI, *Diplomatic Archive of Chios. 1577-1841*, Cambridge 1954, 803-1062; ID., *The Occupation of Chios...*, cit., 651-656.
[31] Cfr. PH. ARGENTI, *The Occupation of Chios by the Venetians. 1694*, London 1935, LXXXVII-XCIV; CII-CXV.
[32] Cfr. J. GERNET, *Cina e Cristianesimo. Azione e reazione*, Casale Monferrato 1984.

giudiziaria o inquisitoriale impedisce di fare piena luce sulla vicenda. Nel 1695, in ogni caso, il problema della convivenza religiosa a Chio fu risolto alla radice. Il ritorno dei turchi provocò la
dispersione della comunità cattolica, che aveva collaborato troppo
con l'occupante veneziano, guadagnandosi per giunta l'ostilità degli ortodossi[33].

Presto le cose andarono male per Venezia, su tutti gli scacchie-
ri, e il sogno finì. Nel 1718, dopo una nuova guerra europea, la pace di Passarowitz certificò il definitivo ritiro della repubblica dal-
l'Egeo. A sua volta, l'impero ottomano iniziava il suo riflusso dal-
l'Europa. Altri protagonisti si facevano avanti: austriaci e russi nei
Balcani, inglesi e francesi sui mari del Levante. Anche il papato
vedeva indebolirsi il suo ruolo di arbitro, mentre le potenze cattoliche avviavano politiche religiose giurisdizionaliste. Nessuna delle ragioni che avevano fatto dell'Italia un luogo cruciale restava in-
tatta; il baricentro periferico diventava una periferia tout court.
L'impoverirsi dello sguardo politico mediterraneo, combinato con
gli inizi di un orientalismo alla moda[34], finiva per imbellettare le
durezze della storia. Senza diventare amico, il turco-musulmano si
mutava in seguace della morale naturale, o in protagonista di opere in musica, o in soggetto di decorazioni da salotto[35]. In un modo
o nell'altro, dunque, la cultura alta continuava a interessarsene
creativamente; invece la cultura popolare si limitava ormai a tra-
mandare emozioni del passato.

[33] Cfr. PH. ARGENTI, *The Religious Minorities of Chios: Jews and Roman
Catholics*, Cambridge 1970, 287-307.
[34] Cfr. E.W. SAID, *Orientalismo*, Torino 1991; A. WHEATCROFT, *The Ottomans. Dissolving Images*, London 1995.
[35] Cfr. A. THOMSON, *L'Europe des Lumières et le monde musulman: une altérité ambiguë*, in *Le problème de l'«altérité» dans la culture européenne. An-
thropologie, politique et religion aux XVIIIe et XIXe siècles*, a c. di G. Abbat-
tista - R. Minuti, Napoli 2006, 259-280.

Oltre la retorica
Il pragmatismo veneziano di fronte all'Islam

Maria Pia Pedani

Per la Repubblica di Venezia il Seicento fu un periodo di conflitti internazionali. Il secolo si aprì con la contesa relativa all'Interdetto, scagliato contro la Serenissima nel 1606 da papa Paolo V (1605-1621); vi fu poi la guerra di Gradisca combattuta contro l'arciduca d'Austria Ferdinando con la quale, nel 1615, si riuscì a porre fine all'attività dei pirati uscocchi in Adriatico; seguì quella in Valtellina, sempre contro gli Asburgo, nel 1629-30. Scoppiarono poi due lunghi conflitti contro gli ottomani: quello di Candia, tra il 1645 e il 1669, che si concluse con la perdita dell'isola, e quello di Morea, o della Sacra Lega, chiamato la «lunga guerra» nelle fonti turche, che cominciò nel 1684, poco dopo l'assedio di Vienna, e terminò nel 1699 con la pace di Karlowitz.

Come si può notare la prima metà del secolo fu caratterizzata da scontri con stati europei mentre la seconda vide un lungo periodo di ostilità con gli ottomani, che durò circa quarant'anni. Se si pensa che tra l'inizio del XIV secolo, quando l'impero ottomano fece la sua comparsa nella storia combattendo contro i bizantini nella battaglia di Bafeo (1302), e il 1797, quando la Serenissima scomparve di fronte all'avanzata delle truppe napoleoniche, i due stati combatterono tra loro per un totale di poco meno di ottant'anni a fronte di più di trecentocinquant'anni di pace, si capisce come la seconda metà del Seicento possa essere considerata un periodo particolare: i lunghi anni di ostilità influenzarono la percezione che a Venezia si aveva dell'Islam e dei musulmani, nonostante il pragmatismo sempre dimostrato dagli abitanti delle lagune, di solito più attenti agli aspetti pratici ed economici che non alle ideologie.

Solo a titolo d'esempio di tale atteggiamento si può ricordare come, nel 1569 all'arrivo dell'ambasciatore Kubad che recava ai piedi del doge la richiesta di cessione di Cipro o, in alternativa, la minaccia della guerra per la sua conquista, alcuni senatori, consci delle impari forze, proposero di vendere l'isola al sultano. Vinse poi il partito del rifiuto totale di ogni compromesso, ma a posteriori si può dire che, al di là di ogni considerazione ideologica e di prestigio, i sostenitori della transazione commerciale avevano dimostrato di essere più lungimiranti dei loro antagonisti. Sostenere le operazioni belliche fu estremamente costoso e inutile, nonostante la tanto esaltata vittoria nelle acque di Lepanto (1571). Inoltre in pochi anni l'assenza dei mercanti veneziani consentì ai francesi di prendere il loro posto come intermediari con l'Europa nelle piazze del Levante e ciò fu per la Serenissima l'inizio della vera decadenza commerciale. Contrariamente a quanto alcuni sostengono, infatti, questa non cominciò subito dopo la scoperta dell'America e delle rotte alternative per le Indie, bensì circa un secolo dopo con la guerra di Cipro e l'invadenza della Francia per continuare poi, tra Cinque e Seicento, quando i portoghesi di Ormuz cominciarono a far pagare tasse doganali più alte ai mercanti veneziani, che fino a quel momento avevano goduto dello stesso trattamento privilegiato riservato ai lusitani[1].

La battaglia di Lepanto fu comunque importante non tanto da un punto di vista militare quanto psicologico per le popolazioni europee, che si resero conto che anche le armate del sultano potevano essere sconfitte. Essa non causò la fine della talassocrazia ottomana nelle acque del Mediterraneo, che durava dalla battaglia di Prevesa (1538), bensì, piuttosto, ne fu la conseguenza. D'altra parte essa non venne recepita in modo particolare a Istanbul, in quanto la notizia della sconfitta giunse quasi contemporaneamente alle prede catturate a Cipro. In Europa, però, si assistette a un'ondata di sollievo collettivo: il nemico che faceva tanta paura era stato finalmente vinto[2].

La pace della prima metà del Seicento permise dunque un certo rifiorire dei commerci tra Venezia e l'impero ottomano. All'ini-

[1] M.P. PEDANI, *Venetian Consuls in Egypt and Syria in the Ottoman Age*, "Mediterranean World", 18 (2006), 7-21.
[2] Su Lepanto la bibliografia è vastissima, cfr. solo, tra i più recenti volumi, N. CAPPONI, *Lepanto 1571. La lega santa contro l'impero ottomano*, Milano 2008.

zio del secolo i veneziani ottennero di importare grani dal mar Nero per combattere fame e carestia[3] e fino agli anni '30 furono soprattutto i traffici con la Siria, e la piazza di Aleppo in particolare,
a essere favoriti mentre entravano in crisi quelli con l'Egitto, anche
a causa delle gravi pestilenze che lì si manifestarono. Nello stesso
tempo i mercanti sudditi del sultano giungevano sempre più numerosi nella città della laguna. Già nel 1575 era stato creato un primo fondaco, all'osteria all'Angelo nei pressi di Rialto, per ospitare
quanti di loro provenivano da Bosnia e Albania, ma nel 1621 venne scelto un edificio più ampio e maestoso, prospiciente il Canal
Grande, capace di ospitare fino a trecento musulmani con le loro
merci[4]. Ai macelli di San Giobbe e del Lido cominciarono a recarsi i «turchi» per far macellare ritualmente gli animali per loro uso[5].
In quest'ultima isola, probabilmente vicino al cimitero ebraico e a
quello per i protestanti, venne a formarsi anche uno spazio dove
seppellire i seguaci del Profeta che morivano in città e per i quali
non si poteva utilizzare la terra consacrata posta accanto alle chiese, all'interno del tessuto urbano[6]. Mesti cortei di imbarcazioni sol-
carono dunque la laguna per accompagnare all'ultima dimora chi
era morto così lontano da casa e dagli affetti familiari. Così accadde, per esempio, nel 1575 quando cinque gondole cariche di musulmani accompagnarono alla sua ultima dimora Hüseyin Çelebi di
Ayaş[7]. Interessante notare come, oltre al rituale lavacro della salma
secondo le norme religiose islamiche, venne allora seguito l'uso turco di chiudere il cadavere in una bara, mentre allora a Venezia i
morti erano generalmente sepolti, avvolti nel solo sudario.

Sempre nella prima metà del Seicento, fino allo scoppio della
guerra nel 1645, fecero la loro comparsa in città ben ventiquattro

---

[3] ASVe, *Bailo a Costantinopoli*, b. 250, reg. 331, c. 1 (1604), c. 93 (1607);
b. 251, reg. 335, c. 50 (1625).

[4] E. CONCINA, *Fondaci. Architettura, arte e mercatura tra Levante, Venezia
e Alemagna*, Venezia 1997, 219-246.

[5] ASVe, *V Savi alla Mercanzia*, seconda serie, b. 966, fasc. *Fondaco*.

[6] G. LUCCHETTA, *Note intorno a un elenco di turchi morti a Venezia*, in *Veneziani in Levante. Musulmani a Venezia*, "Quaderni di Studi Arabi", suppl.
15 (1997), 133-146.

[7] C. KAFADAR, *A Death in Venice (1575): Anatolian Muslim Merchants
Trading in the Serenissima*, in *Raiyyet Rüsûmu*, "Journal of Turkish Studies",
10 (1986), 191-217.

inviati della Porta. Le missioni riguardavano intronizzazioni di sultani, consegna di lettere annuncianti le vittorie imperiali (*fethname*), controversie confinarie, acquisti di merci preziose per la corte, problemi di natura commerciale causati dalla presenza in Adriatico dei pirati uscocchi, al soldo degli Asburgo. Contrariamente a quanto a lungo affermato dalla storiografia gli stati musulmani non furono generalmente contrari a inviare propri emissari presso sovrani infedeli, come dimostrano i moltissimi inviati della Porta che giunsero a Venezia tra Medioevo ed età moderna. Per quanto riguarda il Seicento si possono notare due ambascerie, degli anni 1609 e 1614-1615, giunte in città per chiedere aiuto per i *moriscos* allora cacciati dalla Spagna. Il sultano chiedeva che la Serenissima permettesse agli esuli che passavano per il suo territorio di continuare a indossare abiti cristiani usati per sfuggire a quanti li perseguitavano e quindi, giunti ai confini dell'impero ottomano, di porsi in capo il turbante bianco, simbolo dell'appartenenza a un'altra religione[8]. Vestire in un modo o in un altro era infatti un simbolo per esternare il proprio credo e la propria appartenenza a uno stato cristiano o musulmano. Nell'impero ottomano agli europei fu imposto di vestirsi all'occidentale nel Seicento e i mercanti francesi e inglesi ne approfittarono per presentarsi con gli abiti neri che indossavano in Europa, ma allo stesso tempo venivano anche emessi dalla Porta dei passaporti per consentire a interpreti e mercanti della Serenissima di circolare nelle terre del sultano a cavallo, armati e vestiti da turchi[9].

Nello stesso periodo le guerre combattute tra la Persia e l'impero ottomano, concluse solo dalla pace del 1639, spinsero gli scià safavidi a guardare con maggior interesse al lontano occidente. Tra il 1600 e il 1639 giunsero a Venezia nove inviati persiani con lo scopo di acquistare oggetti di pregio, non solo panni, vetri, cristalli, specchi, pietre intagliate, occhiali, semi e bulbi di fiori ma anche armi e corazze, così necessarie durante una guerra. Le lettere inviate parlano della necessità e convenienza di rinsaldare l'amicizia e i legami commerciali che esistevano tra i due paesi. La

---

[8] Cfr. M.P. PEDANI, *In nome del Gran Signore. Inviati ottomani a Venezia dalla caduta di Costantinopoli alla guerra di Candia*, Venezia 1994, 176-178.
[9] ASVe, *Bailo a Costantinopoli*, b. 250, reg. 331, c. 12 (1604), c. 145 (1608); reg. 332, c. 18 (1612).

presenza dei messi persiani, che portarono in dono al doge preziosi tappeti, ancora conservati nel Tesoro della basilica di San Marco non passò inosservata. Nella sala delle Quattro Porte a Palazzo Ducale venne posto un grande quadro di Carlo Caliari raffigurante il ricevimento in Collegio, alla presenza del doge Marino Grimani, degli inviati Muhammad Emin bey e Fethî bey il 5 marzo 1603; in primo piano uno dei loro doni: un tessuto prezioso oggi ancora conservato al Museo di Palazzo Mocenigo[10].

Anche la zona balcanica non fu estranea alla fitta rete di scambi e contatti che si ebbero, nella prima metà del Seicento, tra veneziani e ottomani. Quelle strade cominciarono ad essere sempre più frequentate mentre le rotte mediterranee si andavano facendo sempre più pericolose a causa di pirati, sia cristiani che musulmani. L'antica via Egnatia, che univa Durazzo a Istanbul era ancora usata, assieme ad altre che attraversavano i Balcani, per raggiungere la capitale dell'Impero dai porti adriatici. Qui transitavano mercanti, merci e anche lettere e informazioni. Il servizio postale che la Serenissima aveva creato si basava su corrieri del Montenegro, quindi sudditi del sultano, che percorrevano sempre a piedi l'itinerario Cattaro-Istanbul. Nel 1614 erano in sessanta, mentre ottant'anni prima erano dieci, sei ufficiali e quattro sostituti, ma alcune fonti parlano anche di centocinquanta persone che potevano essere utilizzate in caso di bisogno. Usavano regolarmente tale servizio il governo e i mercanti veneziani, ma alle volte ne approfittavano anche altri stati, che non potevano disporre di una rete così organizzata. Per esempio, si ha notizia che alla fine del Cinquecento Filippo d'Asburgo, re di Spagna e Portogallo, abbia inviato messaggi per il suo governatore che stava a Ormuz e al viceré dell'India proprio utilizzando vettori veneziani[11].

[10] ASVe, *Documenti Persia*, docc. 7, 18, 21, 30. G. ROTA, *Diplomatic Relations between Safavid Persia and the Republic of Venice. An Overview*, in *The Turks*, a c. di H.C. Güzel - C.C. Oğuz - O. Karatay, Ankara 2002, II, 580-587; *Venezia e l'Islam. 828-1797*, Venezia 2007, 338, n. 58.

[11] ASVe, *Quarantia Criminal*, b. 97, fasc. 40; L. DE ZANCHE, *I vettori dei dispacci diplomatici veneziani da e per Costantinopoli*, "Archivio per la storia postale, comunicazioni e società", 1/2 (ago. 1999), 19-43; L. DE ZANCHE, *Tra Costantinopoli e Venezia. Dispacci di Stato e lettere di mercanti dal Basso Medioevo alla caduta della Serenissima*, "Quaderni di storia postale", 25 (dic. 2000), 1-179, [49-71].

Nella prima metà del Seicento i rapporti tra Venezia e i sudditi del sultano che abitavano i Balcani non furono dunque generalmente conflittuali, a parte gli eterni problemi di furti, abigeati, pirateria e brigantaggio che potevano aver luogo lungo i confini o
nell'Adriatico. Al contrario la presenza di un comune nemico, rappresentato da imperiali e spagnoli, spinse alle volte a una più stretta collaborazione. Già nel 1617 il sultano in occasione dell'uscita
della flotta per la campagna estiva, chiese alla Repubblica se avesse bisogno di aiuto e, nell'ambito dei capitoli della pace, ordinò al
suo grande ammiraglio di proteggere i possedimenti veneti e le ga-
lee marciane[12]. Nello stesso periodo i veneziani cominciarono ad
arruolare sudditi ottomani. In un primo momento Ahmed I ordinò a Īskender, *beylerbeyi* di Bosnia, di impedire tale pratica in
quanto espressamente proibita dagli accordi che aveva stabilito
con gli Asburgo[13]. Subito dopo la sua morte, però, cominciò una
fitta corrispondenza tra il governo veneziano, quello ottomano e il
governatore di Bosnia, volta a consentire l'arruolamento di sudditi ottomani nelle armate della Serenissima che combattevano in
Valtellina contro la Spagna e l'Impero. Intanto Venezia aveva ac-
cettato l'offerta di Ogras agà da Zemonico, il cui nonno Doda, forse appartenente alla famiglia principesca che recava questo nome,
aveva già servito la Repubblica. L'immagine dell'alleato turco servì alla Repubblica come deterrente nei confronti del nemico e come sostegno per il morale dei propri soldati[14]. I primi ordini sultaniali che si conservano, indirizzati al *beylerbeyi* di Bosnia e ai
sangiacchi di Scutari e Delvina, risalgono al 1624 e consentono
l'arruolamento di genti di Bosnia e Albania in quanto una vittoria
dei comuni nemici avrebbe comunque portato danno a tutto l'orbe islamico. Molti altri editti fecero seguito fino al 1630, indirizzati anche al *beylerbeyi* di Buda, a quello di Grecia, al sangiacco di
Morea, ai sangiacchi e cadì del Mediterraneo, oltre al *beylerbeyi* di

---

[12] ASVe, *Bailo a Costantinopoli*, b. 250, reg. 332, c. 91 (1614); *I "Documenti turchi" dell'Archivio di Stato di Venezia. Inventario della miscellanea*, a
c. di M.P. Pedani Fabris, con l'edizione dei regesti di †A. Bombaci, Roma
1994, n. 1207.

[13] *Ivi*, n. 1211.

[14] ASVe, *Bailo a Costantinopoli*, b. 251, reg. 334, c. 15 (1621); M.P. PEDA-
NI, *In nome del Gran Signore...*, cit., 107-112.

Bosnia, e riguardavano genti di Scutari, Dukagin, Ocrida, Elbasan, Gianina, Delvina, Valona, Morea e Santa Maura[15]. Un interprete veneziano, Marcantonio Velutello, si recò in terra ottomana per procedere all'arruolamento[16]. Non fu la prima volta che sudditi del sultano combatterono assieme ai soldati di Venezia. Un simile episodio era avvenuto anche nel 1509, quando cento uomini al servizio del conte Giovanni Vanis di Pogliza erano stati arruolati dai veneziani con il permesso del sangiacco di Bosnia Feriz bey, che l'anno dopo sarebbe intervenuto in qualità di mediatore tra Isabella d'Este e la Serenissima che teneva prigioniero suo marito, il marchese di Mantova[17].

Sin dal primo momento si occuparono di tale questione dei frati cappuccini, che spesso seguivano come sacerdoti e confessori, le armate venete. L'intento di tali religiosi fu quello di convertire i musulmani e nello stesso tempo impedire che tornassero in patria, dove sarebbero di certo tornati all'antica fede. Proprio un cappuccino, padre Bartolomeo da Tregnago, nel 1644 allo scoppio della guerra di Candia, riuscì nell'impresa di far convertire «senza alcuna costrizione, ma con la sola forza della persuasione... impresa che reca meraviglia», trecento turchi volontari nell'esercito e, per evitare che abiurassero, riuscì a convincere le autorità a trattenerli in una ferma illimitata. Documenti di una decina di anni dopo testimoniano che alcuni combattevano con i veneziani: nel 1654, per esempio, a Angelo Calandrino già Mehmed pascià, Pietro già Halil e Marcantonio già Mehmed venne aumentato il soldo[18].

Episodi come quelli appena discussi dimostrano come in generale, nella prima metà del Seicento, l'atteggiamento delle classi go-

---

[15] ASVe, *Bailo a Costantinopoli*, b. 251, reg. 335, cc. 4-6, 12-17, 20-21, 26 (1624); reg. 337, cc. 32, 34, 52, 67-69 (1630); *I "Documenti turchi"*..., cit., n. 1364.

[16] ASVe, *Lettere consoli, Serraglio di Bosnia*, b. unica (lettere del Velutello).

[17] P. PRETO, *Venezia e i turchi*, Firenze 1975, 37-45; M.P. PEDANI, *In nome del Gran Signore*..., cit., 122-127.

[18] ASVe, *Senato Terra*, reg. 150, 29 ott. 1654; Mestre, Archivio Provinciale dei Cappuccini, b. *Terese*, pergamene; *Atti personali religiosi defunti*, b. «p. Bartolomeo Forni da Tregnago».

vernativa e mercantile della Repubblica fu estremamente aperto ad accettare quanto di positivo vi poteva essere in una pacifica convivenza con i vicini musulmani. Non ci si lasciava più di tanto suggestionare dalla propaganda anti-islamica e si facevano distinzioni precise tra turchi asiatici, considerati più rozzi e rustici, musulmani di Albania, Bosnia e Grecia, arabi, detti anche mori bianchi, africani neri, tatari e persiani, tradizionalmente nemici dei sudditi del sultano e da loro diversi anche in fatto di religione.

Nei primissimi anni del secolo, il contrasto tra la Serenissima e il papato, che culminò nell'Interdetto (1606), fece apparire agli occhi dei governanti veneziani alcuni cattolici, e soprattutto i gesuiti, come un pericolo assai maggiore di quello islamico. Paolo Sarpi affermava che i turchi erano più leali di spagnoli e papisti. Il doge Leonardo Donà (1606-1612) sottolineò la tolleranza e l'assoluta libertà di coscienza che regnava nell'impero ottomano, mentre uno dei suoi successori, Nicolò Contarini (1630-1631), vide nell'impero ottomano un prototipo di perfetta organizzazione statale[19].

Anche le relazioni ufficiali di ambasciatori e baili che, nel primo Seicento, vissero a Istanbul, a contatto diretto con la classe dirigente ottomana, sono generalmente prive di acredine nei confronti dei musulmani, pur presentando alle volte pregiudizi nei confronti di chi era così diverso per fede e costumi. Per esempio, nel 1612, il bailo Simone Contarini parla dei «falsi riti» di quella religione: l'Islam gli appare come «un misto confuso di senso e di ragion di stato», eppure interpreta la proibizione di bere vino solo come un mezzo per impedire i disordini tra i soldati e aumentarne il valore, mentre considera i frequenti lavacri non solo «un'ipocrisia» ma anche un mezzo affinché le donne divengano più prolifiche, e conclude che anche in questo i turchi dimostrano di saper unire «il senso alla ragion di stato»[20].

Poco tempo dopo, nel 1624, il dragomanno Giovanni Battista Salvago fu inviato ad Algeri e Tunisi, per riscattare alcuni prigionieri cristiani catturati dai barbareschi a Perasto e l'anno seguente, al ritorno, stese anch'egli una relazione per descrivere sia la sua missione che il modo d'agire di quei popoli. Le sue osservazioni

[19] P. PRETO, *Venezia e i turchi...*, cit., 314-325.
[20] *Relazioni di ambasciatori veneti al Senato*, a c. di L. Firpo, Torino 1984, XIII, *Costantinopoli (1590-1793)*, 510, 520-521.

appaiono puntuali e precise quando si tratta di questioni politiche. Distingue, per esempio, tra navi turche e legni di corsari barbareschi, così come facevano i capitanti delle navi veneziane che li incontravano in mare, anzi afferma che «la militia di Barberia... s'assomiglia tra Turchi a una Religion di Malta». Nota anche le differenze che esistevano tra governo di Algeri «repubblica popolare e una democratia militare» e quello di Tunisi, un «governo dispotico» ed «ereditario». Qualche tratto negativo riserva però ai turchi, discendenti del «duro scita e del feroce trace» che conservavano «l'original durezza rustica e l'insita ferità non mai deposta né dimenticata». In campo religioso ricorda solo il sortilegio chiamato *falâh* (letteralmente: successo, fortuna) che i corsari gettavano prima di partire per una spedizione e l'estremo fatalismo che li portava a non temere la morte[21].

Sia in Contarini che in Salvago la religione islamica appare interessante tanto quanto la struttura amministrativa o militare dell'Impero: per questi autori comprendere meglio le credenze degli ottomani è un mezzo per comprendere meglio l'altro, il diverso, con cui si deve trattare e far politica.

Nel 1627 il bailo Giorgio Giustiniani, nella lunga relazione che stese alla fine del suo mandato, loda invece le capacità militari e amministrative del profeta Maometto «grand'architetto per fabricar una monarchia». Il fatto che fosse permesso alle donne ottomane di seguire l'esercito gli appare un elemento positivo, contrapposto ai disordini che la loro presenza causava negli eserciti europei. Giustiniani paragona anche il digiuno del ramadan alla Quaresima, affermando che termina anch'esso «con bagordi et tripudii». In generale i turchi gli appaiono «molto religiosi e pii» e termina dicendo che «hanno sempre il nome di Dio in bocca»[22]. Nel 1634 il bailo Giovanni Cappello nota invece che il capo religioso dell'Impero, lo *şeyhülislam*, si occupa non solo di fede ma anche di stato e giustizia. Sottolinea che i turchi credono in Cristo profeta, ma non nel Salvatore, e che affermano «che Maometto è

[21] G.B. Salvago, «*Africa ovvero Barbarìa*». *Relazione al doge di Venezia sulle Reggenze di Algeri e Tunisi (1625)*, a c. di A. Sacerdoti, Padova 1937, 37, 53, 64-65, 69, 71.

[22] *Relazioni di ambasciatori veneti al Senato*, a c. di M.P. Pedani-Fabris, Padova 1996, XIV, *Costantinopoli. Relazioni inedite (1512-1789)*, 541-543.

lo Spirito di Dio», con evidente riferimento alla lettura islamica della parola *paraclito* che porta i musulmani a identificare i passi che parlano dello Spirito Santo come riferiti al Profeta[23].

I politici veneziani del primo Seicento, che scrissero relazioni sul mondo ottomano, appaiono dunque abbastanza obiettivi e privi di acredine nei confronti dei musulmani, dimostrando una ben maggiore prevenzione nei riguardi, per esempio, delle donne. Ottaviano Bon, autore di una famosa *Descrizione del Serraglio* (1609), parla delle fanciulle che vi vivevano come di «giovani morbide, ben nutride e senza dubbio inclinate al peggio»[24]. Lo stesso Giustiniani (1627), così rispettoso nei riguardi di Maometto, afferma a proposito dei tentativi della sultana *valide* Kösem di porre rimedio alla difficile situazione politica del 1622-1623, quando a un sultano ucciso dalle milizie fecero seguito prima un pazzo e poi un bambino: «l'imbecillità del sesso di donna, benché savia, non suppliva a tanto bisogno». Eppure egli nota che a Istanbul «ciascuno havea l'occhio alla madre», come ben doveva accadere in quanto per la legislazione ottomana le donne imperiali erano le custodi della dinastia ed era loro preciso dovere intervenire nella gestione del potere quando chi sedeva sul trono non poteva farlo[25].

I lunghi anni di guerra della seconda metà del Seicento e l'interrompersi dei contatti portarono a un drastico cambiamento nella percezione che a Venezia anche i governanti avevano del mondo islamico. Subito dopo lo scoppio delle ostilità il clero intervenne per mobilitare la popolazione, con l'avallo delle autorità che vedevano in ciò la possibilità di un sostegno dai sudditi e un aiuto dagli stati cattolici. Nello stato veneto, uno degli ordini maggiormente interessati alla guerra con gli ottomani fu quello dei cappuccini, che pure erano stati espulsi in massa assieme ai gesuiti nel 1606, durante i giorni bui dell'Interdetto, perché non si erano voluti piegare ai decreti del Senato ed erano rimasti fedeli alle direttive della Curia Romana. I cappuccini si offrirono subito per assistere le truppe. Per loro si trattava di una crociata e morirvi equivaleva al martirio. Si rifacevano a una tradizione di confratelli che

---

[23] *Relazioni di ambasciatori veneti…*, cit., XIII, 696.
[24] *Ivi*, 424.
[25] *Relazioni di ambasciatori veneti…*, cit., XIV, 561.

avevano partecipato alla battaglia di Lepanto e alle campagne d'Ungheria (1575-95) non solo tra le truppe veneziane ma soprattutto tra quelle imperiali. Nel 1654 padre Giambattista da Crema arrivò a proporre l'arruolamento di una compagnia di religiosi che andasse a combattere i turchi con le armi in pugno. Venezia e il papa si dissero favorevoli all'iniziativa ma la Spagna avanzò riserve per paura di ritorsioni contro i francescani che operavano in Terrasanta, e che erano sotto la protezione francese per cui, alla fine, non se ne fece nulla[26].

L'attività dei cappuccini durante la guerra di Candia non fu esclusivamente di supporto morale, ma si allargò anche a campi di solito lontani dagli interessi dei religiosi. Nel 1646 padre Giacomo da Cadore progettò e propose agli ingegneri militari la costruzione di una specie di sottomarino per attaccare le navi del nemico dalle profondità marine. Il papa e Venezia rifiutarono l'offerta, ritenendola irrealizzabile, ma il cappuccino trovò ascolto presso un ricco nobile veneziano, Angelo Barbarigo, che finanziò la nuova imbarcazione, chiamata «Gaiandra» o «Nuova arca navale dell'Immacolata Concezione di Maria Vergine». Uno dei primi sommergibili della storia salpò dunque in Adriatico, attaccò e catturò due navi turche, arrivò fino a Cefalonia, ma fu costretto a fermarsi qui. Forse per risparmiare era stato costruito con legno non stagionato che cominciò presto a fessurarsi e i quattro cappuccini che erano a bordo furono costretti, assieme all'armatore, a un mesto ritorno in patria. Il progetto venne ripresentato nel 1669, alla fine della guerra, dal fratello di padre Giacomo, ma anche questa volta non ebbe fortuna[27].

Nel 1669 la definitiva perdita dell'isola di Candia sancì la fine della guerra tra veneziani e ottomani. Dopo un'interruzione di quasi quarant'anni i contatti ripresero ma i giudizi espressi dai diplomatici veneziani appaiono ora acri e sferzanti. Il bailo Giacomo Querini, che scrive nel 1676, parla di «contaminata religione e depravati costumi i quali unitamente compongono un governo mostruoso, tirannico». Il fatto che il sultano non beva vino non è visto in modo positivo, al contrario egli appare «come li astemi per

[26] P. ARTURO DA CARMIGNANO DI BRENTA, *L'opera dei cappuccini durante la guerra di Candia (1645-1669)*, "Ateneo Veneto", n.s., 8/1-2 (gen.-dic. 1970), 3-32.

[27] *Ibidem.*

ordinario famelico, perché quando il corpo non resta da elisiri o dal vino rinvigorito, pare che ricerchi maggior copia di cibo per sostenersi ed alimentarsi». L'harem imperiale, che pure all'inizio del secolo era stato correttamente considerato da Ottaviano Bon come un monastero («in questi appartamenti di donne si vive come si fa nelli monasteri di monache grandi»), appare ora abitato da una «turba di donne infernali» le quali, «per la turbazione dell'animo e per le dissolutezze e lascivie del corpo, sono in demoni incarnate e trasformate». Lo stesso Topkapı è per Querini un «Serraglio incantato che è un laberinto d'orrori ed inganni, un fascino mostruoso, nel quale si perde la memoria e l'ingegno»[28].

Pochi anni dopo, nel 1680, un altro bailo, Giovanni Morosini, osserva che «non sono quei barbari oggi nell'obbedienza e ferocia dei tempi passati. Che il lusso, le donne e l'uso del vino li vanno giornalmente snervando»[29]. Se Giorgio Giustiniani, che scrive nel 1627, considera solo pii i turchi che facevano le loro orazioni, nel 1682 il bailo Pietro Civran legge i medesimi gesti in modo completamente diverso: «le ridicole superstizioni dell'Alcorano sono con tale e così accolta coltura venerate che in cinque volte tengono per 4 ore del giorno divertiti quei popoli in orazione, lontani da altre unioni o conventicole del governo, con somma cura aborrite e proibite»: per lui, cioè, la religione musulmana sarebbe solo un mezzo per tenere lontano il popolo dalla politica[30]. Si sottrae a questo indirizzo generale la relazione di Giovanni Battista Donà (1682) l'unico nobile veneziano che, una volta nominato bailo, si preoccupò prima di partire per la sua missione, di apprendere almeno i rudimenti della lingua del paese dove doveva recarsi. Nella relazione che scrisse una volta tornato in patria egli nota che «al presente li turchi non sono né così feroci e potenti, né così inesperti ed inabili al maneggio, come universalmente venivano creduti»[31]. Donà non solo si avvicinò senza preconcetti al mondo musulmano, ma cercò anche di organizzare una nuova scuola di interpreti in modo che la Serenissima potes-

---

[28] *Relazioni di ambasciatori veneti...*, cit., XIII, 914, 919, 922, 925.
[29] *Ivi*, 1029.
[30] *Ivi*, 1050.
[31] *Ivi*, 1081.

se avere un gruppo di funzionari fedeli e, nello stesso tempo, a conoscenza di una lingua e di una civiltà così diversa da quella veneziana.

Negli stessi anni il vescovo Gregorio Barbarigo cominciò a organizzare presso il seminario patavino corsi di lingue orientali per la preparazione di futuri missionari. L'arabo venne insegnato a Padova almeno dal 1680 e nello stesso periodo cominciarono a essere utilizzate in quella tipografia le matrici di caratteri arabo, caldeo, siriaco, ebraico e altre lingue orientali donate da Cosimo III, granduca di Toscana, e già usate nell'antica stamperia medicea attiva a Roma alla fine del Cinquecento[32].

Le due scuole, quella veneziana per funzionari di stato e quella patavina per religiosi, appaiono essere quasi in competizione. Per esempio nel 1688, uscì, per i tipi dell'editore veneziano Poletti, una *Raccolta curiosissima di adagi turcheschi*, tradotti dai *giovani di lingua* che avevano accompagnato Donà a Istanbul per impararvi il turco. Contemporaneamente, la stamperia del Seminario di Barbarigo diede alle stampe due volumi curati da Timoteo Agnellini sul medesimo argomento, i *Proverbi utili e virtuosi in lingua araba, persiana e turca, gran parte in versi con la loro ispiegatione in lingua latina et italiana* e gli *Adagii turcheschi con la paraphrase latina et italiana*.

Ormai però si stava combattendo una nuova guerra tra la Serenissima e l'impero ottomano: pochi anni prima, nel 1684, era scoppiata per Venezia la guerra di Morea, chiamata «la lunga guerra» nelle fonti ottomane, cui parteciparono anche l'impero asburgico, la Russia e la Polonia. Le ostilità erano cominciate nel 1683, sotto le mura di Vienna, e tra i militari, dell'una e dell'altra parte, si trovavano anche religiosi che, inneggiando a Dio o ad Allah, esortavano gli uomini al combattimento. Il cappuccino padre Marco d'Aviano, pur non conoscendo il tedesco, riusciva con il tono e i gesti a infiammare gli animi. Nel campo opposto il famoso predicatore Vani Mehmed efendi rappresentava il suo alter ego e tra i soldati a cui predicava vi era anche un altro cappuccino, un

---

[32] M.P. Pedani, *Intorno alla questione della traduzione del Corano*, in *Gregorio Barbarigo, patrizio veneto, vescovo e cardinale nella tarda Controriforma (1625-1697)*, Padova 1999, III/1, 353-365.

ingegnere, che aveva invece gettato l'abito e si era dedicato alla costruzione di macchine belliche per i turchi[33].

La guerra terminò nel 1699 con la pace di Karlowitz e subito
dopo, nel suo nuovo regno di Morea, Venezia sostenne il rigido
programma papale di riduzione all'obbedienza dei greco-ortodos-
si soprattutto per evitare che un prelato, riconosciuto dal sultano e
considerato capo di un *millet* ottomano, e come tale quasi un funzionario statale dello stesso livello gerarchico dei governatori provinciali, potesse dare l'investitura a vescovi e abati in territorio veneziano.

Proprio quando la guerra stava ormai per finire, nel 1698, per
i tipi del Seminario patavino, uscì un libro di grande importanza
per spiegare il nuovo atteggiamento che si andava profilando nei
confronti dell'Islam. Si trattava della prima traduzione in latino,
integrale, corretta e corredata di commenti, del *Corano*, a opera
del lucchese padre Ludovico Marracci della congregazione dei
Chierici regolari della Madre di Dio. L'autore, uno dei massimi conoscitori europei dell'arabo e della religione islamica della sua
epoca, premette all'opera un tomo chiamato *Prodromus ad refutationem Alcorani*. Si tratta di una radicale condanna dell'Islam, delle sue credenze e dei suoi riti. Un solo aspetto veniva lodato dal
dotto chierico: la morigeratezza delle donne musulmane che vanno per strada velate. Ben diverso gli appariva infatti il contegno
delle nobildonne appartenenti alla più alta società romana, con cui
si era vivacemente scontrato poco tempo prima, e che seguivano la
scandalosa moda francese, portata in Italia da Maria Mancini, nipote del cardinale Mazzarino, che voleva braccia e collo scoperti.
In un opuscolo, pubblicato anonimo incentrato sulla vanità fem-
minile Marracci aveva proposto per esse pene temporali perché,
egli sosteneva, quelle spirituali avrebbero fatto solo più male che
bene[34].

---

[33] M.P. PEDANI, *I due volti della storia: padre Marco d'Aviano e lo fleyk Vani Mehmed efendi*, "Metodi & ricerche", n.s., 14/1 (gen.-giu. 1995), 3-10.
[34] M.P. PEDANI, *Ludovico Marracci: la vita e l'opera*, in *Il Corano. Traduzioni, traduttori e lettori in Italia*, a c. di G. Zatti, Milano 2000, 9-30; M.P. PE-
DANI, *Ludovico Marracci e la conoscenza dell'Islam in Italia*, "Campus Maior.
Rivista di Studi Camaioresi", (2004), 6-23.

Con la fine del Seicento dunque il turco, il musulmano, non faceva più paura. I sogni degli europei non erano più popolati dal feroce Saladino, che faceva strage di cristiani, bensì da indolenti musulmani, felici poligami e padroni di esotici harem, oggetti di derisione e forse anche di una sottaciuta invidia. Il secolo seguente si aprì con la traduzione in francese delle *Mille e una notte* da parte di Antoine Galland. Non più crociata e guerra santa dunque, bensì viaggi in un mondo fiabesco popolato da rivisitazioni in chiave fantastica di personaggi antichi, come il califfo Hârûn al-Rasîd o il suo visir Ǧaʿfar, e da geni buoni pronti ad esaudire qualsiasi desiderio[35]. Sotto i portici delle Procuratie in piazza San Marco a Venezia si stavano per aprire locali addobbati alla turca dove immergersi nell'atmosfera estranea di un Oriente Vicino e degustare il caffè con la cannella di cui lo stesso Goldoni, nella commedia *La sposa persiana*, si premura di dare l'esatta ricetta.

---

[35] A. MALVEZZI, *L'Islamismo e la cultura europea*, Firenze 1956, 265-289.

FIGURE DELL'IMPERO TURCO NELLA ROMA DEL SEICENTO

Stefania Nanni

Al centro della cattolicità, ispirata alla funzione universale della Chiesa di Roma e del pontefice, la rappresentazione del «Turco» nella scena pubblica secentesca si modella secondo molteplici direttrici. La indago in questo contributo, nato da una ricerca sull'immagine del turco e dell'impero ottomano a Roma nella lunga durata dell'età moderna[1], al fine di analizzare i sentimenti collettivi e ricostruire le linee centrali di una multiforme azione di propaganda politica e culturale che si modifica nel corso del Seicento in relazione ai fronti reali e simbolici della guerra. Osservato dalla scena di feste, processioni e cerimonie romane, il processo di costruzione dell'identità cattolica rispetto all'impero ottomano e ai turchi (percepiti in un'accezione estensiva che giustappone e confonde realtà antropiche, culturali ed estetiche d'Oriente assai diverse), conosce diverse modulazioni lungo il corso del Seicento.

Anzitutto, il calendario, gli apparati, le committenze e la localizzazione delle cerimonie pubbliche sfuggono a una identificazione immediata con il tema turco (o antiturco) e si allineano piuttosto, almeno fino alla prima metà del secolo, alle logiche politiche, simboliche ed estetiche di Roma «teatro del mondo»[2]; la conqui-

---

[1] Approfondimenti sulle linee interpretative, la periodizzazione e la bibliografia del tema trattato in questo contributo, in S. NANNI, *Des cérémonies pour la «guerre juste»*, in *Les cérémonies extraordinaires du catholicisme baroque*, a c. di B. Dompnier, Centre d'Histoires, Espaces et cultures, Université Clermont Ferrand 2008 (in corso di stampa).

[2] Numerosi rinvii sulla ritualità civile e politica a Roma in *La Corte di Roma tra Cinque e Seicento. "Teatro" della politica europea*, a c. di G. Signorotto - M.A. Visceglia, Roma 1998; *Roma, la città del papa*, a c. di L. Fiorani - A. Prosperi, Storia d'Italia, Annali 16, Torino 2000; G. LABROT, *L'image de Rome. Une arme pour la contre-réforme*, Seyssel 1987.

sta turca di Candia (1669) e il precipitare della guerra combattuta sul fronte orientale europeo modificano la topografia delle cerimonie: una crescente opera di informazione e propaganda legata alla difesa dell'Impero, dell'Ungheria, della Polonia (e della cristianità tutta) dilata lo spazio urbano dalle aree usualmente dedicate a rappresentazioni festive dalla forte valenza politico-diplomatica a un territorio diffuso nella città capace di coinvolgere e aggregare un pubblico sempre più vasto e favorire, con committenze borghesi locali, sensibilità per le cronache di guerra e curiosità per i costumi turcheschi.

Favorita dal richiamo esotico degli apparati festivi, una capillare costruzione di consenso trasforma un pericolo militare così lontano sul piano geografico in un'emergenza che riguarda tutti e richiede al contempo sostegno finanziario e partecipazione emotiva. In tale direzione, e non necessariamente in linea con i ritmi della guerra combattuta, i pontefici svolgono un ruolo determinante mentre gli ordini religiosi e le confraternite governano la mobilitazione psicologica e la indirizzano entro i riti del pentimento e della preghiera per la difesa della cristianità minacciata.

D'altra parte, a tutti i livelli dell'offerta festiva – nelle cerimonie allestite dalla curia, dalle diplomazie, dall'aristocrazia o da notabili e famiglie religiose – la figurazione del pericolo turco nelle piazze romane richiama l'orizzonte teorico del dibattito morale, teologico, giuridico sulla guerra cristiana. In un'accezione che si modifica nel corso del tempo, dall'apparire dei Turchi alle frontiere d'Europa, la guerra-crociata, guerra santa, guerra giusta riguarda altri fronti oltre all'impero ottomano e ai barbareschi: i conflitti intereuropei tra nazioni e soprattutto tra confessioni religiose e la violenza sperimentata nella conquista americana[3].

Questo orizzonte multiforme della guerra e dei suoi confini morali si modifica nel corso del Seicento sul piano culturale, dottrinale, politico-diplomatico, in relazione agli itinerari concreti dello scontro militare, agli interessi nazionali delle potenze europee nel continente e oltremare, alle strategie universali della chiesa romana e all'evoluzione stessa del diritto. L'idea della guerra e

---

[3] Sulle argomentazioni di questa triplice frontiera rinvio al mio saggio *Des cérémonies pour la «guerre juste»*, cit.

la sua regolamentazione giuridica rispetto alle tre frontiere (ottomana, intercristiana, dei mondi nuovi) si ripercuote sia pure in
modo contraddittorio anche sulla figurazione dell'Altro (non necessariamente del nemico) negli apparati festivi romani: sempre
giustapposta alla figura dei trionfi della chiesa di Roma e del destino ineluttabile alla conversione universale, la rappresentazione
pubblica del pericolo esterno intreccia e confonde nel tempo lungo del secolo «eretici», «maomettani» e «selvaggi».

Tale slittamento dei contesti di riferimento improntano la complessa revisione morale, dottrinale e giuridica che nel corso del
Cinquecento mobilita teologi e giuristi attorno alla guerra cristiana. Non è questa la sede per ripercorrere i termini di tale confronto teorico che accantona la dottrina morale agostiniana che (poi
perfezionata da Graziano, Bernardo da Chiaravalle, Cino da Pi-
stoia, san Tommaso e la Scolastica) sistematizza le categorie giuri-
diche classiche-romane della guerra giusta[4]. Dalla fine degli anni
trenta del XVI secolo, Sepúlveda, Tommaso de Vio e successivamente, svanito con Carlo V il sogno di un imperatore garante della pace universale, Luis de Molina, Francisco Suarez, Alberico
Gentili e Ugo Grozio con il «De jure belli ac pacis» definiscono la
«regola» della guerra e il diritto delle genti e consegnano agli Stati il monopolio legittimo della forza[5].

---

[4] Ivi anche la bibliografia sulle teorie della guerra cristiana (intesa come
giusta se dichiarata da autorità legittima per una causa giusta e se è l'ultima
possibilità per contrastare un'ingiuria e stabilire la pace) dalle origini alle ri-
flessioni sulle crociate. Sul tema, vedi almeno: A. CALORE, *"Guerra giusta"?
Le metamorfosi di un concetto antico*, Milano 2003; G. CACCIATORE, «*Bellum
iustum, bellum sanctum*», "Iride", 3 (dicembre 2003), 425-432; A. MORISI,
La guerra nel pensiero cristiano dalle origini alle crociate, Firenze 1963; P. VIT-
TON, *I concetti giuridici nelle opere di Tertulliano*, Roma 1924; A. PADOA
SCHIOPPA, *Il diritto nella storia d'Europa*, il Medioevo, Padova 1995; A. VAN-
DERPOL, *Le droit de guerre d'àprès les théologiens et les canonistes du Moyen
Âge*, Paris 1911; ID., *La doctrine scolastique du droit de guerre*, Paris 1925; P.
BELLINI, *Il gladio bellico. Il tema della guerra nella riflessione canonista del-
l'età classica*, Torino 1989; L. BUSSI, *Il problema della guerra nella prima civi-
listica*, in *A Ennio Cortese: scritti*, a. c. di I. Birocchi *et al.*, t. 1, Roma 2001,
117-152.
[5] Per la bibliografia sulle teorie della guerra nel Cinquecento, rinviando
ancora al saggio sopra citato: A. PROSPERI, *La guerra giusta nel pensiero politico italiano della Controriforma*, in ID., *America e Apocalisse e altri saggi*, Roma-

Nel lungo arco di tempo interessato da tale dibattito, il quadro degli assetti statuali e degli equilibri intereuropei (anche nei loro risvolti coloniali) vive importanti cambiamenti; alla frontiera turca, una svolta determinante segna con Lepanto la realtà politico-militare e la percezione simbolica. Per iniziativa di Venezia, e soprattutto di papa Pio V (e ormai sostenuta da una solida teoria della guerra), una vasta operazione di propaganda costruita attorno a quella pur limitata vittoria militare incontra la domanda collettiva popolare e modella in modo nuovo e destinato a perdurare nel tempo lungo l'identità cristiana nei confronti dei Turchi. L'ingresso trionfale a Roma del comandante in capo dell'armata pontificia Marco Antonio Colonna il 4 dicembre 1571, con un seguito di cinquemila armati in livree dai colori sgargianti e centosettanta prigionieri turchi, gioca un ruolo straordinario sul piano emotivo e informa nella lunga durata i modelli simbolici, retorici, iconografici della rappresentazione del Turco nelle cerimonie pubbliche romane[6]. Con i suoi richiami a rituali politici e civili di diverso se-

Pisa 1999, 249-269; A. PROSPERI, *Il "Miles christianus" nella cultura italiana fra '400 e '500*, "Critica storica", 26/4 (1989), 685-704; ID., *I cristiani e la guerra. Una controversia fra '500 e '700*, "Rivista di Storia e Letteratura Religiosa", 30/1 (1994), 57-83; ID., *"Guerra giusta" e cristianità divisa tra Cinquecento e Seicento*, in *Chiesa e guerra. Dalla benedizione delle armi alla "Pacem in terris"*, a c. di M. Franzinelli - R. Bottoni, 29-90 (e note); J. FLORI, *La guerra santa. La formazione dell'idea di crociata nell'occidente cristiano*, Bologna 2003; P. PARTNER, *Il Dio degli eserciti. Islam e Cristianesimo: le guerre sante*, Torino 1997 (2002); M.T. FUMAGALLI BEONIO BROCCHIERI, *Cristiani in armi. Da sant'Agostino a papa Wojtyla*, Roma-Bari 2006; J.A BRUNDAGE, *The Crusades, Holy War and Canon Law*, Aldershot 1991; M. JACOV, *L'Europa tra conquiste ottomane e Leghe sante*, Città del Vaticano 2001. Su Gaetano e il dibattito successivo: C. FORTI, *La "guerra giusta" nel Nuovo Mondo: ricezione italiana del dibattito spagnolo*, in *Il Nuovo Mondo nella coscienza italiana e tedesca del Cinquecento*, a c. di W. Reinhardt - A. Prosperi, Bologna 1992, 257-285; *La Seconda Scolastica nella formazione del diritto privato moderno*, a c. di P. Grossi, Milano 1973; A.A. CASSI, *Ius commune tra Vecchio e Nuovo Mondo. Mari, terre, oro nel diritto della Conquista (1492-1680)*, Milano 2004; M. FRAGA IRIBARNE, *Luis de Molina y el derecho de la guerra*, Madrid 1947; G. AMBROSETTI, *Il diritto naturale della riforma cattolica: una giustificazione storica del sistema di Suarez*, Milano 1951; J.M. VIEJO-XIMÉNEZ, *"Totus orbis, qui aliquo modo est una republica". Francisco de Vitoria, el Derecho de Gentes y la expansión atlántica castellana*, "Revista de Estudios Histórico-Jurídicos", 26 (2004), 359-391.

[6] Sul Trionfo e la figura di Colonna: F. PETRUCCI, *Marcantonio Colonna*, DBI, XXVII, Roma 1982, 275-278; N. BAZZANO, *Marco Antonio Colonna*,

gno, introduce una iconografia e un modello di percezione collettiva destinata a replicarsi per tutto il secolo successivo nella figurazione pubblica delle vittorie dei prìncipi cattolici sui Turchi[7].

Il corpus delle cerimonie celebrative della battaglia della Lega, che riguarda diverse aree italiane ed europee e – con la produzione letteraria, pittorica, musicale e la trasmissione orale – costruisce lo sfaccettato mito di Lepanto, a Roma si carica del protagonismo pressoché esclusivo del pontefice e si cristallizza nella figura di Pio V. Per iniziativa del papa, inediti modelli letterari e iconografici introducono una vera apologetica dell'evento e delle simbologie di Lepanto mentre, come vedremo, nuovi culti si rivelano in grado di unire i fedeli nell'implorazione collettiva contro i nemici della cristianità; una serrata offensiva culturale eternizza la vittoria della Lega e la colloca nell'orizzonte dei trionfi di Roma e del pontefice. La morte del papa, la traslazione della salma dalla Basilica Vaticana al sepolcro in Santa Maria Maggiore, l'avvìo della causa di canonizzazione sanciscono il legame tra guerra giusta e il papa simbolo eterno della cristianità minacciata e vittoriosa e affidano il governo dei sentimenti collettivi agli ordini religiosi, a giubilei straordinari, a nuovi santi e beati[8].

Tale orizzonte, che si colloca non più nell'ideologia della crociata ma in una complessa teoria della guerra giusta e che nell'età di Lepanto assume specifici contesti e centralità, non si rivela del resto del tutto inedita: richiama un indirizzo avviato nell'età di Pio II e in particolare in una grandiosa cerimonia celebrata a Roma alla vigilia dell'appello alla crociata indirizzato dal pontefice ai prìncipi cristiani contro la minaccia turca; la domenica delle Palme del 1462 la reliquia del capo di sant'Andrea apostolo, proveniente da Patrasso assediata da Maometto II, viene accolta da una folla im-

Roma 2003, 121-171. In particolare sul trionfo romano: L. VON PASTOR, *Storia dei papi*, VIII, *Pio V*, Roma 1924, 560 s.; G.B. BORINO - A. GAGLIETTI - G. NAVONE, *Il trionfo di Marcantonio Colonna*, Roma 1938.

[7] Sull'iconografia e la letteratura celebrative della battaglia di Lepanto rinvio ancora a *Des cérémonies pour la «guerre juste»...*, cit.

[8] Il decreto di beatificazione di papa Ghislieri è del 27 aprile 1672; la canonizzazione è proclamata il 22 maggio 1712. Giubilei straordinari sono indetti nel 1623 e 1654 in favore dei fedeli d'America e della conversione degli indiani e nel 1629 contro i nemici della cristianità ma non hanno effetti sulla coscienza collettiva.

mensa come il simbolo dell'unità dei cristianesimi di Oriente e di Occidente di fronte alla minaccia turca. Si tenta in questa occasione la costruzione di una cultura collettiva in grado di comprendere la realtà di un mondo agguerrito e compatto sotto il segno dell'Islam e si sperimenta una strategia di governo delle emozioni collettive finalizzata a rassicurare il popolo cristiano e diffondere, con lo spirito di crociata dei prìncipi e dei popoli, il convincimento dell'ineluttabile trionfo della cristianità unita[9].

Oscurata completamente da Pio V, la figura di papa Piccolomini appare timidamente anche se a più riprese nella scena pubblica romana nel corso del Seicento, nel rinnovo degli appelli pontifici al pentimento indispensabile all'implorazione della tutela divina e al nesso tra punizione per i peccati dei cristiani e offensiva militare ottomana segnalato in altre pagine di questo volume; il 6 gennaio 1623, la salma di Pio II, morto il 14 agosto 1464 ad Ancona dove attendeva le armate alleate per intraprendere la sua crociata, veniva traslata *a due ore di notte e nulla adibita pompa* dal Vaticano alla chiesa di sant'Andrea della Valle dove già nel 1614 era stato trasferito l'originario monumento sepolcrale realizzato da Paolo Sacconi e con esso, incisa su marmo, la memoria della grandiosa processione per l'apostolo d'Oriente.

Lungo tutto il Seicento, fino al secondo assedio turco di Vienna, la rappresentazione del primato della guerra antiturca si personalizza nella figura del pontefice che modella anche la cerimonialità romana: a ricordo «della vittoria navale ottenuta da' Christiani in tempo della felice memoria di Pio V contro il Turco», sfilano in città nell'anno santo 1650 processioni di nobili e università di mestieri con corale e musici, macchina e apparato di Carlo Rainaldi per Santa Maria alla Minerva. Ancora il 6 ottobre 1675, anno di giubileo, ricorrenza della battaglia navale e festa del Rosario, un'altra cerimonia rappresenta Simon de Montfort, condottiero della quarta crociata ed eroe della guerra agli albigesi, ricevere il bastone della lega contro gli eretici e Pio V, ormai beato, che affida lo stocco benedetto al capitano generale della Lega Giovanni d'Austria. Espressione di una sensibilità di forte segno mil-

---

[9] Su questa lettura di Pio II rinvio a *Des cérémonies pour la «guerre juste»...*, cit.

lenaristico tesa a mostrarsi convinta del trionfo totale sui «nemici della Chiesa depressi», stendardi dipinti presentano i turchi abbattuti mentre la rappresentazione della caduta di Gerico evoca Lepanto «simbolo, o più tosto vaticinio in figura di quanto avvenne nella battaglia, e vittoria navale, quasi che riportata con la condotta della Vergine nomata Foederis Arca, così per la Lega de' tre coronate Potenze, come su acque di un Diluvio, su di cui navigavano le speranze d'un Mondo»[10].

Per oltre un secolo dunque nelle cerimonie romane la figura del pontefice, simbolo dell'unità dei cristiani e del sogno della conversione universale, cristallizza in sé l'immagine della guerra contro i turchi; una guerra di difesa che, in certo modo obbligata, richiede consenso diffuso, attenta diplomazia e impegno finanziario per armare gli eserciti.

Tuttavia questa centralità simbolica assegnata al papa non è esclusiva; riguarda la sfera pubblica ma sfugge alla rappresentazione artistica e di élite, sensibile alla potenza del sultano e alla forza estetica della sua cultura. Credo che possa intendersi in tale senso la committenza di Scipione Borghese per la loggia del suo palazzo al Quirinale di tele, testate nelle fonti secentesche e poi perdute, raffiguranti le Cavalcate del papa e del Gran Turco[11]. Una grandiosa raffigurazione pacifica e sovrana del Sultano, sempre ad uso «interno» e sensibile alla fascinazione dell'esotico e all'aspirazione al sovrano universale, è dipinta in undici scene da Giovanni Ferri detto il Senese nel 1628 per ornare la galleria del palazzo Asdrubale Mattei. Alcune tele rappresentano la «Cavalcata del Gran Turco»: in un corteo di caccia, Solimano «va al passo in comitiva» su cavallo bianco con turbante ornato di piume e pietre preziose mentre un servitore gli offre il grande sparafuoco e un lungo corteo armato lo precede con dignitari a cavallo, arcieri con

---

[10] Cfr. per la festa del 1650: *Diario dell'anno del Santissimo Giubileo MDCL... raccolto da Gio. Simone Ruggieri*, Francesco Moneta, Roma 1651, 222-224; R. CAETANO, *Le memorie dell'anno santo MDLXXV... descritte in forma di giornale*, Campana, Roma 1691, 372-376.

[11] Le opere sono citate tra il 1617 e il 1621 da Giulio Mancini, *Considerazioni sulla pittura* (edite con commento di L. Salerno, Roma 1956) e da Giovanni Baglione (edito dalla Biblioteca Vaticana nel 1995 a c. di J. Hess - H. Rottgen).

capigliature e abiti esotici, cani di varie razze e seguito abbigliato alla maniera dei diversi popoli soggetti al sultano. Altre tele raffigurano «Le Esequie del Gran Turco» in tre scene distinte della morte: il turbante simbolo del potere è deposto accanto al letto, dove la salma viene preparata alla sepoltura con essenze e unguenti; una seconda tela rappresenta la pietà e il saluto al defunto avvolto in bende e circondato dai familiari; infine, su disegni di Tempesta, la bara sormontata dal turbante viene portata a spalle dai dignitari di corte preceduta da figure con turbanti tanto chiari da sembrare trasparenti, da plumbei cavalieri e popolo lacero ed emaciato[12].

Il destino infelice di questo popolo privato del suo grande sovrano si colloca, come detto, entro precisi confini elitari di ceto e di gusto[13]. La prospettiva del futuro islamico cambia di segno quando, per rappresentarsi nella scena pubblica, deve lasciare il passo all'immagine del destino infelice di un popolo privato della luce della vera fede e destinato, un giorno, alla salvezza della conversione. Tale immagine apocalittica si riproduce nel tempo lungo del secolo e ben oltre, giustapposta ad altre simbologie identificative dei turchi, come accade nelle celebrazioni del Rosario del 1675 in cui una delle macchine effimere presenta la «Visione dell'Apocalisse: Signum Magnum. E perciò intorno è l'Antica Imma-

[12] Oggi alla Galleria Nazionale di Arte Antica, la «Cavalcata ed esequie del Gran Turco» faceva parte della collezione Mattei; sui temi pittorici, cfr. *Caravaggio e la collezione Mattei*, a c. di A. Marucchi, Milano 1995. Fino agli anni Sessanta del Novecento, le tele sono attribuite ad Antonio Tempesta, autore dei disegni, che con Paul Bril aveva introdotto a Roma da Firenze la moda di decorare con grandiosi fregi i saloni di rappresentanza (cfr. F. CAPPELLETTI - L. TESTA, *Il trattenimento dei Virtuosi. Le collezioni secentesche di quadri nei Palazzi Mattei di Roma*, Roma 1994).

[13] Ancora ad uso dell'aristocrazia romana e del corpo politico europeo presente in città (e con una forte valenza pacificatoria interna), si celebra in piazza Navona nel carnevale 1634 una fastosa riedizione della medievale *Giostra del Saracino* raffigurata in una tela coeva di Sacchi e Gagliardi: in onore del principe Alessandro Carlo di Polonia (e delle nozze di Taddeo Barberini prefetto di Roma con Anna Colonna): l'enorme recinto rettangolare ospita palchi di legno per il pubblico scelto di nobili spettatori del torneo di sei squadriglie e seguito di padrini, paggi, trombettieri abbigliati con sfarzosi abiti e copricapo e della maestosa nave su ruote carica di pastori ninfe, satiri e musici che di notte viene trasportata per la città.

gine della Vergine del Rosario, coperta d'una gran corona di stelle, e Rose, vi posavano molti angeli, che la sosteneano, e sotto i piedi un'Aquila; che sotto gli artigli tenea una Mezza Luna. Su'l Campo della Macchina un San Michele in atto di fulminare con un Dardo l'Idra con sette Capi». Nell'affastellamento di iconografie appare il mito della conversione universale.

I tracciati della guerra combattuta e precise direttrici strategiche e diplomatiche caricano però di segni nuovi le occasioni e le forme della figurazione romana della resistenza antiturca e, spinti dagli eventi alla frontiera orientale europea, introducono sulla scena pubblica l'eroismo dei principi cattolici impegnati nello scontro armato, a cominciare dall'imperatore. Il calendario dei rituali pubblici si modella sulle persone dei sovrani protagonisti della resistenza antiturca, celebrati in occasione delle incoronazioni. Alcuni esempi: nel settembre 1619, e dunque in un contesto militare non drammatico, si svolgono le celebrazioni «di allegrezza con fuochi e altre feste» organizzate nella piazza di Sant'Apollinare dal Collegio germanico e ungarico per l'incoronazione di Ferdinando II: la simbologia degli apparati esalta l'impegno dell'imperatore a difesa della cristianità dall'impero ottomano[14]. L'elezione di Ferdinando III è festeggiata dalla Nazione tedesca nelle chiese di Sant'Apollinare e Santa Maria dell'Anima e dalla Nazione spagnola a San Giacomo per quindici giorni nel febbraio 1637; le due committenze gareggiano in contemporanea negli spettacoli pirotecnici e allestiscono macchine mobili apparate con grottesche, motivi classici, aquile imperiali, torri e corone trionfanti su eretici, ribelli e turchi. Una incisione anonima mostra un apparato di rovine che ricorda le arcate del Colosseo e i resti di Babele sulle quali sono incatenati prigionieri ottomani in ginocchio di fronte al condottiero in armatura con insegne imperiali rappresentante Ferdinando III[15].

Le macchine allestite da Carlo Rainaldi su committenza del protettore e ambasciatore di Germania cardinale Colonna, della

---

[14] M. FAGIOLO DELL'ARCO, *La festa barocca*, Roma 1997, 229.
[15] *Relazione delle feste fatte in Roma per l'elettione del Re dei Romani in persona di Ferdinando III...*, scritta dal noto Teodoro Ameyden ideatore degli apparati e edita da Lodovico Grignani; cfr. anche *Breve relatione delle allegrezze...*, stamperia Cavalli, Roma.

Nazione germanica e del Collegio Sant'Apollinare per l'incoronazione di Ferdinando IV tra il giugno e il settembre 1653 mostrano l'imperatore nella forma di fenice e di sole i cui raggi eclissano la mezzaluna turca[16]. Per tre giorni consecutivi, tra il 21 e 23 settembre 1658 Marco Antonio Colonna, in qualità di protettore del Sacro Romano Impero, celebra in piazza Santi Apostoli l'incoronazione di Leopoldo I. Il fastoso apparato di macchine allegoriche rappresenta cumuli di «Tamburi, Bandiere e Armi Turche» al di sopra delle quali si staglia «un'Aquila volante alla quale soprastava una statua raffigurante Sua Maestà Cesarea coronata di alloro con lo scettro alla destra»; nella figurazione dell'ultimo artificio apparivano «simulacri del novello Cesare a cavallo in atto di combattere contra Turchi e nemici della Santa Fede Cattolica... e uno smisurato Drago o Idra che si fosse che con bocche trilingui spirava veleni, al quale Animalaccio sovrastava in Aria la statua di un bel giovane che havendo nel petto la sfera del Sole essendo accerchiato dai dodici segni dello Zodiaco Apollo nell'atto di uccidere il Pitone» rappresentante il sultano. Un'incisione coeva di Pietro Santi Bartoli consente di osservare il busto marmoreo di Claudio imperatore «deificato» (reperto romano trovato qualche anno prima in uno scavo nelle proprietà Colonna e più tardi inviato in dono a Filippo IV di Spagna) apparato per la cerimonia con una grande aquila bicipite simbolo dell'imperatore d'Austria trionfante su trofei ottomani[17].

Anche le esequie, le nozze e la nascita degli eredi dei sovrani protagonisti della guerra combattuta sono celebrate nelle piazze romane per iniziativa di ambasciatori, cardinali attivi presso le corti, chiese e confraternite nazionali con grande cura nel rappresentare il principe eroe con apparati e simbologie capaci di richiamare il variegato pubblico di devoti, viaggiatori, diplomatici e osservatori della politica della Curia romana; è ricorrente, nel richiamo

---

[16] *Descrizione degli apparati e bibliografia* in M. FAGIOLO DELL'ARCO, *La festa barocca...*, cit., 361-362.

[17] F. STRAMBARI, *Il mondo festeggiante per la creazione del nuovo imperatore Leopoldo primo d'Austria*, stamperia Francesco Moneta, Roma 1658; *Relazione de' fuochi artificiati e feste fatte in Roma per la coronazione del novello Cesare Leopoldo Primo...*, scritta da Giuseppe Elmi e edita da Francesco Cavalli.

diretto tra antichi e nuovi imperatori, l'evocazione di motivi letterari e iconografici di età classica. Esempio significativo perché ri-
ferito alla nascita dell'infante di Polonia, sempre più centrale nella guerra antiturca e nei conflitti intereuropei nell'area, la festa celebrata nel marzo 1652 in piazza Navona su committenza del protettore cardinale Orsini anche a memoria della pacificazione im-
posta da re Casimiro agli invasori tartari e ai ribelli cosacchi[18]..

Le strategie politiche e diplomatiche della Curia, sensibili alle
dinamiche del posizionamento dei sovrani nello scenario internazionale, informano sensibilmente il calendario e la forma delle cerimonie, anche al di là dell'emergenza antiturca. Così, le cerimonie
per l'ingresso a Roma degli ambasciatori degli stati alla frontiera
della guerra si modellano su esigenze strategiche di ampio respiro.
L'«entrata» dell'ambasciatore inviato da Ladislao IV incoronato re
di Polonia e Svezia nel novembre 1633 ha un tono strabiliante per
partecipazione, apparati, porzioni di territorio urbano interessati
dai cortei di accoglienza. Giorgio Ossolinski, presentato alla città
come l'eroe che ha costretto la Sublime Porta a una dura pace, è
accolto con cerimonie dal carattere marcatamente esotico, con
corteo di cavalli turchi, dromedari di stravaganti fattezze, cam-
melli guidati da armeni e persiani e cavalieri abbigliati alla turchesca con piume e turbanti[19]. In una ben diversa situazione politica
e militare, tre cavalcate vedono sfilare tra il 28 e il 31 luglio 1680 il

---

[18] *Gli applausi di Roma festeggiante la Nascita del Serenissimo Prencipe di
Polonia e Svetia...*, stamperia Moneta. Per la morte della regina di Polonia Ce-
cilia Renata sorella di Ferdinando III d'Austria e moglie di Ladislao IV è in-
nalzato un sontuoso Catafalco in Santa Maria dell'Aracoeli, 11 giugno 1644.
Da notare che un'iscrizione del catafalco funebre di Innocenzo XI ricorda che
il papa "fa a sue spese arruolare i Cosacchi contro i Turchi" (dall'incisione
stampata da Giacomo de Rossi nel 1689 *Il catafalco per Innocenzo XI*).

[19] Tra le relazioni scritte della cavalcata da Primaporta, fuori città, fino alla residenza dell'ambasciatore alla Trinità de' Monti, segnalo *«Relatione della solenne entrata...»* scritta da Virginio Parisi cameriere di camera di Urbano VIII, stampata da Francesco Cavalli nel 1638: rappresentazione del corteo
in sei acqueforti incisa da Stefano della Bella («Entrata in Roma dell'Ec-
cel.mo Ambasciatore di Polonia l'anno MDCXXXIII»). Una seconda cavalcata – «forse di maggior pompa della prima per la variazione di tutti gl'habiti
e livree...» – si svolge dopo qualche giorno dal Palazzo dell'ambasciatore al
Vaticano dove Ossolinski viene ammesso al bacio dei piedi del pontefice. Cfr.
bibliografia in M. FAGIOLO DELL'ARCO, *La festa barocca*, cit., 282-285.

corteo di un altro ambasciatore di Polonia, Michele Radzwill, inviato da Giovanni III Sobieski per ottenere finanziamenti per la guerra[20].

Con le loro allusioni orientali alla moda[21], tali cerimonie si collocano in una dimensione di politica internazionale appena segnata dall'emergenza bellica antiturca; costituiscono il corrispettivo di altre celebrazioni, allestite a scopi di politica interna o, ancora, per strategie internazionali non necessariamente condivise da tutta la Corte di Roma. Mi riferisco ai commoventi riti, apparati effimeri e monumenti artistici che celebrano i martiri aristocratici della guerra turca: i funerali di Muzio Mattei «morto in Candia in fattione contro alcune Galere Turchesche» sono celebrati l'8 giugno 1668 personalmente dal pontefice Clemente IX (che aveva finanziato la guerra veneziana) «con iscrizioni molto onorevoli e con l'assistenza di quasi tutta la prelatura invitata d'ordine della Santità Sua. Santa Maria in Aracoeli è apparata su disegno del Bernini e presenta un catafalco piramidale tanto alto da sfiorare il soffitto della navata decorato con trofei guerreschi e centinaia di candelieri[22]. Bernini allestisce anche il catafalco per Francesco di Borbone-Vendôme duca di Beaufort deceduto nella difesa di Candia con le armate veneziane e rappresentato con scudo crociato e spada sguainata come *miles christianus* nuovo Ercole che scala la montagna dell'onore, una piramide posta su uno scoglio coperto di trofei conquistati ai turchi[23].

Come le fastose «entrate», anche queste cerimonie (in cui l'enfasi del racconto di guerra sembra ispirata alle necessità di un omaggio dovuto più che a ragioni di propaganda) si misurano con

---

[20] La stamperia Michele Ercole pubblica la *Copia di Lettera…* nella quale si legge la *Relazione distinta dell'ingresso, cavalcate e Cerimonie…*, scritta da Giovanni Giacomo Komarek; diverse incisioni a ricordo e la grande tela di Niccolò Codazzi ora al Museum Narodove di Varsavia.

[21] Sulle cerimonie romane con apparati di gusto orientale (cinese, siamese, giapponese) o allestite per accogliere ambasciatori e dignitari d'Oriente (dalla Persia al Giappone), rinvio a *Des cérémonies pour la «guerre juste»…*, cit.

[22] Catafalco di Muzio Mattei con iscrizioni, incisione anonima.

[23] Incisione Domenico de Rossi nel Gabinetto Nazionale delle Stampe di Roma. Ancora Bernini architetta gli apparati dei funerali di François Guiron de Ville anch'egli morto nella difesa di Candia in S. Maria in Aracoeli il 28 settembre 1669 (cfr. M. FAGIOLO DELL'ARCO, *La festa barocca…*, cit., 475-478).

un pubblico di potenti, locali e internazionali, definiscono precisi obiettivi e indirizzi strategici della curia romana, ma non parlano al popolo e non richiedono partecipazione e consenso. È necessario allestire ben altri apparati, localizzare altrimenti le cerimonie pubbliche, aggregare corpi sociali organizzati laici ed ecclesiastici, coinvolgere direttamente il pontefice nella chiamata alla mobilitazione quando la pressione militare turca si fa minacciosa ai confini della cristianità.

Il secondo assedio di Vienna costituisce una inedita sperimentazione di linguaggi politici e di propaganda indirizzati alla società romana tutta e, da Roma, alla cristianità intera. La politica di Innocenzo XI del resto, impegnato convintamente in direzione di una pacificazione tra sovrani europei e, in un contesto militare segnato dall'offensiva ottomana, di un'alleanza cattolica per la guerra[24], si ripercuote sulla scena romana con una serie di cerimonie di particolare impatto emotivo finalizzate a recuperare un ruolo militare attivo della Francia e ad enfatizzare la posizione internazionale di potenze come Russia, Persia ed Etiopia (dove era ripresa una resistenza copta antiislamica) che, piuttosto emarginate dallo scenario internazionale ma sempre a rischio di pressione territoriale ottomana, erano potenzialmente acquisibili a un'alleanza commerciale e politico-militare[25]. L'urgenza primaria di alleanze militari in dife-

---

[24] Tale impegno del papa è chiaro nelle iscrizioni del catafalco eretto per i suoi funerali nella Basilica Vaticana «quando fa a sue spese arruolare i cosacchi contro i Turchi... quando stimolò il Re di Polonia a soccorrer Vienna... con la spedizione... à liberar Peloponneso». (Distinto Ragguaglio..., Buagni, Roma 1689; immagini riprodotte in M. FAGIOLO DELL'ARCO, La festa barocca, cit., 550); da ricordare anche l'esplicito richiamo di papa Odescalchi a Pio V la cui epigrafe dedicata alla vittoria di Lepanto fa incidere su medaglie inviate a sovrani europei (cfr. G. MORONI, Dizionario di erudizione storico-ecclesiastica da S. Pietro sino ai nostri giorni, LIII, Venezia 1851, 349). Su Innocenzo XI che segna a mio avviso una terza fase della cerimonialità a tema turco (dopo l'età di Pio II e l'età di Lepanto), rinvio al citato Des cérémonies pour la «guerre juste».

[25] Notizie di ambascerie figurate al «Prete Gianni» con evidente confusione tra mito, conoscenze geo-antropiche e strategie politiche nell'APF, Miscellanee Varie, IV, Carte relative alla guerra contro i Turchi 1677-79. Sulle relazioni con la Francia: S. ANDRETTA, L'arte della prudenza. Teorie e prassi della diplomazia nell'Italia del XVI e XVII secolo, Roma 2006. Ricordo per la particolare grandiosità la festa per l'estirpazione del calvinismo con apparato

sa dei confini orientali del resto produce scenari inediti che emarginano la visibilità dell'eccellenza del pontefice a vantaggio, effimero, di altri eroismi antiereticali e antiottomani, come segnala la legenda di un'incisione di Francesco Bufalini raffigurante l'Arco trionfale allestito il 21 settembre 1688 per l'espugnazione di Belgrado in onore di Massimiliano Emanuele elettore di Baviera: «non senza divino mistero è succeduto di doversi unire nello stesso disegno all'imprese dell'Elettorato Bavarico cioè al mondo, la Croce di Colonia, presagio che dall'heroico valore et innata pietà dell'invittissimo Massimiliano Emanuele debba esser piantata la Croce e propagata la Cristiana fede nel mondo tutto»[26].

Questa rappresentazione dal forte segno tattico rinvia a uno scenario poco significativo dal punto di vista della coscienza collettiva perché sulla scena romana il cuore della mobilitazione promossa da Innocenzo XI (e affidata a famiglie religiose e a confraternite, come nell'età di Pio V) risiede nelle enormi processioni di popolo che il 18 agosto 1683 sfilano per la città «per implorare il Divino aiuto contro le Forze de' Turchi», nei riti di penitenza e preghiera che si svolgono quotidianamente nelle chiese e negli oratòri. La notizia della liberazione di Vienna, avvenuta il 12 settembre, è accolta con manifestazioni spontanee di giubilo e con feste di piazza (celebrate tra il 25 e il 29 settembre) di particolare sfarzo, come quella indetta dall'ambasciatore di Spagna, o di particolare portata emotiva, come le cerimonie per lo stendardo attribuito a Maometto IV inviato in dono dal re di Polonia a Innocenzo XI[27]; va notato che in onore del pontefice e degli eroi della liberazione di Vienna vengono composte operette teatrali e com-

---

di Antonio Ghilardi sulla facciata di trinità dei Monti. Altre notizie in *Des cérémonies pour la «guerre juste»...*, cit.

[26] L'incisione è conservata al Museo di Roma e non indica il luogo dell'allestimento effimero ma soltanto il committente, abate Pompeo Scarlatti «consigliere di Stato» di Massimiliano. L'elettore alleato degli Asburgo, che aveva precedentemente represso la rivolte protestanti, partecipa con Carlo di Lorena alla coalizione austriaca; da notare le note enfatiche che gli dedica Ridolfino Venuti nell'*Accurata e succinta descrizione topografica e istorica di Roma moderna*, Barbiellini, Roma 1765, 68.

[27] Pubblicate tutte nel 1693: A. DE CUPPIS, *Feste celebrate in Roma per Vienna liberata...*, stamperia Nicolò Angelo Tinassi; *Distinta Relazione delle*

posizioni poetiche di tono minore e destinate al pubblico di oratòri e confraternite[28]. Enorme partecipazione di popolo e gerarchie rende omaggio al vero eroe di Vienna Giovanni Sobieski, le
cui esequie sono celebrate il 5 dicembre 1696 nella chiesa di San
Stanislao dei Polacchi addobbata con tendaggi e grandi meda-
glioni raffiguranti le armate e gli accampamenti turchi e scene
della città assediata[29].

La liberazione di Vienna si celebra con grande enfasi ancora
nel 1704 alla presenza del papa Clemente XI per iniziativa dell'arciconfraternita sotto protezione imperiale del Nome di Maria in
San Bernardo alla Colonna. «Impallidiva pur anco Roma alla fu-
nesta ricordanza del formidabile assedio di Vienna...» recita l'avvio di un oratorio in musica composto per la cerimonia che vede
una enorme folla di fedeli raccogliersi in preghiera nella piazza
(popolare) della Scrofa e nella piazza (aristocratica) di San Lorenzo in Lucina; chiudono la cerimonia fuochi di artificio, composizioni musicali per strumenti e cori, l'oratorio in musica *Austria
triumphans* in ringraziamento alla Vergine protettrice della cristianità; composto in latino da Roberto Valia archidiacono Nazzareno
è dedicato al Nome di Maria sotto il cui titolo milita l'arciconfra-

feste..., stamperia Malatesta, Roma e Milano; G. PRATI, *Il Trionfo di Cesare
per la mirabil vittoria...*, stamperia Francesco Tizzoni; *Breve Relatione di
quello che appartiene allo Stendardo...*, stamperia Ercole; *Poema giocoso in
linguaggio romanesco* è di Giuseppe Berneri dell'Accademia degli Infecondi.
[28] Nell'Archivio Storico del Vicariato di Roma (ASVR), Segreteria, Variarum. *Raccolta di Brevi componimenti in prosa o in poesia... 1700-1718*, ff. 1-
6v: *Corona di dodici Stelle in onore di Maria. Componimenti poetici; Hungaria
in libertatem ab Austria vindicata. Melodramma in musica...* (f. 7-12). Ivi, (Varie Memorie riguardanti principalmente avvenimenti importanti... 1640-
1714, ff. 204 r e v) *Lettera di Giovanni re di Polonia a Innocenzo XI in occasione di andare a difendere la città di Vienna* (datata, sic, 16 agosto 1684); *Orazione al tomo 7 (1700-1730)*, ff. 139-146v.
[29] Diverse memorie a stampa della cerimonia funebre del vero eroe di
Vienna, su committenza del cardinale Carlo Barberini: *Lettera familiare di un
cittadino romano... compito ragguaglio della pompa funebre... per la morte del
serenissimo Giovanni Terzo Re di Polonia...*, 1696, Stamperia Barberina di
Antonio Ercole che pubblica anche l'Orazione pronunciata dal gesuita Carlo
d'Aquino; *Relatione dell'apparato allestito da Sebastiano Cipriani*, stampata a
Siena nel 1662 e nel 1738 a Viterbo (città in cui l'artista Cipriani muore, appunto nel 1738).

ternita eretta dal pontefice in memoria della liberazione di Vienna e reca sul frontrespizio l'immagine mariana incoronata in piedi sulla mezzaluna turca rovesciata[30]. La memoria della vittoria del 1683 continua a celebrarsi per decenni anche in piccole piazze romane con oratòri in musica, fuochi di artificio e un uso sapiente della notte che è metafora della guerra tra luce e oscurità, bene e male, naturale e mostruoso.

Tali accorgimenti di forte efficacia simbolica ed emotiva ricorrono nel tempo lungo e, già presenti sulla scena festiva alla fine del Cinquecento, si inquadrano nella cerimonialità di Roma teatro del mondo; nell'ultimo Seicento però tali elementi scenici ed estetici abbandonano il loro pubblico e i luoghi della sociabilità di élite, quella specifica frontiera culturale e sociale su cui erano originariamente misurati; modificando tecniche e pretese, dilagano nell'intero corpo sociale.

Il modello sperimentato per Vienna si replica nei decenni successivi, per le vittorie cattoliche di Buda, il 2 settembre 1686, e di Belgrado, il 6 settembre 1688, che vengono celebrate dappertutto a Roma, anche nelle piccole piazze per iniziativa di confraternite e persino di singoli imprenditori; gli apparati delle rappresentazioni usano colpi di archibugio e di cannone e spesso una scenografia notturna di potente realismo. Il noto stampatore Giovan Giacomo de Rossi allestisce la «Macchina di Giuochi di fuoco» di Piazza della Pace a ricordo della presa di Buda da parte delle armate imperiali; Ciro Ferri, allievo di Pietro da Cortona vi rappresenta il personaggio mitologico di Tizio in abito turchesco abbattuto sopra una bara tra trofei militari che a sua volta si staglia su una piattaforma coperta di spoglie di scudi, turbanti e insegne ottomane; l'aquila dell'imperatore, incoronata da un putto, gli dilania il cuore[31].

---

[30] Il titolo completo è *Austria triumphans. Carmen. Poetica inscriptio Ungriae a Turcarum Tyramnide Caesaris armis vindicatae... in memoriam liberationis Viennae* ed è stampato da Luca Antonio Chracas per la Rev. Camera Apostolica e porta la data 1692; conservato in Archivio Storico del Vicariato di Roma (ASVR), Segreteria, Variarum. *Raccolta di Brevi componimenti...*, cit., ff. 1-6v.

[31] La descrizione è tratta da un'incisione di Nicolas Dorigny rappresentante la macchina di Ciro Ferri. L'apparato per la vittoria di Belgrado è desu-

Un doppio cambio di scala dunque caratterizza le dinamiche festive a tema turco: un'attenzione delle élites per un consenso diffuso alla mobilitazione emotiva che modifica gli spazi e le forme dell'offerta scenica; d'altra parte, una presa in carico del tema antiturco da parte non solo di ordini religiosi e di confraternite, ma, come si vedrà avanti, di ceti produttivi culturalmente sensibili e interessati a partecipare a un disegno culturale identitario e ad acquisire, attraverso gli allestimenti di feste di second'ordine, visibilità e ruolo sociale nel microcosmo di riferimento, a livello di rione, di piazza, di caseggiato.

Tale cambio di scala produce una rete di partecipanti al lavoro e al gioco degli allestimenti, una sociabilità fattiva nei piccoli spazi della città che talvolta diventano teatro di incidenti come incendi di macchine, nuvole di fumo, crolli di allestimenti in cartapesta; e ha bisogno di tecnici adeguati, reperiti spesso in provincia dove il costo delle prestazioni è minore o formati nelle botteghe dei grandi architetti delle feste di élite (dove hanno imparato i segreti degli allestimenti), in grado di imitare con materiali ed effetti speciali meno costosi gli apparati delle grandi feste. Ma l'aspetto più importante è il cambio di scala sociale: le cerimonie non sono organizzate soltanto dalle gerarchie ecclesiastiche e nobiliari ma anche, a macchia d'olio nella città, per iniziativa di corporazioni e confraternite. Così si prepara la festa del Rosario nelle due piccole piazze trasteverine di San Francesco a Ripa e Santa Galla: si mette in scena una fortezza turca con baluardi e torre e marinai in abito «turchesco, alcuni tinti nel viso che rassembravano mori, armati tutti di scimitarra e carabina... e un bergantino vero cavato fuori dall'acqua e posto su quattro ruote, col suo arbore e vela... e sopra quello quindici marinari armati di spade larghe alla schiavona e di moschettoni»[32].

mibile dal «Prospetto dell'arco trionfale eretto in onore di... Massimiliano Emanuele di Baviera... quando per l'espugnazione di Belgrado... présentò alla Santità di N.S. stendardi degli inimici...», incisione di F. Bufalini.

[32] *Diario di Roma di Francesco Valesio*, a c. di De G. Scano - G. Graglia, Milano 1977, III, 469-470. La figura del «Castello dei Mori» era presente sulla scena romana fin dal gennaio 1498 nel *Trionfo per la presa di Granada in piazza Navona* e nello spettacolo teatrale di Carlo Verardi rappresentato lo stesso anno nel cortile del palazzo della Cancelleria.

La scena sopra descritta si svolge nel corso delle feste del Rosario e ci obbliga, ancora, a tornare all'età di Pio V e di Lepanto, alle devozioni intese come catalizzatori dei sentimenti popolari. Il culto del Rosario vi gioca un ruolo centrale, rilanciato per iniziativa di Pio V (e dei domenicani) dopo Lepanto in memoria del giorno della battaglia, combattuta la prima domenica di ottobre quando a Roma si svolge la processione pubblica della confraternita del Rosario; non è questa la sede per ricostruire l'iter dell'identificazione della vittoria della Lega cattolica con la Vergine che dal cielo ne protegge la flotta eternizzata da una capillare iconografia e annessa a una ripresa generale delle devozioni mariane dopo Lepanto che racconta Giovanni Ricci in questo volume a proposito della devozione lauretana.

Quel che è a mio avviso evidente dall'indagine sulla cerimonialità romana è uno slittamento da Cristo a Maria della protezione divina sulla cristianità minacciata dai Turchi; perché fino a Lepanto è il Crocifisso a proteggere la battaglia cristiana: così nei vessilli crociati, nella iconografia degli eroi religiosi e civili della guerra giusta, nei vessilli della flotta inalberanti immagini del Cristo crocifisso tra i simboli delle nazioni cattoliche della Lega[33].

Il transfert verso i culti mariani delle devozioni protettrici della cattolicità si consolida alla morte di Pio V e all'avvio del processo di canonizzazione[34]; nel corso del Seicento, la devozione del Rosario, domenicana, che meglio si presta a rappresentare la personalizzazione della guerra antiturca nella figura del papa perde il suo monopolio quasi esclusivo sui culti mariani di protezione della cristianità. L'iconografia dell'Immacolata Concezione si carica di segni che evocano i turchi: la luna non è più solamente la luna delle Sacre Scritture né la luna nuova osservata dalla scienza astronomica; nel permanere della giustapposizione di questi simboli,

---

[33] Rinviando al citato Des cérémonies pour la «guerre juste», segnalo la descrizione delle insegne della Lega di Lepanto fornita da L. VON PASTOR, Storia dei Papi..., cit., VIII, 565 s.

[34] Le uniche citazioni riguardanti croce e crocifisso benedicenti la guerra antiturca dopo Pio V riguardano, sotto Clemente VIII, la benedizione solenne in Santa Maria Maggiore di stendardi rossi con crocifisso e, sotto Innocenzo XI nel 1684 e 1686, il conio di medaglie con effigie della croce raggiante tra i quattro venti su un monte con corona di spine.

anche rispetto alla posizione diritta-rovesciata, la luna rappresenta la mezzaluna turca soggiogata dalla Vergine (talvolta rappresentata vittoriosa sull'Islam come su Satana e sull'eresia). È il caso dell'Immacolata che trionfa su Pelagio e Maometto II dipinta nella chiesa romana di san Giacomo degli Spagnoli o nella Cattedrale di Napoli. Un percorso complesso caratterizza le dinamiche del culto dell'Immacolata, specie per le forti pressioni della corona e di parte della chiesa spagnola (a Siviglia ad esempio, con le grandi processioni del 1615-19) in direzione dell'approvazione del culto. La lunga battaglia per questo culto, la cui festa è approvata da Clemente IX nel 1708, non consente a questa specifica figura mariana di essere presente in modo visibile nella scena romana a tema antiturco[35].

Complesso ancora una volta per sovrapposizione di segni e slittamento simbolico, è l'iter di un altro culto mariano secentesco, nato con un forte segno antiprotestante e poi trasferito alla protezione dalla minaccia turca. Mi riferisco alla già citata devozione del Nome di Maria e a un rituale grandioso di forte impatto emotivo con cui Roma – chiesa e popolo – accoglie l'immagine mariana «che sta venerando il Bambino sul Presepe» trovata dal carmelitano Domenico di Gesù e salvata dalla furia della guerra durante la rivolta boema. Per celebrare la battaglia della Montagna Bianca e con essa il trionfo di Roma e dell'Impero sull'eresia si intitola a Santa Maria della Vittoria la chiesa eretta nel 1605 da Paolo V in onore di san Paolo apostolo. Una processione solenne – organizzata dall'ambasciatore imperiale principe Savelli nel giorno di san Michele Arcangelo, 8 maggio 1622 – accompagna il trasporto della sacra immagine dalla chiesa di San Paolo al cospetto del papa in Monte Cavallo. Negli anni successivi, la chiesa si arricchisce di do-

[35] A. ZUCCARI, *L'Immacolata a Roma dal Quattrocento al Settecento. Istanze immacoliste e cautela pontificia in un complesso percorso iconografico*, in *Una donna vestita di sole. L'Immacolata Concezione nelle opere dei grandi maestri*, a c. di V. Morello - V. Francia - R. Fusco, Città del Vaticano 2005, 65-77; M. MORETTI, *La "Concezione" di Maria in Spagna: profili storici e iconografici*, in *Una donna vestita di sole...*, cit., 79-89; *A Maria no tocó el pecado primero. La Immaculada en Granada*, a c. di F.J. Martínez Medina - J.M. Martín Robles - M. Serrano Ruiz, Cordoba 2000; *Immaculada, 150 años de la Proclamacion del Dogma*, Cordoba 2004.

ni inviati dagli Asburgo, «gioie di gran valore, ornamenti preziosi... per grazie e vittorie ottenute, specialmente contro gli Eretici, e Turchi, la memoria delle quali si ravvisa in molte Bandiere intorno al cornicione della chiesa». La devozione del Nome di Maria assumerà anche un segno antiislamico: un transfert di segno dall'uno all'altro fronte della guerra giusta (di difesa) che, evidente nelle citate celebrazioni per la liberazione di Vienna, si rafforza con una solennità di antica e centrale memoria, celebrata la seconda domenica di novembre, per commemorare «la celebre vittoria ottenuta da' Christiani contro de' Turchi et infedeli nelle Isole Curzolari nel mare Ionio allì 7 ottobre del 1571 in tempo di san Pio V»[36].

Le devozioni mariane svolgono dunque un ruolo primario nel cementare il sentimento religioso dei fedeli e il bisogno collettivo di tutela rispetto alla minaccia ottomana (e barbaresca) la cui eco è forte a Roma per tutta l'età moderna. Quanto alle devozioni di Cristo e della Croce che aveva caratterizzato le implorazioni all'apparire dei Turchi, a partire dalla fine del Seicento assumono altre valenze, legate soprattutto alla conversione del cuore in un processo di individualizzazione del sentimento religioso. Ancora diffusa è invece nel Seicento è la devozione a san Michele Arcangelo, anche se ha una valenza oscillante e di volta in volta indirizzata alla battaglia contro i turchi, ma anche contro l'eresia, il peccato e Satana.

Altre devozioni dal forte richiamo alle questioni di una guerra giusta, non solo antiturca, compaiono sulla scena romana e riguardano nuovi santi e beati, soprattutto missionari, spesso martiri per la fede, simboli del tempo metastorico della conversione e di un martirio universalmente inteso, in terra di «eretici» e di «turchi». Così le canonizzazioni riguardano spesso martiri delle guerre di religione intereuropee come nel caso dei nove religiosi e secolari martiri dei calvinisti olandesi il cui lungo processo si conclude nel 1729 o del francescano Giacomo della Marca, predicatore in Po-

---

[36] Sulla cerimonia: R. VENUTI, *Accurata e succinta descrizione...*, 68 s. (da cui sono tratte le citazioni); vedi anche M. FAGIOLO DELL'ARCO, *La festa barocca*, 247; G. MORONI, *Dizionario...*, XLVII, Venezia 1847 (*ad vocem*, sui problemi di approvazione del culto. I Veneziani chiamavano Curzolari le isole Echinadi).

Ionia e Boemia alla metà del XV secolo, beatificato da Urbano
VIII nel 1624. Sulla spinta dell'attualità della guerra turca e dei
suoi itinerari sono recuperati e offerti a nuovo culto anche i santi
militari di antica canonizzazione come Stefano di Ungheria o nuovi beati come Fedele da Sigmaringen (missionario cappucino martire in Rezia nel 1622 e Stanislao Kotska, primo santo polacco, gesuita, beatificato nel 1605). Di diverso segno, ovvero unicamente
legato al martirio in terra d'Islam è il percorso canonico (che si
conclude nel 1728) per Giovanni De Prado, frate minore missionario martire a Marrakesh nel 1631 al quale sono dedicate negli
spazi francescani della città cerimonie di forte drammatizzazione
con musica e immagini del martire decapitato tra fiamme e spade
grondanti sangue. Analoga è la scena, che ad uso dei fedeli so-
vrappone storia e profezia, tempi, spazi e simbologie della crociata (rivisitata al di là del contesto storico di riferimento come guerra giusta antiturca), per l'eroe della difesa di Belgrado del 1456, il
francescano Giovanni da Capistrano[37].

La sovrapposizione di richiami al martirio o al carisma speso
da religiosi in terra ottomana o soggetta all'«eresia» che caratterizza il profilo dei religiosi candidati alla santità si evidenzia anche
nella sovrapposizione di elementi iconografici e simbolici dalla
confusa valenza presenti negli apparati romani. Alcune figure: l'a-
quila rappresentante l'imperatore (e Cristo) descritta precedentemente nelle cerimonie per le vittorie cattoliche o per incoronazioni della casa d'Austria; il Sole, usato nello stesso senso ma anche
per simboleggiare la luce della conversione nelle cerimonie per la
evangelizzazione degli indios della Nuova Spagna e Perù[38]. Sfingi
e cerberi sono utilizzati per rappresentare i ribelli boemi e i protestanti in armi; il vento simboleggia l'eresia in tutte le sue varianti; i
leopardi con le macchie del loro mantello rivelatrici dei peccati sono rappresentati nella festa del 1686 per la vittoria di Buda anche

[37] Canonizzato da Alessandro VIII nel 1690, diviene oggetto di una vasta
iconografia e letteratura dalla forte impronta pedagogica divulgativa che, precedentemente prodotta a Venezia, trova committenze e stampa a Roma; em-
blematico il grande ritratto del trionfo del martire missionario dipinto da Domenico Muratori in S. Francesco a Ripa.
[38] B. LUPARDI, *Luminosi splendori del sole nelle feste giocose d'incendiarii
artificij*, Moneta, Roma 1662.

in riferimento a passi di sant'Ambrogio sulle bestie invidiose nemiche di Dio; Idra, Serpenti o Dragoni rappresentano gli ottomani ma anche gli eretici in armi[39]. Sono numerose le figurazioni di segno mitologico come l'immagine di Prometeo incatenato sul Caucaso e Tizio («figurandosi in Tizio il Turco condannato da san Pio a continui patimenti...») legato negli inferi; con il cuore martoriato da aquile e avvoltoi, evocano spesso tutti i nemici della fede e della pace (turchi, eretici, popoli barbari soggiogati dalla religione cattolica o destinati alla conversione). Ricorrendo spesso al prontuario iconologico di Cesare Ripa (stampato nel 1603), il richiamo estetico e simbolico all'età classica greca e romana è talvolta usato per «riempire» di simboli e figurazioni apparati di feste dal flebile segno politico o di delicata trattazione nella particolare contingenza internazionale: così ad esempio, emarginato con Vestfalia il sogno egemonico della casa d'Austria e al fine di omaggiare la Francia, le cerimonie romane dedicate agli Asburgo si ispirano a simbologie più neutre tratte dalla storia greca o romana: la figura della Grecia che rappresenta la civiltà d'occidente opposta alla barbarie di Troia o dei giganti (raffigurati nelle incisioni di Giuseppe Maria Vitelli dello stendardo con i dodici colossi ottomani abbattuti dall'imperatore), oppure il ricorso a figure imperiali romane evocato nelle pagine precedenti.

Si evidenzia dunque un uso duttile dei segni iconografici; del resto, nella varietà dei rituali romani e nella loro periodizzazione lungo il Seicento, certezze millenaristiche nella conversione universale e unità dei cattolici attorno al pontefice e alle devozioni non esauriscono le modalità di rappresentazione del «Turco» nella cerimonialità pubblica. Quella figura non è riconducibile sempre, neppure nelle fasi più delicate dello scontro armato, al nemico temibile o al nuovo barbaro oggetto di burle e dileggi: nella fascinazione crescente di un Oriente che via via nel corso del secolo acquisisce identità e si riempie di segni culturali ed estetici, modelli di consolidata memoria si giustappongono a immagini sensuali e galanti.

Una doppia simbologia dalle tante polarità (l'orrore e il fascino, l'oggi e l'antico, la luce e le tenebre, il naturale e il mostruoso,

---

[39] Rinvio, ad es. a L. MANZINI, *Applausi festivi...*, Pietro Antonio Facciotti, Roma 1637.

il bene e il male) si evidenzia negli esempi figurativi presenti negli apparati festivi prima citati e che talora giustappongono immaginario storico-mitologico e leggende medievali di crociate e paladini rilanciate da Ariosto e Tasso e da una fortunata trasmissione orale[40] ma vivificato dai rituali e dall'identità iconografica degli ordini cavallereschi moderni di impronta antiturca. Così i Cavalieri dell'Ordine di Santo Stefano istituiti da Cosimo I Medici a Pisa si rappresentano a Roma nell'anno santo 1650, giorno di santo Stefano papa, in una «superbissima festa» che espone i trofei strappati ai turchi in battaglia nello spazio antistante della chiesa della Nazione fiorentina. La porta maggiore di San Giovanni dei Fiorentini è apparata con due grandi cannoni «fatti di legno e tocchi tutti di rame» mentre un altro cannone «che si rompeva nel mezzo, ove si vedeva la figura del detto santo Stefano vestito in Pontificale con un ovato» ornava la parte superiore del cornicione. Tutti i pilastri della chiesa sono ornati con trofei trasportati dalla chiesa pisana dell'ordine intitolata a santo Stefano su cui si sofferma Giovanni Ricci in questo Convegno, «d'armi, di stocchi, d'imprese, di giubbe, d'archi e freccie, di scudi, di scimitarre et il cornicione di stendardi e bandiere acquistate da' Cavalieri della suddetta Religione nelle battaglie marittime contro i turchi»[41].

Alla metà del Seicento, quando si celebra questa cerimonia dai trofei datati, l'impegno guerriero dell'ordine dei cavalieri pisano è piuttosto flebile sia per l'ambito territoriale della sua azione che per la collocazione internazionale del granducato e del mediterraneo occidentale. Del resto, anche i cavalieri di Malta, che pure partecipano a diverse operazioni militari come la guerra di Morea, sono ormai secondari nella scena dell'eroismo antiottomano; il loro rappresentarsi sulla scena festiva romana appare all'ombra di potenti patronages[42].

---

[40] Su queste linee rinvio al mio studio *Chisciotte, la Riconquista, l'età di Lepanto*, in "Dimensioni e problemi della ricerca storica", 2 (2007), 157-170.

[41] *Diario dell'anno del Santissimo Giubileo MDCL... raccolto da Gio. Simone Ruggieri*, Francesco Moneta, Roma 1651, 187. Sulla storia dell'ordine e la sua iconografia: F. ANGIOLINI, *I Cavalieri e il principe. L'Ordine di Santo Stefano e la società toscana in età moderna*, Firenze 1996; S. SODI - S. RENZONI, *La Chiesa di Santo Stefano e la piazza dei Cavalieri*, Pisa 2003.

[42] Rappresentati usualmente nell'atto di fulminare i Turchi, compaiono con armi e insegne in diverse cerimonie settecentesche (cfr. *Des cérémonies*

Una compagnia ispirata alla teoria del soldato cristiano, e impegnata nella guerra contro i turchi e contro tutti i nemici della cristianità, nasce a Roma con il titolo di Milizia Cristiana. Pressoché sconosciuta, è documentata nell'Archivio storico della congregazione de Propaganda Fide[43]. La Milizia si rivela particolarmente informata delle dotazioni militari delle isole mediterranee e degli assetti strategici ai confini dell'impero ottomano (specialmente tra Persia e area bosniaco-albanese) negli anni Settanta del Seicento e delle possibilità di inedite alleanze finalizzate a ribellioni simultanee in grado di contare anche su contatti con agenti commerciali occidentali e orientali. Consapevole della necessità primaria del finanziamento per la guerra e anche dell'arruolamento di milizie ausiliarie volontarie, la compagnia auspica che le parrocchie e le confraternite provvedano a organizzare nelle diverse diocesi campagne di propaganda per oboli in denaro ed eventualmente per coscrizioni di ausiliari della guerra al turco; per gli affiliati, detti Cavalieri, si auspica la concessione dell'indulgenza plenaria in articolo di morte invocando «almen col cuore» il nome di Gesù. L'abito e le insegne a cui, con il cerimoniale, la Milizia dedica approfondite discussioni, definendo per ogni elemento dell'abbigliamento (mantellette, berretti, calze ecc.) foggia, tipo di tessuto, fodera e bordatura, si rivelano particolarmente significativi per i loro richiami iconografici. Soltanto pochi accenni: insegne, segni sull'abito dei cavalieri e sigillo presentano la Vergine con Bambino; la veste dei Cavalieri e dei Commendari è di colore rosso scarlatto con decorazioni in bianco, oro e punte di turchino o bianco foderato di bianco con mantelletto di raso turchino; il cordone che serra il collo d'oro in seta rossa cremesina con gran fiocco e bottone; pendente a forma di spada e blasone con l'insegna del Toson d'oro e mezzaluna attraversata da spada (un richiamo

---

pour la «guerre juste»..., cit.). Interessanti le notizie sulla partecipazione dei cavalieri gerosolomitani alla guerra di Morea con indicazione del nome assegnato alle navi e alla posizione di battaglia nella flotta cattolica ("d'avanguardia andrà sempre la Padrona di Malta e altre galere della sua squadra...") in APF, *Miscellanee Varie*, IV, *Carte relative alla guerra contro i Turchi 1677-79*, ff. 211-212.

[43] APF, *Miscellanee Varie*, IV, *Carte relative alla guerra contro i Turchi 1677-79*, (Milizia Cristiana) ff. 71-173v.

diretto al segno antiturco del blasone imperiale istituito da Filippo di Borgogna ma depersonalizzato e ulteriormente enfatizzato dalla mezzaluna dilaniata[44]).

I simboli cavallereschi e guerreschi, trofei di vittoria o segni identitari di una missione culturale o militare, diventano nel secondo Seicento, anche in riferimento al diffondersi delle «notizie di guerra» e al successo dell'araldica, oggetto di trattazioni letterarie e approfondimenti iconografici. Attorno a un simbolo militare ottomano si muove a Roma una storia emblematica lunga venticinque anni[45] che ruota attorno allo Stendardo reale preso in battaglia al Gran Visir. «È questo Stendardo di color verde, con una striscia attorno di broccato d'oro rosso, e l'altezza sua è di palmi sedici, compresa la guaina; la larghezza col fregio è di palmi nove; la palla grande è di argento dorato con due bellissimi rubini nel mezo; la palla piccola che posa sopra la grande con la mezza Luna di sovra, ha due bellissime turchine; e 'l fregio di mezo... è di color rosso e largo un palmo e mezo. Nello Stendardo vi sono trentacinque stelle, e tre rose, con drento alcune lune. Accanto alla striscia di broccato d'oro rosso, che è attaccata all'altra vi sono tre stelle grandi, e ogni raggio vi è una luna; e poi nella striscia che attraversa tutto lo stendardo che è di tre teli per dieci lungo, vi sono le seguenti parole in lingua Arabica tessute d'oro, a ogni telo le stesse: non vi è Dio, che un solo Dio, Maometto apostolo di Dio, Maometto. E dall'altra parte similmente in lingua Arabica erano intagliate le seguenti parole: La vittoria è da Dio, la Vittoria manifesta, Maometto. E la Santità di Nostro Signore lo mandò a' donar alla Basilica Vaticana»[46].

---

[44] *Ivi*, ff. 220v-223r. Le informazioni strategiche mostrano interessanti convergenze con alcuni passi della Informazione sullo Stato della Religione Cattolica in tutto il mondo, data alla Santità di N.S. Innocentio XI per l'augmento della christianità et modo di ridurre facilmente gli infedeli alla Religione cattolica (in part. ff. 40r-51r) e con la Relazione compendiosa del presente governo ottomano fatta dal S. Alberto conte Caprara stato ultimamente internunzio a la corte de la Maestà dell'Imperatore Leopoldo (*ivi*, ff. 266-269).

[45] Giovanni Ricci ne racconta in questo volume il versante lauretano.

[46] *Vero disegno, e dichiarazione dello stendardo reale preso al Gran Visir nella presente Battaglia, e mandato alla Santità di Nostro Signore Innocenzo XII da Sua Maestà Cesarea*. Roma festeggiante per la Gloriosissima vittoria ottenuta a' 19 agosto 1691, Gio. Francesco Buagni, Roma 1691, 2.

Lo Stendardo era giunto a Roma l'8 settembre 1691 con Antonio Piccolomini, inviato dall'imperatore per informare Innocenzo XII della disfatta ottomana di Salankement: «l'Esercito Turchesco era stato, ancorché numerosissimo, disfatto totalmente da' Cesarei... colla perdita della soldatesca, aveano perdute tutte le tende, tutte le monizioni, sì da bocca, come da guerra, in circa centosessanta pezzi di cannone, tutto 'l bestiame, tutto 'l danaro, e qualsivoglia altra cosa, che a loro fosse spettata». Due giorni dopo, con l'intervento del Sacro Collegio al completo, alla cappella pontificia in Monte Cavallo viene intonato il *Te Deum* di ringraziamento che apre i festeggiamenti per la «total disfatta dell'Armata Ottomana»: «Castel Sant'Angiolo fece la salva reale di mortaletti, collo sparo distinto di tutto il cannone; e a' primi tiri della fortezza, le campane di tutte le Chiese di Roma principiarono a' suonare, e durarono lo spazio di mezz'ora; e lo stesso si fece la medesima sera; e la seguente». Nelle stesse sere, nelle residenze cardinalizie, aristocratiche, «de' Titolati e di moltri altri Particolari, si fecero grandissime luminare, con abbruciamenti di numerose botti. Ma fra tutti... dette segni di suo grandissimo giubilo, e della sua generosa magnificenza» l'ambasciatore imperiale: nel suo palazzo, illuminato di torce e fiaccoloni di cera bianca, si innalzava «una ben architettata fontana su cui posava una gran Conca nel mezzo della quale era sollevata un'Aquila imperiale che dalle due bocche gettava abbondantissimo vino, col 'l quale la plebe tutta poté cavarsi a suo piacere la sete. I Tamburi di Sua Santità, e del Popolo Romano, scorreano tutto quel contorno, suonando». L'apparato della sera successiva rappresentava il vincitore Ludovico di Baden «sovr'un cavallo che pareva ancorché finto, che avese moto, e sotto piedi del cavallo, eran'alcuni turchi morti; e alcuni in atto di chieder la vita»[47].

---

[47] La Nazione spagnola, che «vuole far le sue parti in questa congiuntura...» allestisce nella Piazza di Spagna un bellissimo carro Trionfale poi trasportato fino alla residenza dell'ambasciatore imperiale: trainato da cavalli, tutto adorno di lauri, è sormontato dall'Aquila asburgica; all'interno, quattro comandanti di guerra tenevano ai loro piedi alcuni Turchi schiavi incatenati e la Chiesa nazionale tedesca di Santa Maria dell'Anima espone per tre giorni il Santissimo Sacramento. La processione della compagnia del Nome di Maria «solita andare ogni anno alla Madonna della Vittoria da Santo Stefano del Cacco a render grazie in memoria della liberazione Vienna» ottiene un'enorme partecipazione di devoti.

Tale immagine di eserciti sconfitti e persone vinte ritorna nel 1716 in un'altra storia di stendardo ottomano catturato in battaglia. La racconta il *Diario ordinario di Ungheria* pubblicato dai Chracas sulla linea degli "Avvisi e Fogli volanti" per informare sulla guerra che si combatte in terra ungherese, croata, transilvana e sui costumi guerreschi dei turchi[48]. Questa volta il trofeo non è inserito in uno scenario politico-diplomatico governato dalla Curia e dai suoi grandi alleati che le feste di piazza immettono in una maestosa occasione di propaganda. È piuttosto l'oggetto di una campagna editoriale autogestita da operatori culturali che sanno di poter contare su un pubblico attento e curioso. Il *Diario* narra della cattura dello stendardo del visir detto di Maometto IV e della affezione che nutrono per lui i combattenti ottomani, che lo considerano un prezioso simbolo militare e religioso e «prendono di cattivo augurio dalla di lui caduta solamente, e stimano sicura la perdita della battaglia. Ma quando è tolto loro si figurano lunga serie di infelici avvenimenti, e però ad ogni costo procurano, che non caschi, e di non lo perdere...». Deposto ai piedi di Clemente XI ed esposto al pubblico nella Basilica Vaticana è ormai il simbolo di una emergenza superata[49].

---

[48] Su questo tipo di pubblicistica: M. INFELISE, *Gli avvisi di Roma. Informazione e politica nel secolo XVII*, in *La Corte di Roma...*, cit., 189-205. Il fascicolo n. 2, 15 agosto 1716 descrive le cerimonie devote organizzate a Vienna per implorare la protezione dell'esercito o commemorare i caduti, dà notizia di armi turche, insegne, stendardi «code di cavalli, i timpali» e la cosiddetta «statua di Maometto... del peso di libbre trenta», riferisce dei trofei ottomani catturati ed esposti nella cattedrale di Vienna, il corteo nella capitale asburgica per la vittoria di Petrovaradino. Nel n. 4, 19 agosto 1716 altre notizie sulle origini leggendarie dei cosiddetti stendardi «Tough»; nel n. 35, 27 gennaio 1717, il testo del poeta di corte Pariati «Sosostri re d'Egitto», dramma in musica. Altre notizie e curiosità militari sull'esercito ottomano nel *Diario romano dell'anno... 1696*, stamperia Nicol'Angelo Tinassi («felice proseguimento dell'Armi cristiane contro il Turco»); le «barbare processioni alla mahomettana» sono descritte nelle *Lettere ecclesiastiche di monsignor Pompeo Sarnelli*, Giuseppe Dura, Napoli 1649 (lettera n. 36).

[49] In G. MORONI, *Dizionario...*, cit., LIII, Venezia 1851, 348, con racconto della cerimonia e descrizione della medaglia commemorativa.

CONOSCERE L'ISLAM NELLA MILANO DEL SEI-SETTECENTO

Paola Vismara

La conoscenza dell'Islam a Milano nell'epoca moderna si verifica a livelli molto diversi e si realizza attraverso varie mediazioni. Letture e conversazioni potevano consentire l'acquisizione di cognizioni sufficientemente precise della religione musulmana, come dimostra alla fine del Cinquecento la deposizione di Scipione Cremona. Costui, in una comparizione spontanea dinanzi all'Inquisitore generale, confessa d'aver condiviso e diffuso idee ereticali; ma aggiunge anche di aver affermato alcuni principi della religione musulmana, sulla quale sembra possedere una discreta cognizione di base: elementi che, pur in mancanza di dati precisi, si possono ritenere acquisiti attraverso letture o conversazioni[1]. Si trattava peraltro di fenomeni limitati, anche se destinati ad accentuarsi con il tempo. Alla fine del XVII secolo, è nota l'ampia diffusione della *Istoria dell'Imperio ottomano* di Paul Rycaut, pubblicata in inglese, tradotta anche in francese e tedesco; di altri testi si dirà più avanti.

Il riscatto dei prigionieri: confraternite e cerimonie

A livello popolare influivano molto le vicende dei prigionieri e le cerimonie relative al loro riscatto, ad opera di confraternite specializzate o di ordini religiosi attivi in tal campo. Dal Quattrocento operava a Milano, presso la chiesa di S. Alessandro dei Padri Barnabiti, una Confraternita della Beata Vergine della Mercede e dei

---

[1] L. ROSTAGNO, *Mi faccio turco. Esperienze ed immagini dell'islam nell'Italia moderna*, Roma 1983, 82 s.

sette dolori, dipendente dai mercedari[2]. Mediante l'aggregazione all'Arciconfraternita romana della Mercede, godeva di un ricco tesoro indulgenziale[3]. Tra i suoi iscritti essa contava illustri personaggi («persone nobili, ecclesiastici e religiosi, et honorati cittadini di questa nostra città di Milano»), a cominciare dalle sovrane: efficace testimonianza dell'importanza attribuita all'azione di riscatto.

Nel maggio del 1675 l'Ordine della Mercede provvide a riscattare in Algeri 520 «schiavi degli infedeli»; vi erano anche sei milanesi, tra i quali due religiosi[4]. In tale occasione la confraternita milanese predispose una suggestiva cerimonia per celebrarne la liberazione. D'altra parte, a prescindere dagli eventi straordinari, la confraternita organizzava ogni terza domenica del mese una processione, cui se n'aggiungeva un'altra, molto solenne, «nella domenica più vicina alle Calende di agosto»[5].

Altra confraternita era quella «della Santissima Trinità e della Beata Vergine Maria della redenzione de' schiavi cristiani», detta più semplicemente della Trinità e riscatto, le cui regole del 1717 sono conservate[6]. Eretta nel 1664 nell'importante Collegiata di San Lorenzo Maggiore, era stata aggregata a un'Arciconfraternita romana e si atteneva inizialmente alle Regole imposte da Carlo Borromeo alle confraternite di Disciplini. Per statuto la raccolta delle elemosine era effettuata a turno dai confratelli e aveva luogo ogni domenica sul territorio della parrocchia; i confratelli inadempienti erano tenuti al pagamento di una penale. Processioni si svolgevano nella festa della Trinità e ogni prima domenica del mese.

Liberare i cristiani schiavi «presso il comune nemico» dalle insidie dei «nemici della Fede» sembra essere lo scopo essenziale di tali aggregazioni devote. L'immagine dell'Islam è quella del «luo-

---

[2] G.C. BASCAPÉ, *I mercedari a Milano (sec. XV-XVII)*, Milano 1935.

[3] Si veda il *Sommario dell'indulgenze perpetue*, a stampa, ASDM, *Visite Pastorali, S. Alessandro*, XIV, q. 22. Innumerevoli sono, tra Sei e Settecento, i sommari e i compendi che presentano le indulgenze e i privilegi concessi ai Trinitari.

[4] Manifesto a stampa 1675, *ibidem*. Il costo totale del riscatto fu di scudi 312.223. Tra i milanesi, il riscatto più elevato fu pagato per un cappuccino sacerdote.

[5] *Sommario dell'indulgenze...*, cit.

[6] ASDM, *Visite Pastorali Città, S. Lorenzo Maggiore*, XVIII.

go» ove maggiore è il pericolo, poiché alla sofferenza della carne si aggiunge la tentazione di rinnegare la propria fede. Tuttavia appare evidente che la schiavitù non è solo quella materiale, per gli schiavi come per qualsivoglia cristiano. Così le Regole della confraternita della Trinità e riscatto:

> riscattare non solo i poveri schiavi cristiani con le limosine secondo l'Istituto, ma anche se stessi spiritualmente con le loro opere virtuose e col buon esempio, anzi anche il prossimo suo da' vizii ed abiti peccaminosi; e come veri figlii di luce acquistarsi l'eredità promessa col schivare e fuggire le occasioni de' peccati, e le strade che conducono al precipizio; e finalmente impiegarsi con tutto lo spirito per la salute delle anime[7].

Vi sono, dunque, nemici pericolosi anche per chi vive tranquillo nella propria città, poiché vizi e tentazioni sono in agguato; la «schiavitù» del cristiano in patria è subdola, poiché non tocca i corpi, ma stringe le anime con le catene degli affetti distorti, con i lacci delle «sfuggevoli e terrene cose»[8].

In Milano particolare efficacia riveste la presenza dei Trinitari scalzi del convento di Monforte, noti per l'organizzazione di grandiose processioni di schiavi liberati, spettacolo di attrazione per

---

[7] *Sommario dell'indulgenze...*, cit., I, 4.

[8] *Discorso* (1764), in *Componimenti fatti in occasione della pubblica presentazione nella Chiesa metropolitana di alcuni schiavi insubri riscattati da' MM.RR.PP. Trinitari scalzi [...]*, nella Stamperia di Pietro Antonio Frigerio, Milano 1764, 11-26, [24]. Del *Discorso* esiste una copia manoscritta, in BA, Miscellanea Gaetano Bugati, S 13 inf, ff. 406r-411v. Dall'introduzione ai *Componimenti* l'autore risulta essere il barnabita Enrico Barelli. Sull'autore: G. BOFFITO, *Scrittori barnabiti o della Congregazione dei chierici regolari di San Paolo (1533-1933)*, Firenze 1933-1937, I, 86-89; IV, 346. Sul contesto nel quale la predica avrebbe dovuto avere luogo (le cerimonie furono interrotte per ragioni meteorologiche), vedi sotto. Cfr. sugli stessi temi, e molto diffusamente, la predica di P.O. Branda in *La libertà trionfante, in occasione che da M. RR. PP. Trinitari Scalzi del real Convento della B.V. de Miracoli in Monforte si fece la seconda presentazione di alcuni schiavi insubri da loro redenti [...] 10 agosto 1750*, nella Stampa di Pietro Antonio Frigerio, vicino a S. Margarita, Milano 1750, 12-28. Su Paolo Onofrio Branda, noto soprattutto per la controversia sulla lingua, almeno: G.B. SALINARI, *Branda, Paolo Onofrio*, in DBI, XIV, Roma 1972, 10-11; G. BOFFITO, *Scrittori barnabiti...*, cit., I, 326-343; IV, 346-350 e *passim*.

tutte le classi sociali: le processioni spiccavano per la loro perfetta organizzazione e per la loro coreografica (nonché costosa) orchestrazione[9]. Tali eventi anche altrove si prolungano sin nel cuore del Settecento e divengono «an established if irregular feature of religious and civic life», tanto da essere considerati tra i più caratteristici spettacoli urbani[10]. A Milano le cerimonie di riscatto di schiavi da parte dei Trinitari scalzi di Milano avevano un momento focale nelle processioni che dalla chiesa di S. Maria di Caravaggio sita nella contrada di Monforte[11] giungevano sino al Duomo, ove il rito toccava il culmine della solennità. La presenza della somma autorità ecclesiastica, l'arcivescovo[12], delle autorità civili,

---

[9] Descrizione di cerimonie in *La miraculeuse redemption des captifs faite à Salé, coste de Barbarie [...] par les religieux de l'ordre de la Tres-Saincte Trinité*, De l'Imprimerie de Julian Jacquin, Paris 1654 (con dedica al sovrano da parte dei commissari dell'ordine N. Anroux e J. Heron). *Ivi*, soprattutto la descrizione della processione a Parigi, 41 s.

[10] G.L. WEISS, *From barbary to France: processions of redemption and early modern cultural identity*, in *La liberazione dei 'captivi' tra cristianità e Islam. Oltre la crociata e il ğihād: tolleranza e servizio umanitario*, a c. di G. Cipollone, Città del Vaticano 2000, 789-806, [793]; C. LARQUIÉ, *Le rachat des chrétiens en terre d'Islam au XVIIe siècle (1660-1665)*, "Revue d'histoire diplomatique", 4 (1980), 297-351, [351]; R.C. DAVIS, *Christian Slaves, Muslim Masters. White Slavery in the Mediterranean, the Barbary Coast, and Italy, 1500-1800*, Basingstoke 2003 (cenni anche a Milano, 179 s.); cfr. per Ferrara: G. RICCI, *Ossessione turca. In una retrovia cristiana dell'Europa moderna*, Bologna 2002, 148 s. e più in generale 175 s. Oltre alle relazioni per Milano, citate sotto, si segnala l'esistenza di analoghi testi nelle varie città. Per Torino, ad es.: *La redenzione degli schiavi fatta in Algeri Tunisi e Tripoli da PP. Trinitari Scalzi di S. Michele [...] rappresentata nella processione solenne de' 25 Novembre`1770, colla orazione del P. Ignazio Porro [...]*, presso Giacomo Giuseppe Avondo, Torino 1770; per anni precedenti vi sono altri testi presso lo stesso editore e con lo stesso titolo, ma con l'orazione di altri ecclesiastici (dell'abate Pietro G. Caissotti di Chiusano, 1761; del p. Felice Tempia, 1765); per Venezia, ad es.: *Descrizione della pubblica presentazione degli schiavi veneti riscattati [...] per opera de' RR. Padri Trinitari coll'ordine della solenne processione [...]*, in Milano, nella stamperia di Pietro Antonio Frigerio, 1765.

[11] I Trinitari avevano preso possesso della chiesa – di recente fondazione – nel 1702, con l'appoggio del Governatore del Castello, Ferdinando Gonzalez de Valdes. Notizie sull'edificio e la sua storia in S. LATUADA, *Descrizione di Milano*, I, Nella Regio-Ducal Corte, a spese di Giuseppe Cairoli mercante di libri, Milano 1737, 217-220.

[12] Intonava il *Te Deum*, riceveva e benediceva i "redenti" (*La libertà trionfante, in occasione che da M. RR. PP. Trinitari Scalzi del real Convento della B.V.*

della nobiltà, conferiva agli eventi dignità e prestigio; l'afflusso del popolo completava il quadro: era un'autentica rappresentazione corale, che indicava l'accoglienza della comunità – civile e religiosa ad un tempo – agli ex schiavi. Talora essi, presentati nell'abbigliamento e nelle condizioni della prigionia, deponevano le catene e rivestivano gli abiti consueti, segno del ritorno al loro popolo e alla loro religione[13].

Componimenti poetici sono abitualmente pubblicati in occasione dell'evento; nel caso milanese tra essi figurano due sonetti di Giuseppe Parini. In uno di essi il poeta canta la Pasqua del popolo liberato dalla schiavitù e dall'esilio in Babilonia. Nell'altro, con maggior efficacia descrittiva, rappresenta le «incallite man», le «carni arse», i «piè rosi e stanchi di servil ferro», gli «ignudi fianchi» bagnati di sudore e sangue; celebra il ritorno degli ex schiavi all'amata patria, alle care leggi, ai sacri riti; invoca il nutrimento celeste per «queste cadenti vite»[14].

Le celebrazioni svolgevano una funzione consentanea agli schemi mentali che dall'epoca barocca giungono sino all'età dei Lumi. Spettacolo, interruzione del quotidiano, l'evento portava anche un messaggio di elevato significato simbolico. Le processioni ponevano sotto gli occhi di tutti il dramma della schiavitù e la grazia della redenzione. In una forma simile a quella del dramma sacro – qui gli attori sono i prigionieri stessi – si realizzava l'esplicitazione della vittoria sul male e del trionfo dell'identità cristiana, contrapposta a un mondo lontano, diverso, negativo.

Si disvela qui l'invisibile, inteso come l'altro volto del visibile[15].

de Miracoli in Monforte furono solennemente presentati alcuni schiavi [...] da loro redenti [...], nella Stampa di Pietro Antonio Frigerio, Milano 1742, 17).

[13] Proprio il valore simbolico delle cerimonie rende irrilevante il fatto che gli abiti e le catene fossero autentici o invece semplici riproduzioni, anche imprecise, di oggetti «insegne di schiavitù» (per la mentalità dell'epoca, non si trattava né di «catene e abiti falsi», né di menzogne, secondo i termini usati da G. RICCI, *Ossessione turca...,* cit., 180 s.). Il valore simbolico appare del tutto indipendente da altre considerazioni. Cfr. *Sonetto* («Io veggo io veggo la crudel catena»), in *La libertà trionfante,* cit., 1750, 35.

[14] Sonetti X e XL. Nei *Componimenti* sono contenute varie altre composizioni poetiche, tra le quali spiccano i sonetti del carmelitano Antonmaria Perotti.

[15] Il riferimento è soprattutto al pensiero di E. FRANZINI (in particolare: *I simboli e l'invisibile,* Milano 2008; cfr. anche *Il corpo invisibile,* in *Sul corpo.*

I richiami visibili sono, all'interno di un apparato altamente evocativo, gli schiavi redenti, che recano i segni della prigionia. L'invisibile è quel mondo lontano, cui rimandano non solo i personaggi e le loro catene, ma la struttura stessa dell'evento in varie sue articolazioni; di esso parlano i predicatori, i componimenti poetici lo evocano[16]. In quel mondo vi è «l'infestato mar dell'empia luna», vi sono «rapaci lupi», violenti e impietosi; vi sono i prigionieri, investiti dalla fatica e dalla sofferenza. «Se lontano sono dagli occhi della fronte i mali loro, la carità presenti li faccia a quelli dello spirito»[17].

Nella ricca stratificazione di senso che sottende l'aspetto cerimoniale, si coglie peraltro un ulteriore e diverso registro dell'invisibile, la ricostituzione del Corpo mistico: i corpi dei cristiani, recuperati alla patria ma anche alla fede, rimandano ad esso, che nella carnalità dell'esperienza cattolica trova realizzazione. Il ritorno in cristianità degli schiavi era un segno della realtà del Corpo mistico, della «mistica Gerusalemme»[18]. Sono stati rilevati elementi di analogia tra queste processioni e quelle del *Corpus Domini*; come è stato osservato, la celebrazione del *Corpus Domini* «donne à voir non seulement l'hostie mais aussi toute la société réunie dans une commune adoration»[19]. Ma qui in luogo dell'ostia vi è il prigioniero liberato, «simbolically equivalent to a sort of religious object or relic»[20]. Attraverso i sensi è possibile dunque avviarsi alla conoscenza di mondi lontani, ma anche attingere il significato di un rapporto tra gli uomini fondato sulla religione e sulla carità reciproca. Non a caso una cronaca, relativa a Torino,

---

Culture/Politiche/Estetiche, a c. di N. Vallorani - S. Bertacco, Milano 2007, 227-236).

[16] I testi venivano distribuiti «alla nobiltà e popolo» (*La libertà trionfante*, cit., 1742, 17).

[17] *Discorso*, in *Componimenti...*, cit., 1764, 24. Si dice espressamente essere questa la terza processione organizzata dai Trinitari dal momento del loro insediamento in Milano. Cfr. *La libertà trionfante*, cit., 1750: sulla carità, *passim*; sulla «abbominevole ottomana luna» e «l'empio maometano impero», 19.

[18] Ad es. *Orazione di Secondo Sinesio [...] in occasione del riscatto degli schiavi [...] 1748*, Presso Giuseppe Domenico Verani, Torino, 1, 13.

[19] O. CHALINE, *La reconquête catholique de l'Europe centrale XVIe-XVIIIe siècle*, Paris 1998, 90.

[20] G.L. WEISS, *From Barbary to France...*, cit., 797.

descrive la solenne processione organizzata dai Trinitari nel 1770 come il «trionfo della carità e della Religione»[21].

Tali occasioni servivano anche a raccogliere denaro per l'azione di riscatto, gesto di carità che veniva presentato come una sintesi delle principali opere di misericordia[22]. Doveva manifestare la solidarietà del popolo cristiano che ritrovava in quell'occasione la sua unità, resa possibile proprio dalla capacità del dono e dell'offerta: tanto più importante in quanto mirava non solo a riscattare i corpi e ridare loro dignità, ma anche a salvaguardare le anime dall'incombente pericolo di rinnegare l'autentica fede[23]. Attraverso la presentazione delle «ricuperate pecorelle» ogni astante avrebbe dovuto essere «eccitato a maggiormente concorrere al sovvenimento di quegl'infelici compatrioti, che tuttavia rimangono in mezzo agli spirituali pericoli, e corporali disagi fra i duri ceppi della schiavitù»[24].

Pagine importanti in tal senso si trovano, negli anni Venti del Settecento, nella *Carità cristiana* di Lodovico Antonio Muratori, che rivolge ai cristiani un pressante invito affinché si preoccupino della situazione dei connazionali caduti nelle mani dei «barbari»[25]. Il Figlio, venuto a riscattare gli uomini a prezzo del proprio sangue dal «giogo più pesante», dalle «catene più indissolubili», cioè quelle del peccato, si pone come modello dell'amore umano[26]. Nella predica per la celebrazione milanese dell'anno 1764 il barnabita Barelli tesse l'elogio della carità come virtù somma, deter-

---

[21] *La redenzione degli schiavi*, cit., 1770, 7; in termini molto simili in *La redenzione degli schiavi*, cit., 1765, 7.

[22] Ad es. G.P. RICOLVI, *Discorso [...] in occasione della solenne processione [...] li 18 ottobre 1739*, per Gio. Battista Valetta Stampatore, Torino 1740, 11-12, con riferimento ad atti di Pio V e Urbano VIII. Il testo è particolarmente approfondito e ricco di citazioni.

[23] Su questi temi si diffondono ampiamente i predicatori: *La libertà trionfante*, cit., 1742, soprattutto 13-15 e 1750, 22-25.

[24] *A chi legge*, in *Componimenti...*, cit., 1764, 4.

[25] L.A. MURATORI, *Della carità cristiana in quanto essa è amore del prossimo*, appresso Gio. Batta Recurti, Venezia 1724, cap. 30. «Compatrioti», «connazionali»: in Muratori è esplicitamente affermata la priorità della carità nei confronti di chi appartiene alla comunità e alla patria, poiché la benevolenza deve cominciare da chi è prossimo.

[26] *La libertà trionfante*, cit., 1742, 13. Cfr. *La libertà trionfante*, cit., 1750, 13 s.

minandone la fisionomia nell'opera dei Trinitari, assimilati a chi, alle origini della Chiesa, portava soccorso ai cristiani oggetto di persecuzioni spietate[27]. L'elogio dei Trinitari comporta un vivido racconto dei rischi da loro corsi, tra «gente non pure sconosciuta e straniera, ma barbara e crudele, ma morta nemica di Cristo e del vangelo, ma solo amica e avida della preda e del sangue, e che altra legge non riconosce fuor solo la frode e la violenza, e la quale che si fosse umanità e fede non seppe giammai»[28]. Secondo lo schema ricorrente e per evidenti scopi, drammatica e univoca è la descrizione della condizione di chi si trova in schiavitù: trattati come animali, oppressi con i lavori più pesanti, percossi e insultati, dileggiati perché cristiani e sollecitati a rinnegare[29]. L'azione di carità mira a restituirli alla patria, intesa nei suoi molteplici significati. Alla ricostituzione dell'unità nella comunità ecclesiastica si unisce, altrettanto essenziale, il reinserimento nel corpo sociale. I cataloghi dei riscattati, che i Trinitari milanesi consegnano alla cronaca e alla pietà, ma anche alla memoria storica[30], con i loro lunghi elenchi di nomi, di età, di provenienze, di prezzo del riscatto, sono

[27] *Componimenti...*, cit., 1764, 11 s.

[28] *Ivi*, 18.

[29] *Ivi*, 24 s. È un vero e proprio *topos*, che si ritrova frequentemente in varie operette seicentesche (a mero titolo di esempio: *Trattato delle miserie che patiscono i fedeli christiani schiavi de' barbari et dell'indulgenze che i sommi pontefici han concesse per lo riscatto di quelli*, Stamperia della Rev. Camera Apostolica, Roma 1647) e che percorre ancora il Settecento. Lo stesso Muratori nel testo sopra citato insiste sugli «incredibili guai, onde è oppresso chiunque capita nelle mani di que' barbari». Non è difficile, dice l'autore, immaginare la situazione di chi repentinamente viene a trovarsi «in paesi barbari di religione, di lingua e di costumi, in mezzo a cani, nutrita a pane di dolore, e a colpi di battiture, e sotto il peso d'innumerabili fatiche, e con tutte l'apparenze di non uscir mai, se non per morte del pelago di tante miserie» (*Della carità cristiana*, cap. 30).

[30] *Catalogo degli schiavi redenti dall'anno 1750 fino al corrente 1764 in Costantinopoli, Algeri, Tunisi e Tripoli etc. da PP. Trinitari scalzi del riscatto degli schiavi, del real Convento di S. Maria di Caravaggio in Monforte*, nella stamperia di Pietro Antonio Frigerio vicino Santa Margarita, Milano 1764; *Nota de' schiavi nativi della città e Stato di Milano in diverse occasioni redenti dalla religione de PP. Trinitari scalzi del Riscatto de' schiavi*, in *La libertà trionfante*, cit., 1742, 22-23. Per Torino, ad es., *La redenzione degli schiavi fatta in Tunisi, Algeri e Tripoli dai PP. Trinitari Scalzi*, presso Giacomo Giuseppe Avondo, Torino 1761, 1765, 1770 (fogli volanti); elenchi anche in tutti gli opuscoli *La redenzione degli schiavi*.

efficace testimonianza di una sorta di universo concentrazionario[31]: affrancarsene, rientrare nel proprio universo religioso, sociale e politico dopo anni e talora decenni, era un evento degno di
nota, da solennizzarsi adeguatamente.

Si hanno testimonianze dettagliate su varie cerimonie settecentesche, destinate a celebrare con sfarzo il «trionfo dell'ottenuta libertà». La processione del 1742 si snoda dal convento dei Trinitari in Monforte al Duomo, dopo una «gran messa a più cori di musica ed isquisita sinfonia»[32]. Lungo il percorso case e strade sono
addobbate, un arco trionfale con un'iscrizione invita i devoti a partecipare alla «pia funzione». In prima fila vi sono alcune confraternite, «con cerei accesi, accompagnate da cori numerosi di scielta
sinfonia». Il gioco delle luci e dei suoni in quest'epoca era essenziale alla buona riuscita degli eventi. Di seguito, «angeletti con tar-
ghe e geroglifici» cantavano salmi e cantici relativi alla liberazione
di Israele, rappresentando «e la miseria di que' schiavi, che erano
ancora in mano de' barbari, e la felicità di quelli che erano stati riscattati». Venivano poi i veri e propri protagonisti, cioè i Padri Trinitari e, circondati da fanciulli pur essi vestiti come angeli, gli
schiavi riscattati[33]: essi recavano in trionfo le catene infrante. Infine, sotto un baldacchino e tra ceri accesi, una statua raffigurante
l'*Ecce Homo*, con una valenza simbolica duplice. Era infatti la riproduzione di una statua sottratta ai Trinitari in Spagna dai musulmani del Marocco, e qui «vilipesa e strapazzata» dai nemici della
fede prima di essere riscattata[34]: dunque, icona delle traversie degli
uomini fatti schiavi e redenti dalla prigionia tra gli infedeli. Al tempo stesso, evoca anche le sofferenze del Cristo maltrattato dai suoi
nemici, simbolo sommo della persecuzione subita dal giusto[35]. La

[31] Il termine «elenco concentrazionario» si trova in RICCI, *Ossessione turca...*, 136.

[32] *La libertà trionfante* (1742). Cfr. anche G.B. BORRANI, *Diario milanese*, ms,
BA, N 4 suss, 13 (ringrazio Dan Virgil Puscasiu per la cortese segnalazione).

[33] Si trattava di sette persone; l'elenco in *La libertà trionfante*, cit., 1742,
8-9; vi era poi un ottavo individuo, alla cui liberazione i Padri avevano con-
tribuito soltanto con le spese di viaggio.

[34] Descrizione dettagliata delle vicende in *La libertà trionfante*, cit., 1742,
21-22. Cfr. *Ivi*, 1750, 17.

[35] *Canzone allusiva alla divota statua di Gesù Nazareno riscattata [...]*, in
Componimenti, cit., 1764, 35-38. Cfr. *Applausi poetici [...] allusivi ad una sta-*

cerimonia si concluse in Duomo, alla presenza dell'arcivescovo, con la predica svolta dal barnabita GiovanFrancesco Dugnani e il canto del *Te Deum*. Sulla via del ritorno, luci e canti accompagnano il cammino, che si chiude nella chiesa dei Trinitari con la benedizione del Santissimo[36].

Analoga nella struttura è la processione del 20 agosto 1750, cui partecipano altre confraternite, tra le quali alcune del riscatto di area lodigiana. In Duomo vi è il consueto canto del *Te Deum*; la predica è tenuta dal barnabita padre Branda. Nel ritorno la processione è accompagnata da 94 cavalieri con torce accese. Anche qui, tra luci e suoni («il continuo armonioso festevole suono de' musicali instrumenti»), al centro stanno i riscattati e una statua del Cristo sofferente, vestita «di broccato d'oro, con fundo violaceo» per renderla del tutto simile al modello madrileno. Tra i moltissimi «angioletti che condecoravano detta pia funzione», ben trentotto recavano cartigli con versetti biblici[37].

Il medesimo schema fu adottato anche per la terza processione, del 1764. Già per la prima processione della mattina le strade erano riccamente addobbate; vi erano partecipazione delle Compagnie della croce e di altre confraternite, presenza di guardie svizzere, iscrizioni (la più importante sulla facciata del Duomo), musiche e canti, oltre al consueto accompagnamento di bambini vestiti come angeli. Si doveva replicare nel pomeriggio, con uno sfarzo, nelle previsioni, ancora maggiore. Nella cronaca si ricordano i vari elementi: alle guardie svizzere s'aggiungono i granatieri, gli «angeli» recano emblemi dorati, la nobiltà e gli ufficiali del castello sono tutti presenti; vi è persino una «banda di sinfonia alla turca […] vestita tutta in gala per la processione»[38]. La descrizione tut-

tua di *Gesù Nazareno*, in *La libertà trionfante*, cit., 1742, 18-20 e *Sonetto* («S'allude ad una statua di Gesù Nazareno»), in *La libertà trionfante*, cit., 1750, 35, nonché «Breve notizia della miracolosa immagine», 37-40. Nei sermoni in occasione delle cerimonie di redenzione l'identificazione dello schiavo cristiano con il Cristo sofferente ricorre con grande frequenza.

[36] *La libertà trionfante*, cit., 1742, 20 s.; cfr. G.B. BORRANI, *Diario milanese*, cit., N 4, 13.

[37] *La libertà trionfante*, cit., 1750, 3-7, 28 e *passim*; cfr. G.B. BORRANI, *Diario milanese*, cit., N 11, 11-13.

[38] *A chi legge*, in *Componimenti...*, cit., 1764, 8-10.

tavia sembra corrispondere più alle intenzioni che all'effettiva realizzazione: lo scrosciare di una pioggia insistente ridusse assai le
previste celebrazioni.

Il «teatro» della redenzione costituisce un tramite importante
per la conoscenza da parte dei milanesi delle problematiche relative alla situazione di cattività in terra d'Islam, e dunque, almeno indirettamente, dell'Islam stesso. Si trattava di una presentazione
spesso parziale ed essenzialmente negativa, come già si è accennato. Lo si può evincere, ad esempio, dalla documentazione relativa
al 1742: «Poveri, cenciosi ed ignudi, in mezzo a continuati travagli,
stentano di fame, languiscono di sete, passano giorni allo scoperto.
Quando a guisa de' vili giumenti portano gravose some, quando
qual ferro sotto il martello soffrino orribili battiture». Nulla possono sperare dai loro padroni: «Ira soltanto e sdegno, crudeltà e
barbarie, orgoglio e baldanza ha ne' loro petti ricetto»[39].

Nulla sappiamo invece della voce degli ex schiavi, della quale
non abbiamo traccia storica. Resta il fatto che la schiavitù, che poneva «forzatamente in movimento un numero non indifferente di
uomini e donne»[40], costituiva un fattore di conoscenza di non se-

[39] *La libertà trionfante*, cit., 1742, 11-12 (il passo dal quale sono tratte le
citazioni è molto ampio). Cfr. *ivi*, 7: occorre sottrarre «dagl'incomodi della
penosissima schiavitù fra' barbari e mori maomettani quegl'infelici, che nati
nel fertile suolo dell'Insubria gemevano obbligati a' più vili e faticosi servigi
d'indiscreti padroni, sotto i rigori del clima più ardente e sotto il peso delle
più crudeli battiture; oltre di che non prevedendo altro scampo per sottrarsi
da giogo sì pesante, potevano correre pericolo di abbandonare, rinegando, la
Santa Fede di Cristo; al qual eccesso vengono pur troppo ed allettati con le
promesse e stimolati con le percosse». Vedi anche *La libertà trionfante*, cit.,
1750, *passim*. La struttura dei resoconti e delle prediche segue normalmente
uno schema comune. Per un confronto: *Orazione*, in *La redenzione degli
schiavi*, cit., 1770, 9-10. Il testo, relativo ai Trinitari di S. Michele in Torino, è
molto interessante e meriterebbe un'analisi dettagliata. Si noti che l'espressione «vili giumenti» (o «ignobili giumenti») è un *topos* che ricorre abitualmente in questo tipo di letteratura. Gli schiavi sono trattati come bestie, sia
per le «gravissime some» loro imposte, sia per il fatto che divengono oggetto
di mercato e di baratto (*Discorso*, in *Componimenti*, cit., 1764, 24; *La libertà
trionfante*, cit., 1750, 15).

[40] R. SARTI, *Viaggiatrici per forza. Schiave "turche" in Italia in età moderna*,
in *Altrove. Viaggi di donne dall'antichità al Novecento*, a c. di D. Corsi, Roma
1999, 241-296, [247].

condaria importanza, una volta che gli ex schiavi rientravano in patria, edotti della religione e degli usi e costumi dei «turcheschi».

Contro i turchi: ricorrenze festive e trionfi bellici

Altre occasioni festive, di diversa natura, offrivano il destro per introdurre tematiche relative alla «minaccia turca». È il caso, ad esempio, delle celebrazioni in onore di Giovanni da Capistrano, che si svolgono con grande pompa nella primavera del 1691, contestualmente a quelle per Pasquale Baylon[41], entrambi canonizzati da Alessandro VIII l'anno precedente. Nella chiesa di Santa Maria del Giardino, dell'ordine dei minori riformati, sulle porte laterali sono poste due rappresentazioni emblematiche, relative all'uno e all'altro santo. L'emblema del Capistrano è il trionfo della fede sui «barbari». All'interno della chiesa, nei quadri che illustrano le tappe salienti della sua esistenza, è presente la raffigurazione della vittoria ottenuta nel 1456 sulle truppe ottomane che assediavano Belgrado. Si rappresenta il santo che, armato della croce, sconfigge la mezzaluna, mentre intorno si vedono «amucchiati tanti ottomani disfatti et uccisi». Il quadro, di rilevanti dimensioni («delli altri più grande») era stato commissionato a Cesare Fiori.

È evidenziato il ruolo dei monarchi cattolici: «fare stragge de Turchi è impresa dei Cesari». Si auspica che i sovrani diano prosperità ai loro Stati e agguerriscano «i loro vassalli per combattere e superare li nemici della Santa Fede»[42]. I versi di commento, in volgare, rendevano più chiaro il contenuto iconografico, peraltro già di per sé assai esplicito. Per tutta la durata dell'ottavario il «teatro di divotione» messo in piedi dai frati coinvolgeva una folla composta di nobili e popolo, milanesi ma anche «forestieri d'ogni conditione e stato». Per otto giorni il grande quadro fu esposto

---

[41] A.C. [A. Canevese], *Il Giardino di Milano overo Descrittione dell'insigne apparato fatto nella chiesa de Padri Riformati del Giardino di Milano per la festa della canonizatione di Santo Giouanni di Capistrano, e di S. Pasquale Baylon. Con distinto raguaglio della solenne Processione, e dell'Ottauario [...]*, Maietta, Milano s.d. [1691].

[42] *Ivi*, 12, 19 s., 47.

alla vista dei fedeli, mentre predicatori domenicani, agostiniani e gesuiti si alternavano nell'esaltare le virtù del «santo nuovo»[43].

Nel 1713, suscitando qualche malumore in Clemente XI, i minori organizzarono «dimostrazioni di giubilo» a seguito del riconoscimento del martirio per Juan del Prado, dichiarato poi beato da Benedetto XIII. I minori riformati milanesi si difendono, dal momento che le «allegrezze» milanesi s'erano contenute nella forma di un solenne triduo. In tale occasione era stato recitato un panegirico dal somasco Alfonso Lodi; ma, soprattutto, erano state distribuite numerose copie di un'immagine di ampie dimensioni e iconograficamente molto efficace: nel disegno compare in primo piano il frate, oggetto di torture, mentre sullo sfondo si collocano l'episodio del martirio, una moschea, il richiamo cristico attraverso la raffigurazione del Gesù flagellato alla colonna. Si trattava della riproduzione a stampa del quadro esposto nell'apparato. Come accadeva di frequente, la parte non effimera dell'apparato veniva conservata ed esposta alla vista del pubblico: nella fattispecie, il quadro fu conservato nella chiesa di S. Maria del Giardino sino al 1769. Inoltre il notissimo almanacco-lunario detto «Il vesta-verde», in occasione della beatificazione, parlò anche delle celebrazioni del 1713 in onore del martire[44].

Ulteriore via di conoscenza è fornita dagli avvenimenti bellici contemporanei. Illustri predicatori nei loro sermoni celebrarono la disfatta turca a Vienna nel 1683 o la conquista di Buda (1686). Nel 1717, in occasione della vittoria di Eugenio di Savoia contro i turchi, l'imperatore inviò alla città di Milano alcuni trofei di guerra, portati in cattedrale all'arcivescovo e appesi nello Scurolo[45]. Ben nota è la risonanza di analoghi episodi dopo la vittoriosa difesa di Vienna, quando ricchissimi trofei (tra cui spiccava lo stendardo di guerra del sultano) furono portati a Roma, a Venezia, a Loreto, santuario mariano con la funzione di baluardo contro i nemici della cristianità, in particolare i tur-

---

[43] *Ivi*, 58-65.

[44] *Cronica undecima*, ff. 296-301. Non ho rintracciato l'annata in questione de *La luna in corso. Osservazioni [...] del dottor Vesta Verde. Almanacco utile [...]*.

[45] A. ANNONI, *Gli inizi della dominazione austriaca*, in *Storia di Milano*, XII, Milano 1959, 3-266, [130 s.].

chi[46]. Nelle fasi belliche più intense, la liturgia stessa diveniva l'occasione per trasferire nelle chiese e nel rito l'implorazione per il successo delle «armi cesaree» e la celebrazione delle vittorie. Si può prendere ad esempio l'anno 1738. Per parecchi mesi l'inserimento nelle messe della colletta «contra paganos» servì ad impetrare la vittoria delle armi imperiali. Ogni sera il suono delle campane ricordava alla cittadinanza la necessità di recitare particolari preghiere. Dal mese di maggio, dopo alcuni successi contro i turchi, alle pratiche devote furono connesse particolari indulgenze, concesse da Clemente XII[47]. Tra luglio e agosto, nuove più sostanziose vittorie, con il recupero di piazzeforti, determinarono fastose celebrazioni; il 29 luglio la città intera fu percorsa, per un'ora intera, dai rintocchi, dal «suono giulivo di tutte le campane»[48]. In tutti questi mesi furono celebrati tridui con esposizione del Santissimo e solenni benedizioni; vi furono messe cantate in Duomo e processioni, talora effettuate su richiesta dell'autorità civile stessa e dirette in genere al notissimo santuario di Santa Maria dei Miracoli: tutti elementi di quella spettacolarità religiosa, di grande successo emotivo, che in questo caso giova ad esprimere la paura del turco, a rallegrarsi per la sua crescente debolezza e la sua sconfitta. Infatti, pur diminuita la minaccia, permane la paura, che si riflette nelle pubbliche penitenze e nelle sacre cerimonie.

Di non poco peso era la circolazione di fogli volanti che narravano, mese dopo mese, gli accadimenti: sull'assedio di Buda, ad esempio, fogli di *Relatione* o *Ragguaglio* furono pubblicati a Milano tra il 1684 e il 1686. Nel 1685, sempre a Milano, era stato edito un foglio volante su *I sospiri di Buda ed i lamenti di Candia, le quali prigioniere piangono la loro schiavitudine*. Dopo la resa, un altro foglio raccontava del *Gran turco furioso per la perdita di Buda*. Un benedettino cassinese di origine francese, Casimir Freschot, soggiornò a lungo in Italia, passando anche da Milano. Qui fu pubbli-

---

[46] RICCI, *Ossessione turca...*, cit., 100-103. Sul santuario lauretano come "baluardo" antiturco: J. KOLANOVIĆ, *Le relazioni tra le due sponde dell'Adriatico e il culto lauretano in Croazia*, in *Loreto crocevia religioso tra Italia, Europa e Oriente*, a. c. di F. Citterio - L. Vaccaro, Brescia 1997, 165-190.

[47] In città: all'altare della Madonna in S. Maria dei Miracoli; all'altare di San Pio V in S. Maria della Rosa.

[48] G.B. BORRANI, *Diario milanese...*, cit., 5-8.

cata nel 1688 una sua opera sulla storia d'Ungheria, che concludeva con la presa di Buda[49]. A Milano fu edita l'opera del barnabita Simpliciano Bizzozeri, sulle vicende delle armi cristiane contro gli avversari[50]. L'uno e l'altro parlavano degli argomenti con conoscenza di causa e viva partecipazione, avendo prestato la loro opera per l'assistenza spirituale ai soldati durante l'assedio di Buda[51]. Su questi argomenti circolavano moltissimi fogli volanti, che rendevano accessibili a un vasto pubblico le notizie sugli eventi[52].

Frati in missione

La conoscenza di paesi lontani e del mondo «turchesco» si riverberava attraverso i conventi di ordini religiosi coinvolti nella presenza in paesi di religione islamica e nell'attività missionaria; qui saranno presi in esame soprattutto i frati minori[53]. Le crona-

[49] C. FRESCHOT, *Ristretto dell'historia d'Ungheria, e singolarmente delle cose occorsevi sotto il regno dell'Augusto Leopoldo sino alla trionfante presa di Buda*, per Francesco Vigone, Milano 1688. Su Freschot e i suoi rapporti con Muratori: S. BERTELLI, *Erudizione e storia in Ludovico Antonio Muratori*, Napoli 1960, 148 e *passim*.

[50] S. BIZZOZERI [o BIZOZERI], *La sagra lega contro la potenza ottomana. Successi delle armi imperiali, polacche, venete e moscovite; rotte e disfatte di eserciti de' Turchi [...]*, nella Regia Ducal Corte, per Marc'Antonio Pandolfo Malatesta, Milano 1690-1700. Sull'autore: G. BOFFITO, *Scrittori barnabiti...*, cit., I, 234-237.

[51] G. RÓZSA, *La riconquista di Buda nell'arte del Seicento in Italia*, in *Venezia e Ungheria nel contesto del barocco europeo*, a c. di V. Branca, Firenze 1979, 257-270, [259]. *Ivi* anche per le stampe che circolavano in quegli anni.

[52] Vi sono vari fogli (da 1 a 4 carte), editi a Milano soprattutto presso Marc'Antonio Pandolfo Malatesta, che danno periodicamente conto degli eventi bellici, sotto i titoli di *Relatione, Distinta relatione, Ragguaglio, Nuovo ragguaglio*. Se nel 1685 vi sono fogli su *I sospiri di Buda*, nel 1686 i sospiri dei cristiani sono sostituiti dal rallegrarsi per i lamenti degli ebrei e, soprattutto, per la rabbia turca dopo la sconfitta: *Il gran turco furioso per la perdita di Buda*, per Carlo Federico Gagliardi, Milano 1686.

[53] Si distinguono Francesco Quaresmio, che pubblica nel 1639 una *Historica, theologica et moralis Terrae Sanctae elucidatio*; una recente antologia di passi tradotti, a c. di S. De Sandoli, Jerusalem 1989; tra i cappuccini: M. FEBVRE [JUSTINIEN DE NEUVY], *Specchio, o vero descritione della Turchia [...]*, Tinassi, Roma 1674 (edizioni successive e traduzioni; edizioni amplia-

che della Provincia milanese dei minori osservanti riformati so-
vrabbondano di storie di frati in terra d'Islam, seppur più numerose per il XVIII secolo. In molte di queste storie non compaiono
elementi di particolare rilievo[54]: tuttavia, le une accanto alle altre,
esse disegnano una presenza, ben nota in Occidente, che segnala
anche la sensibilità missionaria dell'ordine[55].

Molti frati vanno in missione in Serbia, Albania e Macedonia;
altri a Tripoli, in Egitto o in Etiopia, altri ancora a Smirne e Costantinopoli, e persino in Moscovia[56]. Alcuni esercitano una vera e
propria professione, come Ermenegildo Mottino da Pavia, che
mette a frutto la sua «arte di speziale», o Giuseppe Maria Bru-
schino da Lodi, segretario del console di Francia a Costantinopoli, per due anni addirittura viceconsole[57]. Di parecchi si narrano le
difficoltà e i patimenti, le flagellazioni e la prigionia. Alcuni
muoiono di peste, in «olocausto di carità»[58]; altri sono posti a

---

te con diverso titolo). Febvre è anche autore di un interessante testo polemico: *Praecipuae objectiones quae vulgo solent fieri per modum interrogationis a Mahumeticae legis sectatoribus, Judaeis, et haereticis Orientalibus adversus catholicos earumque solutiones*, Typ. Sacrae Congregationis de Propaganda Fide, Romae 1679.

[54] Cfr. BENVENUTO DA MILANO, *Della minoritica riforma di Milano, Cronica sesta*, BA, I 86 suss, *passim* (d'ora in poi: *Cronica sesta*). Molti frati ritor-
nano in patria, spesso dopo aver compiuto il periodo necessario per ottenere
il riconoscimento e i privilegi del missionario. Altri muoiono in terre lontane,
per cause naturali o per incidenti.

[55] Le aspirazioni alle missioni di giovani gesuiti, ben documentate dalle
Litterae Indipetae, sono abbastanza note (G.C. ROSCIONI, *Il desiderio delle Indie. Storie, sogni e fughe di giovani gesuiti italiani*, Torino 2001); lo stesso fenomeno è peraltro rilevabile anche nel mondo francescano e altrove. Le cronache della Provincia di Lombardia parlano di alcuni personaggi dottissimi e
stimati che si votano alle missioni. Giovanni Bernardino Bianchi da Codogno
«sempre ardea d'un ferventissimo desiderio per le missioni» e con il suo esempio trascinò altri; Ignazio Maria Borgnis da Milano dichiarava «d'esser venuto
a bella posta in religione per trasferirsi alle missioni» (*Cronica sesta*, I 86 suss,
ff. 78 e 89). Generalmente i frati festeggiavano con solennità le ricorrenze dei
loro martiri. Per le cerimonie a Milano in onore dei 23 martiri francescani (Urbano VIII, 1627, con la successiva concessione di messa e ufficio): GEROLAMO
FRANCESCO SUBAGLIO DA MERATE, *Chronica della riforma de minori osservanti della Provincia di Milano* (ms. BA A 23 suss, cap. 51, ff. 112v-113r).

[56] *Ivi, passim.*

[57] *Ivi*, ff. 109 e 82.

[58] Ad es. Carlo da Pallanza, morto a Tripoli nel 1706 in fama di santità, e

morte per la loro fede. Martire della fede è, insieme ad altri minori, Samuele Marzorati da Biumo, ucciso in Etiopia nel 1716. Al martirio sfugge casualmente Giovanni Pietro da Lugano: fatto schiavo e portato in Egitto, riuscì infine a tornare in patria[59]. Le cronache, oltre alle ricorrenti difficoltà, riportano anche le notizie delle conversioni, come quella dello scrivano del principe d'Achmim in Egitto[60].

Non mancano neppure casi clamorosamente negativi. Tra questi rientrano le vicende di Giovanni Battista Giorgi, che, a detta del cronista, già dall'epoca degli studi a Brera aveva manifestato una certa insofferenza. Frate minore e missionario in Albania, nelle contese con altri missionari e con Roma trova un protettore musulmano:

> e finalmente la suddetta amicizia l'indusse a tale scandalosissima prevaricazione, che circa la Pentecoste dell'anno 1752 apostatò pubblicamente a religione et a fide, vestendosi da turco, e facendosi circoncidere nella detta città di Giacova, in cui abbracciò il maometismo[61].

La storia personale dell'individuo getta cattiva luce sui missionari («stimati la feccia del cristianesimo», nonostante tanti impegni e sacrifici) e sulla Provincia milanese dei minori osservanti ri-

---

Carlo Fumagalli da Brongio, morto a Smirne nel 1719; Ignazio Maria Borgnis da Milano muore in Egitto nel 1742 assistendo i malati di peste, come pure Urbano Corti da Galbiate nel 1766 (*Cronica sesta*, I 86 suss, ff. 61-62; 71, 89 s., 101). Molti muoiono per gli sforzi, ma anche per eccesso di alcoolici o per l'effetto mortifero di un antiemetico (*ivi*, ff. 83-84).

[59] *Cronica sesta*, I 86 suss, f. 85 s.

[60] *Ivi*, f. 79.

[61] *Ivi*, ff. 101-106. Non era sempre e comunque vietato mutare d'abito: un'autorizzazione di vestirsi «alla turchesca» lasciando l'abito «serafico» è concessa ai missionari in Egitto per favorire le conversioni (*ivi*, f. 79). Ma nella fattispecie si tratta di una scelta, e di una scelta lacerante; il frate si sposa, ha una figlia, esercita la professione di medico: «si è fatto veramente turco». Sulle vicende dell'ultimo periodo della vita vi sono delle incertezze; secondo alcuni rifiuta qualsiasi trattativa con Roma, secondo altri volentieri tornerebbe alla Chiesa, ma lasciando l'ordine. Secondo alcuni, è «morto e sepolto da turco»; secondo altri, in punto di morte ha baciato un piccolo crocefisso, «che sempre occultamente portava» (*ivi*, ff. 103-106). Sui «segni», abiti e oggetti, cfr. M.P. PEDANI, *Dalla frontiera al confine*, Roma 2002, 90-93; soprattutto per gli abiti «turcheschi»: B. e L. BENNASSAR, *Les chrétiens d'Allah. L'histoire extraordinaire des renégats XVIe-XVIIe siècles*, Paris 1989.

formati. Non è difficile immaginare che di tali episodi si venisse a conoscenza, nonostante la palese volontà dei frati di stendere un pietoso velo su personaggi dissonanti[62]. Altrettanto ovvio è il fatto che i frati, una volta fatto ritorno in patria, non tacessero le loro avventure né tanto meno passassero sotto silenzio le «imprese» di chi s'era distinto in opere di bene e nella testimonianza della fede, talora a scapito della vita.

Le situazioni presentate erano estremamente varie: mutavano nel tempo, presentavano grandi differenze da un paese all'altro; anche l'immagine del turco era varia. I turchi erano talora presentati come benevoli difensori: così nel caso dell'Egitto, poiché alla metà del Settecento, a fronte di pesanti accuse loro rivolte, il principe,

> il quale molto ci ama, e ci tiene in credito d'uomini giusti, sapienti e benefici, rispose che se i turchi fanno orazione, la posson fare ancor gli altri, e così restò confuso l'accusatore, che è un grande del paese[63].

Talaltra volta i musulmani erano invece raffigurati in veste di persecutori. In Albania si segnala in particolare il caso del padre Antonio di Sora, martire dopo quattordici anni di missione in tale area presso la «barbara setta ottomana». Aggredito e spinto a rinnegare la propria fede con promesse e minacce, ricusò di farlo, rivendicando la propria vocazione cristiana e missionaria. Anzi, invitò i suoi aggressori alla conversione, per ottenere quella

> gloria beata, impossibile da conseguirsi da chi professa e vive nella setta maomettana»; fino all'impiccagione, per la quale fu usato il suo stesso cordone, continuò a «predicare contro l'iniqua setta di Maometto[64].

---

[62] Si trattava di una dinamica generale. Per Milano ciò è particolarmente evidente nel caso del «Mascherino», citato da Borrani, che accenna anche ad altri casi di frati delinquenti, oppure apostati, o malati di mente.

[63] *Ivi*, f. 117. Le accuse erano le seguenti: «Facevamo chiesa, radunavamo i cristiani a far orazione e che so io».

[64] ILARIO DA MONTE FORTINO, *Relazione della morte del p. Antonio di Sora minore osservante riformato, missionario appostolico, seguita per mano de' turchi in odio della religione cattolica nella villa di Leporosi, discosta tre miglia dalla città di Scuttari li 9 maggio l'anno 1718*, nella Regia Ducale Corte, per Giuseppe Richino Malatesta Stampatore R. Camerale, Venezia-Milano 1721.

Le peripezie di Timoteo Canevese

Vi è un caso seicentesco particolarmente interessante e significativo. Alla metà del XVII secolo molte dame milanesi portavano sui loro ventagli un'immagine dei patriarchi, nella quale Abramo era raffigurato in costumi «turcheschi», con un turbante come copricapo e una scimitarra in mano. Accanto a lui, nell'immagine, cammina un fraticello. Il personaggio è chiaramente identificabile con il noto teologo minorita Nicola da Lira, ma nell'interpretazione allora corrente lo si riteneva Timoteo Canevese, autore del libro dal quale l'immagine era tratta[65].

Questo personaggio, oggi sostanzialmente sconosciuto, godeva a quel tempo di una certa fama, a Milano e non solo[66]. Nato nel 1610 a Milano, ove morì nel 1680, Canevese era un frate minore osservante riformato, di buona formazione e ampia cultura[67], chiamato qua e là in Italia a svolgere cicli di predicazione. A Milano

---

Si narrano anche le vicende per le quali dopo un anno viene data sepoltura al corpo, che si conserva incorrotto e inizia a guarire invasati e ossessi. La proclamazione della verità del cristianesimo e della falsità, *e converso*, della religione islamica costituisce sovente causa di martirio. Oltre a quello di Juan del Prado, si possono ricordare i casi di Gian Battista da Ponto e Pedro de la Concepción, nonché quello dell'ex rinnegato Alipio di San Giuseppe (S. BONO, *I corsari barbareschi*, Torino 1964, 262 s.). Pedro de la Concepción in particolare è assunto a simbolo della sorte di chi vuole mantenersi interamente fedele al nome cristiano in terra d'Islam (*Le tableau de piété envers les captifs ou Abrégé contenant, avec plusieurs remarques, deux relations de trois rédemptions de captifs faites en Afrique, aux villes et royaumes de Tunis et d'Alger en Barbarie, ès années 1666 et 1667, par les religieux de l'ordre de la très sainte Trinité [...] des quatre provinces qui composent leur chapitre général en France ; ensemble le Martyre du vénérable frère Pierre de La Conception, religieux du mesme ordre, souffert audit Alger, le 19 juin de l'année dernière 1667*, chez Jean Bouchard, Chaalons 1668, 178-197).

[65] Le notizie sono desunte da BENVENUTO DA MILANO, *Della minoritica riforma di Milano, Cronica terza*, BA, I 84 suss, ff. 257-259. Sull'opera dalla quale è tratta l'incisione vedi sotto.

[66] Tra l'altro, quaresimalista di grido, aveva predicato a Bobbio, Tortona, Cremona, Ferrara, San Severino Marche e in molti altri luoghi; due volte era stato in Fiandra e in Francia, più volte a Roma (F. PICINELLI, *Ateneo dei letterati milanesi*, nella stampa di Francesco Vigone, In Milano 1670, 504).

[67] Aveva studiato anche nella Provincia romana e in quella napoletana: *Cronica terza*, f. 257.

era noto proprio per la sua ripetuta presenza in Duomo come predicatore di grido: qui svolse cicli di lezioni festive per quasi nove anni[68], oltre ad aver predicato per due anni a S. Maria del Giardino, prestigiosa sede dei minori in città, la cui chiesa era assai frequentata. Di lui si parla come di un predicatore di «alto ingegno», «di seraffico ardor tutt'entro ardente»[69]. Tale era la sua fama, annota il cronista, che i passanti lo riconoscevano e lo omaggiavano per la strada: predicava

> con tanta erudizione di ogni genere, con tanta libertà appostolica, con tanto frutto nelle anime, con arguzie sì manierose e con applauso sì generale, che non potea girar per le strade senza d'essere da ogni classe di persone e riverito ed encomiato[70].

Era stato come missionario in Albania, Serbia e Croazia, donde aveva dovuto allontanarsi per «le fiere persecuzioni di quelle barbare genti»; sulla strada del ritorno, passando da Vienna si era poi

---

[68] Pubblicate con il titolo *Viaggi de' patriarchi Abramo, Isacco e Giacobbe. Lettioni scritturali spiegate nel Duomo di Milano dal Padre fra Timoteo Canevese, con l'aggiunta di duoi sermoni del chiodo santissimo*, per Lodovico Monza stampatore alla piazza de' mercanti, Milano 1654[1]; nella seconda edizione, del 1675, furono aggiunte altre lezioni, alcune delle quali vertevano sul «Mosè politico», nonché quattro sermoni per il sacro Chiodo. Altra raccolta di lezioni in *Giona profeta*, per Ambrogio Ramellati, Milano 1677. Risulta che egli abbia pubblicato anche altri testi relativi alla devozione del Santissimo, dell'Immacolata Concezione e di sant'Antonio di Padova (cfr. anche *Scriptores Ordinis S. Francisci*, IV: *Supplementum et castigatio ad scriptores trium ordinum S. Francisci*, Romae 1921, 298). Sorta di ex voto è la pubblicazione della *Descrizione del sacro monte della Vernia nel quale da N.S. Giesu Christo in forma di serafino il padre San Francesco riceuete le sacre stigmate*, opera composta da numerose ricche tavole e dedicata al card. Litta (Bianchi, Milano 1671): si dice nella prefazione che padre Timoteo, «trovandosi captivo nella Mauritania Tigintana fece divotione, se poteva recuperarsi dalle mani dei Barbari e ritornare in sua Provincia, di effettuare quanto havea determinato, e così nello spatio di duoi anni l'ha fatte riprodurre alla luce, sì per formarne libro da conservarsi memoria, come per ornare claustri religiosi, o sale de divotti».

[69] Sonetto, premesso a *Giona profeta*, pp. n.n. In altro sonetto si fa cenno alla sua durezza contro i peccati, effettivamente riscontrabile nelle 18 lezioni scritturistiche raccolte nel volume, svolte in Duomo a partire dal 2 agosto 1676. Lo stile è sobrio e asciutto, il contenuto ricco di riferimenti forti e incisivi alla situazione dei peccatori.

[70] *Cronica terza*, f. 258.

recato a Venezia, si era imbarcato per Candia – era l'epoca della guerra – ma anche di qui aveva dovuto allontanarsi, «estenuato dalli disagi ed abbattuto dalla febbre»[71]. Per un anno soggiornò a Costantinopoli come predicatore, «udito ed ammirato da quegli ambasciatori de' principi cristiani, da que' fedeli non meno latini che greci, e dagli stessi turchi»[72].

«Il rumor più grandioso si fece dalla seguente di lui cattura, per cui i corsari mori lo condussero schiavo nel regno di Fez in Barbaria»[73]. Alla sua notorietà, che varcava i confini della città e anche dell'Italia, giovarono dunque in modo particolare le sue traversie come prigioniero dei corsari barbareschi, che egli stesso narrò in un'interessante operetta[74].

Nelle cronache del convento del Giardino si riferisce del legato testamentario fatto nel 1756 da un altro Canevese, sacerdote e «dottor fisico», medico dell'Ospedal Maggiore; in esso figurano i ritratti di due parenti, l'uno dei quali, Angelico, era stato nominato nel 1660 vicecommissario di Terrasanta[75]. L'altro, Timoteo, era raffigurato con le catene ai polsi, «in contrassegno della di lui schiavitù nell'Africa». Tre versi, poi ricoperti da una più dotta iscrizione in latino, così recitavano: «Dall'Africano suol passò all'Ibero, Borromea pietà da ferri il sciolse e lo tornò nel stato suo

[71] *Ivi*, f. 260.

[72] *Ivi*, f. 258. Nel *Viaggio* Timoteo stesso cita anche altri paesi, come Tracia, Bulgaria e Macedonia (51). Filippo Picinelli segnala il fatto che «Intervenivano ad udirlo Gio. Soranzo, balio della Repubblica Veneta, monsieur Gio. segretario dell'Ambasciator di Francia, tutti i cristiani latini, e tal volta molti turchi ancora»; secondo Picinelli, il viaggio a Candia avviene al ritorno dal soggiorno a Costantinopoli (*Ateneo dei letterati milanesi...*, cit., 503-504). Non si fa cenno alla schiavitù nella città corsara, forse non ancora terminata.

[73] *Cronica terza*, f. 260.

[74] *Viaggio del Padre fr. Timoteo Canevese di Milano [...] e sua presura nell'Occeano dalli algerini, vendita e liberazione*, Nella R.D. Corte, per Marc'Antonio Pandolfo Malatesta Stampator R. Camerale, Milano s.d. (d'ora in poi: *Viaggio*). Nell'opera *Scriptores ordinis S. Francisci* è segnalata la data 1668, evidentemente errata. Nella *Cronica terza* Benvenuto da Milano indica invece, come è del tutto plausibile, la data 1671 (f. 263).

[75] *Cronica terza*, f. 255 s.; su Angelico v. anche f. 127; *Cronica undecima*, f. 30. Angelico fu autore di: *Il Giardino di Milano...*, cit., nonché dell'anonimo: *Copia d'una lettera scritta da un devoto del glorioso S. Antonio da Padoa [...]*, per il Ramellati, al segno del Sole, Milano 1681. Sull'attribuzione: *Cronica undecima*, f. 507.

primiero»[76]. Si dice che in occasione della sua prigionia il card. Litta avesse disposto la recita di preghiere per la sua liberazione in tutte le chiese della diocesi[77]. Fra Timoteo costituì dunque per i milanesi un interessante canale di conoscenza dell'Oriente e del mondo musulmano.

Le vicende che lo portarono alla schiavitù in Marocco ebbero origine dal pellegrinaggio a Santiago, che Canevese aveva intrapreso alla fine dell'ottobre 1668, dopo aver ottenuto le debite autorizzazioni dal suo ministro generale, attraverso l'intercessione del Nunzio in Spagna Federico Borromeo. L'itinerario di andata era stato compiuto interamente via terra, «per fuggire il pericolo de turchi che infestano le spiaggie del mare da quella parte»[78]. Sulla via del ritorno, il frate aveva visitato Coimbra, per la sua devozione ad Antonio di Padova, e aveva venerato le reliquie dei cinque martiri francescani del Marocco, testimonianza dello spirito missionario dell'ordine sin dai tempi di Francesco, «per il desiderio che haveva, che tutto il mondo si convertisse a Dio»[79].

Inoltre, nel convento domenicano di un luogo detto «la Battaglia», ove si trovavano le spoglie di molte regine ed infanti del Portogallo, aveva avuto occasione di visitare la tomba di un infante veneratissimo per la sua fama di santità. Il giovane, dopo essere stato catturato, era stato a lungo prigioniero in Algeri e qui era morto, di morte naturale. Non era stato riscattato dal sovrano, poiché i barbareschi non si accontentavano di un'ingente somma di denaro, ma pretendevano in cambio una piazzaforte e un porto sulle coste del Portogallo. Il giovane dunque era stato sacrificato piuttosto che «dare porto sicuro a nemici del christianesimo in quelle terre». Si riteneva che l'infante avesse dato prova di pazienza e cristiana rassegnazione ai suoi correligionari in schiavitù. Il suo cadavere era stato appeso ad una trave in segno di dispregio; ma gli schiavi, considerandolo «martire», ne avevano raccolto il sangue che stillava a gocce a causa del sole e lo avevano usato per pratiche taumaturgiche[80].

[76] *Cronica terza*, f. 256.
[77] Presso l'ASDM non v'è traccia di circolare in proposito (nel *Fondo Stampati A* manca la cartella relativa agli anni in oggetto).
[78] *Viaggio*, 6.
[79] *Viaggio*, 29.
[80] *Viaggio*, 33.

Tutti questi elementi, pur secondari, contribuiscono a mettere in luce gli argomenti che a Milano erano resi noti sia attraverso il libro, sia attraverso le parole di Timoteo. Costui, lasciando il Portogallo, s'era imbarcato a Lisbona per Cadice, essendogli stato garantito un viaggio sicuro. Si sa invece che l'Atlantico era teatro privilegiato di operazioni corsare, specialmente nella bella stagione: ad essere prese di mira erano soprattutto prede disarmate e pacifiche, ingannate dalla dissimulazione dell'identità corsara[81]. Il 24 giugno del 1669 la nave sulla quale viaggiava Timoteo fu abbordata da due vascelli a vele latine: «che li barbari co' tali inganni trapolano gl'incauti christiani». Canevese descrive la spoliazione[82], le torture che alcuni subirono, il fatto che il capitano e il sottorais erano entrambi dei rinnegati. Definisce i corsari «sordidi animalacci»[83], svogliati e incapaci; ma non manca di rilevare anche l'iniquità dei cristiani, poiché sulla nave si trovava una negretta cristiana, rapita a Lisbona[84].

Il frate minore sperava di essere condotto ad Algeri, poiché sapeva che vi si trovavano altri religiosi prigionieri; ne conosceva «la commodità di chiese e paramenti ne bagni, e l'essere nel Mediterraneo molto più vicino alla christianità» e riteneva che là avrebbe «havuto amplo campo di operare in servizio di Dio e della religione, che de Turchi n'ero molto capace per li viaggi triplicati in Levante nel fiore della mia età»[85]. Ma una rivolta contro il capitano,

---

[81] R. COINDREAU, *Les corsaires de Salé*, [Casablanca] 2006³ (Paris 1948¹), 124; 143-146; S. BONO, *I corsari barbareschi...*, cit., cap. III e *passim*. Sulla «geografia del pericolo», B. e L. BENNASSAR, *Les chrétiens d'Allah...*, cit.; sugli aspetti psicologici: G. BONAFFINI, *Un mare di paura. Il Mediterraneo in età moderna*, Caltanissetta 1997. Quanto alle modalità di arrembaggio, ad es.: *Le tableau de piété...*, cit., 168 s.

[82] Era ricco soprattutto di pregiati oggetti devozionali, tra cui bellissimi rosari e una piccola statua d'argento di san Giacomo, in parte destinati al suo amico e protettore, l'arcivescovo di Milano card. Litta.

[83] Li definisce anche «porci animali», capaci di compiere ogni nefandezza. Vi era chi attribuiva il fenomeno alla natura stessa di quelle terre: «comme elle abonde en lions, tigres, leopards, serpens et dragons, aussi les hommes qu'elle produit, tiennent si fort du naturel sauvage de ces animaux, qu'ils portent à bon droit le nom de barbares pour leur extréme cruauté envers ceux qui sont honrez de celui de chrestiens» (*Le tableau de piété...*, cit., 167).

[84] *Viaggio*, 44 s.

[85] *Viaggio*, 51. La buona fama di Algeri come terra di prigionia, dalla quale non era difficile essere riscattati, è confermata dalle vicende del portoghe-

che non voleva ribellarsi ad Algeri, lo porta invece prigioniero sulla costa atlantica, a Salé, importante città corsara e centro di prosperi commerci[86].

La prigionia a Salé

Di tutte queste vicende il frate dà accurato resoconto nel *Viaggio*, di cui già si è parlato: un racconto ricco e dettagliato, pubblicato con ogni probabilità nel 1671. L'autore tende a sottolinearne la veridicità. Nel suo insistere sull'assenza di elementi fantasiosi o esagerati si intravede l'intento di prevenire l'accusa di attenersi a quegli stereotipi che si possono ritrovare in molti racconti di cattività, vero e proprio genere letterario. In effetti l'autore non appare unilaterale né retorico: la sua vicenda è descritta a quanto sembra con una certa obiettività, che non tace né gli aspetti negativi né quelli positivi. Molti elementi di questa storia individuale, sembrano riecheggiare – seppur in uno spazio e in un tempo ristretto – i problemi e le caratteristiche di una grande storia, in una sorta di «tutto nel frammento».

se Emmanuel Sosa, schiavo a Tetuan e poi in Algeri, mosso dalla speranza di un intervento dei «Padri della Redenzione» (*ivi*, 97). Così si esprime Salvago: «meglio si può riscattar uno schiavo in Algeri che in Tunesi». (G.B. SALVAGO, *"Africa, overo Barbaria". Relazione al doge di Venezia sulle reggenze di Algeri e di Tunisi*, a c. di A. Sacerdoti, Padova 1937, 91-94). Vi fu un mutamento di situazione nel tempo: nel tardo Settecento la prigionia era assai peggiore ad Algeri che a Tunisi (G. RICCI, *Ossessione turca...*, cit., 150 s.). Sull'assistenza ai cristiani nei bagni: M. MAFRICI, *Mezzogiorno e pirateria nell'età moderna (secoli XVI-XVIII)*, Napoli 1995, 120 s.

[86] R. COINDREAU, *Les corsaires de Salé...*, cit.; A. SÁNCHEZ PÉREZ, *Los moriscos de Hornachos, corsarios de Salé*, "Revista de Estudios Extremeños", 1 (1964), 93-149; G.B. SALVAGO, *"Africa, overo Barbaria"...*, cit.; B. e L. BENNASSAR, *Les chrétiens d'Allah...*, cit., 396 s.; L. MAZIANE, *Salé et ses corsaires. Un port de course marocain au XVIIe siècle*, Caen-Mont Saint Aignan 2007. Una vivace descrizione della città, che avrebbe i requisiti per eccellere («se non fosse musulmana»..., dice l'autore) in *La miraculeuse redemption...*, cit., 55 s., ove sono anche descritti con cura i riti religiosi, le abitudini alimentari, gli abiti; e soprattutto P. DAN, *Histoire de Barbarie et de ses corsaires*, chez P. Rocolet, Paris 1637 (ne esiste anche una versione pubblicata ad Amsterdam nel 1684), 17 s.

Drammatica è la descrizione che Timoteo Canevese fa del trattamento inizialmente ricevuto e degli ulteriori furti subiti (fucile ed occhiali). Informazioni precise vengono date sulla vendita degli schiavi[87]; pur pagati a caro prezzo, erano redditizi poiché, oltre all'utilità del loro impiego nelle funzioni più pesanti e umilianti, per ognuno di loro il riscatto ammontava almeno al triplo[88]. L'autore

[87] Secondo dati attendibili, verso il 1680 a Salé, come del resto a Tetuan, vi erano circa 500 schiavi cristiani: M. MAFRICI, *Mezzogiorno e pirateria...*, cit., 98; Pierre Dan negli anni Trenta del Seicento ne segnalava, per Salé, 1500 di cui 430 francesi (P. DAN, *Histoire de Barbarie...*, cit., 282 s.). La sua tendenza peraltro è alla sovrastima dei numeri. A fine Seicento era già evidente la diminuzione rispetto all'età precedente, soprattutto per quanto concerne Algeri. Cfr. R.C. DAVIS, *Counting european Slaves on the Barbary Coast*, "Past and Present", 172 (2001), 87-124; F. CRESTI, *Gli schiavi cristiani ad Algeri in età ottomana: considerazioni sulle fonti e questioni storiografiche*, "Quaderni storici", 36 (2001), n. 107, 415-435.

[88] Nel caso di Timoteo, successivamente il turco venditore lamenterà di essere stato frodato, stimando che il frate abbia un valore assai più elevato (*Viaggio*, 61). Lo stesso padrone, per la sua abilità, lo riacquista in vendita pubblica a 250 pezze, e acquista anche un amburghese e la negretta cristiana di cui sopra. Tale vendita pubblica è la ragione di un temporaneo, non felice soggiorno presso il console francese. Sul mercato degli schiavi: J.A. MARTÍNEZ TORRES, *Prisoneros de los infieles. Vida y rescate de los cautivos cristianos en el Mediterráneo musulmán (siglos XVI-XVII)*, Navas de Tolosa 2004; E.G. FRIEDMAN, *Spanish captives in North Africa in the Early Modern Age*, Madison 1983; S. BONO, *I corsari barbareschi...*, cit., 279 s.; J. MATHIEZ, *Trafic et prix de l'homme en Méditerranée aux XVIIe et XVIIIe siècles*, "Annales E.S.C.", 9 (1954), 157-164; C. LARQUIÉ, *Le rachat des chrétiens...*, cit., 27 s.; M. MAFRICI, *Mezzogiorno e pirateria...*, cit., 105 s., soprattutto per l'aumento dei prezzi nel corso del Seicento, in un trend destinato a mantenersi e ad accrescersi; sull'economia del riscatto e il notevole trasferimento di denaro dagli Stati cristiani a quelli barbareschi, anche 139-140; cfr. L. VALENSI, *Esclaves chrétiens et esclaves noirs à Tunis au XVIIIe siècle*, "Annales E.S.C.", 22 (1967), 1267-1288, che mette in evidenza la sempre minore importanza numerica ed economica del fenomeno nel Settecento. La proporzione tra prezzo di acquisto e introito, con un rapporto di 1 a 3, è confermata per il secolo successivo (G. RICCI, *Ossessione turca...*, cit., 155). La logica del profitto, l'acquisto di schiavi come fruttifero impiego del danaro, il guadagno che si poteva ottenere da uno schiavo in buone o discrete condizioni si rivelarono un fattore favorevole a chi si trovava in schiavitù: si usava il prigioniero, ma badando a non deprezzare troppo la merce nel caso si volesse utilizzarla come tale per un riscatto o uno scambio (cfr. T. BACHROUCH, *Rachat et libération des esclaves chrétiens à Tunis au XVIIe siècle*, "Revue tunisienne des sciences sociales", 40/3 (1975), 121-162, [13 s. e *passim*]; sulle modalità di verifica prima dell'acquisto, ad es. P. DAN, *Histoire de Barbarie...*, cit., 377-379).

rileva comunque di avere avuto fortuna, poiché gli era stato possibile far inserire nel suo contratto di vendita la clausola che non lo facessero abitare nella «mazmora»[89] e che nelle feste cristiane gli lasciassero celebrare la messa[90]. Il padrone Zebdi «mi diede parola, e sempre con lui ho caminato con tal principio, cosa della quale ogn'uno stupì, perche si fanno scritture terribili»[91]. Di lui afferma ancora Timoteo che «ceteris paribus era il minus nocens, tra que' barbari, e galant'huomo, sinche arrivava a suoi intenti»[92]. Si tratta di un'ulteriore conferma del fatto che le situazioni erano assai diversificate, in una realtà molteplice e complessa[93].

[89] Da «matmoura», silos per il grano utilizzato anche come prigione (R. COINDREAU, *Les corsaires de Salé...*, cit., 56). Padre Pierre Dan offre una vivace descrizione di tali prigioni (*Histoire de Barbarie...*, cit., 412); «Massemore, lieu obscur et souterrain, qui est un cloaque de tous genres d'infections», scrive, forse sulla scia dell'opera di padre Dan, che conosce, l'autore di *La miraculeuse redemption*, cit., 16. Cfr. anche *Le tableau de piété*, cit., 197 e *ivi* confronto con i bagni di Tripoli, Algeri e Tunisi. Una descrizione terrificante di una mazmora da parte di un gesuita (Ms. della Biblioteca Universitaria di Salamanca) è segnalata da A. GONZALEZ-RAYMOND, *Le rachat des chrétiens en terre d'Islam: de la charité chrétienne à la raison d'état. Les éléments d'une controverse autour des années 1620*, in *Chrétiens et musulmans à la Renaissance*, a. c. di B. Bennassar - R. Sauzet, Paris 1998, 371-389, [386].

[90] Ai sacerdoti o missionari in schiavitù non era consentito il proselitismo, mentre di norma potevano celebrare e amministrare i sacramenti a mercanti e schiavi cristiani: T. FILESI, *L'attenzione della Sacra Congregazione per l'Africa settentrionale*, in *Sacrae Congregationis de Propaganda Fide memoria rerum 1622-1972, I/2, 1622-1700*, Rom-Freiburg-Wien 1972, 377-412, [381].

[91] *Viaggio*, 56.

[92] *Ivi*, 63.

[93] S. BONO, *I corsari barbareschi*, cit., 228 s.; M. FONTENAY, *Le Maghreb barbaresque et l'esclavage méditerranéen aux XVI-XVII siècles*, "Les cahiers de Tunisie", 43 (1991), 7-43 (vi sono messe in luce anche le ragioni ideologiche che influenzano la considerazione del fenomeno). Le differenze riguardano sia le condizioni di vita, sia la durata della prigionia (una cattività di ben 28 anni a Salé è segnalata in C. LARQUIÉ, *Captifs chrétiens...*, cit., 402). Peraltro la situazione del Marocco, e in particolare di Salé, ove ai tempi delle sue fortune corsare vi era un elevato numero di schiavi, è la meno nota: S. BONO, *Corsari nel Mediterraneo. Cristiani e musulmani fra guerra, schiavitù e commercio*, Milano 1997[2], 194; notizie – relative essenzialmente a Francia e francesi – in CH. PENZ, *Les captifs français du Maroc au XVIIe siècle (1577-1699)*, Rabat 1944. Anche per questo la cronaca della prigionia scritta da Canevese risulta molto interessante.

La cultura e la sensibilità di Canevese lo inducono a descrivere con cura la città di Salé, le case e il mercato, gli animali, il cibo e gli abiti, i vascelli e gli armamenti, le merci – tra cui in particolare le stoffe[94].

Con il tempo il rapporto con il padrone si colorò di toni di confidenza. Il frate curò due suoi figli e altre persone della casa: la fama di «gran medico e chirurgico», egli narra, «mi pose in stima, e guadagnavo pane, ova, dattoli e altra frutta». Poté in tal modo migliorare la propria situazione e porsi in condizione di aiutare qualche schiavo. In effetti le capacità di cura erano valutate in modo molto positivo: si sa che il Bey di Tunisi nel 1693 offrì agevolazioni a *Propaganda Fide* a patto che gli fossero inviati un medico e dei medicinali[95]. Anche i musici in quelle terre avevano fortuna. Canevese possedeva discrete competenze in materia di musica. Fabbricò dunque con alcune canne un violino, suonando il quale otteneva dalle donne del pane e del couscous. La gente di casa e persino i soldati di passaggio «volevano sentire l'Orfeo di Barbaria»[96].

Quest'uomo ingegnoso («in terra de ciechi ero tenuto il più bravo maestro del mondo») godeva dunque di discrete condizioni di vita, che sottolinea e mette in luce, operando confronti con altre situazioni a lui note. Ricorda che non tutti i frati prigionieri potevano godere di margini di libertà. Un confratello missionario alle Isole Terzere (Azzorre), padre Antonio, a differenza di Timoteo non poteva indossare l'abito religioso, era vestito di poveri stracci ed era legato, tranne che nelle ore di lavoro, «con una catena grossissima al piede»; un certo padre Francesco, originario della Linguadoca, non aveva alcuna libertà di movimento[97]. Si potrebbe pensa-

---

[94] *Viaggio*, 66-73. Le stoffe erano molto ricercate: «se ne portano in Europa da mercanti armeni, massime in Portogallo, dove hanno spaccio grande, valendosene li cavalieri per manti e li religiosi per le loro cappe intiere, come le monache e quelli signori che vestono alla longa» (*ivi*, 69).

[95] T. Filesi, *L'attenzione della Sacra Congregazione, 1622-1700…*, 392; un altro caso nel 1710, ricordato dallo stesso T. Filesi, *L'attenzione della Sacra Congregazione per l'Africa settentrionale*, in *Sacrae Congregationis de Propaganda Fide memoria rerum 1622-1972*, II, *1700-1815*, Rom-Freiburg-Wien 1973, 845-881, [857]. Ma i casi erano assai numerosi.

[96] *Viaggio*, 64.

[97] *Ivi*, 60.

re, sulla base di tali circostanze, che non a torto nella narrazione di
un'azione di riscatto effettuata dai Trinitari a Salé si motivasse la
scelta nel seguente modo: «Il avoit sceu de science certaine, estre la
plus déplorable captivité de toutes celles de Barbarie et Turquie».
L'elemento retorico è peraltro in ciò chiaramente individuabile[98].

Tuttavia nemmeno a Timoteo era assicurata sempre e comunque la possibilità di compiere le celebrazioni festive[99]. Quando gli
era consentito di officiare, non solo mancavano ostie da comunione per tutti, ma si doveva spostare l'altare or qui or là, alla ricerca
di un angolo tranquillo. La critica del frate non si rivolge tanto
contro mori e giudei, pur chiassosi e intemperanti[100], quanto contro il console francese, un mercante cristiano, che spesso non lasciava le chiavi dell'armadio ov'erano riposti i sacri arredi, impedendo così la celebrazione[101].

---

[98] *La miraculeuse redemption*, 4. L'aspetto retorico risulta evidente dal fatto che più avanti si parla di Tetuan come di «la plus cruelle et abominable
captivité de toute la Barbarie» (*ivi*, 54).

[99] Analoga situazione, per Algeri soprattutto, è deplorata in *Le tableau de
piété*, cit., 204 s.

[100] «Chi mi urtava, chi mi prendeva per la corda e strascinava, chi mi calciava, al che avanzandosi un giudeo, visto da un moro, lo presi a calci e pugni,
che sono per sì odiati anco dai mori» (*Viaggio*, 61). Il giudizio sui giudei è
sempre assai più negativo che quello sui mori, tra i quali si segnalano persone
riprovevoli, ma anche galantuomini. Giudizio drastico anche in *La miraculeuse redemption...*, cit., 17 e 64 s. In altre situazioni (Egitto), i cristiani "eretici" – cioè i copti – sono considerati avversari più ostili e temibili dei turchi
stessi (*Cronica sesta...*, I 86 suss, f. 97, con descrizione delle vicende; ma anche
qualche conversione, *ivi*, f. 117). Era diffusa l'idea che i turchi fossero in
qualche modo strumento divino per piegare la ribelle superbia dei cristiani
orientali staccati da Roma, dal centro dell'unità: nel 1677 il gesuita Louis de
Maimbourg esporrà questa idea nella sua notissima e più volte ristampata *Histoire du schisme des grecs*.

[101] Vi erano relazioni commerciali abbastanza intense con la Francia; la
costruzione delle cappelle veniva concessa, in quanto condizione formale posta dai mercanti (R. COINDREAU, *Les corsaires de Salé...*, cit., 57). Sulle cappelle dei "bagni": S. BONO, *I corsari barbareschi*, cit., 227 s.; 243 s.; R.C. DA
VIS, *Christian Slaves...*, cit., 119 s. Sui consoli francesi in Marocco: cfr. P.
BURY, *Les Marseillais, consuls de France au Maroc, au temps des corsaires de
Salé*, "Marseille", 78 (1969), 29-40. *Ivi*, 37 si accenna allo scarso interesse del
console dell'epoca, Henri Prat, per il servizio spirituale a mercanti e schiavi.
Su trattati commerciali con il Marocco e con Salé, cfr. P. DAN, *Histoire de
Barbarie...*, cit., 186 s.

Quando si poteva celebrare la liturgia, rari erano gli astanti: pochi schiavi cattolici, e, al caso, i marinai di qualche imbarcazione francese, o anche inglese, all'ancora[102]. La messa era l'occasione per intrattenere qualche rapporto con loro, senza dare troppo nell'occhio. Fra Timoteo narra di aver segnalato a un gentiluomo inglese di religione cattolica, giunto con un'ambasceria, la necessità di diffidare di persone che di nulla tenevano conto, nemmeno di quelle ragioni dell'ospitalità, che tanto più forti avrebbero dovuto essere in epoca di armistizio e di regolari commerci con gli inglesi[103]. L'autore non fa mai cenno alla presenza di sacerdoti missionari; d'altronde è nota la situazione di queste terre, per le quali solo alla metà del Seicento era stato avanzato un progetto di evangelizzazione, approvato da Innocenzo X, che comportava l'estensione della missione di Tripoli a varie terre, tra cui Salé, e l'invio di dieci missionari[104].

[102] *Viaggio*, 60 s., 71.

[103] *Ivi*, 70 s. Dal testo si ricavano notizie dettagliate sulle vicende dell'ambasceria inglese, concluse con uno scontro a fuoco, nel quale il vascello inglese ebbe la meglio. Sulle relazioni con gli inglesi in questi anni: R. COINDREAU, *Les corsaires de Salé...*, cit., 56. Durante tale periodo di tregua non vi furono azioni di forza delle nazioni europee contro Salé, anzi, le rivalità politiche in Europa e quelle commerciali favorirono il permanere della potenza corsara di tale città (R. COINDREAU, *Les corsaires de Salé...*, cit., 223). Un pesante giudizio di Lodovico Antonio Muratori sulla mancata volontà politica delle potenze europee in proposito: L.A. MURATORI, *Della carità cristiana...*, cit., cap. 30.

[104] Il segretario di Propaganda Francesco Ingoli, personaggio di rilievo, già nel 1635 asseriva l'importanza di continuare la missione del Marocco, bagnata dal sangue dei martiri (si pensi a Juan del Prado). La situazione delle missioni non era facile, data la carenza di missionari, le alterne vicende politiche, le epidemie di peste. Nel 1671 il vicario apostolico Le Vacher segnalò a Propaganda la necessità di avere sacerdoti anche a Tetuan, Salé e Fez, ma tutto si ridusse alla nomina di un solo sacerdote. Dal 1679 la presenza del nuovo prefetto Girolamo da Castelvetrano apportò nuove iniziative, anche per quanto riguarda Salé (T. FILESI, *L'attenzione della Sacra Congregazione, 1622-1700...*, cit., 396 s. [per Salé in particolare 408 s.]). A lungo dunque l'assistenza religiosa agli schiavi fu prestata soprattutto da sacerdoti pur essi in schiavitù: S. BONO, *I corsari barbareschi...*, cit., 243 s.; M. MAFRICI, *Mezzogiorno e pirateria...*, cit., 118 s. Sulla presenza dei cappuccini: M. MAFRICI, *I meridionali schiavi dei turchi e l'azione dei cappuccini*, in *I frati minori cappuccini in Basilicata e nel Salernitano fra '500 e '600*, a c. di V. Criscuolo, Roma 1999, 287-305 e ora anche EAD., *De Propaganda Fide e schiavitù barbaresca: l'attività dei cappuccini nel Maghreb tra Sei e Settecento*, Relazione al Convegno "Schiavitù e conversioni religiose nel Mediterraneo medievale e moderno" (Palermo, maggio 2007).

Verso la libertà

Dalle lettere che Timoteo portava con sé i corsari avevano rica-
vato molte notizie relative alla possibilità di ottenere un buon riscatto. Proprio per il valore che egli poteva rappresentare, riuscì a
mantenere i contatti con l'Occidente. Egli intrattenne rapporti in
primo luogo con i milanesi a Cadice (tra i quali si fa espressamente
il nome di un Bartolomeo Manzoni), che gli ottennero denari e panni; per loro tramite si mise in contatto con la Nunziatura a Madrid,
in particolare con il domenicano Carlo Isnardi, familiare del Nunzio[105]. Zebdi, che come si è visto aveva riacquistato a basso prezzo
Timoteo, ne fece una stima elevatissima per il riscatto[106]. L'intento
precipuo era quello di ottenere lo scambio con un suo fratello, Ah-
met Amur, da integrare possibilmente anche con una somma di denaro[107]. La pratica di scambio, sempre più diffusa, configurava l'accordo come un vero e proprio contratto; era via più praticabile che
il riscatto vero e proprio, soprattutto per personaggi di rango o sacerdoti, e vedeva come protagonisti molto spesso dei privati[108].

---

[105] *Viaggio*, 58 s.

[106] *Ivi*, 63: «cominciai a capire che el tomar y pedir corre in ogni stato e
luoco».

[107] Tre erano i fratelli in schiavitù: oltre a questo, uno in Sardegna e uno a
Livorno, entrambi visitati da Timoteo dopo la sua liberazione. *Ivi*, 79.

[108] S. BONO, *I corsari barbareschi...*, cit., 332 s.; T. BACHROUCH, *Rachat et libération...*, cit. Ben nota è l'attività svolta per il riscatto degli schiavi da Mercedari e Trinitari. Fondamentale è ancora: P. DESLANDRES, *L'ordre des Trinitaires
pour le rachat des captifs*, Toulouse 1903. Sul fenomeno in generale, cfr. C. LAR-
QUIÉ, *L'Église et le commerce des hommes en Méditerranée: l'exemple des rachats
de chrétiens au XVIIe siècle*, in *Rapporti Genova - Mediterraneo - Atlantico nel-
l'età moderna*, a c. di R. Belvederi, VI, Genova 1985, 47-66, e soprattutto C.
LARQUIÉ. *Le rachat des chrétiens...*, cit.; M. FONTENAY, *Le Maghreb barbaresque
et l'esclavage...*, cit.; E. LUCCHINI, *La merce umana. Schiavitù e riscatto dei liguri
nel Seicento*, Roma 1990 (per Salé, 147-155). Sul fenomeno di schiavitù e riscatto per la fine del XVI secolo: W.H. RUDT DE COLLENBERG, *Esclavages et rançons
des chrétiens en Méditerranée 1570-1600. D'après les Litterae Hortatoriae de l'Archivio Segreto Vaticano*, Paris 1987. Fonte per Salé: *La miraculeuse redemption...*, cit.; cfr. anche: *La célèbre Rédemption de XLI chrestiens captifs, faite de
l'authorité du révérendissime Père général de tout l'ordre de la Sainte-Trinité et rédemption des captifs, en la ville de Salé au royaume de Mauritanie, arrivés et reçus
au couvent des Mathurins de Paris le vingt-deuxième décembre 1642*, J. Jacquin,
Paris 1643. Di recentissima pubblicazione (non ho potuto consultarlo): *Le com-

Nelle complesse trattative per la liberazione di Timoteo si inserirono varie difficoltà, legate alle incerte e variabili situazioni politiche nell'area degli Stati barbareschi. Il sovrano del Marocco mirava a recuperare il proprio potere. Dopo una breve fase di indipendenza guadagnata da Salé, in effetti proprio nel 1668 la città corsara divenne vassalla del sultano del Marocco[109]. La situazione impensieriva assai fra Timoteo, ben conscio di trovarsi in una posizione difficile: «sarò schiavo del re, ed in conseguenza, in perpetuo, che dalla mano di Dio in poi niuno mi potrà liberare»; ma l'intervento della madre di Zebdi gli evitò il peggio[110].

Il frate avrebbe voluto essere trasportato a Ceuta. Attraverso un'abile politica riuscì ad ottenere soltanto di essere avviato a Tetuan, in attesa del perfezionamento dello scambio. La città di Tetuan nel Seicento svolgeva una funzione importante come luogo ove si effettuavano i riscatti, soprattutto – ma non solo – attraverso la presenza dei religiosi spagnoli[111]. Il percorso fu compiuto in condizioni spaventose rispetto a quelle della prigionia, tanto che Timoteo ne parla come di un «continuo martirio», a causa del pessimo trattamento subito, delle fatiche e dei pericoli del viaggio[112]. Ma per Canevese, giunto infine a Tetuan, il travaglio non era terminato. Lo spagnolo Lopez, cassiere di un mercante francese in Cadice, per il quale aveva una lettera di raccomandazione, era assente; un mercante armeno ottenne di poter ospitare il frate, impegnandosi a consegnarlo se richiesto[113]. Nonostante molte difficoltà e anche grazie all'intervento di un moro che evitò a Canevese il carcere alla Mazmora, il soggiorno presso il mercante si prolungò per mesi. Di costui il prigioniero

merce des captifs. Les intermédiaires dans l'échange et le rachat des prisonniers en Méditerranée, XVe-XVIIe siècle, a c. di W. Kaiser, Roma 2008.

[109] Secondo R. COINDREAU, Les corsaires de Salé…, cit., 52 s.; la data 1666 è proposta invece da A. SÁNCHEZ PÉREZ, Los moriscos de Hornachos…, cit., 137.

[110] Viaggio, 79.

[111] B. e L. BENNASSAR, Les chrétiens d'Allah…, cit., 398; C. LARQUIÉ, Captifs chrétiens et esclaves musulmans au XVIIe siècle: une lecture comparative, in Chrétiens et musulmans…, cit., 391-404, [395; 399]; vari dati in A. GONZALEZ-RAYMOND, Le rachat des chrétiens en terre d'Islam…, cit., 380 e passim.

[112] Viaggio, 81-83 (descrizione della natura e della fauna, 83; cfr. anche passim, ad es. 70).

[113] Per tale prassi, che riveste sostanzialmente carattere eccezionale: S. BONO, I corsari barbareschi…, cit., 232.

parla in termini favorevoli, definendolo «mercante tanto benigno e cortese che non gli mancava altro che la fede per essere un perfetto christiano»[114].

Anche per il periodo di prigionia a Tetuan le notizie sono molte; il frate coglie con sguardo attento luoghi, situazioni e persone, e li descrive con vivacità. Risalta negativamente la figura di un «alcalde del mare», un rinnegato figlio del precedente console francese. Costui aveva dato scandalo agli schiavi con la sua conversione e il suo «accomodarsi alle cerimonie maometane»; inoltre aveva rifiutato la sepoltura a una quindicina di spagnoli uccisi dai mori durante una scorribanda. Persino la sua faccia era quella «d'un nemico di Christo e de christiani»[115].

Il tetro carcere della Mazmora, ove gli schiavi giacevano incatenati e in pessime condizioni[116] e che era illuminato solo da aperture verso l'alto dalle quali filtrava la pioggia, è descritto come un inferno, un luogo di tormenti. Fra Timoteo sottolinea la crudeltà dei carcerieri, che mozzavano le mani o bruciavano vivi i prigionieri per la minima infrazione[117]. Ai prigionieri egli portava l'elemosina raccolta, per consentire loro di sopravvivere[118]; inoltre raccolse una lista dei loro nomi in un memoriale, con l'impegno di consegnarlo personalmente alla regina non appena fatto ritorno in terra cristiana[119].

Alla Mazmora si trovava tuttavia una cappelletta con un'immagine mariana, ove Canevese celebrò in occasione del Natale: una nicchia di quattro metri per cinque, ornata di azulejos, con un altare a cassetta, in cui «si conservano alcune memorie de poveri captivi». Un sacerdote spagnolo, che aveva ricevuto una cifra

[114] *Viaggio*, 84, 92.
[115] *Ivi*, 84 s., 89 s. (i cadaveri sono abbandonati a serpenti che li divorano). Sul fenomeno dei rinnegati, almeno: B. e L. BENNASSAR, *Les chrétiens d'Allah...*, cit.; L. SCARAFFIA, *Rinnegati. Per una storia dell'identità occidentale*, Roma-Bari 2002²; L. ROSTAGNO, *Mi faccio turco...*, cit.
[116] Per la descrizione della prigionia a Tetuan da parte di un minimo fatto schiavo, se ne veda la lettera in *La miraculeuse redemption...*, cit., 20-21.
[117] Le pessime condizioni di vita di conseguenza favorivano l'abbandono della religione cristiana (*ivi*, 54).
[118] Sulle difficoltà di sopravvivenza degli schiavi, che spesso dovevano provvedere personalmente a procurarsi il vitto: M. MAFRICI, *Mezzogiorno e pirateria...*, cit., 110 s.
[119] *Viaggio*, 96 s.

enorme per pagare il proprio riscatto (ben 18.000 «pezze»)[120], ne aveva utilizzato la maggior parte per liberare gran numero di schiavi cristiani, riservando il restante alla costruzione della cappella là dove egli si trovava prigioniero[121].

Diverso è l'atteggiamento di Canevese, la cui massima preoccupazione appare quella della propria liberazione, anche se non mancano elementi di attenzione nei confronti degli schiavi cristiani, sul piano tanto materiale quanto spirituale. Egli non vedeva l'ora di recuperare la perduta libertà: ma le sue traversie non erano destinate ad aver rapidamente fine, poiché Zebdi, ormai in disgrazia, fu decapitato a Fez ed i suoi beni furono requisiti, ivi compresi gli schiavi. Il prigioniero riuscì a superare gli ostacoli ulteriori generati dalla mutata situazione; ricevette infine varie lettere da Litta, Borromeo, dal governatore di Ceuta, da amici di Madrid e Cadice, dal generale delle galere spagnole, che promettevano lo scambio per l'estate. L'ansia del frate per la costante incertezza della situazione politica lo indusse a premere sul Nunzio, che inviò a Cartagena un proprio emissario, il milanese Giuseppe Maria Giudici, incaricato tra l'altro di riscattare il moro per effettuare lo scambio. Dopo innumerevoli difficoltà e contrattempi, le lettere che comunicavano l'avvenuto accordo giunsero al frate il 25 marzo 1670, giorno – come egli sottolinea – nel quale si festeggia l'Annunciazione. Lo scambio fu infine effettuato il mese successivo[122]. La prigionia di Canevese, nonostante le sue ansie, si rivelò dunque assai più breve di quanto non avvenisse di norma: per gli anni 1660-65 gli studiosi hanno calcolato la durata media della prigionia ad Algeri in quattro anni e quattro mesi, mentre in città del Marocco, tra cui Salé, la media era di cinque anni e tre mesi[123].

A Ceuta fra' Timoteo si recò a riverire il governatore e l'emissario Giudici; di lì giunse a Gibilterra, ove finalmente poté trovare

---

[120] È noto che al riscatto dei sacerdoti fatti schiavi si poneva particolare attenzione (cfr. S. Bono, *I corsari barbareschi...*, cit., 223, 281); doveva peraltro qui trattarsi, data l'entità della cifra pagata, di persona di particolare importanza.

[121] *Viaggio*, 86 s.

[122] *Viaggio*, 90 s.

[123] C. Larquié, *Le rachat des chrétiens...*, cit., 325 s. Sui tempi e in particolare sulle pratiche del riscatto: J.A. Martínez Torres, *Prisoneros de los infieles...*, cit.

un convento del proprio ordine. Merita osservare che Canevese, fedele ai suoi doveri di frate e di sacerdote, all'abito del suo ordine e alle prescrizioni rituali della Chiesa[124], aveva in qualche modo perduto l'identità esterna: il superiore «vedendomi co' capelli lunghi e barba, scarno e macilente, mi stimò un qualche anacoretta»[125].

Nelle molte tappe del percorso in Spagna, volte soprattutto a consentirgli di ringraziare chi per lui s'era adoperato, importante è la sosta a Valladolid, ove si teneva il capitolo generale dell'ordine (che d'abitudine aveva luogo in Spagna[126]): «Vi era un piccol mondo, perche da tutte le parti di esso vi concorrono li provinciali, custodi, dottori, e li più segnalati della grande famiglia francescana». Tutti lo osservavano, tutti parlavano di lui e delle sue avventure in terra d'Islam: «Aquel es el frayle, que sacò da los moros el Señor Nuntio»[127]. Per l'occasione si trovava lì anche il Nunzio Borromeo[128], già destinato alla Segreteria di Stato, che Canevese seguì a Roma; nella città eterna ritrovò e ringraziò anche il card. Litta, la cui azione era stata insistita ed efficace[129]. Alla fine del-

[124] Il digiuno quaresimale era rispettato da Timoteo anche quando era estenuato dalla fatica (*Viaggio*, 83).

[125] *Ivi*, 101. Peraltro, a differenza di altri schiavi, Canevese non era stato costretto a dismettere il proprio abito, il cui valore simbolico era importante, in quanto segnale esterno dell'identità. Ma la diffidenza poteva nascere, oltre che dall'aspetto, anche dalla fama che accompagnava i sacerdoti in schiavitù, spesso cedevoli, nonché carenti soprattutto per quanto concerne l'esercizio del ministero religioso. Nel 1682 Propaganda emanerà una normativa assai rigida in proposito: T. FILESI, *L'attenzione della Sacra Congregazione, 1622-1700...*, cit., 399 s.

[126] GEROLAMO DA MERATE, *Chronica...*, cit.

[127] *Viaggio*, 103.

[128] L. VON PASTOR, *Storia dei Papi*, XIV/1, Roma 1943, *passim*; *Hierarchia catholica medii et recentioris aevi*, a c. di R. Ritzler - P. Sefrin, V, Padova 1952, 7; G. LUTZ, *s.v.*, in DBI, XIII, Roma 1971, 42-45. Una sintesi delle tappe della sua brillante carriera in http://www.fiu.edu/~mirandas; sulla Nunziatura in Svizzera (1654-1665): U. FINK, *Die Luzerner Nunziatur, 1586-1873. Zur Behördengeschichte und Quellenkunde der päpstlichen Diplomatie in der Schweiz*, Luzern 1997, 179-181, 359-361 e *passim*; M. GIOVANNINI, *Federico Borromeo Nunzio Apostolico. Con particolare riferimento alla Nunziatura Svizzera*, Como 1945. Doti essenziali del personaggio paiono essere pazienza, circospezione e soprattutto capacità di mediazione. Di lì a qualche mese Borromeo, divenuto Segretario di Stato, fu insignito anche della porpora cardinalizia.

[129] *Viaggio*, 103 e 99; di lettere e altri documenti menzionati dall'autore non vi è traccia alcuna nel Carteggio Ufficiale conservato presso l'ASDM.

l'ottobre 1670, due anni dopo la sua partenza, fra Timoteo fece infine ritorno al convento milanese del Giardino e riprese l'attività di predicatore. Le cronache ricordano che, il 28 dicembre dello stesso anno, a seguito della nomina cardinalizia del Borromeo, egli ne recitò «l'orazione encomiastica, intrecciandosi con sommo aggradimento del parentado, della nobiltà e di tutti, le beneficenze avute nella libertà dall'Africa» con le lodi del porporato[130].

L'immagine del turco nella predicazione di fra' Timoteo

Che cosa viene trasmesso dell'esperienza vissuta? Innanzitutto Timoteo sottolinea che il vero pericolo per il cristiano non sono i corsari barbareschi, ma «i corsari dell'anima» «mori spirituali ed incorporei», che possono trascinarla alla definitiva perdizione. Quanto alle vicende concrete, egli ne recava impressa nella mente, ben viva, la memoria; dunque la trasmette e comunica attraverso lo scritto e le prediche, nonché con ogni probabilità attraverso le conversazioni. Con lui giungono in Europa testimonianze anche materiali delle terre barbaresche: non solo «un papagallo bellissimo, che parlava spagnolo e moresco», donatogli dal governatore di Ceuta, ma anche «quattro scimie, un gatto montese, animale pellegrino, un cignale novello scaccato, un guron, animaluccio per caccia de conigli», oltre a tre pelli di leopardo e a cosette varie[131]. Nella predicazione si vede affiorare la sua multiforme esperienza «presso i turchi». Nelle prediche relative al profeta Giona il frate mostra piena conoscenza dei più svariati tipi di nave; alle tempeste marine fa riferimento in modo assai concreto, menzionando le burrasche affrontate nell'Egeo, nell'Adriatico, nel Mediterraneo, nonché nell'Oceano – sconosciuto agli astanti – «nel quale hebbi due tormente di mare spaventosissime»[132]. Nella scelta degli *exempla* o degli aneddoti storici, pur attingendo alla tradizione, preferisce quelli relativi all'Oriente, in cui si parla di harem e di poligamia, ma anche di grandezza d'animo e di conversioni[133].

---

[130] *Cronica terza*, f. 263 (cerimonia in S. Lorenzo).
[131] *Ivi*, ff. 94 e 101.
[132] *Giona profeta*, Lezione IV, 16-19.
[133] *Ivi*, Lezione VIII, 36 s.; lezione XII, 58-60.

Commentando i passi biblici, elogia la «piacevolezza e cortesia di marinari barbari, di professione corsari», avvezzi a uccidere ma caritatevoli con il forestiero[134].

La «republica christiana» – ammonisce – non deve divenire scandalo per gli «infedeli, appresso de quali non v'ha chi possa corromper la giustitia, che con essi non vale quell'assioma, chi ha denari ed amicitia non teme la giustitia»; il confronto tra il modo di comportarsi degli infedeli e dei cristiani va sovente a scapito di questi ultimi[135]. Se la evidente finalità di tali ammonimenti consiste essenzialmente nel richiamare i cristiani a una conformità tra la grandezza della fede e i modi della pratica, comunque l'immagine di «turchi e mori» risulta positiva[136], assai più che nel *Viaggio*, ove peraltro essa è realisticamente multiforme, a seconda dei personaggi e delle situazioni.

Quanto accennato nelle lezioni scritturistiche sembra almeno in parte contrastare con l'esperienza diretta del predicatore stesso. Come si è visto, i corsari nel testo sono a più riprese descritti come «porci animali» o «sordidi animalacci», mentre di essi nella predicazione si presenta un'immagine tutt'altro che negativa. Dunque attraverso i sermoni, che potevano consentire di raggiungere un elevato numero di persone, anche incolte, si trasmetteva un messaggio sfumato e sovente incline a valorizzare aspetti positivi di quella civiltà.

Per concludere

Anche altri ordini religiosi avevano sviluppato un'intensa attività missionaria, i cui riverberi illuminano anche il nostro argomento. Nel caso milanese si può ricordare soprattutto la figura di

---

[134] *Ivi*, Lezione IX, 41 s.

[135] *Ivi*, Lezione I, 4-5; Lezione XII, 58-60. Si tratta di un *topos* ricorrente. A. MAS, *Les turcs dans la littérature espagnole du siècle d'Or*, Paris 1967; in particolare sull'imparzialità della giustizia, cfr. J. PÉREZ, *L'affrontement turcs-chrétiens vu d'Espagne. Le "Voyage en Turquie"*, in *Chrétiens et musulmans…*, cit., 255-263.

[136] Si annota che di Dio essi hanno una conoscenza imperfetta, "platonica", tale da indurli a riconoscerne la grandezza senza conoscerlo (*Giona profeta*, Lezione VII, 33).

un carmelitano scalzo, Cornelio Reina, vissuto nel XVIII secolo, che per alcuni anni operò tra il Libano e la Persia[137]. Già nel 1737, a breve distanza dall'ordinazione sacerdotale, aveva fatto voto di spendere la sua vita nelle missioni. Non a caso, dopo gli studi nel Collegio di Brera, avrebbe voluto entrare nella Compagnia di Gesù, l'ordine più noto per la sua sistematica attività missionaria e l'attenzione a mondi «altri»[138]; ne fu impedito da una malattia agli occhi. Personaggio di grande cultura e intelligenza, stimato presso *Propaganda Fide*, era tra l'altro perfetto conoscitore delle lingue orientali. Nominato – pare contro il suo volere – vescovo di Isfahan nel 1758, in realtà poté partire da Roma solo nel 1762 e non gli fu possibile raggiungere la sede di cui era titolare, data l'instabile situazione che aveva provocato anche il saccheggio del vescovado. Rimase nell'area sino al 1771, quando se ne allontanò per fare ritorno a Roma. Clemente XIV pensava di affidargli successivamente, alla morte del prefetto allora in carica, il delicato compito di prefetto di *Propaganda*: promessa che non sarà mantenuta da Pio VI, tanto da provocare il ritorno di Reina a Milano, ove morirà nel 1797.

Il lungo soggiorno milanese – che resta ancora da indagare – fu probabilmente il tramite per la trasmissione di notizie e di informazioni delle quali i suoi diari (inediti) sono assai ricchi. Viaggiatore intelligente e preparato, aperto a cogliere gli aspetti della realtà circostante, egli descrive popoli e paesi, con un'attenzione del tutto particolare dedicata alla religione. L'immagine dei personag-

---

[137] Una ricchissima documentazione, per ora poco sfruttata dagli studiosi, è conservata presso la BA, segnature H 136 suss e & 211 sup (autografi); P 181 sup e P 182 sup, scritti dal segretario Cesario di S. Andrea, sulla base peraltro di mss. e relazioni dello stesso Reina. Cfr. P.A. LICINI, *Quattro manoscritti inediti sulla vita di mons. C. Reina vescovo di Isfahan (secolo XVIII)*, in *La conoscenza dell'Asia e dell'Africa in Italia nei secoli XVIII e XIX*, I, Napoli 1984, 503-534 e *La Dinastia degli Arsacidi in Armenia secondo il ms. di Cornelio Reina (sec. XVIII)*, estratto, Venezia 1981, poi in *Atti del Terzo Simposio internazionale di arte armena*, Venezia 1984.

[138] La Licini (*Quatto manoscritti inediti...*, 508) ritiene di cogliere in questo atteggiamento di attenzione e di rispetto «premesse per lo spirito illuministico», nuove rispetto allo stupore o al disprezzo dell'età barocca. In realtà i gesuiti – ed altri ordini religiosi (carmelitani, teatini...) – avevano da lungo tempo manifestato una straordinaria apertura nei confronti delle altre culture, in particolare quelle dell'Oriente.

gi musulmani da lui incontrati non è, in genere, particolarmente positiva; ma anche in questo caso emergono considerazioni assai sfumate e varie, a seconda delle situazioni e delle persone.

Gli ordini mendicanti, per la loro attività missionaria, costituirono un tramite importante per la conoscenza dell'Islam e più in generale dell'Oriente: esperienze personali ebbero un riflesso in una città che, per ragioni geografiche, non era di per sé segnata da una conoscenza diretta, ma piuttosto da un sapere elitario e librario riguardo a tali mondi, oppure da una *vulgata* prevalentemente emotiva. Se in apparenza il giudizio sul «turco» è spesso negativo e il solo desiderio sembra essere quello della sconfitta dell'avversario più ancora che della sua conversione, la realtà dell'attenzione all'Islam è molto più variegata e la comunicazione di notizie e di giudizi, attraverso i vari canali, è tutt'altro che appiattita. La frontiera, materiale o psicologica, era sovente una sorgente di conoscenza, un luogo di incrocio e di scambio: le fonti restituiscono la testimonianza di un conflitto ma, al tempo stesso, di un incontro tra civiltà e culture.

La preparazione linguistica e controversistica dei missionari per l'Oriente islamico: scuole, testi, insegnanti a Roma e in Italia[1]

Giovanni Pizzorusso

La diffusione dello studio delle lingue del Vicino Oriente nella penisola italiana e, in particolare, a Roma si sviluppò significativamente tra Cinque e Seicento, ricevendo un forte impulso dallo sforzo missionario che la Chiesa dispiegò verso la cura spirituale delle comunità cristiane di rito orientale, inviando religiosi di vari ordini regolari in tutta la regione e particolarmente in Terra Santa presso il Santo Sepolcro, meta di viaggi e pellegrinaggi, e nei numerosi centri dell'Islam dove fioriva la presenza mercantile degli europei e dove, sotto la protezione delle potenze cattoliche, risiedevano pure comunità di rito latino. Anche se il proselitismo nei confronti degli islamici era proibito, il confronto con la religione di Maometto restava inevitabile perché la presenza dei missionari cattolici, oltre che nella difesa della fede presso le comunità ove risiedevano, si poneva comunque in una prospettiva di allargamento del cristianesimo che evidenziava richiami all'idea di Crociata e nuove preoccupazioni per la presenza e l'influenza protestante inglese e olandese arrivata con i galeoni dei mercanti dal Nord Europa, dove pure si sviluppò rapidamente un grande interesse colto per l'Oriente. Infine l'Islam era anche un territorio di passaggio per i missionari che all'inizio del XVII secolo si spingevano anche più avanti per impiantare missioni nel Caucaso e in Persia e oltre, ma anche verso l'Egitto e le comunità copte[2].

---

[1] Per gli utilissimi scambi di opinioni e di testi su questo tema ringrazio particolarmente Bernard Heyberger, Aurélien Girard e Fernando Rodriguez Mediano.

[2] Un quadro generale in B. HEYBERGER, *Les Chrétiens du Proche-Orient au temps de la Reforme catholique*, Rome 1994. Sulla diffusione delle lingue orientali a Roma e in Italia uno sguardo d'insieme in A.M. PIEMONTESE, *Leg-*

In questo vasto contesto geografico la lingua di comunicazione era l'arabo, lingua franca che i missionari dovevano apprendere per la loro attività di predicazione del cristianesimo, di controversia con la religione maomettana e di pratica sacerdotale delle funzioni e dei sacramenti, *in primis* quello della confessione. L'esperienza sul terreno mostra come questa lingua fosse in realtà frammentata in dialetti molto diversi e come fosse difficile per i missionari orientarsi tra essi, pur avendo ricevuto una sommaria preparazione. Malgrado questa difficoltà, su cui torneremo, lo studio dell'arabo e, in misura minore, di altre lingue dell'area islamica, il siriaco (caldeo), il copto, il persiano, divenne un punto centrale nella formazione del missionario destinato al Vicino Oriente. Tale preoccupazione mise in moto da parte delle istituzioni missionarie romane l'organizzazione di corsi e di vere e proprie scuole e la produzione di testi linguistici (grammatiche e dizionari) che ebbe il suo centro in Roma, dove la conoscenza della lingua araba rivestì sempre maggior importanza in coincidenza con lo slancio missionario per il Levante assunto nella politica evangelizzatrice del papato, soprattutto a partire da Gregorio XIII (1572-1585). Per riaffermare il primato pontificio e l'unione dei cristiani anche su queste comunità lontane, il papa Boncompagni inviò il gesuita Gian Battista Eliano tra 1578 e il 1582 per incontrarle e stabilire o riaffermare il legame con Roma[3]. Tra queste comunità i maroniti, fortemente legati alla Chiesa romana, beneficiarono della fondazione

gere e scrivere «Orientalia» in Italia, "Annali della Scuola Normale Superiore di Pisa. Classe di Lettere e Filosofia", ser. III, 23 (1993), 427-453. Sullo slancio apostolico all'inizio del XVII secolo, mi permetto di rinviare al recentissimo G. PIZZORUSSO, *Il papato e le missioni extra-europee nell'epoca di Paolo V. Una prospettiva di sintesi,* in *Die Außenbeziehungen des Römischen Kurie unter Paul V. (1605-1621),* a c. di A. Koller, Tübingen 2008, 367-390.

[3] B. HEYBERGER, *Les chrétiens...,* cit., 232-235; oltre che mirato a rafforzare l'autorità pontificia sulle chiese orientali, nel solco della tradizione del Concilio di Ferrara-Firenze (1438-1441), questo sforzo rientra nella generale affermazione pontificia della sua sovranità sulle missioni e sul suo ruolo pastorale universale, che progressivamente si afferma tra Cinque e Seicento, G. PIZZORUSSO, *La Compagnia di Gesù, gli ordini regolari e il processo di affermazione della giurisdizione pontificia sulle missioni tra fine XVI e inizio XVII secolo: tracce di una ricerca,* in *I gesuiti ai tempi di Claudio Acquaviva. Strategie politiche, religiose e culturali tra Cinque e Seicento,* a c. di P. Broggio - F. Cantù - P.-A. Fabre - A. Romano, Brescia 2007, 55-85.

nel 1584 di un loro collegio nazionale a Roma affidato ai gesuiti[4]. I papi successivi confermarono questa attenzione verso il Levante, in particolare Clemente VIII e Paolo V, con i quali le missioni si moltiplicarono raggiungendo anche la Persia. Questi rapporti incisero positivamente sull'interesse per la lingua araba: gli inviati pontifici impararono la lingua nel corso delle loro missioni, i maroniti presenti a Roma vennero spesso utilizzati come interpreti per la traduzione di documenti in arabo, viaggiatori italiani come Pietro della Valle si spinsero fino in Persia e contribuirono alla conoscenza dei luoghi e delle lingue. Contemporaneamente si svilupparono la produzione libraria e l'insegnamento universitario. Della prima fu protagonista a cavallo dei due secoli l'erudito orientalista Giovanni Battista Raimondi, la cui produzione su arabo e persiano proseguì anche dopo la breve stagione della Tipografia Medicea[5]. Per quanto riguarda il secondo, a Eliano venne affidata la cattedra di arabo al Collegio Romano resistita fino agli inizi del XVII secolo con il successore Pietro Metoscita[6]. Alla Sapienza invece la cattedra di arabo venne stabilita nel 1605 ed era destinata a durare, coperta alternativamente da maroniti e italiani[7].

---

[4] S. TABAR, *Fondation et premier siècle de vie du Collège Maronite*, Roma 1978-79 (tesi dattiloscritta); ID., *La S. Congrégation et les Maronites*, in *Sacrae Congregationis de Propaganda Fide Memoria Rerum*, a c. di J. Metzler, I/1, Rom-Freiburg-Wien 1971, 606-623; R. GRÉGOIRE, *Costituzioni, visite apostoliche e atti ufficiali nella storia del collegio maronita di Roma*, "Ricerche per la storia religiosa di Roma", 1 (1977), 175-229; N. GEMAYEL, *Les échanges culturels entre les Maronites et l'Europe. Du Collège Maronite de Rome (1584) au Collège de 'Ayn-Warqa (1789)*, Beyrouth 1984; B. HEYBERGER, *Les chrétiens...*, cit., 405-431.

[5] G. MORONI, *Dizionario di erudizione storico-ecclesiastica*, LXIX, Venezia 1854, *s.v.* "Stamperia Camerale"; A. TINTO, *Per una storia della tipografia orientale a Roma nell'età della Controriforma. Contributi*, "Accademie e biblioteche d'Italia", 41 (1973), 280-303; ID., *La tipografia medicea orientale*, Lucca 1987; A.M. PIEMONTESE, *La "Grammatica persiana" di Giovanni Battista Raimondi*, "Rivista di Studi orientali", 53 (1979), 141-150.

[6] R. GARCIA VILLOSLADA, *Storia del Collegio Romano dal suo inizio (1551) alla soppressione della Compagnia di Gesù (1773)*, Roma 1954, 71-72; sul collegio gesuita cfr. P. BROGGIO, *L'Urbs e il mondo. Note sulla presenza degli stranieri nel Collegio Romano e sugli orizzonti geografici della "formazione romana" tra XVI e XVII secolo*, "Rivista di Storia della Chiesa in Italia", 56 (2002), 81-120.

[7] Il primo insegnante fu Marco Dobelio di Nisibe, "parthus" (curdo), un personaggio fortemente collegato con l'arabismo spagnolo, cfr. F. RODRIGUEZ

Questa esigenza di conoscere le lingue orientali trovò una sanzione ufficiale nella costituzione apostolica emanata da Paolo V il 31 luglio 1610 (*Apostolicae servitutis onere*) con la quale il pontefice chiedeva agli ordini regolari di fondare scuole di lingua nei loro conventi. Il solenne documento paolino richiamava i precedenti medievali di questa disposizione, in particolare il Concilio di Vienne del 1311 nel quale si era stabilito l'insegnamento delle lingue orientali nelle principali università (Parigi, Oxford, Bologna, Salamanca) e nelle sedi della Curia romana. Questa remota decisione, riguardante l'ebraico, il greco e l'arabo, era maturata nel contesto del confronto con l'Islam e, pur con metodologie differenziate, sotto la spinta del francescano Ruggero Bacone, del domenicano Raimondo di Peñafort e soprattutto di Raimondo Lullo, terziario francescano, la cui scuola maiorchina di Miramar doveva formare i missionari destinati all'Oriente e alla controversia teologica[8]. Pur nella sua distanza temporale questa lezione non era stata dimenti-

---

MEDIANO - M. GARCIA ARENAL, *De Diego de Urrea a Marcos Dobelio, interpretes y traductores de los Plomos* e M. GARCIA ARENAL, *De la autoría morisca a la anteguedád sagrada*, in *Los Plomos de Sacromonte Invención y tesoro*, a c. di M. Barrios Aguilera - M. Garcia-Arenal, Valencia-Granada-Zaragoza 2006, rispettivamente 297-333 e 557-582. Nel 1652 alla cattedra di arabo viene affiancata quella di siriaco (caldeo) affidata a Abraham Ecchellensis. F.M. RENAZZI, *Storia dell'Università degli studi di Roma*, Stamperia Pagliarini, Roma 1805, II, 96-99, 150-153, 193-196; E. CONTE, *I maestri della Sapienza di Roma dal 1514 al 1787: i rotuli e le altre fonti*, Roma 1991, 1031-1032, da completare con D.A. LINES, *Calendari del Seicento per l'Università "La Sapienza". Una integrazione dall'Archivio Segreto Vaticano*, "Annali di Storia delle Università Italiane", 9 (2005), 233-246; cfr. anche gli articoli di G. RITA, *Le discipline umanistiche da Sisto V a Clemente XII (1587-1740)*, in *Storia della facoltà di Lettere e Filosofia de "La Sapienza"*, a c. di L. Capo - M.R. Di Simone, Roma 2000, 285-293 e ID., *Dalla Controriforma ai Lumi. Ideologia e didattica nella "Sapienza" romana*, "Annali di Storia delle Università Italiane", 9 (2005), 247-267, [255-257].

[8] M. BATLLORI, *Teoria e azione missionaria in Raimondo Lullo*, in *Espansione del francescanesimo tra occidente e oriente nel secolo XIII*, Assisi 1978, 187-211; J. RICHARD, *L'enseignement des langues orientales en Occident au Moyen Age*, "Revue d'études islamiques", 44 (1976), 150-164 (ripubblicato in *Croisés, Missionnaires et Voyageurs: Les perspectives orientales du monde latin médiéval*, Londres 1983, n. 18). CL. KAPPLER, *Les voyageurs et les langues orientales: interprètes, traducteurs et connaisseurs*, in *Routes d'Asie. Marchands et voyageurs XVᵉ-XVIIIᵉ siècle*, a c. di M. Debout - D. Eeckaute-Bardery - V. Fourniau, Istanbul-Paris 1988, 25-35.

cata: fin dai primi tempi della loro attività i gesuiti l'avevano recuperata e il sopra citato Eliano ne era un esempio per l'arabo[9]. Agli inizi del XVII secolo la diffusione mondiale delle missioni ripropose l'attualità dell'uso delle lingue locali: nel 1615 la Congregazione del Sant'Uffizio approvò, con la decisiva spinta del cardinale Roberto Bellarmino, la richiesta del gesuita Nicolas Trigault per la celebrazione della messa e la traduzione della Bibbia in cinese letterario, disposizione che, come è noto, non fu messa in atto[10].

Tornando alle lingue del Levante, la disposizione di Paolo V aveva trovato alcuni ordini che si erano già attivati. Nel 1606, e ancora nel 1615, il capitolo generale dei francescani osservanti aveva promosso nei conventi dell'ordine lo studio dell'ebraico sia ai fini missionari di conversione, sia ai fini di una miglior comprensione e studio delle Sacre Scritture[11]. A Roma lo studio delle lingue orientali e in particolare dell'arabo si era sviluppato presso un piccolo ordine, formato soprattutto da teologi, i Chierici Regolari Minori (chiamati comunemente caracciolini dal nome di uno dei fondatori, san Francesco Caracciolo). Come riferisce lo storico dell'ordine Clemente Piselli[12], era stata fondata nella Chie-

---

[9] Sull'importanza delle lingue nella concezione missionaria (con particolare riferimento a José de Acosta), cfr. J.-P. DUTEIL, *Les missions catholiques face aux difficultés linguistiques*, "Revue d'Histoire Ecclésiastique", 95 (2000), 427-444. In concreto la preparazione linguistica fa parte del bagaglio del missionario gesuita, costituendo un criterio discriminante per il reclutamento, cfr. i testi di Charlotte de Castelnau-L'Estoile e Inès G. Zupanov in GROUPE DE RECHERCHES SUR LES MISSIONS RELIGIEUSES IBÉRIQUES MODERNES, *Politiques missionnaires sous le pontificat del Paul IV. Un document interne de la Compagnie de Jésus en 1558*, "Mélanges de l'École Française de Rome. Italie et Méditerranée", 111 (1999), 203-229, [295-302], [302-310]. Cfr. anche CH. DE CASTELNAU-L'ESTOILE, *Les ouvriers d'une vigne stérile. Les jésuites et la conversion des Indiens au Brésil, 1580-1620*, Paris-Lisbonne 2000.

[10] La richiesta intendeva anche favorire lo sviluppo di un clero indigeno, cfr. ACDF, ASO, St. Storica, D 4 a, ff. 196r-225v; un recente sguardo complessivo sul tema in R. PO-CHIA HSIA, *La questione del clero indigeno nella missione cattolica in Cina nel sedicesimo e diciassettesimo secolo*, "Studia Borromaica", 20 (2006), 185-194.

[11] A. KLEINHANS, *Historia studii linguae arabicae et Collegii Missionum Ordinis Fratrum Minorum in Conventu ad S. Petrum in Monte Aureo Romae Erecti*, Firenze 1930, 4.

[12] C. PISELLI, *Notizia historica della religione de' PP. Chierici regolari minori*, Stamperia di Gio. Francesco Buagni, Roma 1710, 109-111.

sa di Sant'Agnese, in Piazza Navona, una scuola per lo studio delle scritture nelle lingue originali, fino al 1595 in ebraico e in greco, successivamente in arabo, caldeo e persiano. Trasferito alla chiesa di S. Lorenzo in Lucina, questo *studium*, dopo una sospensione causata dal timore che le lingue distraessero dalla devozione, venne rilanciato dal generale Alfonso Manco. Già venivano svolte "alcune orazioni nella Vigilia dell'Epifania, quando si rinnovavano i voti, per rappresentare i Santi Rè Magi, che in varii linguaggi fecero al nato Bambino i loro donativi". Manco decise di dare visibilità a quest'attività nel 1613, quando fu organizzata una pubblica "festa delle lingue" nel giorno della Pentecoste per rievocare appunto il miracolo della comprensione delle diverse lingue per la diffusione della fede. La festa riguardava le cinque lingue sopracitate, nelle quali i caracciolini allievi della scuola (italiani e spagnoli) pronunciavano dei sermoni in tali lingue tradotti poi in latino dal loro maestro a beneficio del pubblico formato da ventidue cardinali nonché dal fiore della prelatura e nobiltà romana. Alla cerimonia fu dato un marcato carattere universalista sia nell'indirizzo al papa letto dagli alunni, sia negli apparati iconografici con i quali fu arredata la chiesa che riportavano caratteri di lingue orientali insieme a segni zodiacali che indicavano le varie parti del mondo[13]. Si noti quindi come una scuola di lingue, nata per lo studio delle scritture all'interno di un ordine che non aveva missioni, né reclutava missionari tra i suoi membri[14], si orienti nel contesto apostolico del pontificato paolino in una direzione universalista e missionaria. In questo senso infatti viene presentata dagli *Avvisi di Roma* la motivazione ultima dello studio delle lingue: "in voce e in scritto predicare l'evangelio e propagandare i dogmi cattolici della religione christiana"[15].

In effetti, nel solco della sua tradizione colta di studi teologici, la scuola di S. Lorenzo in Lucina non produsse missionari, ma lin-

---

[13] Cfr. il documento, su cui sto preparando uno studio specifico, *Relatio solemnitatis linguarum gestae in Ecclesiae S. Laurentij in Lucina Romae*, BNCVE, Manoscritti, Fondi Minori, Di provenienza claustrale varia, vol. VI, ff. 78r-91v.

[14] Il capitolo del Piselli che ci informa di questa scuola è intitolato «Studio della Religione primitiva nell'erudizione delle lingue», 109.

[15] BAV, Urb. lat. 1081 f. 215r.

guisti e teologi controversisti. La scarsa documentazione conservata ci dice che all'inizio del XVII secolo furono attivi lo spagnolo Andrès de Leon, originario di Zamora, matematico e poliedrico autore, che si applicò a una traduzione poliglotta della Bibbia sotto la protezione e il controllo del cardinale Bellarmino, amico dell'ordine e, come già sottolineato, interessato alle lingue[16], e Francesco Martellotto, di Martinafranca (uno degli allievi protagonisti della "festa delle lingue"), che scrisse le *Institutiones linguae arabicae* (pubblicate postume nel 1620 con introduzione del generale dell'ordine Giovanni de Guevara), volume dedicato a Paolo V nel quale l'autore si proclama debitore dell'opera di Raimondi e dell'arabista protestante di Leida Tommaso Erpenio[17]. Il legame con Raimondi è sottolineato anche nella relazione della cerimonia di S. Lorenzo in Lucina allo scopo di indicare come i caracciolini si trovassero sulla via maestra dell'orientalismo romano[18]. Della generazione successiva fa parte Filippo Guadagnoli, abruzzese di Magliano dei Marsi, che ebbe invece una illustre fama, venendo considerato tra i migliori arabisti romani della prima metà del secolo, autore di opere di lingua e di controversia, professore alla Sapienza e collaboratore delle congregazioni romane. Alla morte di Guadagnoli, nel 1656, l'impegno dell'ordine nello studio delle lingue si esaurì, sia per l'infierire della peste sui membri, come affermato da Piselli, sia forse per le difficoltà che Guadagnoli incontrò presso l'Inquisizione nelle fasi finali della sua vita per una sua opera di controversia destinata ai missionari, questione su cui ritorneremo[19].

[16] ASR, Chierici Regolari Minori (Caracciolini) in S. Lorenzo in Lucina, n. 1463, ff. 215r-216v.

[17] BNCVE, Manoscritti, Fondi Minori, Di provenienza claustrale varia, vol. VI, ff. 19r-20v, 38rv.

[18] BNCVE, Manoscritti, Fondi Minori, Di provenienza claustrale varia, vol. VI, ff. 78r-82r.

[19] Su Guadagnoli, cfr. C. PISELLI, *Notizia historica…*, cit., 110 che riprende NICOLÒ TOPPI, *Biblioteca napoletana et apparato a gli Huomini illustri in Lettere Di Napoli, e del Regno… Dalle loro origini, per tutto l'anno 1678*, appresso Antonio Bulifon, Napoli 1678, 85; Z.R. ANDOLLU, *La Sagrada Congregación frente al Islám: apostolado de la Prensa en lengua árabe*, in *Sacrae Congregationis de Propaganda Fide Memoria Rerum*, I/1, cit., 718-719; 724-726; ID. *Un saggio bilingue, latino e arabo di controversia islamo-cristiana nella Ro-*

Per valutare la ricezione della costituzione apostolica paolina *de linguarum studiis instituendis* presso gli ordini regolari occorrerebbe vagliare le rispettive fonti. I carmelitani scalzi, l'ordine che già Clemente VIII aveva posto in primo piano nella sua politica di rilancio apostolico affidando a un loro membro la carica di soprintendente alle missioni poi confermata da Paolo V, stabilirono nel 1613 il Collegio missionario di S. Paolo a Santa Maria della Vittoria al Quirinale, che costituirà uno dei due principali poli romani dell'insegnamento dell'arabo per i missionari. Tuttavia, in generale, non sembra che gli ordini si siano mobilitati con energia e rapidità per conformarsi alle direttive, pur dando premurose rassicurazioni. Un'indiretta conferma di questo è rappresentata dal fatto che l'appello allo studio delle lingue venne ripetuto nel 1622 dalla Congregazione "de Propaganda Fide", il dicastero missionario appena fondàto (6 gennaio) da Gregorio XV che, nelle sue vaste competenze, abbracciava istituzionalmente anche la questione della preparazione linguistica dei missionari[20]. Ad essa veniva strettamente associata la preparazione nella controversia teologica: i missionari dovevano conoscere le dottrine degli scismatici e degli eretici ed essere in grado di confutare gli errori nella lingua locale. In questo modo, come già aveva teorizzato nel Medioevo Raimondo Lullo, la polemica teologica, praticata sul terreno di missione, poteva essere immediatamente compresa dal popolo e assumeva un significato apostolico, di predicazione della vera fede. Non si chiedeva tuttavia ai missionari una confutazione dotta delle dottrine eterodosse (che anzi era meglio evitare), ma un'opposizione pronta ed efficace su concetti elementari, che fosse adatta "objectionibus rudiorum e muliercularum" e che non facesse sembrare il missionario impreparato di fronte al ministro eretico o al dotto musulmano. Del resto, come si legge in un memoriale di Propa-

---

ma del sec. XVII, "Euntes Docete", 1969, 453-480; cfr. anche la documentazione ASR, Fondo Cartari-Febei, vol. 64, ff. 64r-66r e 236r-244v; per un quadro aggiornato rimando al mio testo *Il caracciolino abruzzese Filippo Guadagnoli e lo studio dell'arabo a Roma nel XVII secolo*, presentato al convegno *"Dall'adorazione... al servizio". San Francesco Caracciolo nel suo e nel nostro tempo*, (Chieti, 10-11 aprile 2008), i cui atti sono in corso di preparazione.

[20] Cfr. le lettere circolari del 6 giugno e del 23 luglio 1622, APF, Lettere, vol. 2, ff. 10r e 15rv.

ganda in favore dello sviluppo dell'insegnamento delle controversie a Roma, non tutti i missionari erano all'altezza di effettuare studi di teologia, pur semplificata e adattata alle lingue locali. In ogni caso, però, lo studio di essa non poteva esser lasciato all'iniziativa individuale, ma doveva esser posto sotto una sorveglianza che ne garantisse la perfetta ortodossia[21].

Una preparazione di questo genere che unisce linguistica e teologia ha un'importante ricaduta sul metodo d'insegnamento, sulla tipologia degli insegnanti e sugli strumenti didattici, cioè soprattutto i libri, che vennero prodotti per lo studio e poi anche utilizzati in missione come mezzi di diffusione della fede. Questo duplice obiettivo creò anche delle difficoltà, come si vedrà in seguito, legate ai diversi statuti delle lingue, particolarmente evidenti nel caso dell'arabo: quello "letterario" in cui è scritto il Corano e si scrivono le opere teologiche e le dispute controversistiche e la lingua "parlata", l'arabo dialettale o colloquiale, da utilizzare sul campo da parte dei missionari per la predicazione.

Occorre tener conto che il discorso di Propaganda si fondava su una prospettiva universalistica, che riguardava tutto il mondo e tutte le lingue dei popoli evangelizzati o da evangelizzare, come si è visto per il cinese all'epoca di Paolo V. Tuttavia, fin dai primi tempi si chiarì come le lingue del Levante fossero in una posizione particolare, suscitando uno specifico interesse per il fatto di essere le lingue delle Scritture, come l'ebraico e il greco letterario, o di essere lingue liturgiche come il greco e l'illirico (per privilegio concesso fin dal Medioevo), o ancora di essere lingue che si parlavano nella Terra Santa e presso le cristianità orientali, come il siriaco, il copto e soprattutto l'arabo. In tal senso un ulteriore decreto di Propaganda ribadì il 16 ottobre 1623 la necessità e l'urgenza che gli ordini religiosi allestissero delle scuole specificamente per queste lingue[22]. La pressione della Congregazione sulle lingue arrivò

---

[21] «Rationes proponendae coram Sanctissimo et Sacra Congregatione de Propaganda Fide ob quas necessarium est legi controversias fidei in Urbe». APF, CP, vol. 1, ff. 349r, 354v. Lo studio delle controversie nei seminari romani non era considerato indispensabile, né raccomandabile. Al Collegio Romano la cattedra inaugurata da Bellarmino era stata sospesa, R.G. VILLOSLADA, *Storia del Collegio Romano...*, cit., 71-72.

[22] APF, CP, vol. 1, ff. 350r-352v.

al punto che due anni dopo (11 aprile 1625) essa esprimeva agli ordini religiosi l'autorevole consiglio che i membri "callentes aliquam ex linguis exteris in ea constitutione [si riferisce a quella di Paolo V] expressis" godessero di particolare attenzione per l'ascesa alle cariche interne[23].

La risposta degli ordini a queste richieste della nuova congregazione missionaria fu nell'insieme piuttosto pronta, anche da parte di quelle famiglie di regolari che non avevano interessi in Levante, né che comprendessero l'attività missionaria nella loro regola o, comunque, nella loro azione nel mondo. Tuttavia in maggioranza, più che di impegni precisi, si trattava di assicurazioni del capitolo generale o dei vertici istituzionali degli ordini, le cui risposte favorevoli erano costituite nella maggior parte dei casi da promesse di incentivare lo studio delle lingue, non sempre l'arabo, in vari conventi italiani[24]. Malgrado fossero emanate dal dicastero missionario, queste disposizioni non erano rivolte esclusivamente per preparare i futuri missionari. Giovanni de Guevara, illustre teologo, generale dell'ordine dei caracciolini, famiglia religiosa orientata particolarmente verso la teologia, confermò lo studio delle lingue e si dichiarò pronto a inviare suoi membri in missione[25], anche se l'arabista più distinto dell'ordine Filippo Guadagnoli, sopra citato, restò a Roma come insegnante di arabo e autore di testi controversistici. Un *motu proprio* di Urbano VIII chiarisce come lo studio delle lingue non avesse come unico fine la predicazione e la cura spirituale sul campo di missione. Anche l'attività intellettuale e didattica sulle lingue aveva un forte peso nell'a-

---

[23] ASR, Chierici Regolari Minori (Caracciolini) in S. Lorenzo in Lucina, n. 1463, f. 51rv.

[24] Ho analizzato un buon numero di risposte, reperite presso l'Archivio di Propaganda Fide, in G. PIZZORUSSO, *Tra cultura e missione: la Congregazione De Propaganda Fide e le scuole di lingua araba nel XVII secolo*, in *Rome et la science moderne: entre Renaissance et Lumières*, a c. di A. Romano, Rome 2008, 127-134. Tra gli ordini troviamo i contemplativi e anche gli ospedalieri come i Ministri degli Infermi, l'ordine fondato da san Camillo de Lellis, che destinano allo studio dell'arabo due loro membri, Donato Antonio Bisogno, definito buon teologo, e Antonio Urè, cfr. M. VANTI, *Storia dell'ordine dei Chierici Regolari Ministri degli Infermi*, II, Roma 1943-1944, 193, 514.

[25] ASR, Chierici Regolari Minori (Caracciolini) in S. Lorenzo in Lucina, n. 1463, ff. 49rv e 50rv (copia).

postolato. Nel *motu proprio* si affermava che "linguas didicisse non sufficit, nisi fideliter in thesaurum memoriae conserventur", quindi era opportuno che il perfezionamento in esse fosse continuo mediante la lettura frequente di libri, che andavano portati con sé, e anche attraverso la composizione e recitazione di testi, sui quali comunque il superiore doveva vigilare. Il documento pontificio affermava solennemente tre punti per coloro che conoscevano le lingue: essere pronti a partire per le missioni dopo aver concluso gli studi teologici, ma anche comporre e tradurre libri di materia spirituale e mandarli ai popoli da evangelizzare e infine insegnare agli altri quelle stesse lingue per moltiplicare il numero dei missionari. Il *motu proprio*, da inserire nei precetti fondamentali dell'ordine, concedeva indulgenza plenaria a tutti gli studenti di lingua, se praticavano la confessione sacramentale, la comunione e se pregavano per la propagazione della fede e per il perfezionamento nelle lingue[26]. Anche un ordine di teologi come i caracciolini rientrava quindi nell'ormai complessa organizzazione missionaria, nella quale la fase di preparazione acquistava sempre maggior importanza anche per le lingue, non solo come semplice strumento di comunicazione, ma anche come veicolo di uno sforzo di comprensione della realtà alla quale il missionario andava incontro, pur se soprattutto con fini polemici dal punto di vista religioso.

Anche l'insegnamento delle controversie trovò l'accordo sulla carta degli ordini, in particolare quelli che agivano lungo la frontiera confessionale dell'Europa, come i francescani conventuali in Polonia e in Germania e i minimi scozzesi della provincia di Fiandra[27]. Già nel 1622 i gesuiti, con il generale Muzio Vitelleschi, erano favorevoli a riprendere l'insegnamento di controversie al Collegio Romano, interrotto dopo Bellarmino, frequentato dai giovani dei collegi esteri dell'Urbe (Germanico, Scozzese, Maronita)[28]. Per Propaganda era fondamentale l'abbinamento controversia e lingua, o per meglio dire, controversia *in* lingua, anche perché la Congregazione stava sviluppando, pur con grande difficoltà e relativi insuccessi, la politica di preparazione del clero indigeno de-

---

[26] ASR, Chierici Regolari Minori (Caracciolini) in S. Lorenzo in Lucina, n. 1463, ff. 337r-338v.

[27] APF, CP, vol. 1, ff. 25rv/30rv e 27rv/28rv.

[28] APF, CP, vol. 1, ff. 26rv/29rv, 31rv/35rv.

stinato alla cura spirituale delle comunità convertite, politica che aveva il suo centro nel Collegio Urbano, il seminario di formazione missionaria fondato nel 1626 e direttamente sottoposto a Propaganda. La permanenza a Roma in questo o negli altri collegi nazionali doveva consentire ai giovani allievi di rientrare in patria avendo imparato il latino e l'italiano (lingua ormai sempre più diffusa nei rapporti con la Curia), ma anche avendo coltivato la propria lingua d'origine. Affrontando il corso di studi, eventualmente fino alla teologia, essi apprendevano i fondamenti della dottrina sotto lo stretto controllo degli insegnanti nel cuore stesso del cattolicesimo, preparandosi a "tradurli" nella lingua e nella cultura d'origine. Nel Collegio Maronita ad esempio, fin dal 1629-30 l'insegnamento del siriaco e dell'arabo venne richiesto dagli stessi allievi maroniti e fu assicurato da Abraham Ecchellensis[29], anche se Muzio Vitelleschi (il generale dei gesuiti che dirigevano il collegio sotto la giurisdizione di Propaganda) non era troppo favorevole a questa apertura, volendo limitare al latino e all'italiano le lingue d'uso per le conversazioni tra gli allievi durante le pause dell'insegnamento. Anche la biblioteca del collegio non era particolarmente ricca di opere in arabo. Peraltro gli allievi partecipavano alle messe in siriaco celebrate nel collegio. Nel corso del Sei e Settecento vi fu quindi un atteggiamento incerto da parte dei rettori che da un lato favoriva lo studio e la pratica delle lingue orientali allo scopo di integrare nella mente dei seminaristi concetti e nozioni appresi nel *cursus studiorum* e dall'altro premeva per un uso esclusivo e comunque maggioritario delle lingue ecclesiastiche, latino e italiano[30]. L'indizio è piuttosto debole, ma può esser lecito

---

[29] Come si è detto sopra, Ecchellensis fu il primo insegnante di siriaco alla Sapienza, sul maronita cfr. B. HEYBERGER, *Abraham Ecchellensis dans la "Republique des lettres"*, in *Abraham Ecchellensis (Haqil, 1605-Rome, 1664) et la science de son temps*, Atti del convegno (Parigi, 9-10 giugno 2006), a c. di B. Heyberger, in corso di stampa; si veda anche P. RIETBERGEN, *A Maronite Mediator Between Seventeenth-Century Mediterranean Cultures: Ibrahim al Hakilani, or Abraham Ecchellense (1605-1664)*, "Lias", 16 (1989), 13-42, ora in ID., *Power and Religion in baroque Rome. Barberini Cultural Policies*, Leyde-Boston 2006, 296-335. Sullo studio del siriaco, R. CONTINI, *Gli inizi della linguistica siriaca nel'Europa rinascimentale*, in *Italia e Europa nella linguistica del Rinascimento*, a c. di M. Tavoni, Modena 1996, 483-502.

[30] Cfr. B. HEYBERGER, *Les Chrétiens...*, cit., 412-413.

intravedere dietro alla posizione di Vitelleschi una preoccupazione per una stretta formazione "romana" dei missionari orientali e una freddezza per la formazione del clero indigeno che la Compagnia di Gesù aveva sempre manifestato[31] Al Collegio Urbano invece, che pure è istituzione internazionale, nella quale quindi italiano e latino fungevano da lingue di comunicazione tra gli allievi, il siriaco e l'arabo erano insegnamenti garantiti così come il greco, l'ebraico e talvolta anche l'armeno[32].

Ma le scuole di lingua erano soprattutto destinate ai missionari europei per il Levante. Un modello di preparazione era quello descritto da Sansone Carnevale, della Società delle Apostoliche Missioni di Napoli, una società missionaria secolare sottoposta all'arcivescovo partenopeo sorta con ambizioni apostoliche verso l'Oriente ma che, negli anni successivi alle turbolenze della rivoluzione napoletana di Masaniello, ripiegò soprattutto sulle missioni popolari nel Regno. Nel 1646, come riferisce Carnevale, le riunioni si tenevano presso la cattedrale alla presenza di numerosi teologi ed erano organizzate in una prima parte di controversia su alcune posizioni della filosofia antica e islamica e in una seconda nella quale si affrontava lo studio sistematico della grammatica "turchesca"[33].

Intorno alla metà del secolo si riaccese il dibattito sull'insegnamento di lingue e controversie, anche perché si constatò che alle assicurazioni della prima ora non si era dato molto seguito da parte degli ordini. Il 21 novembre 1645 Propaganda sollecitò quegli

---

[31] Tale atteggiamento fu marcato nel XVI secolo (con Alessandro Valignano o José de Acosta), mentre nel corso del XVII secolo ci fu un'apertura, condizionata alle possibilità di un'adeguata formazione cfr. G. DI FIORE, *Strategie di evangelizzazione nell'Oriente asiatico tra Cinquecento e Settecento*, in *Il cammino dell'evangelizzazione. Problemi storiografici*, a. c. di G. Martina - U. Dovere, Bologna 2001, 104-105 e R. PO-CHIA HSIA, *La questione del clero indigeno…*, cit. La vicenda fu anche al centro di conflitti tra Propaganda, che spingeva in favore del clero indigeno, e gli ordini, cfr. G. PIZZORUSSO, *La Congregazione de Propaganda Fide e gli ordini religiosi: conflittualità nel mondo delle missioni nel XVII secolo*, "Cheiron", 43-44 (2005), numero monografico su *Religione, conflittualità e cultura. Il clero regolare nell'Europa d'antico regime*, a. c. di M.C. Giannini, 217-219.

[32] Cfr. B. HEYBERGER, *Les Chrétiens…*, cit., 413.

[33] APF, CP, vol. 5, f. 374r.

ordini che non avevano ancora istituito i corsi a inviare alcuni loro membri alle lezioni di lingue orientali tenute alla Sapienza, anche al fine, una volta divenuti esperti, di insegnare all'interno dei conventi[34]. Nel 1646 il segretario di Propaganda, Francesco Ingoli, ravennate che molto probabilmente aveva imparato un po' di arabo all'epoca dei suoi studi giuridici patavini, intervenne preso il capitolo generale dei francescani conventuali con un documento che rilanciava questi studi ribadendo l'abbinamento tra lingua e controversia e individuando più precisamente gli obiettivi collegati all'azione missionaria nelle singole missioni. Da un lato egli auspicava una certa "delocalizzazione" delle scuole rispetto a Roma (Venezia era un buon posto per studiare il greco e esercitarsi a confutare i principi della Chiesa ortodossa così come Malta era adatta per studiare l'arabo e le controversie riguardanti le chiese orientali). Dall'altro lato indicava le lingue come un criterio di reclutamento dei missionari: questi dovevano essere scelti in base alla loro vocazione apostolica e mandati a istruirsi nelle lingue e nelle controversie prima di partire in missione. Gli ordini dovevano raccoglierne i nomi su un apposito libro. Inutile tentare il contrario: i religiosi già "baccellieri" ma carenti di spirito apostolico potevano fare gli insegnanti, ma ben difficilmente avrebbero potuto essere formati come missionari[35]. Questa autorevole opinione di Ingoli può contribuire a spiegare quanto detto sopra a proposito dei caracciolini, ordine di teologi colti dalla cui scuola di arabo non sembra però che siano usciti missionari.

---

[34] APF, CP, vol. 1, f. 399rv.

[35] APF, CP, vol. 5, ff. 368r-369v. Sul reclutamento dei missionari in base al loro "talento" linguistico vedi *supra*; sul rapporto tra formazione teologica e vocazione missionaria non mancherebbero casi da studiare in controtendenza con l'opinione di Ingoli. Cfr. ad esempio il caso dell'illustre gesuita francese Denys Mesland, filosofo e teologo, corrispondente e amico di Cartesio, partito per le missioni nelle Antille prima e nella regione degli Llanos del Venezuela poi, dove morì circondato da un alone di santità missionaria, avendo anche resistito all'opposizione degli spagnoli che lo accusavano di essere una spia francese. Significativamente il suo primo interesse giunto tra gli indiani Galibi fu quello di raccogliere dati per la redazione di un vocabolario della lingua indigena locale, impresa che fu portata a termine dal confratello Pierre Pelleprat, cfr. J. DEL REY FAJARDO - G. MARQUÍNEZ ARGOTE, *Denis Mesland. Amigo de Descartes y maestro javeriano (1615-1672)*, Bogotá 2002.

Un ulteriore appoggio all'insegnamento delle controversie *in* lingua fu dato dal dotto geografo convertito tedesco Lukas Holste, custode alla Biblioteca Vaticana, che intorno alla metà del secolo svolgeva consulenze storico-geografiche per Propaganda. Proponendo di introdurre degli insegnanti di controversie nei collegi nazionali e internazionali, egli favoriva l'assunzione non di pensatori particolarmente profondi, ma di conoscitori delle lingue e dei principi dottrinali più importanti. Holste aveva in mente sia il Nord Europa dal quale proveniva, sia il Vicino Oriente di lingua greca e araba e auspicava che a scopo controversistico si stimolasse lo studio dei padri della chiesa e dei grandi concili costituendo accademie e pubblicando libri sull'argomento[36].

Fin qui abbiamo visto l'importanza che la questione linguistica associata alla controversia riscuoteva per Propaganda fin dai primi decenni e gli sforzi che la Congregazione faceva per incentivare gli studi. Per l'arabo abbiamo accennato agli insegnamenti presso il Collegio Urbano e il Collegio Maronita. Tuttavia la realizzazione di tali progetti segnava il passo presso gli ordini religiosi. La prima "visita" ordinata da Propaganda presso le sedi romane e condotta da un suo influente membro, Juan Bautista Vives, ci dice che erano state aperte scuole in Traspontina presso i carmelitani dell'antica osservanza, dove però nessuno voleva studiare (e Vives consigliava di cacciare tutti, sostituendoli con allievi più motivati). Ai Santi Apostoli i francescani conventuali si erano impegnati nella costituzione di un corso ampiamente pubblicizzato che però non trovava alunni. Anche gli studi dei domenicani alla Minerva e dei teatini a San Silvestro al Quirinale e a Sant'Andrea della Valle non avevano seguito[37]. All'interno degli ordini religiosi le scuole realizzate a Roma che nel XVII secolo presentavano una reale continuità erano il convento dei francescani di San Pietro in Montorio,

---

[36] APF, CP, vol. 6, ff. 629r-632v. Per il Collegio Maronita Holste proponeva Ecchellensis. Nel 1650 un lettore di controversie venne nominato al Collegio Urbano, *ivi*, f. 699v. Sul documento di Holste, cfr. E. SASTRE SANTOS, *Un memorial de Lucas Holstenius sobre la propagación de la fè*, "Euntes Docete", 35 (1982), 507-524.

[37] Il rapporto di Vives sta in APF, CP, vol. 1, f. 10; cfr., con una visione a posteriori, la nota di Propaganda, APF, CP, vol. 4, f. 287r.

nel quale lo studio di arabo venne fondato nel 1622 e successivamente riorganizzato nel 1668, e quello dei carmelitani scalzi di
Santa Maria della Vittoria al Quirinale costituito nel 1613, dopo
una primitiva fondazione nel 1605, e trasferito nel 1662 a San Pancrazio "extra muros", dove le lingue orientali riscuotevano interesse per l'importante azione missionaria iniziata dall'ordine sotto
Clemente VIII e Paolo V in Siria, Persia e Mesopotamia.

Le vicende della scuola dei francescani sono ben documentate
anche ai loro inizi, soprattutto per il rilevo di primo piano del suo
fondatore, Tommaso Obicini da Novara. Questo religioso è una
figura esemplare di erudito, insegnante di lingua e missionario. Al-
l'epoca di Paolo V era stato inviato in Terra Santa e incaricato di
rappresentare il pontefice presso i caldei[38]. Egli aveva quindi appreso in Oriente l'arabo e il siriaco, appassionandosi anche alle antichità locali e all'ebraico in contatto con gli eruditi dell'epoca. Ritrovò, ad esempio, un'antica iscrizione di cui discusse a Roma con
Athanasius Kircher suscitando un vasto dibattito tra gli orientalisti
romani, oppure si occupò di un manoscritto reperito in Oriente
da Pietro Della Valle e poi passato a Nicolas-Claude Fabri de Peiresc. Propaganda, ai suoi primi passi, puntò su di lui per mettere
in pratica le disposizioni sullo studio delle lingue orientali. In corrispondenza con il segretario Francesco Ingoli, egli si spostò per
l'Italia, in particolare tra Venezia e Milano dove trovò il cardinale
Federigo Borromeo – membro di Propaganda e quindi in contatto con Ingoli – fortemente intenzionato a sviluppare gli studi
orientali e la lingua araba insegnata alla Biblioteca Ambrosiana da
Antonio Giggei[39]. A Roma Tommaso era al servizio del suo ordine

---

[38] Il periodo di Paolo V abbonda di questi missionari con funzione di rappresentanza diplomatica che chiesero la conversione dei popoli e la loro unione alla Chiesa di Roma, G. PIZZORUSSO, *Il papato e le missioni…*, cit.

[39] Giggei, autore d'un *Thesaurus linguae arabicae* (pubblicato nel 1632,
l'anno della morte quando stava per trasferirsi a Roma), ma anche di un dizionario persiano-latino rimasto inedito, è il protagonista del brillante ma effimero slancio dato agli studi orientali dal cardinale Borromeo. C.A. NALLI-
NO, *Giggei, Antonio*, in *Enciclopedia Italiana*, Roma 1933, *ad vocem* e A.M.
PIEMONTESE, *Leggere e scrivere "Orientalia"…*, cit., 449-450. Sui contatti tra
Borromeo, Tommaso da Novara e Francesco Ingoli, cfr. F. SBARDELLA, *Tommaso Obicini da Novara, OFM e il Cardinale Federico Borromeo*, "Archivum
Franciscanum Historicum", 56 (1963), 71-90.

e di Propaganda, dove si occupava anche della tipografia, fungendo da tramite tra essi. La scuola di San Pietro in Montorio stava sotto la giurisdizione missionaria del dicastero pontificio, ma dipendeva anche dall'ordine, in particolare dalla provincia romana che aveva sede nel vicino convento di San Francesco a Ripa. Tommaso la fondò e organizzò, malgrado i suoi spostamenti in Italia settentrionale, seguendone le vicende per un decennio fino alla morte giunta nel 1632[40]. Egli aveva anche composto due opere a scopo didattico, l'*Isagoge* nel 1625, un sunto di filosofia araba in due lingue, e nel 1631 una *Grammatica arabica Agrumia appellata* con versione latina. Postumo fu pubblicato un *Thesaurus Arabico-Syro-Latinus* (1636)[41]. L'organizzazione degli studi data da Tommaso fu confermata dai suoi successori che erano soprattutto suoi allievi, che avevano avuto esperienze di missione in Levante. In effetti l'obiettivo della scuola era quello di insegnare la lingua agli aspiranti missionari, ma anche quello di formare insegnanti. Il primo di questi è Ludovico da Malta, che sostituì Tommaso durante le sue assenze. Quando nel 1626 Ludovico volle rientrare nell'isola natale per occuparsi della sua famiglia, inviò a Propaganda un documento che costituiva lo statuto della scuola. Secondo questo testo, venivano selezionati soltanto allievi che avessero un'autentica vocazione missionaria. Essi passavano due anni nel collegio. La verifica della scuola era affidata a Propaganda e si auspicava che se ne occupasse lo stesso segretario Ingoli che conosceva anche la lin-

[40] Le notizie riportate in questo testo su Tommaso provengono dal libro di A. KLEINHANS, *Historia Studii Linguae Arabicae…*, cit. e da vari articoli su di lui: A. VAN LANSCHOOT, *Un précurseur d'Athanase Kircher: Thomas Obicini et la "Scala" Vat. copte 71*, Louvain 1948; ID. *Lettre inédite de Thomas Obicini à Pietro Della Valle*, "Rivista degli Studi orientali", 28 (1953), 119-129; R. SBARDELLA, *Tommaso Obicini da Novara, OFM e il Cardinale Federico Borromeo*, cit. (Sbardella è autore di una tesi di dottorato su Tommaso di Novara presso l'Athenaeum Antonianum nel 1957); T. ORLANDI, *La documentation patristique copte. Bilan et prospectives*, in *La documentation patristique. Bilan et prospectives*, a c. di J.C. Fredouille - R.-M. Roberge, Laval-Paris 1995, 127-147 (consultata sul sito rmcisadu.let.uniroma1.it/~orlandi/pubbli/copto074.pdf); C. BALZARETTI, *Padre Tommaso Obicini: un mediatore nel vicino Oriente all'inizio del Seicento*, "Novarien", 32 (2003), 183 s.
[41] Riguardo ai numerosi volumi di grammatiche e dizionari che si citano da qui in avanti, riferirsi anche a A.M. PIEMONTESE, *Grammatica e lessicografia araba in Italia dal XVI al XVII secolo*, in *Italia e Europa…*, cit., 519-531.

gua araba[42]. Il documento di Ludovico da Malta costituiva anche una sorta di appello alla Congregazione affinché difendesse le scuole di lingua dagli attacchi e dalle critiche, talvolta assai radicali e miranti all'abolizione di esse, provenienti dall'interno degli ordini stessi. Sembra evidente infatti, come vedremo da esempi successivi, che questi ultimi, che avevano accolto senza entusiasmi le prescrizioni di Paolo V prima e di Propaganda poi, non fossero disposti a investire risorse umane per quest'attività preparatoria.

Ludovico da Malta lasciò l'insegnamento allo stesso Tommaso da Novara che lo conservò fino alla morte (1632) quando fu sostituito dal recolletto francese Pierre Maboul e dal 1636 da Domenico Germano di Slesia, già missionario in Palestina e autore di una *Fabrica overo Dittionario della lingua volgare arabica* (1639). Domenico organizzò anche un'accademia di controversia recitata dagli allievi nel collegio il cui testo poi dette alle stampe con il titolo *Antitheses fidei*. Come esplicitato dall'autore stesso, la confutazione di alcune tesi coraniche relative alla creazione e al creatore si avvicinava molto a quella nei confronti del protestantesimo[43]. L'opera di controversia utilizzata nel collegio era la *Dottrina Cristiana* di Bellarmino, tradotta da Vittorio Accurense e Gabriel Sionita nel 1613 e utilizzata nella versione bilingue approntata da Alessio da Todi, un altro allievo di Tommaso che nel 1638 aveva rinunciato ad assumere il compito di lettore per tornare in Terra Santa. Negli anni 1640 la cattedra venne assunta da Antonio dall'Aquila, ex guardiano del convento francescano di Aleppo, che svolse a Roma importanti mansioni, ad esempio nella commissione per l'esame delle Lamine Granatensi presso il Sant'Uffizio. Nel 1650 Antonio pubblicò anche una grammatica (*Arabicae Linguae Novae, et Methodicae Institutiones*) ad uso degli allievi che provocò un dibattito sul quale

---

[42] APF, Visite e Collegi, vol. 5, ff. 430r-435v.

[43] Z.R. ANDOLLU, *La Sagrada Congregación frente al Islám...*, cit., 715-716, 721; vi trova conferma dell'idea dell'Islam come una delle altre sette e quindi come la preparazione controversistica avesse un carattere unitario nei vari campi di azione missionaria. Si può pensare che l'origine tedesca del francescano (il cui cognome italianizzato suonava Genesio) non fosse estranea a questo approccio controversistico, G. PIZZORUSSO, *Les écoles de langue arabe et le milieu orientaliste autour de la Congrégation "de Propaganda Fide" au temps de Abraham Ecchellensis*, in *Abraham Ecchellensis (Haqil, 1605-Rome, 1664) et la science de son temps...*, cit., in corso di stampa.

torneremo. Bisogna sottolineare che soltanto nel 1650 venne attivata la cattedra di controversie affidata a Gerardo da Milano. Tuttavia, come accennato, le controversie già si studiavano e si praticavano dispute tra gli allievi. La prima fu organizzata da Tommaso da Novara già nel 1629. Si pensava infatti che per il livello di confutazione richiesto ai missionari, il religioso insegnante di lingua, che aveva avuto esperienza diretta delle missioni, fosse sufficientemente in grado di fornire gli elementi necessari. Ciò conferma il fatto che lo studio parallelo di lingue e controversie, auspicato da Propaganda, si trasformava sempre di più – come si è precedentemente sostenuto – nello studio di controversia *in* lingua, nella quale la parte strettamente teologica era di minore ampiezza rispetto agli studi tradizionali. Nel 1646, quando Zaccaria di Montalbotto si propose come lettore di controversie, si rispose che tale nomina non era così necessaria perché gli allievi erano carichi di lezioni di lingua e sarebbero danneggiati da un altro corso; inoltre andavano studiate solo alcune delle controversie, quelle più praticate presso gli arabi e quindi era sufficiente che chi insegnava lingua araba facesse due volte a settimana un corso di controversie[44]. Di conseguenza erano i lettori di arabo della prima metà del secolo che sostenevano da soli tutta la preparazione linguistico-teologica degli aspiranti missionari e ciò spiega anche la loro intensa produzione libraria di testi di entrambe le discipline, che continuavano a essere utilizzati dai loro successori. La controversia era associata alla lingua, secondo quel binomio che costituiva il fulcro della "politica linguistica" di Propaganda, ma chiarendo che i missionari non dovessero essere dei teologi, ma piuttosto dei capaci comunicatori.

Il collegio di San Pietro in Montorio appare una struttura sovradimensionata per gli allievi che riuscì a raccogliere che non raggiunsero mai il numero previsto (prima venti poi dodici quando Clemente IX lo riorganizzò). Dai quindici allievi del primo decennio (fino al 1632, epoca di Tommaso da Novara), si passa ai dodici dei cinque anni seguenti. Dal 1633 al 1651 si arriva a una trentina, e successivamente a quindici del periodo 1652-1665. Nel 1668

---

[44] APF, CP, vol. 5, f. 376r. Nel 1719 Propaganda decideva di tenere distinte le due attività e di salvaguardare il diritto del docente di controversie ad avere l'ultima parola in materia teologica, A. KLEINHANS, *Historia Studii Linguae Arabicae...*, cit., 26.

la riforma di Clemente IX costituì anche un rilancio quantitativo: in quell'anno 11 allievi erano presenti, ma negli anni seguenti la presenza diminuì per risalire nell'ultimo quarto del secolo. Bisogna però ricordare che la preparazione nelle lingue era rivolta a missionari che avevano già completato gli studi. Si voleva infatti che fossero religiosi formati, convinti della loro vocazione apostolica e, di conseguenza, già avanti negli anni (tra i venticinque e i trentacinque). Non di rado quindi gli studenti erano chiamati in tutta fretta in missione per completare i ranghi di essa, abbandonando il loro "corso di specializzazione" romano. Il ricambio era anche favorito dalla brevità del corso di studi (due anni). Inoltre, nel XVIII secolo, si aprì la concorrenza del convento, sempre francescano, di San Bartolomeo all'Isola[45]. Questa presenza non troppo massiccia e inferiore alle attese provocò delle polemiche tra Propaganda e l'ordine. Nel 1635 la Congregazione arrivò a minacciare di chiudere la scuola di San Pietro in Montorio se l'ordine continuava a "molestare" gli allievi, cioè a impegnarli in varie mansioni senza permettere loro di compiere il ciclo di studi[46].

Problemi analoghi si riscontrano anche nel seminario missionario dei carmelitani scalzi a Santa Maria della Vittoria, nel quale fu stabilito l'insegnamento dell'arabo e delle controversie a seguito dello slancio missionario dell'ordine in Levante e oltre, dalla Persia all'India (Goa)[47]. Anche in questo collegio ci fu una costante presenza tra gli insegnanti di ex missionari come il francese Thomas de Saint-Joseph[48] e il più noto fiammingo Céléstin de

[45] A. KLEINHANS, *Historia Studii Linguae Arabicae...*, cit., 37-39; sulle scuole nel Settecento, A. GIRARD, *L'enseignement de l'arabe à Rome au XVIIIe siècle*, testo presentato al convegno *L'Italie et le Maghreb à l'heure de l'orientalisme romantique et positiviste (1700-1900)*. *Un savoir en cours de rédéfinition*, in corso di pubblicazione. Aurélien Girard sta svolgendo un'ampia e sistematica ricerca sull'orientalismo in Italia tra Sei e Settecento.

[46] APF, Acta, vol. 10 (1635), f. 198r.

[47] Una sintesi in S. GIORDANO, *L'espansione dei Carmelitani scalzi in Europa e in Asia*, in *Nicolò Doria. Itinerari economici, culturali, religiosi nei secoli XVI-XVII tra Spagna, Genova e l'Europa*, "Quaderni Franzoniani. Semestrale di bibliografia e cultura ligure", 9 (1996), 669-686.

[48] APF, SOCG, vol. 364, ff. 12r-13v; Thomas de Saint-Joseph († 1651) era stato superiore della missione di Aleppo; su di lui cfr. i documenti dell'Ar-

Ste-Ludvine, il traduttore in arabo dell'*Imitazione di Gesù Cristo*, pubblicata dalla tipografia di Propaganda nel 1663[49]. Ma non mancarono momenti di crisi: in almeno due occasioni l'insegnamento dovette essere affidato a due francescani, che abbiamo già incontrato a San Pietro in Montorio: Ludovico da Malta e Antonio dell'Aquila[50], un esempio piuttosto raro di collaborazione tra ordini religiosi diversi. Anche se occorre approfondire la ricerca e lo studio della documentazione sul collegio carmelitano[51], si può avanzare l'ipotesi che, rispetto al collegio francescano dove venivano selezionati missionari che avevano completato il loro corso di studi per fornire loro una specifica formazione linguistico-controversistica per l'apostolato nel Vicino Oriente, a Santa Maria della Vittoria lo studio dell'arabo e delle controversie fosse inserito nel corso di studi del seminario e fosse quindi destinato anche agli allievi che non sarebbero mai andati nel Levante. Il collegio aveva infatti una dimensione fortemente internazionale[52] e le missioni carmelitane erano diffuse anche tra Impero, Polonia, Fiandre da dove provenivano molti seminaristi. Abbiamo le loro testimonianze, rilasciate ai visitatori inviati da Propaganda nel 1653: Joseph de St-Rupert, fiammingo, dichiarava che nella lingua araba non si faceva molto profitto, perché gli studenti erano occupati nelle lezioni, nelle opere conventuali e in altro; per il polacco Arcangelo di Sant'Andrea l'arabo era una materia molto difficile; più ottimista, Tommaso di Gesù Maria, irlandese: l'arabo era sì difficile ma tutti avevano imparato gli elementi princi-

chivio generale dei Carmelitani Scalzi, A. FORTES, *La misiones del Carmelo teresiano 1584-1799. Documentos del Archivo General de Roma*, Roma 1997, *ad indicem*.

[49] Su di lui S.K. SAMIR, *Le p. Célestin de Sainte-Ludwina, alias Peter van Gool (1604-1676), missionnaire carme et orientaliste. Étude historico-littéraire*, Beyrouth 1985. Il carmelitano era fratello dell'illustre arabista di Leida, Jacob van Gool (Golius), allievo di Erpenius, viaggiatore in Nord Africa e in Medio Oriente nonché autore di un *Lexicon Arabico-Latinum* di grande successo e insegnante nella cattedra di arabo dell'Università olandese costituita nel 1600.

[50] A. KLEINHANS, *Historia Studii Linguae Arabicae...*, cit., 72-74, 92-95.

[51] Cfr. A. FORTES, *Las misiones del Carmelo teresiano 1584-1799. ...*, cit.

[52] Si vedano gli elenchi degli alunni relativi alla metà del secolo in APF, SOCG, vol. 364, ff. 12r-13v.

GIOVANNI PIZZORUSSO

274

pali[53]. Possiamo pensare che, differentemente dallo studio delle controversie, molto utili sulla frontiera protestante, quello dell'arabo, previsto per un'ora tutte le sere o almeno tre volte per settimana[54], risultasse un impegno astruso. Un ulteriore problema era rappresentato dal fatto che, anche se il convento di Santa Maria della Vittoria era stato fondato come seminario missionario, non tutti gli alunni avevano sviluppato una determinata vocazione apostolica (si ricordi come questo punto fosse centrale nella scelta degli allievi a San Pietro in Montorio). Alcuni allievi erano venuti al seminario piuttosto per "veder le meraviglie di Roma", anziché studiare[55]. Queste testimonianze riflettono una situazione complessa all'interno dell'ordine carmelitano scalzo, che si trascinava fin dalla fondazione e riemergeva periodicamente, sulla vocazione missionaria dell'ordine come ministero alternativo all'impegno conventuale e contemplativo[56]. Nel 1631 questa incertezza e le sue conseguenze sul seminario furono riscontrate da Francesco Ingoli che le fece notare al cardinale Francesco Barberini e allo stesso Urbano VIII. Il seminario andava conservato e sostenuto, secondo il segretario di Propaganda, opponendosi alla "fattion[e]" dell'ordine che non voleva l'attività missionaria[57]. Nel 1640 le cose peggioravano: non si insegnavano lingue salvo il greco; non si incoraggiava affatto la vocazione missionaria con la lettura delle lettere dalle missioni; i seminaristi anzi, seppur la possedevano al loro ingresso al seminario, finivano poi con il perderla. Anche qui Propaganda decise di tener duro, mandando una visita per mettere sotto controllo la situazione[58]. Non si può entrare in dettaglio qui sulla questione generale cui si è accennato e che esula dal tema linguistico. Essa va tenuta come sfondo su cui si sviluppa la vicenda

[53] APF, SOCG, vol. 364, f. 345rv. Si tratta di allievi di Céléstin de Ste-Ludvine.
[54] APF, SOCG, vol. 364, ff. 3r-4v. Inizialmente si valutava anche la possibilità di far parlare esclusivamente in arabo gli allievi nelle loro conversazioni.
[55] APF, SOCG, vol. 364, ff. 145r-146v.
[56] S. GIORDANO, *Giovanni di Gesù Maria. Appunti per una biografia*, in *Giovanni di Gesù Maria. Umanesimo e Cultura alle origini dei Carmelitani Scalzi*, Genova 2001, 22-26.
[57] BAV, Barb. lat. 4605, ff. 316rv e 317rv.
[58] APF, Acta, vol. 14, ff. 2v-5r, 135r-136r.

del collegio missionario carmelitano scalzo, anche perché l'insegnamento dell'arabo e la destinazione orientale era riconosciuta come un elemento importante che contraddistingueva l'istituzione come missionaria e ne giustificava la subordinazione alla giurisdizione di Propaganda, anche se l'arrivo di allievi da varie parti d'Europa aveva attenuato tale programma[59]. Di conseguenza emerse con forza la proposta di dividere il Collegio di Santa Maria della Vittoria, lasciando il seminario a Roma e trasferendo lo studio di lingua a Malta, dove nel 1626 era stato fondato a Cospicua un seminario modellato su quello romano. L'isola dell'ordine gerosolimitano era una collocazione preferenziale per lo stabilimento di istituzioni missionarie per l'Islam, per il fatto che vi si parlava correntemente l'arabo, pur se in realtà non si trattava della stessa lingua utilizzata in Terra Santa o nel resto del mondo arabofono[60]. Avamposto del cattolicesimo, sede di un rappresentante pontificio nella figura dell'Inquisitore, Malta era una tappa di avvicinamento all'Islam per i missionari. Nella prima metà del XVII secolo, oltre alla fondazione carmelitana, essa fu oggetto di altri progetti relativi alle scuole di lingue. Nel 1632 Francesco da Malta, francescano osservante ne aveva istituita una a Rabat. Nel 1646 il segretario di Propaganda Francesco Ingoli indicava al capitolo generale dei francescani conventuali l'isola per attuare il progetto di uno studio dove insegnare l'arabo. Lo stesso Ingoli, su sollecitazione di Flavio Chigi, all'epoca inquisitore a Malta, fece istituire un beneficio presso il seminario vescovile – assegnato da Propaganda tramite concorso – per una scuola di lingua che non funzionò mai nella realtà, ma che rimase in vigore fino al XIX secolo[61].

[59] Un documento relativo alla visita del 1653 afferma che sarebbe ormai impossibile seguire alla lettera la prescrizione iniziale: anche prescindendo dai loro luoghi d'origine, spesso nordeuropei, non si potrebbe infatti mandare solo in Asia, dalla Persia all'India (Goa) tutti i seminaristi, il cui numero era in eccesso rispetto alle missioni esistenti; APF, SOCG, vol. 364, ff. 147r-150v.

[60] Cfr. G. HULL, *Maltese, from Arabic Dialect to European Language*, in *Language Reform. VI: History and future*, a c. di I. Fodor - C. Hagège, Hamburg 1994, 331-349, citato da P. BURKE, *Lingue e comunità in età moderna*, Bologna 2007, 145.

[61] Maggiori dettagli su queste iniziative in G. PIZZORUSSO, *Tra cultura e missione...*, cit., 147-149 con indicazioni archivistiche e bibliografiche.

La prospettiva di trasferire nel convento di Cospicua lo studio di lingue romano, lasciando a Santa Maria della Vittoria soltanto il seminario intendeva risolvere il problema, sopra enunciato, dell'individuazione precisa dei missionari destinati alle missioni del Vicino Oriente (che dovevano quindi apprendere l'arabo), mentre gli altri avrebbero svolto un normale *cursus* seminariale. Questa opzione, resa particolarmente forte dal fatto che l'ordine possedeva già una fondazione maltese, avrebbe avuto anche il vantaggio di far risaltare l'effettiva vocazione missionaria degli allievi: se infatti questi andavano malvolentieri a Malta, era immaginabile quanto poco solida fosse la loro vocazione per le lontane missioni[62]. Tuttavia il progetto si scontrò con la diffidenza che i cardinali membri di Propaganda mostrarono verso il decentramento dei seminari di formazione missionaria. Abbiamo le opinioni dettagliate dei porporati, sommariamente verbalizzate, in due occasioni. Nel 1653 il cardinale Francesco Barberini era favorevole a spostare a Malta lo studio e a lasciare il seminario a Roma, stabilendo due tempi successivi nella preparazione dei missionari, un metodo che ricorda quello di San Pietro in Montorio. Anche Antonio Barberini propendeva per la separazione. Al contrario Marzio Ginetti ribadiva che seminario e studio dovessero restare a Roma "sotto gli occhi della Congregatione"; su questa posizione conveniva Camillo Astalli che proponeva di nominare un cardinale come sovrintendente. Anche Luigi Capponi auspicava un controllo maggiore di Propaganda in particolare sulla scelta dei seminaristi, mentre invece il convento avrebbe dovuto stare sotto la giurisdizione della provincia romana dell'ordine. Della stessa opinione erano Giovanni Battista Pallotti e Ludovico Ludovisi[63]. Nel 1655 le posizioni vennero ribadite: Antonio Barberini sosteneva ancora l'opzione separatista, ma Ginetti confermava che il controllo si esercitava meglio a Roma. Pallotti proponeva di spostare il seminario nel più quieto ambiente di Frascati e Ludovisi mostrava scetticismo: se lo studio non andava bene a Roma, non sarebbe andato meglio a Malta[64].

---

[62] APF, SOCG, vol. 364, ff. 365r-370v e 374r-375v.
[63] APF, SOCG, vol. 364, ff. 75r-78r.
[64] APF, SOCG, vol. 364, ff. 361r-362v.

Alla fine lo studio di arabo rimase a Santa Maria della Vittoria, spostandosi poi a San Pancrazio nel 1662 dopo esser stato affiliato alla provincia romana nel 1655[65]. Nel 1659 le notizie erano buone: gli allievi erano aumentati e lo studio dell'arabo aveva successo, infatti i carmelitani scalzi chiedevano a Propaganda dei libri (grammatiche, vangeli in arabo, le traduzioni della *Doctrina christiana* e degli *Annales ecclesiastici* oltre a un'opera di controversia come le *Confutationes Errorum Christianorum Sti Ioanni una cum relatione martyrii P.F. Dionisi Carmelitae Discalsceati*) da tenere in parte in convento e in parte da inviare ai missionari[66]. La scuola quindi continuava a funzionare, rilasciando attestazioni a studenti anche stranieri[67]. I lettori provenivano dall'esperienza missionaria come Anselme de l'Annonciation, religioso francese di vasta esperienza a Bassora e soprattutto a Aleppo[68]. Tuttavia alla fine del secolo erano presenti pochi allievi e la situazione non migliorò nel Settecento anche se il collegio continuava la sua esistenza[69]. Gli allievi non rispettavano i lettori e i superiori dell'ordine li appoggiavano: al centro della polemiche c'è David di S. Carlo, al secolo Teodoro d'Aut, un aleppino che veniva considerato troppo vicino a Propaganda in quanto ex allievo del Collegio Urbano[70]. Si riproponeva una frizione istituzionale che già abbiamo rilevato con i francescani. La giurisdizione del dicastero missionario, che obbligava gli ordini a mantenere le scuole di lingua e le verificava con le visite periodiche, era sentita come un'ingerenza e costringeva gli stessi a mantenere in vita o comunque a convogliare risorse per risultati modesti come per gli *studia linguarum* nei quali il numero

[65] A. FORTES, *Las misiones del Carmelo...*, cit., xviii.
[66] APF, SOCG, vol. 364, ff. 242rv/245rv.
[67] APF, Congressi Collegi Vari, vol. 59 (San Pancrazio), ff. 109r-110r.
[68] A. FORTES, *Las misiones del Carmelo...*, cit., 372; sull'attività missionaria di Anselme cfr. B. HEYBERGER, *Les Chrétiens...*, cit., *ad indicem*.
[69] B. HEYBERGER, *Les Chrétiens...*, cit. (cita APF, CP, vol. 28, ff. 370v-372v); A. GIRARD, *L'enseignement de l'arabe...*, cit.; APF, Visite e Collegi, vol. 35, ff. 55r-57v e 70r-71v.
[70] A. FORTES, *Las misiones del Carmelo...*, cit., 117 e, in generale, APF, Visite e Collegi, vol. 35. David di S. Carlo è destinato a fare carriera divenendo rettore del Collegio S. Pancrazio e poi viene designato vicario apostolico con titolo vescovile a Smirne (1713), A. FORTES, *Las misiones del Carmelo...*, cit., 308-309.

di studenti era sempre scarso, perseguendo risultati che si sarebbero potuti conseguire più facilmente nelle terre di missione.

Queste discussioni sulla localizzazione romana o periferica delle scuole di lingua nella prospettiva della preparazione missionaria giocavano un ruolo specifico negli studi linguistici di arabo, ma si ritrovavano anche per le controversie. All'epoca non si ignorava ovviamente che i missionari che avevano studiato arabo a Roma non erano per lo più in grado di capirlo né di parlarlo in Levante e che il soggiorno in quelle terre produceva risultati molto migliori. Allo stesso tempo però si era convinti che fosse necessario che l'apprendimento della lingua non avvenisse al di fuori del controllo romano: ad esempio si affermava che non era conveniente che un missionario imparasse l'arabo frequentando case private[71]. In effetti si riteneva che l'insegnamento della lingua nel contesto della preparazione all'apostolato non fosse mirato solo a un apprendimento della capacità di comunicare (pur con tutto il rilievo che questo elemento aveva nell'attività religiosa dalla predicazione alla confessione). Nello studio della lingua nelle scuole romane prevaleva l'aspetto della preparazione dottrinale, dell'ortodossa traduzione dei concetti del cristianesimo, della consapevolezza degli errori dell'Islam. Per tale addestramento controversistico si ponevano problemi di localizzazione geografica: non era reputato conveniente che a Roma, nel cuore del cattolicesimo, si studiassero le controversie. Per questo la cattedra di Bellarmino al Collegio Romano era stata chiusa e la disciplina era reputata degna di studio solo sulle frontiere dell'Europa cattolica[72]. Come già accennato, Propaganda richiamò la necessità di studiare le controversie anche a Roma e, come si è detto all'inizio, di associare tale studio a quello delle lingue orientali, proprio per fornire quella preparazione dottrinale in lingua, che avesse un carattere di pratica utilità per il missionario sul campo. Vi è dunque certamente un disegno di centralizzazione romana da parte del dicastero nell'insistenza

---

[71] APF, Congressi Collegi Vari, vol. 59 (San Pancrazio), ff. 198r-199v.
[72] Per questo viene discusso il già citato memoriale «Rationes proponendae coram Sanctissimo et Sacra Congregatione de Propaganda Fide ob quas necessarium est legi controversias fidei in Urbe», APF, CP, vol. 1, ff. 349rv, 354v.

sugli *studia linguarum*, il cui successo era sempre limitato e la cui esistenza era sempre discussa nei secoli dell'età moderna, ma la cui continuità nel tempo era sempre tuttavia confermata.

La politica della Congregazione non mancava di esitazioni. Si è fatto l'esempio di Malta come luogo dove gli allievi potevano apprendere l'arabo parlato, ma che era considerato poco sicuro per un efficace controllo. Analoghi esempi si possono fare per le scuole che i francescani, sotto l'egida di Propaganda, volevano aprire in Italia. A Firenze l'interesse mediceo per il Levante costituiva un ambiente favorevole, anche per la stampa di libri. I francescani osservanti aprirono una scuola nel convento d'Ognissanti nel 1623, il cui insuccesso fu addebitato al superiore Lorenzo da Làmmari (allievo di Tommaso da Novara) a causa della sua incapacità di insegnare la lingua viva. Il nunzio apostolico a Firenze offrì uno schiavo turco come servitore del convento che avrebbe potuto anche costituire, non si sa con quale risultato, un aiuto per l'apprendimento della pronuncia. Ma i francescani non vollero un turco in convento e alla fine, malgrado che da Roma si mandassero valenti insegnanti di San Pietro in Montorio come Pierre Maboul e Alessio da Todi, si progettò di trasferire la scuola a Livorno, porto franco frequentato da orientali, ebrei e protestanti che vi formavano delle comunità "nazionali". A quel punto però subentrò la preoccupazione per i rischi che gli allievi avrebbero corso in un ambiente tanto eterodosso e Propaganda frenò il progetto cercando di deviarlo su Pisa.

Per la scuola di Napoli, dove si propose per insegnante uno dei più brillanti allievi dello *studium* romano, Bartolomeo da Pettorano[73], la discussione restò aperta: da un lato il grande porto offriva la possibilità di incontrare e di parlare con degli orientali, avendo anche la possibilità di convertirli, oppure di aiutare cristiani "captivi", dall'altro si temevano i pericoli e le tentazioni che la capitale del Regno offriva agli allievi. Si ribatteva anche che, come a San

---

[73] Sarà impiegato dal Sant'Uffizio nella squadra di esaminatori dei testi delle Lamine granatensi insieme ai gesuiti Athanasius Kircher e Giambattista Giattini, al confratello francescano Antonio dall'Aquila, al caracciolino Filippo Guadagnoli e all'astro nascente dell'arabistica romana, il lucchese Ludovico Marracci, dei Chierici regolari della Madre di Dio, cfr. ad esempio ACDF, ASO, Stanza Storica R 6 a-c e R 7 a-i.

Pietro in Montorio, gli allievi delle scuole francescane non erano novizi, ma religiosi spesso già addottorati in teologia che avevano una provata vocazione missionaria, ma ciò non bastava e, come in Toscana, si propose di ripiegare su un centro minore come Salerno[74]. Nel 1660 il segretario di Propaganda Mario Alberizzi si mostrava totalmente sfiduciato: per lui l'arabo si imparava soltanto in Levante e le controversie erano talmente di poco rilievo che i missionari le potevano affrontare sul momento, un'opinione che mostrava sì un desiderio di periferizzazione dello studio della lingua, ma probabilmente anche una sostanziale *diminutio* della tensione apostolica nei confronti del Vicino Oriente (si è già accennato che con la morte di Guadagnoli si era dissolta di scuola dei caracciolini). Questa ipotesi andrebbe meglio verificata e contestualizzata: è vero però che siamo alla fine di un periodo di intensa produzione libresca dell'orientalismo cattolico[75], malgrado che nella seconda metà del secolo, nella quale spiccò la figura di Marracci e di maroniti come Fausto Nairone, si riformò il collegio di San Pietro in Montorio e si assicurò una continuità istituzionale alle scuole e agli altri luoghi romani dove si studiava o si praticava l'arabo[76].

Una conseguenza di grande rilievo dell'impegno di Propaganda nel favorire l'insegnamento delle lingue orientali e delle controversie è la produzione di libri, cui il dicastero missionario contribuiva direttamente tramite la propria Tipografia. Nei primi decenni di esistenza di quest'ultima sono dati alle stampe molti testi relativi alle lingue orientali[77]: strumenti prettamente linguistici co-

[74] Maggiori dettagli su queste tentate fondazioni in G. PIZZORUSSO, *Tra cultura e missione…*, cit., 144-146.

[75] A.M. PIEMONTESE, *Grammatica e lessicografia araba in Italia dal XVI al XVII secolo*, in *Italia e Europa…*, cit., II, 519-531.

[76] Su questa fase di crisi G. PIZZORUSSO, *Les écoles de langue arabe…*, cit.; sul passaggio tra XVII e XVIII secolo ID., *Tra cultura e missione…*, cit. e A. GIRARD, *L'enseignement de l'arabe…*, cit.

[77] Per una discussione critica e un'identificazione bibliografica si veda A.M. PIEMONTESE, *Grammatica e lessicografia araba…*, cit. Devo precisare che la produzione di libri nelle lingue del Vicino Oriente da parte della tipografia di Propaganda si inserisce nella più generale attività di stampa di testi nelle lingue più diverse di vari continenti, dal tonchinese al congolese. Tali libri avevano carattere prettamente linguistico (cfr. J. DE CLERCQ - P. SWIG-

me alfabeti, grammatiche, dizionari, ma anche versioni di catechismi, di vangeli fino a opere di confutazione della religione islamica che vedevano impegnati sia gli insegnanti di lingua ex missionari che abbiamo già incontrato, sia gli arabisti accademici come
Guadagnoli, Ecchellensis, Marracci. La stampa della *Biblia arabica* del 1671 e la traduzione in latino e la confutazione del Corano
di Marracci del 1691 costituirono i punti di arrivo di questa produzione seicentesca che restò quella utilizzata per tutto il secolo
successivo. Questi testi non erano soltanto strumenti di preparazione linguistico-teologica, ma venivano anche portati dai missionari in Oriente e utilizzati nella pratica dell'apostolato. Inoltre, come scrisse il segretario di Propaganda Francesco Ingoli, i libri ar-
rivavano anche laddove i religiosi non potevano giungere e quindi
essi costituivano un importante elemento di diffusione dell'orientalismo cattolico dell'epoca e di confronto con le realtà locali[78].

L'insieme di questi testi conferma l'impostazione data allo studio della lingua come strettamente connesso con la pratica apostolica, tra grammatica e catechismo, con una continua preoccupazione per la traduzione, che costituiva anche un filtro concet-
tuale, affidata agli orientalisti più esperti che erano linguisti ma anche al contempo teologi, come Guadagnoli e Marracci. Nella prospettiva del controllo di ortodossia ricordiamo che gli allievi non
studiavano mai direttamente sul testo coranico, ma su sillogi pre-
parate in arabo dagli insegnanti. Anche le numerose grammatiche
scritte all'epoca, esemplate sul modello della grammatica latina,
erano sottoposte a una revisione teologica prima dell'*imprimatur*,
anche perché potevano contenere esercizi di controversia[79]. Del
resto la spinta apostolica verso il Levante non aveva attenuato la

GERS - L. VAN TONGERLOO, *The linguistic contribution of the Congregation de
Propaganda Fide*, in *Italia ed Europa...*, cit., II, 439-457) ma coprivano anche
varie tipologie testuali, dalle traduzioni di catechismi e libri di controversia ai
resoconti missionari (cfr. F. MARGIOTTI, *La dotazione libraria dei cardinali de
Propaganda Fide nel 1700*, "Euntes Docete", 21 (1968), 367-409); un quadro
generale in G. PIZZORUSSO, *I satelliti di Propaganda Fide: il Collegio Urbano e
la Tipografia poliglotta. Note di ricerca su due istituzioni culturali romane nel
XVII secolo*, "Mélanges de l'École française de Rome. Italie et Méditerranée",
116 (2004), 471-498.

[78] APF, CP, vol. 3, ff. 281r-289v.

[79] Z.R. ANDOLLU, *La Sagrada Congregación frente al Islám...*, cit., 715-716.

dura contrapposizione teologica rispetto all'Islam, considerato come una setta piuttosto che come una religione vera e propria. Anche una figura di primo piano negli studi arabi romani, come Filippo Guadagnoli si vide censurare un'opera di controversia che lasciava dei margini di ambiguità nella opposizione frontale contro l'Islam. L'arabista della Sapienza aveva conosciuto un grande successo presso Urbano VIII con la sua *Apologia pro christiana religione* pubblicata da Propaganda nel 1631 nella versione latina e nel 1637 nella versione araba, peraltro riscritta e modificata con un'attenuazione delle parti più rudemente avverse all'Islam. Negli anni 1640 Guadagnoli propose una seconda versione dell'apologia, intitolata *Considerationes ad Mahometanos*, destinata ai missionari[80]. In essa una parte intitolata *Quod Alcoranus non repugnet Evangelio in his in quibus dicit veritatem* suscitò forti perplessità presso le autorità ecclesiastiche. Guadagnoli difendeva il suo testo affermando che aveva voluto evitare di scrivere un libro nel quale si sostenesse *tout court* la falsità del Corano nel suo insieme, ciò che ne avrebbe impedito la circolazione nell'Islam e provocato l'immediata distruzione da parte delle autorità islamiche. Invece affermando l'esistenza di affermazioni vere (cioè non contrastanti con il Vangelo) nel libro sacro dell'Islam, si sarebbe potuto poi evidenziare meglio le proposizioni false o incomplete e così costringere i musulmani ad ammettere l'inaffidabilità del Corano. Questo metodo "per insinuazione" non convinse i cardinali di Propaganda, che tuttavia, per le insistenze di Guadagnoli, trasmisero il caso al Sant'Uffizio. Gli arabisti e teologi consultati dettero in maggioranza pareri formalmente favorevoli (molti di loro erano colleghi di Guadagnoli che lavoravano al suo fianco nella commissione per la Bibbia araba o nella traduzione dei testi delle Lami-

---

[80] Il testo costituiva, come recita la seconda parte del titolo, una *Responsio ad objectiones* di Ahmed Filii Zin Alabedin di Ispahan, un dotto persiano conosciuto anche da Pietro della Valle. Il libro si inserisce in una controversia originata dal gesuita Jeronimo Javier con il suo trattato *Speculum verum ostendens* cui Ahmed aveva risposto con un controtrattato intitolato *Pulitore dello Specchio della Verità* dove venivano presi di mira soprattutto i dogmi della Trinità e della divinità di Cristo. Z.R. ANDOLLU, *Un saggio bilingue, latino e arabo…*, cit. La vicenda fa parte di una più ampia «bibliomachia», per usare la brillante espressione di A.M. Piemontese che ne traccia i termini generali in *Leggere e scrivere «Orientalia»…*, cit., 444-445.

ne Granatensi), ammettendo però privatamente delle riserve. Molto importante fu l'opinione negativa di Abraham Echellensis che considerava il testo come pericolosamente aperto all'Islam e poco chiaro per un utilizzo da parte dei missionari, ma anche difficilmente accettabile per le comunità cristiane orientali che dovevano mantenere ben saldo il proprio credo nel difficile contesto del mondo islamico[81]. Il Sant'Uffizio non autorizzò quindi la diffusione del libro, che era già stato stampato nella Tipografia di Propaganda e che finì poi distrutto, con grande amarezza di Guadagnoli. A questo smacco si può forse attribuire la crisi degli studi arabi nell'ordine caracciolino sopra ricordata, mentre la confutazione del Corano fu ripresa e portata alle stampe, con una impostazione più rigida, da Ludovico Marracci. L'arabista lucchese, che succederà a Guadagnoli sulla cattedra di arabo della Sapienza, conservandola per tutto il secolo fino alla morte, aveva redatto il giudizio di sintesi sull'opera di Guadagnoli rilevando che c'erano opinioni poco difendibili, ma soprattutto "per sostenerle si richiede gran speculatione e fatiga d'ingegno et anco non basta; onde può cagionare scandalo in chi non è tanto dotto, e speculatione, come sono li mahomettani, e li christiani d'oriente, i quali hanno in somma abominatione l'Alcorano, come peste e rovina della legge e fede di Cristo"[82].

Lo studio dell'arabo destinato alla pratica missionaria fa emergere anche la consapevolezza della differenza tra l'arabo del Corano e quello parlato. Le grammatiche disponibili all'inizio del XVII secolo insegnavano un arabo letterale, una lingua morta nel Levante che era utilizzata nelle controversie teologiche dotte, ma che non permetteva la comunicazione orale utile alla missione. Del

---

[81] APF, CP, vol. 6, ff. 721r/726v; cfr. anche le critiche di Pietro della Valle riportate da Z.R. ANDOLLU in appendice a *Un saggio bilingue, latino e arabo...*, cit.

[82] APF, vol. 182, ff. 138r-145v; per la ricostruzione di questa vicenda, per la quale rimando a G. PIZZORUSSO, *Il caracciolino abruzzese...*, cit., oltre alla documentazione di Propaganda, ho consultato ACDF, ASO, Censura Librorum, 1641-1657, fasc. 25, ff. 560r-579r; BNCVE, Manoscritti, Fondi Minori, Di provenienza claustrale varia, vol. I; ASR, Fondo Cartari-Febei, vol. 64, ff. 64r-66r e 236r-244v.

problema dell'apprendimento della lingua volgare ci si rendeva ben conto presso gli *studia linguarum* da parte degli insegnanti. Domenico Germano nel 1636 pubblicò la *Fabrica overo Dittionario della lingua volgare arabica*. Ma fu soprattutto con Antonio dall'Aquila, professore a San Pietro in Montorio, e le sue *Arabicae linguae novae et methodicae institutiones* del 1649 che la questione venne all'attenzione. Antonio riteneva la sua opera utile sia per imparare la lingua, sia per comprendere i libri arabi, quindi per conoscere l'arabo dialettale e quello classico. Si affermava così una duplicità di piani linguistici dell'arabo che è stato nei secoli seguenti uno dei temi centrali nell'interesse degli arabisti[83].

La grammatica di Antonio dell'Aquila venne sottoposta da Propaganda alla consueta verifica. Nel 1651 l'ex missionario cappuccino Brice de Rennes, traduttore e epitomizzatore degli *Annales ecclesiastici* di Baronio, la approvò dal punto di vista dottrinale, ma mise in evidenza numerosi errori di grammatica e di traslitterazione latina delle parole arabe, asserendo che la sua diffusione sarebbe stata imbarazzante per la Chiesa di fronte alle superiori grammatiche protestanti. L'altro esaminatore era Filippo Guadagnoli. Anch'egli approvò la grammatica dal punto di vista dottrinale, ma riguardo alla lingua volgare proclamò la sua incompetenza a dare giudizi, semplicemente affermando di non comprendere la lingua parlata. Ciò significa che l'illustre arabista, nonché teologo, caracciolino non parlava l'arabo "volgare", pur riconoscendone l'esistenza[84]. Questo caso ci permette di capire come gli studi di arabo nella Città Eterna fossero costituiti da due livelli diversi, che pure si intersecavano tra loro negli stessi protagonisti dell'orientalistica romana. Da un lato si studiava l'arabo letterario utilizzato da arabisti di solida formazione teologica (che comprendeva anche la conoscenza almeno di ebraico e greco) per le controversie

---

[83] A.M. PIEMONTESE, *Grammatica e lessicografia araba...*, cit., 525 e P. LARCHER, *Diglossie arabisante et fushâ vs 'ammiyya arabes. Essai d'histoire parallèle*, in *History of Linguistics 1999. Selected papers from the Eighth International Conference on the History of the Language Sciences, 14-19 September 1999, Fontenay-Saint-Cloud*, a c. di S. Auroux, Amsterdam-Philadelphia 2003, 47-61, [52-53]. Ringrazio Bernard Heyberger che mi ha cortesemente fornito questo saggio.

[84] APF, vol. 182, ff. 2r e 19r-46v.

antiislamiche e le traduzioni e confutazioni del Corano, opere
scritte che circolavano nell'ambiente colto delle università nel contesto della Repubblica delle Lettere europea[85]. Guadagnoli è un
esempio di queste figure di eminenti arabisti non parlanti, "arabi-
sants sourds-muets", che si ritrovano nelle grandi università europee fino all'Ottocento[86]. Dall'altro lato, si cercava anche di diffondere l'arabo "volgare" o "vernacolare", nel senso di colloquiale,
che, certamente, scontava la difficoltà di insegnanti madrelingua e
della possibilità di far pratica orale, malgrado la presenza a Roma
di molti maroniti colti, e dunque conduceva sovente a risultati
sconfortanti[87]. Questo duplice livello connotava specificamente le
scuole di arabo organizzate sotto la giurisdizione di Propaganda
nel XVII secolo e certamente queste esigenze dell'insegnamento
furono di stimolo alla cospicua produzione di libri da parte di
Propaganda, tramite la propria tipografia ben fornita di caratteri
arabi, dove lavoravano allievi di Raimondi come Stefano Paolini e
Giovanni Battista Sottile[88].

Angelo Michele Piemontese ha indicato tre "indirizzi di ricerca e stampa" nell'orientalismo romano al volgere del XVI secolo:
"religioso-dottrinale cattolico, linguistico-didattico; scientifico-
speculativo"[89]. Queste tendenze si ripetono nel XVII secolo nel

[85] Cfr. il quadro recente di B. HEYBERGER, *Abraham Ecchellensis...*, cit. e
la relativa bibliografia.
   [86] La definizione è di P. LARCHER, *Diglossie arabisante...*, cit., 50-51, che
cita il caso di Antoine-Isaac Silvestre de Sacy (1758-1838), illustre editore di
manoscritti e cattedratico all'École des Langues Orientales istituita nel 1795,
come modello di questo tipo di orientalista.
   [87] Si può notare tuttavia che a Napoli nella scuola di lingua della Congregazione delle Apostoliche Missioni di Sansone Carnevale alcune parti della
grammatica di Antonio dell'Aquila fossero state sperimentate in presenza di
un carmelitano di origine libanese con grande successo, APF, SOCG, vol.
182, ff. 152r-153v. La grammatica di Antonio restò in uso fino al XIX secolo
anche alla Sapienza, A.M. PIEMONTESE, *Grammmatica e lessicografia araba...*,
cit., 525-526; 528.
   [88] W. HENKEL, *The Polyglot Printing-Office of the Congregation*, in *Sacrae
Congregationis de Propaganda Fide Memoria Rerum*, cit., I/1, 335-338 e G.
PIZZORUSSO, *I satelliti di Propaganda Fide...*, cit., 487-490.
   [89] A.M. PIEMONTESE, *Leggere e scrivere «Orientalia»...*, cit., 436.

quale la presenza delle scuole di arabo ha costituito uno stimolo, modesto ma diretto, soprattutto per le prime due, con la produzione di opere di controversia e di lingua, pur con i limiti che gli studiosi hanno evidenziato, essendo orientate soprattutto a una preparazione "controllata" nella quale ci si preoccupava di dotare il missionario di elementi dottrinali "tradotti" in modo ortodosso e che avrebbero costituito le armi spirituali da usare in missione. Alcuni personaggi attivi in queste scuole attraversano tuttavia le tre categorie enunciate: ad esempio un Tommaso da Novara nel campo dell'erudizione e dell'antiquaria con i suoi contatti con Kircher, Peiresc o Della Valle.

Questi religiosi eruditi restavano soprattutto dei missionari, legati a una visione strumentale dello studio della lingua e, più in generale, della conoscenza della cultura dei paesi e dei popoli di cui si occupavano, ma ciò nonostante essi finivano per esercitare un ruolo di mediazione culturale, oltre che essere in alcuni casi individualmente "curiosi" e eruditi. Le scuole di lingua furono istituzioni che si radicarono nella Roma moderna nell'insieme dei "luoghi intellettuali" dell'orientalismo, una categoria che copriva uno spettro molto largo, dal livello "alto" della Biblioteca Vaticana, dove lavoravano Ecchellensis e, nel XVIII secolo, i vari membri della famiglia Assemani, a quello "basso" degli ospizi per i pellegrini maroniti o melchiti che pure ospitavano piccole biblioteche orientali[90]. Nello specifico questi *studia linguarum* assolvevano alla funzione di introdurre i giovani missionari europei (spinti verso il mondo arabo soprattutto da una vocazione apostolica individuale) nel mondo dell'Islam con una mediazione linguistica e, anche, dottrinale guidata da insegnanti e testi. Per i docenti, inoltre, l'insegnamento nelle scuole rappresentava un periodo nel corso di un'esistenza complessa che li conduceva dall'una all'altra sponda del Mediterraneo.

Lo studio e l'insegnamento dell'arabo stimolò una notevole produzione di grammatiche e dizionari, improntati da una codificazione dell'arabo sul parametro del latino, oppure di compendi

---

[90] APF, Congressi Collegi vari, vol. 53 (S. Antonio d'Assisi in Roma), ff. 1rv, 7rv, 9rv; cfr. anche *Naples, Rome, Florence. Une histoire comparée des milieux intellectuels italiens (XVIIᵉ-XVIIIᵉ siècles)*, a c. di J. Boutier - B. Marin - A. Romano, Rome 2005.

di teologia per lo studio delle controversie, che non erano orientati verso un dialogo reale con l'Islam, ma al contrario dovevano dare al missionario un semplice quanto efficace arsenale di argomenti polemici. Pur con questi limiti, tra fine Cinquecento e prima metà del Seicento si formò un *corpus* consistente di strumenti linguistici e teologici in lingua araba che da Roma si diffuse sia negli ambienti colti europei sia nel Levante, dove questi testi erano affidati da Propaganda ai missionari. Tale *corpus* fu nella sua maggior parte prodotto da un nucleo di arabisti composto da maroniti di madre lingua, da missionari europei di vari ordini regolari rientrati da lunghi soggiorni in Levante (Tommaso da Novara, Brice de Rennes, Céléstin de Ste Ludvine, Antonio dall'Aquila) o anche da teologi poliglotti, traduttori e confutatori del Corano mai stati in Levante, che usavano solo la lingua letterale come Filippo Guadagnoli e Ludovico Marracci. Il carattere missionario, che distingueva lo studio dell'arabo a Roma e in Italia rispetto agli altri centri dell'orientalismo europeo anche cattolici, come Spagna e Francia, si collegava a quello teologico erudito, in un contesto nel quale le lingue del Vicino Oriente mantenevano per Propaganda il ruolo principale, anche se si assiste nella seconda parte del XVII secolo a un progressivo ripiegamento degli studi di arabo a Roma testimoniato dalla diminuita produzione libraria[91]. Già in quest'epoca tuttavia l'interesse della Congregazione e delle istituzioni missionarie ad essa collegate si allargava sempre di più verso le "quattro parti del mondo"[92], di cui si studiavano le lingue antiche e moderne, anche nella ricerca di una lingua universale che avrebbe consentito di superare la maledizione babelica[93]. Questo allargamento spaziale degli interessi lin-

---

[91] A.M. PIEMONTESE, *Grammmatica e lessicografia araba...*, cit., 528-529.
[92] Cfr. F. INGOLI, *Relazione delle quattro parti del mondo*, a c. di F. Tosi, Roma 1999, un quadro d'insieme dell'espansione missionaria redatto dal primo segretario di Propaganda nel 1631, dopo dieci anni di attività del dicastero.
[93] Cfr. le ricerche in corso di D. STOLZENBERG, *Collaborating in the Catholic Cosmopolis: Abraham Ecchellensis and Athanasius Kircher in Rome*, in *Abraham Ecchellensis (Haqil, 1605 - Rome, 1664) et la science de son temps...*, cit., e di F. SIMON, *Les langues universelles à la Renaissance*, relazione presentata al seminario italo-francese *Lingue del potere, potere delle lingue. Lingue e Chiesa* (Università di Roma Tre, 19 maggio 2008), in corso di pubblicazione nei "Mélanges de l'École Française de Rome. Italie et Méditerranée".

guistici è destinato ad aumentare nella Roma cosmopolita del XVIII secolo, in particolare verso la Cina e verso l'Asia in generale, grazie al permanente rapporto tra l'ambiente missionario e quello erudito[94].

[94] G. Pizzorusso, *Agli antipodi di Babele: Propaganda Fide tra immagine cosmopolita e orizzonti romani (XVII-XIX secolo)*, in *Roma, la città del papa. Vita civile e religiosa dal giubileo di Bonifacio VIII al giubileo di papa Wojtyla*, a c. di L. Fiorani - A. Prosperi, Torino 2000, 477-518.

L'ISLAM DEI MISSIONARI CATTOLICI
(MEDIO ORIENTE, SEICENTO)

Bernard Heyberger

L'incontro dei religiosi latini con l'islam non è certo una novità del Seicento. Al contrario, vi è un'accumulazione di esperienze e di conoscenze che risale almeno al XIII e XIV secolo. Un nuovo slancio missionario tuttavia ha portato verso il Medio Oriente, negli anni 1620-1650 religiosi dei nuovi ordini, cappuccini, gesuiti e carmelitani Scalzi. Nello stesso tempo i frati minori della Custodia di Terra Santa hanno dato un orientamento più missionario alla loro presenza in Siria, Palestina e Egitto. In quell'epoca missionari di ogni ordine scrivono libri sulla storia e la situazione contemporanea dell'Oriente sotto il regno ottomano, per contribuire all'edificazione dei lettori europei e rispondere alla loro curiosità, per promuovere una propria azione e partecipare all'accumulazione cattolica di conoscenze sul mondo.

L'islam e i musulmani non sono generalmente l'argomento principale di questi saggi, che attribuiscono maggiore importanza alla storia cristiana antica dei paesi in questione e alle minoranze cristiane che ci vivono. Ma, in ogni caso, si parla dell'islam, permettendoci così di fare un'analisi dei loro discorsi. Nonostante vi sia spesso una conoscenza effettiva dell'islam, questi autori mostrano una certa difficoltà ad uscire da un quadro apologetico e controversistico, discostandosi poco dall'impostazione del discorso dei loro antenati medioevali, perché la loro visione cristiana del mondo e della storia non permette loro di pensare l'alterità in termini veramente diversi. L'idea di tolleranza e di una possibile pluralità delle credenze, presente nell'Oriente ottomano, è esclusa dal pensiero missionario cattolico. Eppure, ci sembra che si possa avvertire un'evoluzione nello spirito delle opere prese in esame, in direzione di una secolarizzazione e di un atteggiamento più attento e più positivo nei confronti dei musulmani e della loro religione.

Una visione profondamente cristiana

Il Medio Oriente, dall'Egitto ad Aleppo, è considerato dai missionari latini come la Terra Santa, santificata dalla vita umana di Cristo, della Vergine, degli Apostoli, dei primi santi e dottori della Chiesa[1]. Gli autori descrivono questa regione attraverso la memoria pia e la storia santa; ci si accorge di questo già dalla struttura delle loro narrazioni. *La Terre Sainte ou Terre de Promission* del recolletto Eugène Roger (1646, 1664 e 1666), dimostra in un primo tempo che la Palestina è stata il luogo del paradiso terrestre, poi evoca i personaggi che l'hanno onorata, infine segue i confini delle dodici tribù d'Israele per farne una descrizione geografica. Joseph Besson nella sua *Syrie Sainte* (1660) adotta un piano «spirituale» per descrivere Gerusalemme, allorché Nicolas Poirresson guida il lettore nella Città seguendo le dodici stazioni della via crucis[2].

La Terra Santa appare trascurata e decadente rispetto a com'era nell'Antichità: i missionari hanno infatti sotto gli occhi le rovine dei santuari dei primi secoli e dell'epoca delle crociate. Eugène Roger, botanico, convinto che quella regione sia stata la sede del paradiso terrestre, si mostra molto sensibile alla bellezza dei paesaggi e alla fertilità del paese. La sua descrizione è però un elenco piuttosto fastidioso delle località che ricordano episodi delle Scritture o del cristianesimo primitivo, ormai abbandonate, abitate da qualche musulmano, o da qualche ebreo o cristiano ortodosso. Egli spesso osserva che un certo luogo, che un tempo era stato se-

---

[1] B. HEYBERGER - C. VERDEIL, *Spirituality and Scholarship: the Holy Land in Jesuit Eyes (Seventeenth to Nineteenth Centuries)*, in *New Faith in Ancient Lands. Western Missions in the Middle East in the Nineteenth and Early Twentieth Centuries*, a c. di H. Murre-van den Berg, Leyden-Boston 2007, 19-41.

[2] E. ROGER, *La Terre Sainte ou Terre de Promission*, n. ed. a c. di E. Kattar, Kaslik-Liban 1992, 525; J. BESSON, *La Syrie Sainte ou la mission de Jésus et des Pères de la Compagnie de Jésus en Syrie*, Paris 1660, 259; *Voyage de Jérusalem depuis Seyde par mer* (sans doute de Nicolas Poirresson), collection Moreau, BNF, Paris, 842, ff. 236r-288v.

de di una diocesi, non conta più né chiesa, né cristiani. Sono i musulmani ad essere additati come i principali responsabili della distruzione e profanazione dei santuari, ora trasformati in moschee, ora in stalle per il bestiame. Alcuni di questi santuari rimangono aperti per la visita dei pellegrini in cambio del pagamento di un dazio ai santoni musulmani che custodiscono il sito[3].

Ciononostante, la superiorità e la verità del cristianesimo vengono confermate anche sotto la dominazione dei «Turchi» da alcune prove tangibili. La preservazione di un luogo di memoria e di devozione non è mai considerata come un contrassegno positivo della tolleranza musulmana, o come una testimonianza di una concezione comune del sacro, ma piuttosto come una prova della debolezza dell'Islam. I numerosi siti desacralizzati dai musulmani non cessano di godere di un'energia carismatica, che è la prova della potenza e della verità della fede cristiana. Conservando la memoria, questi luoghi portano in sé anche la speranza di una futura restaurazione cristiana. Nicolas Poirresson, per esempio, racconta che gli infedeli non vanno più a recitare la preghiera in una moschea vicina al Santo Sepolcro, perché i loro muezzin sarebbero stati attaccati da uccelli. E il musulmano «temerario» che si era arrischiato a passare la notte nel santuario del sangue di Gesù, fu ritrovato la mattina dopo insanguinato, come se fosse stato flagellato[4]. Joseph Besson, riferendosi a Quaresmio, afferma che per tre volte i musulmani avevano cercato invano di innalzare un minareto sulla cappella di Sant'Anania in Damasco, dove era stato battezzato san Paolo. All'epoca di Joseph Besson, la cappella fu in effetti trasformata in moschea[5].

---

[3] E. ROGER, *La Terre Sainte...*, cit., 63, 67-68, 75, 77, 81, 84, 91, 100, 107, 109, 153, 183, 186, 188, 194, 205, 212, 214-217; *Voyage de Jérusalem depuis Seyde...*, cit., f. 268v: accademia di San Girolamo a Betlemme; f. 268r: luogo del battesimo di Filippo, adesso moschea dove gli «Arabi» fanno un «battesimo superstizioso».

[4] BNF, Paris, collection Moreau, 842, cit., ff. 258r-261v, parecchi esempi. J. BESSON, *La Syrie Sainte...*, cit., I, 125: miracoli di santo Abeda, al Libano, che allontana i «Maomettani» e punisce gli «Arabi» e i «Mori» che l'offendono. *Ivi*, 72: Damasco. E. ROGER, *La Terre Sainte...*, cit., 205 (Betlemme) e 212 (Beyt Jala).

[5] J. BESSON, *La Syrie Sainte...*, cit., 71. Diversi testimoni a proposito di questa casa: B. MARINO, *Le quartier des Chrétiens (Mahallat Al-Nasârâ) de Da-*

La contemplazione della decadenza della presenza cristiana nella Terra Santa poteva indurre a ritenere che la storia dell'umanità stesse giungendo alla sua fine. Francesco Quaresmio, missionario dell'Osservanza (1634, reed. 1881), rimane nella tradizione medioevale della «guerra giusta» e propone un'interpretazione spirituale della «spinta» dell'Islam, chiedendosi perché Dio avesse permesso che la Terra Santa cadesse nelle mani degli infedeli. Temeva che non fosse ricuperata se non nella «plenitudo temporis», e «solamente allora, quando Gesù Cristo verrà». Se Maometto ai suoi occhi non era l'Anticristo, tuttavia reputava probabile che quest'ultimo sarebbe stato un membro della sua «setta». Il regno maomettano, con le sue profonde radici, si sarebbe dilatato e conservato fino all'avvento dell'Anticristo[6]. Ancora negli anni Cinquanta del Seicento, il gesuita Nicolas Poirresson ausculta il cielo per leggervi gli auspici di grandi avvenimenti venturi[7]. Nella sua relazione per gli anni 1656 e 1657, nota con cura i segni che annunciano a suo avviso la rovina imminente dell'Impero turco, e che sarebbero state interpretate nello stesso modo anche dai musulmani. Queste osservazioni saranno in parte riprese nell'opera di Joseph Besson, in un capitolo intitolato «il tempo della messe è arrivato»: terremoti, un fulmine che colpisce il muezzin al momento della «preghiera sacrilega», un'eclissi lunare proprio durante il Ramadan, apparizioni celesti...[8]

Questa attesa ha ovviamente un forte contenuto politico. Michel Nau, alla fine del suo *Voyage nouveau de la Terre Sainte* (1678,

---

mas au milieu du XVIIIe siècle, in *Identités confessionnelles et espace urbain en terre d'islam*, a c. di M. Anastassiadou, "Revue des mondes musulmans et de la Méditerranée", 107-110 (2005), 323-350, [332]. Vedi anche Nazareth: M. NAU, *Voyage nouveau de la Terre Sainte*, Paris 1744, 612, [1678].

[6] F. QUARESMIUS, *Historica Theologica et Moralis Terrae Sanctae elucidatio*, Anvers 1634, I, 167-170. Gli argomenti di Quaresmius su questa materia sono fedeli a quelli del medioevo: N. DANIEL, *Islam et Occident*, Paris 1993, 177-183 [1960]. Vedi anche la visione del francescano di Terra Santa Tommaso di Novara: R. SBARDELLA, *Tommaso Obicini da Novara, OFM, e il Cardinale Federico Borromeo*, "Archivum Franciscanum Historicum", 1963 (56), 79, 83.

[7] A. RABBATH, *Documents inédits pour servir à l'histoire du christianisme en Orient*, Paris-London-Leipzig 1905, I, 178; II, 186 s.

[8] *Ivi*, II, 263-264. J. BESSON, *La Syrie Sainte*..., cit., I, 204-206.

1702, 1744), fa ricorso a Luigi XIV, re vittorioso che verrà a ristabilire i diritti cristiani sulla Terra Santa, perché «mai una cosa del genere è stata tanto agevole» e «nulla è impossibile a Luigi il Grande». Si può ritenere che questa non sia altro che una formula retorica[9]. L'appello alla Francia vittoriosa, nelle dediche dell'*Etat présent de la Turquie* (1675) e del *Théâtre de la Turquie* (1682) di Michel Febvre, rispettivamente l'una al re e l'altra al suo ministro della guerra Louvois, pare più serio, considerando gli obiettivi politici e militari dell'autore[10]. Questo secondo libro, in un'edizione in italiano (Venezia 1684), è dedicato dall'editore Steffano Curti a Lorenzo Donà, «proveditor general in Dalmatia»[11]. Ma il punto di vista del missionario cappuccino si allontana dallo spirito della crociata, al quale non allude, e dalla visione spirituale della storia, come è espressa da Quaresmio. Febvre non rinuncia ad auspicare l'unione dei principi cristiani contro i Turchi, ma non fa alcuna menzione della riconquista della Terra Santa. Del resto, nella relazione manoscritta del suo pellegrinaggio da Aleppo a Gerusalemme (1667), ne parla appena, essendo il suo racconto concentrato sulla prova del cammino[12]. Egli non mira dunque alla conquista dei Luoghi Santi, ma a quella dell'impero ottomano, che non gli ispira più timore; al contrario ne vuole dimostrare la debolezza e le probabilità dell'imminente crollo. Nel suo *Specchio ó*

[9] M. NAU, *Voyage nouveau…*, cit., 661: «jamais chose de cette nature n'a esté plus aisée» e «rien n'est impossible à Louis le Grand». Sulla retorica della crociata nella Francia del Seicento cfr. G. POUMARÈDE, *Pour en finir avec la Croisade. Mythes et réalités de la lutte contre les Turcs aux XVIᵉ et XVIIᵉ siècles*, Paris 2004, 7-196.
[10] M. FEBVRE, *L'état présent de la Turquie ou il est traité des vies, mœurs et coûtumes des Ottomans, et autres Peuples de leur Empire*, Edme Couterot, Paris 1675. M. FEBVRE, *Théâtre de la Turquie…*, Edme Couterot, Paris 1682. Sulla svolta dei discorsi, che nella seconda parte del Seicento danno il Re di Francia come capo di una virtuale Crociata (invece del Re di Spagna), cfr. G. POUMARÈDE, *Pour en finir avec la Croisade…*, cit., 169-170.
[11] M. FEBVRE, *Teatro della Turchia dove si rappresentano i disordini di essa, il genio, la natura, et i costumi di quattuordici nationi, che l'habitano…*, Steffano Curti, Venezia 1684.
[12] APF, Roma, SC, Francia, ff. 109r-124v. Estratti pubblicati da B. HEYBERGER, *Les chrétiens du Proche-Orient au temps de la Réforme catholique*, Roma 1994, 609-622.

vero descrizione della Turchia, dedicato a Luigi Pazzi nel 1674, Febvre asserisce che lo scopo del suo trattato è di «disingannare dell'alto concetto, che hanno della potenza Turchescha», e si dedica a un'analisi dello Stato ottomano per dimostrarne la debolezza, pretendendosi «capace di parlare scientificamente dello stato de' Turchi»[13]. In effetti, il cappuccino offre un quadro sistematico dei diversi aspetti della società ottomana: esercito, comunità etniche e religiose, situazione fiscale ed economica, livello di istruzione e di sviluppo tecnologico...

In pochi anni, siamo passati dalle considerazioni spirituali tradizionali sulle cause della «spinta» turca e sui mezzi per fermarla, presentate da Quaresmio, alla lettura secolarizzata di Michel Febvre che preannuncia la mira imperialista di Volney alla fine del Settecento[14]. Tuttavia, la politica non è completamente secolarizzata nel discorso di Michel Febvre. Egli oppone il potere umano e dolce dei principi cristiani al dispotismo musulmano contrario alla legge divina e volto esclusivamente a conservare lo Stato. La varietà dei popoli e delle religioni nell'impero ottomano, giunto all'oppressione dei Turchi sugli altri sudditi del «Grande Signore», è contraria all'ideale di unità e di ordine del cappuccino, che ci fa ricordare l'ideologia del cappuccino p. Joseph du Tremblay[15]. Il motto del libro dice «Omne regnum in seipsum divisum desolabitur»[16].

I frati Roger e Quaresmio si pongono in una logica di conservazione e di restaurazione dei luoghi della memoria, che caratte-

---

[13] M. FEBVRE, *Specchio ó vero descrizione della Turchia*, Firenze 1674², 184.

[14] C.F. VOLNEY, *Voyage en Syrie et en Egypte pendant les années 1783, 1784, 1785*, n. ed., Paris 1959, 425.

[15] B. PIERRE, *Le Père Joseph. L'Eminence grise de Richelieu*, Paris 2007, 476.

[16] M. FEBVRE, *L'état présent de la Turquie...*, cit., 25: «Outre que j'ay crû devoir mettre d'abord en avant ce qu'ils ont de plus considérable, qui est sans doute leur politique, qu'on peut dire tres-avantageuse, pour établir une domination despotique, mais détestable, et contraire à la Loy Divine. Aussi n'est-ce pas mon dessein de la préférer à celle des autres Nations, ny de dire qu'elle doive ou puisse estre imitée des Princes Chrétiens, dont le gouvernement doit estre humain et doux à l'exemple du joug de Jésus-christ leur Seigneur, au lieu que celuy des turcs est tyrannique, cruel et hors des regles de la conscience, n'ayant point d'autre fin que la conservation de leur Etat, qu'ils taschent de maintenir par toutes sortes de moyens bons ou mauvais».

rizza i francescani della provincia di Terra Santa. Parlando della distruzione di Nazareth ad opera dei Turchi, Roger aggiunge:

> la Providence de Dieu, qui s'étend sur les choses les moins considérables, n'a pas voulu permettre que cette demeure sacrée de sa glorieuse Mère, où il avait été divinement conçu, demeurât plus longtemps dans la profanation par l'impiété de ces barbares ; et l'ordre de saint François se peut glorifier d'avoir eu des enfants assez heureux pour travailler au rétablissement et à la décoration d'un lieu si auguste [nel 1620][17].

La pastorale missionaria attiva è associata dai frati minori ad una presenza santificante attraverso il culto e il mantenimento degli edifici. Ma è anche una questione di generazioni: l'idea di missione sarà precisata nelle generazioni successive.

Per il gesuita Joseph Besson, invece, il ruolo specifico della Francia, giustificato dalla storia, è un ruolo missionario. In un paragrafo intitolato «la Francia deve impiegare il suo zelo per la conversione della Siria», spiega che la grazia è stata prima in Oriente, ispirando i Padri Orientali della Chiesa; ora però è la chiesa d'Occidente che deve mandare i suoi lumi a quelle d'Oriente, segregate nelle tenebre dello scisma e delle eresie[18]. Per i missionari della Compagnia, la decadenza e la rovina del cristianesimo sono imputabili più all'eresia, allo scisma e all'ignoranza che alla dominazione musulmana. Essi hanno la sensazione di una degenerazione del cristianesimo in Oriente[19].

È l'allontanamento dalla Chiesa e dalla vera fede che getta i popoli nella barbarie. Il vero cristianesimo, fondato sul disciplinamento dei fedeli e il riordino della società, è invece sinonimo di civilizzazione. Avendo contrapposto in un capitolo i costumi della Siria a quelli della Francia, Besson conclude:

---

[17] E. ROGER, *La Terre Sainte...*, cit., 75.
[18] J. BESSON, *La Syrie Sainte...*, cit., I, 199; II, 259-260.
[19] *Ivi*, II, 265: «La Religion a quitté ce semble ce pays, et s'est retirée en Europe. Celle des Mahométans est tout au dehors; celle des Iuifs, n'est que dans les Livres; et celle des Chrestiens, qui vivent dans l'Empire du Turc, est en plusieurs toute glacée, et presque mourante. Ils sont à la vérité constans dans leur foy, ou dans leurs erreurs; mais inconstans à maintenir la dévotion quand ils l'ont embrassée».

De ces coustumes et de celles que j'adiouteray, vous pouvez conclure
que ces peuples du Levant ont beaucoup de rapport avec les Barbares. En effet un de nos Missionnaires venu du Canada, passant par la
Syrie, remarqua cette convenance en plusieurs choses, entre les
Syriens Arabes et les Sauvages de la nouvelle France ; ainsi les peuples
qui perdent la foy deviennent semblables aux bestes ; et le Christianisme fait l'homme plus civil et plus humain[20].

La straordinaria pluralità religiosa dell'impero ottomano non
ha nulla di positivo agli occhi dei missionari. È al contrario la prova di questa degenerazione religiosa alla quale essi vogliono porre
rimedio. «Ubi non est religionis uniformitas, nec verus amor et vo-
luntaria subjectio potest intercedere», scrive Quaresmio[21]. E Michel Febvre parla dell'impero ottomano come di «un caos composto da diverse nationi opposte l'una all'altra, molti regni riuniti in
uno, ma vacui di Popolo»[22].

C'è un effetto negativo di contaminazione dell'Islam sui comportamenti dei cristiani[23]. Ma la dominazione politica musulmana
appare in primo luogo come una conseguenza dello scisma e del-
l'eresia. La moltiplicazione delle sette è un segno del disordine e
dell'ignoranza che investono la gente quando si allontana dalla
Chiesa. L'Islam deve essere considerato come l'ultimo mutamento in questa evoluzione. Michel Nau ricorda che, al tempo della
conquista araba, «i cristiani dell'Egitto e della Siria non avevano
quasi più nulla del cristianesimo se non il nome». Quattordici

---

[20] *Ivi*, II, 256. Eugène Roger impiega sempre la parola *barbares* per designare i musulmani o gli orientali.

[21] F. QUARESMIUS, *Historica Theologica…*, cit., 571-572.

[22] M. FEBVRE, *Specchio ó vero descrizione…*, cit., 88. «L'impero turchesco
è una Babilonia di confusione», *ivi*, 95. Cfr. Anche A. RABBATH, *Documents
inédits…*, cit., I, 46; relazione di Poirresson per l'anno 1652; J. BESSON, *La
Syrie Sainte…*, cit., I, 10-11.

[23] J. BESSON, *La Syrie Sainte…*, cit., I, 114-122. Per Besson, l'ignoranza
dei misteri cristiani viene ai fedeli dalla loro frequentazione dei Drusi, che ri-
servano la conoscenza delle cose sacre ai soli iniziati. L'ingiusto trattamento
delle donne sarebbe il risultato della conformazione alla morale islamica. L'u-
sura, l'avarizia, la violenza e l'ingiustizia, i cristiani le avrebbero imparate dai
musulmani. È anche sotto la loro influenza che i cristiani del Kisruano (Libano) hanno difficoltà a convincersi che Gesù è figlio di Dio e a credere nella
sua morte.

partiti opposti stavano litigando fra loro, l'immoralità si era in-
stallata e le chiese erano state profanate: la cattiva condotta dei
cristiani aveva richiamato gli infedeli. Gli «Arabi» dichiaravano
di lasciar vivere ciascuno nella religione che gli conveniva. Questa
tolleranza dei conquistatori era un'illusione, che permetteva di
rinforzarsi in una situazione d'inferiorità numerica. Così, i cristiani si sono adattati a Maometto, «e poco a poco l'amore della quie-
te e dei piaceri del mondo li ha pervertiti tutti e ha fatto loro ab-
bracciare la sua setta»[24].

L'atteggiamento verso l'Islam: fra apologetica e conoscenza concreta

Come abbiamo detto, la visione che i missionari mostrano
dell'islam è ispirata dal loro concetto della storia dell'umanità e
della Chiesa, e dal ruolo provvidenziale che ritengono sia stato loro attribuito. Non c'è allora posto per una ricerca onesta e gratui-
ta sull'Islam, che comincerà ad apparire soltanto nel Settecento,
ad opera di un traduttore del Corano come Sale, e neanche, ovviamente, per un desiderio autentico di comunicazione che supera le frontiere religiose[25]. È peraltro piuttosto comune che l'Islam
sia trattato come un capitolo in libri che proiettano sull'Oriente
idee caratteristiche del cristianesimo latino.

Queste pubblicazioni sono destinate a un pubblico occidentale, e quindi servono soprattutto a mobilitare il lettore cattolico sulla Terra Santa e sulle imprese missionarie nell'impero ottomano.
Ma sarebbe un errore vedervi l'espressione opportunista di un'o-
pinione diversa dalla convinzione intima degli autori. Si può difficilmente immaginare che i missionari affrontino il loro apostolato
in mezzo ai musulmani con uno spirito diverso da quello che si

---

[24] M. Nau, *L'état présent de la religion mahométane contenant les choses
les plus curieuses qui regardent Mahomet, et l'établissement de sa secte...*, Vve
Bouilerot, Paris 1684, I, 33-35.

[25] N. Daniel ripete spesso questa osservazione; egli stesso si collocava nella corrente cristiana degli anni Sessanta che cercava di fondare i principi di un
autentico dialogo interreligioso con i musulmani credenti: N. Daniel, *Islam et
Occident...*, cit., 73-74, 258-259, 351-355, 387-390.

esprime nei loro testi. Sembra piuttosto che abbiano la tendenza ad interpretare quello che imparano sul terreno secondo schemi di pensiero prestabiliti. Si può asserire dunque, come fa Norman Daniel per gli autori medievali, che non è per mancanza d'informazione che essi riproducono alcuni stereotipi o danno interpretazioni malevole di alcune credenze o pratiche. La loro esperienza si trova vincolata in un canone interiorizzato fissato da lungo tempo, che costituisce un'opinione collettiva estremamente polemica verso l'Islam e i musulmani[26]. Nel *Teatro della Turchia* di Michel Febvre, quasi tutti i titoli del sommario contengono la parola «disordini», perfino quando l'autore presenta elementi positivi. Si può anche ritenere che siano in gioco la vocazione e l'identità del religioso missionario, che rischia di perdersi fra gli infedeli, come rischierebbe di farlo qualunque missionario tra gli indiani Tupi del Brasile e tra i mandarini della Cina. Scrivere, come è stato provato per i gesuiti, serve a mantenere l'appartenenza all'ordine religioso, alla patria e alla Chiesa, e a rafforzare i legami con i confratelli e con altri corrispondenti cristiani[27].

Certamente la formazione teorica dei missionari che scrivevano sull'islam doveva essere piuttosto rudimentale prima della loro partenza. Si sa, grazie a Giovanni Pizzorusso, quanto la Congregazione De Propaganda Fide si sia occupata della formazione nelle lingue e nelle controversie dei futuri missionari, specialmente quelli che andavano al Levante e nei paesi di lingua araba[28]. Ma si sa anche quanto sia stato difficile mettere in pratica questi insegnamenti. Inoltre, fino ad oggi non si conosce nulla della formazione impartita ai gesuiti e ai cappuccini francesi. Sembra che imparassero la lingua e la cultura islamologica soltanto una volta giunti sul posto, servendosi dei manuali di grammatica e dei voca-

---

[26] N. DANIEL, *Islam et Occident…*, cit., 35-36, 57.

[27] CH. DE CASTELNAU-L'ESTOILE, *Les ouvriers d'une vigne stérile. Les jésuites et la conversion des Indiens du Brésil 1580-1620*, Lisbona-Paris 2000, *passim*.

[28] G. PIZZORUSSO, *Tra cultura e missione: la Congregazione "de Propaganda Fide" e le scuole di lingua araba tra XVII e XVIII secolo*, in *La culture scientifique romaine à l'époque moderne*, a. c. di A. Romano, in corso di stampa presso l'École Française de Rome. ID., *Les écoles de langue arabe et le milieu orientaliste autour de la Congrégation "de Propaganda Fide" au temps d'Abraham Ecchellensis*, in *Orientalisme, sciences et controverse: Abraham Ecchellensis (1605-1664)*, a. c. di B. Heyberger, Tournai, in preparazione.

bolari stampati in Europa. È anche vero che la bibliografia orientalista ha fatto progressi significativi durante il Seicento, e che l'ultima generazione, quella di Michel Nau o di Michel Febvre, aveva a disposizione utensili più efficaci di quelli dei loro predecessori.

Possiamo farci un'idea del livello di conoscenza degli autori che citiamo, soffermandoci sul loro percorso biografico. L'osservante Francesco Quaresmio, nato a Lodi nel 1583 o 1585, è stato guardiano e ministro provinciale del suo ordine a Milano prima di partire per l'Oriente, dove è rimasto per una decina d'anni. È stato guardiano del convento d'Aleppo per due anni, prima di presiedere la Custodia durante sei mesi nel 1618. Rientrato in Italia, nel 1620, è tornato nel Levante nel 1627-1628 come commissario apostolico mandato da Urbano VIII presso i Caldei. Poi è stato eletto definitore e procuratore del suo ordine (1645-1648) e si è guadagnato la fama di grande predicatore prima di morire a Milano nel 1656[29]. Quello che sappiamo delle sue attività pastorali, lascia supporre che fosse capace di comprendere l'arabo e forse anche il siriaco. Nel suo libro egli ricorda di aver sentito da «un Dottore turco dottissimo» un'idea del paradiso e dell'inferno che «a veritate certe non aberrarunt»[30]. Ma, a ben guardare, non occorrevano tante conoscenze dirette sull'Islam per scrivere la voluminosa enciclopedia di cui è autore.

Il recolletto Eugène Roger è stato in Siria dal 1629 al 1634. Rimasto un anno a Betlemme, fu a Nazaret nel 1631-1632 e passò un certo periodo presso l'emiro druso Faccardino (Fakhraddîn) come medico privato. Egli racconta che, al momento della disfatta e della cattura dell'emiro da parte delle forze ottomane (estate 1633), partì verso il nord del Libano e fu costretto a raggiungere Betlemme per strade appartate per scappare dall'armata del pascià di Damasco; godette allora dell'ospitalità di un paese sciita. Poi partì verso l'Egitto, prima d'imbarcarsi per la Francia. In seguito, professò il suo ministero «nei regni di Fez e di Marocco», precisando che stava a Salé nel gennaio 1646[31]. Il suo testo è colmo di citazioni ara-

[29] B. HEYBERGER, *Les chrétiens du Proche-Orient...*, cit., 197-199, 214.
[30] F. QUARESMIUS, *Historica Theologica...*, cit., 238, 133.
[31] E. ROGER, *La Terre Sainte...*, cit., 440: dice di essere stato quattro anni nei Luoghi Santi; inoltre nel paese sciita: 246. Cfr. 248, 251, 318, 326, 356-

be in una trascrizione approssimativa e piuttosto dialettale, che potrebbe indicare una conoscenza orale della lingua.

I primi gesuiti, fra i quali Nicolas Poirresson e Joseph Besson, partirono per l'Oriente in un'età molto avanzata, e quindi si suppone che le loro prestazioni linguistiche siano rimaste piuttosto limitate. Il primo arriva in Siria nel 1651 a 47 anni, e il secondo a 52, nel 1659, ma muore ad Aleppo soltanto nel 1691, a 84 anni[32]. Michel Nau, nato nel 1631, è arrivato in Siria relativamente giovane, a 32 anni, nel 1665, e la lascia nel 1682 per ragioni di salute. Muore nel 1683, dunque prima che il suo *Etat présent de la religion mahométane* sia pubblicato (1684). Nel libro egli fa qualche riferimento in arabo traslitterato[33] e nella sua *Religio christiana contra Alcoranum per Alcoranum pacifice defensa et probata* (1680) fornisce una quantità di citazioni del Corano direttamente in caratteri arabi[34].

Il cappuccino Michel Febvre (alias Justinien de Neuvy), nella sua epistola dedicatoria a Louvois del suo *Théâtre de la Turquie* (1682), asserisce di aver passato diciotto anni in Siria, e di parlare il turco, l'armeno, l'arabo e il curdo. In una relazione del 1669 il suo superiore Brice de Rennes aveva già detto che dopo cinque anni di missione egli conosceva l'armeno e l'arabo, e comprendeva il curdo. In effetti, nel racconto del proprio pellegrinaggio da Aleppo a Gerusalemme nel 1677 si mostra capace di fare conversazione in armeno e in arabo[35] e nel suo *Teatro* cita alcuni proverbi in turco traslitterato.

Questi ultimi due missionari, entrambi originari della Turenne, ebbero un percorso abbastanza simile. Arrivarono in Siria quasi contemporaneamente e svolsero la loro missione principalmente ad Aleppo, da cui furono mandati insieme in delegazione a Roma. Fecero entrambi il pellegrinaggio ai Luoghi Santi, di cui lasciarono una relazione. Sono anche all'origine della scoperta e dell'inizio di

---

357, 380-381 per altri particolari biografici. Gli è successo perfino di parlare italiano per nascondere la sua conoscenza dell'arabo: 474.

[32] B. HEYBERGER, *Les chrétiens duProche-Orient...*, cit., 301.

[33] M. NAU, *L'état présent de la religion mahométane...*, cit., 220.

[34] M. NAU, *Religio Christiana contra Alcoranum per Alcoranum pacifice defensa et probata*, Gabriel Martin, Paris 1680, 53.

[35] B. HEYBERGER, *Les chrétiens du Proche-Orient...*, cit., 302, 609-627.

un apostolato fra gli Yezidie al Nord e all'Est d'Aleppo[36]. Entrambi composero inoltre dialoghi di controversia con i musulmani[37].

Le fonti scritte concernenti l'islam non sono generalmente indicate nei libri dei nostri autori. Ma senza intraprendere un'analisi sistematica che potrebbe ricostruirle, si può già concludere che sono di seconda mano, perché riprendono dati molto conosciuti. Le fonti indicate da Joseph Besson sono opere classiche occidentali, come quelle degli storiografi medioevali Guglielmo di Tiro e Mathiew Paris, o moderne, come quelle di Adrichomius[38] e Quaresmius. Per capire e combattere l'Islam egli non conosce argomenti migliori di quelli di san Giovanni Damasceno[39]. Come nel Medioevo, i religiosi continuano a pensare che sia possibile limitarsi al Corano per capire la religione musulmana. Il gesuita Jean Amieu, in una lettera del 1641, dice di aver letto «l'Alcorano», e sembra scoprire da solo quello che controversisti e apologisti ne hanno detto da secoli. L'ha trovato «difficile, poetico, conciso e affrettato». Vi ha rinvenuto che non si parla della circoncisione, che sono citati molti episodi del Vecchio Testamento, ma «a sproposito», che si fa confusione fra la Vergine Maria e Maria, sorella di Mosè... Progetta subito di scriverne una confutazione, come se

---

[36] *Ivi*, 334-336.

[37] M. Nau, *Religio Christiana contra Alcoranum...*, cit.; M. Febvre, *Praecipuae Obiectiones quae vulgo solent fieri per modum Interrogationis à Mahumeticae Legis sectatoribus, Iudaeis, et Haereticis Orientalibus adversus Catholicos, earumque Solutiones*, Typis Sacrae Congregationis De Propaganda Fide, Roma 1679, 164. Esiste in armeno, Roma 1681, 383. Esiste rilegato in ottavo piccolo con una *Dottrina christiana tradotta in lingua valacha dal padre Vito Pilutio*, FM conventuale, Roma 1677, 32. Esiste anche in arabo: *Kitâb yashtamil 'alâ ajwâba ahl al-kanîssa al-muqaddassa al-qâtûlîqiyya al-jâmi'a al-rusûliyya li-i'tirâdât al-muslimîn wa-l-yahûd wa-l-harâtiqa zid al-qâtûlîqiyyîn*, Roma 1680, 286.

[38] Adrichomius, *Ierusalem, sicut Christi tempore floruit, et suburbanorum, insigniorumque historiarum eius brevis descriptio*, Colonia 1584 (1588, 1592). Adrichomius, *Theatrum terrae Sanctae et Biblicarum Historiarum cum tabulis geographicis*, Colonia 1590 (1593, 1600, 1613, 1628, 1682, 1722). Queste opere hanno conosciuto una grande diffusione in epoca moderna: *Adrichem Christian von*, in *Allgemeine Deutsche Biographie*, Leipzig 1875, I, 125.

[39] J. Besson, *La Syrie Sainte...*, cit., I, 54. Su san Giovanni Damasceno come fondatore della tradizione controversistica cristiana, N. Daniel, *Islam et Occident...*, cit., 16.

fosse il primo a fare queste osservazioni[40]. Eugène Roger, per parte sua, sembra non aver mai aperto il Corano, perché dice che è diviso in cinque libri, e si sbaglia sul numero dei «capitoli» (surate)[41]. Michel Nau, la cui opera supera di gran lunga quella dei suoi predecessori, conosce, direttamente o indirettamente, oltre al Corano, fonti musulmane, sulla vita del Profeta e sullo stabilimento del canone coranico, e scrive che il libro «Alsunné» (Al-Sunna) ha quasi la stessa autorità dell'Alcorano[42]. Fa inoltre menzione di un «libro arabo, nel quale [...] si trova la disputa fra un cristiano di grande reputazione con alcuni Maomettani in materia di religione. Questo cristiano si chiama Kendi». Si tratta di una copia locale di un'opera molto conosciuta in Occidente già dall'XI secolo, e considerata importante per la qualità della sua informazione, e dunque per la sua utilità polemica, intitolata *Risâla ó Apologia*, il cui autore è nascosto sotto uno pseudonimo ('Abd Al-Masîh ibn Ishaq al-Kindî)[43].

Peraltro, i missionari potevano soprattutto giovarsi delle conoscenze acquisite nelle conversazioni con i musulmani o tramite l'osservazione diretta. Hanno tutti avuto occasione di frequentare musulmani. Eugène Roger, come altri minori e cappuccini, ha prestato assistenza medica che spesso fu all'origine di una relazione amichevole con notabili. Michel Febvre, durante il suo pellegrinaggio, fu accolto e protetto nella carovana di un sangiaco (sotto-governatore, responsabile di una provincia) mentre si recava in Egitto. Era ricorrente che i missionari assistessero a delle sedute di *dhikr*, e spesso ne fanno la descrizione nei loro libri. Eugène Roger riporta la curiosa usanza, che vuole che i dervisci rotanti (*mawlawî*) in pellegrinaggio a Gerusalemme si rechino al convento di San Salvatore per ballare sulla musica dell'organo suonato da un frate[44]. Joseph Besson si riferisce ad alcune discussioni con un «gran-

---

[40] *Relation inédite de l'établissement des PP. de la Compagnie de Jésus en Levant*, a c. di E. Legrand, Paris 1869, 17-21: estratto di una lettera del 16 agosto 1641, Damasco.
[41] E. ROGER, *La Terre Sainte...*, cit., 257.
[42] M. NAU, *L'état présent de la religion mahométane...*, cit., 85.
[43] *Ivi*, 39. N. DANIEL, *Islam et Occident...*, cit., 24 e *passim*.
[44] E. ROGER, *La Terre Sainte...*, cit., 285-286.

de» che scriveva poemi con elogi di Gesù Cristo[45]. Michel Febvre racconta il miracolo del Bambino Gesù dal tintore, che dice aver imparato a viva voce dai Turchi stessi. Ignora che questa storia, ben attestata nella tradizione scritta musulmana (*qisâs al-anbîya*), si ritrova anche nel *Vangelo arabo dell'Infanzia*, un testo cristiano conservato in arabo e in siriaco che risale al più tardi ai secoli V o VI[46]. Michel Nau, molto meglio informato sui Drusi dei suoi contemporanei, ha attinto il suo sapere dallo sceicco maronita Abû Nawfal Al-Khâzin, che, oltre ad aver vissuto tutta la vita in contatto con i drusi, ha avuto tra le mani due libri contenenti i principi di questa religione esoterica. Riguardo ai musulmani, il gesuita dice nel suo avvertimento al lettore che intende mostrare la religione maomettana come l'ha osservata e come l'ha imparata da «numerosi dotti musulmani». Parlando, in un altro passo, del luogo dove le anime aspettano il giudizio, aggiunge di averlo appreso dal suo «vecchio sapiente dottore»[47].

Eugène Roger pretende d'aver beneficiato direttamente delle spiegazioni di «predicatori» musulmani, le cui «glosse ed esposizioni sono più stravaganti del testo». E aggiunge che «quando mi dicevano queste cose, ero ammirato nel vedere tanti uomini che danno credito a tali assurdità», osservazione che tradisce la sua disposizione mentale poco recettiva nei confronti dell'altro[48]. In una società nella quale il libro è manoscritto e poco diffuso, la fonte orale può essere ricca e precisa. La qualità delle informazioni dipende dalla qualità degli informatori, ma anche dalla capacità di chi se ne fa depositario. A questo riguardo colpisce il contrasto fra Michel Nau e Eugène Roger. Quest'ultimo dice di aver raccolto informazioni sul pellegrinaggio alla Mecca e sul sepolcro di Maometto (che a torto localizza in questa città) da un rinnegato veneziano che ha riconciliato con la Chiesa, che sosteneva di essere stato in quel luogo per cinque mesi nel 1631. Questa testimonianza riprende le peggiori chiacchiere sul profeta dell'islam: il rinnegato

---

[45] J. BESSON, *La Syrie Sainte…*, cit., I, 54.
[46] L. VALENSI, *La fuite en Egypte. Histoires d'Occident et d'Orient*, Paris 2002, 38, 61, 70. A proposito dei miracoli dell'infanzia di Gesù, cfr. N. DANIEL, *Islam et Occident…*, cit., 228.
[47] M. NAU, *L'état présent de la religion mahométane…*, cit., 89, 207.
[48] E. ROGER, *La Terre Sainte…*, cit., 260.

pretendeva di aver toccato con le mani l'ossame di Maometto e di
aver potuto verificare che ne rimaneva soltanto ciò che ne avevano
lasciato i cani che l'avevano divorato, secondo una leggenda particolarmente ingiuriosa. Certamente parole più misurate gli avrebbero fatto riscuotere minore indulgenza e sostegno, allorché stava
per ritornare in Cristianità[49].

La vera differenza tra i primi scrittori del Seicento e i più recenti, come Febvre e Nau, non sta tanto nelle nuove informazioni
che costoro hanno potuto raccogliere, quanto nel loro atteggiamento più modesto, meno arrogante, o più curioso. Un atteggiamento – direi di tipo antropologico – verso l'islam e i musulmani,
che li rende più attenti al comportamento e alla mentalità dei loro
interlocutori, e al tempo stesso capaci di una maggiore autorifles-
sione. Così Michel Febvre sembra partire dall'esperienza quando
parla dei metodi per entrare in rapporto con i musulmani[50]. Il secondo metodo che propone in tale occasione mi pare il più originale e il più tipico, e forse anche il più vicino all'esperienza concreta che ha potuto acquisire. Abbandonando il consueto terreno
delle controversie teologiche, che affronta nel suo primo metodo,
propone di condividere coi musulmani istruiti con pazienza e modestia l'interesse comune per le meraviglie della natura e le regole
che le governano, approfittando della discussione per dar loro la
prova della superiorità delle scienze cristiane (per quanto rimanga
indietro rispetto alle scoperte galileiane), e instillare in loro consi-

[49] *Ivi*, 274-277. Sui rinnegati, cfr. B. e L. BENNASSAR, *Les chrétiens d'Allah*, Paris 1989, 493. M. FEBVRE, *L'état présent de la Turquie...*, cit., 98-99,
smentisce le storie grottesche raccontate da Roger.

[50] M. FEBVRE, *L'état présent de la Turquie...*, cit., 16: «Ils ont cependant
une passion estrange de disputer avec ceux d'entre les chrestiens qu'ils croyent capables, ils écoutent volontiers leurs raisons, pourveu qu'elles soient en
faveur de la Religion du Messie, et qu'elles ne disent rien directement contre
la Mahometane; aussi est-ce la seule manière avec laquelle on les peut instruire ; ce qui se faisant adroitement apporte souvent plus d'avantage, que si
on leur objectoit des choses odieuses de leur Religion, ce qui ne serviroit qu'à
les aigrir et irriter. Nos disputes ordinaires avec eux ne consistent donc qu'en
des réponses à certaines difficultez qu'ils nous proposent et aux objections
qu'ils nous font presque continuellement, dont je veux bien rapporter icy les
principales avec leurs solutions, pour la satisfaction du Lecteur, et pour le
bien de ceux qui pourroient avoir un jour quelque entretien avec eux».

derazioni sulle componenti dell'anima umana, che devono preparare alla giustificazione della Trinità. Egli procede in questo modo,
fino a quando i musulmani stessi gli chiedono di affrontare le tematiche religiose, dichiarando, in un sospiro:

> Restiamo, a dir il vero, grandemente stupiti di voi, che essendo cosi
> dotti, et illuminati ne' secreti della natura siate poscia privi del vero
> lume, e viviate miseramente nelle tenebre dell'infedeltà.

A questo, Michel Febvre non consiglia di rispondere con i so-
liti argomenti dogmatici. Al contrario, li aggira, li sfiora *en passant*,
dedicandosi a dimostrare la superiorità morale concreta del cristianesimo e dei suoi membri. Egli conclude con queste parole:

> Queste, e simili ragioni, portate con zelo, acompagnato d'amore, di
> civiltà, vagliano assai, e fanno grand'impressione nell'animo de' Tur-
> chi quando particolarmente quello, che le adduce, è d'una vita Santa,
> esemplare, et austera, perché la virtù spesse volte assai più persuade,
> che gli argomenti: et il buon esempio convince più, che la dottrina[51].

Ovviamente, sono i cappuccini che nella mente di Febvre sono
i più atti a fare ricorso a questo metodo. Ma anche nel trattato di
controversia del gesuita Nau, si può notare che i sei dialoghi fra il
religioso cristiano e i notabili musulmani su tematiche abbastanza
classiche della polemica cristiano-musulmana vengono inseriti in
una narrazione in cui il religioso ascolta in silenzio un lungo scambio d'argomenti fra musulmani sulla possibilità di salvarsi nel cristianesimo, e rifiuta il caffè che gli viene offerto, spiegando che lo
fa per motivi di penitenza[52].

[51] M. FEBVRE, *Teatro della Turchia…*, cit., 48-49: «Finalmente sgannano i
Maomettani dalle cattive opinioni, che hanno del Christianesimo, e gli fanno
conoscere con industria, e con parole amorevoli, senza commoverli à sdegno,
gl'errori, superstitioni, et abusi del Maomettismo, e cosi li dispongono à poco a poco a ricever le vera fede, la quale più facilmente abbracciarebbono, se
vi fosse libertà di predicarla apertamente, e a lor di professarla».
[52] M. NAU, *L'état présent de la religion mahométane…*, cit., II, 14-18.

Una conoscenza condizionata dalla cultura d'origine

Per la maggior parte, i discorsi dei missionari sull'islam non escono dal canone medioevale e confermano l'osservazione di Norman Daniel, secondo cui vi è una forma d'intangibilità della natura del problema, così che i cristiani hanno sempre tendenza a formulare le stesse critiche[53].

Come nei secoli precedenti, queste critiche si concentrano sulla persona del profeta e sulla rivelazione, mescolando dati di origine musulmana e leggende nere o malevole interpretazioni cristiane. Eugène Roger, che confonde continuamente La Mecca e Medina nel suo saggio, insiste sull'origine modesta e idolatra del fondatore dell'islam[54]. Michel Febvre, che fa lo stesso, considera a torto il commercio carovaniero un'attività vile, dimostrando il caratteristico odio del suo tempo per il nomadismo[55]. Il recolletto offre un vero compendio delle tradizioni cristiane ingiuriose nei confronti del profeta. A proposito del suo matrimonio con Khadîja, scrive che essa provava un sincero affetto per lui, che pure era «tignoso e soggetto all'epilessia [*mal caduc*]»[56]. Il cappuccino dà più importanza al ruolo centrale dell'«apostata» Sergius come ispiratore dei principi della religione musulmana e della composizione del Corano. Quaresmio ritiene che questo monaco nestoriano sia il maestro di Maometto, ma riprende anche una storia ascoltata nel paese, che farebbe di Sergius un monaco (greco) del Sinai. Egli crede all'autenticità del testamento di Maometto che, per ringraziare questo Sergius, avrebbe dispensato i religiosi di questo monte sacro da ogni tributo. Ancora, Quaresmio allude ad un possibile contatto fra Maometto e un arcidiacono di Antiochia, che potrebbe a suo avviso spiegare la prossimità dell'islam con il monofisismo giacobita[57].

[53] N. DANIEL, *Islam et Occident...*, cit., 13, 100 s.
[54] E. ROGER, *La Terre Sainte...*, cit., 252-257.
[55] M. FEBVRE, *Théâtre de la Turquie...*, cit., 2. N. DANIEL, *Islam et Occident...*, cit., 115-125 a proposito della bassa estrazione di Maometto.
[56] E. ROGER, *La Terre Sainte...*, cit., 252. M. FEBVRE, *Théâtre de la Turquie...*, cit., 50, crede anche all'epilessia di Maometto.
[57] F. QUARESMIUS, *Historica Theologica...*, cit., 130. Il «testamento» di Maometto o il «contratto» fra Maometto e un cristiano appartiene a un con-

Soltanto Michel Nau, che peraltro non vorrebbe dimostrarsi troppo indulgente con l'islam, religione formata da «favole ridicole», da «corruzioni vergognose delle sante Scritture», stabilita «da un uomo dissoluto» e sostenuta da «cruenti atrocità», si impegna a prendere le distanze da alcune leggende[58]. Smentisce la storia che Maometto fosse affetto da epilessia [*haut mal*] e asserisce che «i Turchi non hanno conoscenza di questo miserabile monaco Sergius, che i nostri storici vogliono maestro di Maometto»: egli pensa che ci si confonda con il Bechira (Bâhira) della tradizione musulmana. Ma queste non sono correzioni originali: i più illuminati autori latini del medioevo le avevano già fatte[59]. Ancora, in un altro passaggio, il gesuita fa l'ipotesi che questo Bechira fosse un monofisita, e racconta una storia molto ingiuriosa nella quale Maometto, ubriaco incosciente, taglia la gola al suddetto monaco suo amico[60].

Michel Nau attacca «il libro di questo impostore» nel quale parla continuamente di se stesso. Il fatto che Gesù Cristo sia menzionato in maniera positiva deve essere interpretato come una prova della sua superiorità sul messaggero dell'islam[61]. Il religioso conosce anche le circostanze della raccolta delle diverse versioni del Corano sotto il califfo 'Uthmân e i primi Omeyyadi per armonizzare la lettura del testo, ma ne fa un uso polemico, per contestare l'autenticità del testo sacro dei musulmani[62].

---

glomerato leggendario a favore dei cristiani, appoggiato su falsi documenti «autentici». Cfr. «L'édit du Prophète à tous les hommes»: A. FATTAL, *Le statut légal des non-musulmans en pays d'islam*, Beyrouth 1958, 27-33.

[58] M. NAU, *L'état présent de la religion mahométane…*, cit., «Avertissement».

[59] M. NAU, *L'état présent de la religion mahométane…*, cit., 37, 39; N. DANIEL, *Islam et Occident…*, cit., 49: «d'une manière générale, l'épilepsie a été l'explication de ceux qui ont plus cherché à divertir qu'à instruire». A proposito del monaco Sergius: *ivi*, 121-122. La versione musulmana della storia del monaco cristiano Bâhira era già ben conosciuta da alcuni autori latini del Medioevo: *ivi*, 127-129.

[60] M. NAU, *L'état présent de la religion mahométane…*, cit., 37-40. La stessa storia, con dei particolari ancora più rozzi, viene raccontata da Eugène Roger: *La Terre Sainte…*, cit., 279-280. Questa volta, il monaco è detto nestoriano. Michel Febvre segue una tradizione meno sgarbata, d'origine islamica: *Teatro della Turchia…*, cit., 164.

[61] M. NAU, *L'état présent de la religion mahométane…*, cit., 10.

[62] *Ivi*, 55.

Sempre in continuità col Medioevo, gli autori si interrogano sulle ragioni del grande sviluppo di una religione tanto contraria alla ragione, perfino alla legge naturale. La semplicità del monoteismo islamico e della sua professione di fede è interpretata da Michel Nau come il fatto che l'islam sia una religione senza mistero, una forma di idolatria[63]. Quaresmio reputa che quella dell'islam sia una legge del tutto carnale, che non convince gli uomini con parole e ragioni, e quindi li abbassa al livello delle bestie[64]. La felicità che la religione maomettana offre all'uomo è una felicità da bestie, scrive Nau, facendo allusione, come tutti i controversisti cristiani, al paradiso sensuale che essa promette ai fedeli[65]. Inoltre la straordinaria espansione dell'islam può essere spiegata dalla straordinaria libertà che lascia riguardo ai piaceri del mondo e al godimento delle donne[66].

Michel Febvre aggiunge a questi argomenti il fatto che l'islam sia una mescolanza di tutte le religioni, composta per piacere al mondo. Ha imparato che, fra i musulmani colti, alcuni pensano che ci si possa salvare in tutte le credenze, e soprattutto che i buoni cristiani saranno salvati. È possibile che questo argomento, utilizzato anche da Michel Nau, sia l'eco di un dibattito che effettivamente ha avuto luogo fra alcuni musulmani colti, al tempo della presenza dei due missionari in Siria[67]. In questa tolleranza o

---

[63] *Ivi*, 61-65.

[64] F. QUARESMIUS, *Historica Theologica...*, cit., 129.

[65] M. NAU, *L'état présent de la religion mahométane...*, cit., 81. Cfr. il passaggio piuttosto lungo consacrato al paradiso islamico da E. ROGER, *La Terre Sainte...*, cit., 254-255.

[66] M. NAU, *L'état présent de la religion mahométane...*, cit., 30. Quaresmio contesta il vecchio stereotipo dell'islam religione di Venere, visto che il venerdì è il giorno festivo settimanale: F. QUARESMIUS, *Historica Theologica...*, cit., 130. Anche Michel Febvre riprende l'argomento.

[67] M. FEBVRE, *Théâtre de la Turquie...*, cit., 7. Il primo punto delle conferenze di Michel Nau oppone quelli che pensano che i Cristiani non possono essere salvati e quelli che pensano che lo possono, con argomenti estratti dal Corano, e conclude a favore dei secondi: M. NAU, *L'état present de la religion mahométane...*, cit., II, 14-18. Sul dibattito degli esperti musulmani su questo punto, cfr. M. WINTER, *A polemical treatise by 'Abd al Ghanî al Nabulûsî against a turkish scholar on the religious status of the ḏimmîs*, "Arabica", (35) 1988, 92-103.

apertura, il cappuccino non vede però altro che l'assenza di fermezza dei musulmani nella loro stessa fede, e una prova dei loro dubbi, che potrebbero costituire un iniziale stimolo per la loro conversione.

La religione musulmana conduce i suoi seguaci all'ipocrisia. Michel Febvre, che dedica a questo argomento un intero capitolo del suo *Teatro della Turchia*, si sforza di presentare negativamente alcune pratiche, che, tutto sommato, potrebbero essere giudicate positivamente, come pregare sulle piazze pubbliche, alla vista di tutti, recitare i nomi di Dio con una corona, o tenere le moschee sempre pulitissime[68]. Eugène Roger, che dettaglia con precisione le abluzioni e il rituale della preghiera, che a suo parere si svolgono con modestia e gravità, conclude: «Voilà leurs façons de prier, qu'ils font avec toutes ces superstitions aussi pleines de malice que couvertes d'hypocrisie». Ma è soprattutto il digiuno che deve essere considerato come una pratica ipocrita, «trente-trois jours de carnaval ou carême-prenant, non d'abstinence ou de carême» scrive il recolletto, che vi riconosce però una buona consuetudine, quella di praticare la riconciliazione fra nemici durante i tre giorni del *bayram*[69].

Tutti i missionari hanno sperimentato positivamente la carità dei musulmani, la loro ospitalità verso lo straniero di passaggio, il loro rispetto verso i religiosi cristiani. Quaresmio stesso, che parla dell'islam come di un mostro sorto al tempo dell'imperatore Eraclio, deve confessare che molti musulmani si mostrano compassionevoli verso i poveri e gli anziani, che offrono ospitalità ai viaggiatori, e che egli stesso ne ha approfittato parecchie volte[70]. Ma non concede queste buone disposizioni all'islam, le attribuisce al dono che Dio ha dato a tutti gli uomini. Eugène Roger, che riporta la

---

[68] M. FEBVRE, *Théâtre de la Turquie...*, cit., 39-40.

[69] E. ROGER, *La Terre Sainte...*, cit., 267-269. F. QUARESMIUS, *Historica Theologica...*, cit., 132. Sulla perdita del senso del digiuno presso i Latini, e la loro incomprensione della pratica rigorosa dei cristiani orientali: B. HEYBERGER, *Les transformations du jeûne chez les chrétiens d'Orient*, in *Le corps et le sacré en Orient musulman*, a. c. di C. Mayeur-Jaouen - B. Heyberger, "Revue des mondes musulmans et de la Méditerranée (REMMM)", 113-114 (2006), 267-285.

[70] F. QUARESMIUS, *Historica Theologica...*, cit., 131. E. ROGER, *La Terre Sainte...*, cit., 271.

generosità di una donna sciita che gli ha fatto una consistente elemosina, non vede in tale generosità che un beneficio della Provvi-
denza in suo favore[71].

La predestinazione, che non era un tema centrale per i Latini
che affrontavano l'argomento dell'islam nel Medioevo, acquista,
come aveva già notato Norman Daniel, un'importanza significativa
presso gli autori del Seicento, che si spiega in base alla differenza di
comportamento fra «Franchi» e «Orientali» di fronte alle epidemie di peste, allora frequenti. I primi si rinchiudono nei Khan durante il contagio. Gli altri, invece, non prendono alcuna precauzio-
ne[72]. Questa attitudine fatalista e questa credenza nella predestinazione non sono poste a confronto con le posizioni dei calvinisti o
con i dibattiti interni al cattolicesimo sulla grazia e la libertà. Eppure succede che i missionari usino elementi delle credenze e rituali musulmani a prova della fede cattolica contro i protestanti.
Ad esempio, si interessano alle idee dei musulmani sul giudizio fi-
nale e sulla vita eterna. Eugène Roger è convinto che credano ad un
Purgatorio, mentre Febvre scrive che alcuni fra loro dicono che
non basta la fede per salvarsi, che occorrono anche le opere. Non
disapprovano, come gli eretici calvinisti, le cerimonie della Chiesa,
i digiuni, l'uso dei ceri, i profumi nei templi, le preghiere per i morti, l'invocazione dei santi, i voti di religione, ecc... Hanno una devozione per la Vergine che il cappuccino descrive dal vivo, aggiungendo che non sono come i protestanti, perché credono che Maria
ascolti le loro preghiere[73]. Michel Nau, nell'evocazione delle virtù

---

[71] E. ROGER, *La Terre Sainte...*, cit., 246-247. A proposito del rispetto dei
musulmani verso i religiosi cristiani, cfr. anche M. NAU, *L'état present de la religion mahométane...*, cit., II, 10-11.

[72] M. NAU, *L'état present de la religion mahométane...*, cit., 218-240: sesta
conferenza: «que les choses n'arrivent pas dans le monde par une fatale nécessité». Si parla subito della peste. D. PANZAC, *La peste dans l'empire ottoman 1700-1850*, Louvain 1985, 659.

[73] M. FEBVRE, *Théâtre de la Turquie...*, cit., 9-10. J. BESSON, *La Syrie Sainte...*, cit., II, 149 nota anche la venerazione dei musulmani per la Vergine. M.
Nau usa l'argomento dei musulmani per giustificare il dogma cattolico sulle
fonti della fede: *L'état present de la religion mahométane...*, cit., I, 44: «Les
Mahométans reconnaissent comme les Chrétiens que les mystères de la religion ont été révélés aux hommes en deux manières, que sont l'écriture et la
tradition».

morali dei musulmani, trova che essi ne compiono per il diavolo e
Maometto più di quanto facciano i cristiani per Gesù Cristo, un argomento per suscitare vergogna nei lettori cristiani. Descrivendo
l'ottimo stato delle moschee, rimprovera i cristiani che lasciano entrare in chiesa i cani, che fanno i loro bisogni contro i muri esterni
dei santuari. Parlando del pellegrinaggio a La Mecca, che attira
centomila persone ogni anno, Nau afferma che i cristiani devono
aver vergogna della loro viltà, perché negli anni in cui scrive il Santo Sepolcro è trascurato[74].

Le considerazioni dei missionari sulla religione sono spesso in-
serite in un quadro più generale sui costumi dei «Turchi», e di
conseguenza offrono un'immagine di opposizione fra due civiltà.
Ma in questi passi si legge, in filigrana, la loro idea del buon governo e della «civilizzazione dei costumi» europea, un insieme di
norme che non sono ancora generalizzate nemmeno in Occidente.
Ciò risulta ovvio nel capitolo di Joseph Besson intitolato «De l'an-
tipathie de la Syrie et de l'Europe», nel quale il gesuita oppone i
costumi francesi a quelli dell'Oriente. Rimprovera gli orientali di
mangiare a terra senza forchetta né cucchiaio, e di servire tutti i
piatti insieme. Michel Febvre tratta dello stesso argomento in un
capitolo dedicato al loro disordine nel modo di vivere. Parlando
dell'inciviltà con la quale mangiano, scrive:

> Godono più tosto di mangiar à satietà e con libertà cibi dozzinali, che
> di stare ad una mensa, abbondante di tutte le più delicate vivande, et
> ivi esser obbligati à mangiare con modestia, e partirsi senza haver
> pienamente soddisfatto al loro ingordo appetito. [...] Nel mangiare
> sono altrettanto frettolosi, quanto golosi, senza rispetto delle persone,
> con le quali si trovano à tavola[75].

I missionari rimproverano ai musulmani anche il loro modo di
vestire, che non rende chiara la distinzione tra i diversi stati sociali, e addirittura tra gli uomini e le donne. Il disordine nel vestirsi

---

[74] M. NAU, *L'état present de la religion mahométane...*, cit., «Avertissement»; 1-9; 231-232. M. FEBVRE, *Théâtre de la Turquie...*, cit., 40 e 46 sulla
pulizia e la buona sistemazione delle moschee.
[75] M. FEBVRE, *Teatro della Turchia...*, cit., 163.

tradisce un disordine nell'organizzazione sociale, che non conosce la nobiltà ereditaria, né la «*mésalliance*»[76].

Anche il matrimonio e lo statuto delle donne preoccupano i nostri autori. Ancora una volta, è il punto di vista d'Eugène Roger il più grossolano. Asserendo che la legge di Maometto permette tante mogli quante se ne possono mantenere, egli aggiunge che questo è osservato da tutti i maomettani come un aspetto fondamentale della loro religione. Aggiunge che le donne sono comprate dai loro sposi, a causa del loro sistema di dote, che peraltro è lo stesso fra i cristiani orientali[77]. Più sottile, Quaresmio allude al carattere venale del matrimonio orientale, e confronta questo sistema con il suo alto concetto del matrimonio cristiano, ritenendo che il primo induca al disprezzo delle donne e vieti l'amicizia o il vero amore fra gli sposi[78].

Le superstizioni sono un altro argomento trattato da quasi tutti i nostri autori, e vi si può leggere la svolta dello sguardo europeo sulla magia e la divinazione durante il secolo. Eugène Roger crede effettivamente ai miracoli e ai fenomeni soprannaturali fra i musulmani, ma ci vede la mano del «demone, che non perde tempo per fare dei miracoli a modo suo»[79]. Alcuni decenni più tardi, anche Michel Febvre dedica un intero capitolo al tema, ma mostra maggiore scetticismo, considerando gli stregoni locali soprattutto come truffatori che sfruttano l'ingenuità della gente[80], cosa che

---

[76] *Ivi*, 166-167, 170. Michel Febvre si rallegra anche che non conoscono il duello o che non tollerano che si insegnino delle nuove dottrine, che provocano scismi: *ivi*, 256.

[77] E. ROGER, *La Terre Sainte*..., cit., 295-296.

[78] F. QUARESMIUS, *Historica Theologica*..., cit., 317. Argomento simile da M. FEBVRE, *Teatro della Turchia*..., cit., 195. M. FEBVRE, *L'état présent de la Turquie*..., cit., 101-113, consacra un lungo passaggio al tema, e nota che il numero delle mogli legittime non può superare quattro.

[79] E. ROGER, *La Terre Sainte*..., cit., 277 e tutto il capitolo «De leurs superstitions et magies», 314-320.

[80] M. FEBVRE, *L'état present de la Turquie*..., cit., lungo capitolo consacrato alle superstizioni: 45-68. Ma si mostra molto scettico: «la pluspart de ces pretendus sorciers n'entendent ny magie ny sortilege, et n'exercent ce miserable métier que pour trouver moyen de vivre aux dépens de ceux qui sont si niais que de les croire, et de s'adresser à eux. Ils ont l'industrie de s'entendre et d'estre de complot avec une tierce personne, qui les préconise parmy les

non gli impedisce di credere invece al potere del missionario sui demoni[81].

La conoscenza dell'islam e l'atteggiamento dei missionari verso i musulmani nel Seicento rimangono quasi nel quadro già studiato da Norman Daniel per il Medioevo. Questa continuità si spiega per il fatto che i religiosi del Seicento hanno a disposizione poche altre fonti per affrontare la religione islamica oltre ai classici dell'islamologia cristiana, molto offensivi verso il profeta, la sua rivelazione e le sue leggi. Ma la permanenza di questa visione viene anche dal fatto che essa si inserisce in un concetto spirituale o provvidenziale della storia dell'umanità e della chiesa, che considera l'Oriente decadente e degenerato rispetto ai primi secoli del cristianesimo. Anche le osservazioni concrete, attraverso i contatti con la gente sul campo, sono interpretate in questo quadro mentale tradizionale. L'idea della presenza dell'Anticristo e dell'imminente fine del mondo con il crollo dell'impero ottomano si estingue durante il Seicento. Nello stesso tempo la convinzione che vi sia una decadenza dell'Oriente permane fino al Novecento, e giustifica l'impegno missionario, prima per la rigenerazione dei cristiani orientali, poi, in un secondo tempo, per la conversione degli ebrei e dei musulmani. La pastorale missionaria che mira alla restaurazione del cristianesimo in Oriente, appare legata a progetti politici di conquista dell'impero ottomano, considerata come una tappa indispensabile per la conversione dei musulmani. La diversità religiosa nei paesi musulmani non è vista positivamente; al contrario, è il segno di un disordine e di una debolezza che favorirebbe una riconquista cristiana.

Il confronto con l'islam nella scrittura, serve a confortare l'identità del missionario e a legittimare la sua azione, che è particolarmente difficile nel *Dâr Al-Islâm*. Ma i discorsi missionari sull'islam fanno anche intravedere alcuni temi della pastorale cattolica contro i protestanti o rivolti agli stessi cattolici europei, per il di-

---

peuple, et qui publie d'eux des merveilles, afin de leur procurer de la pratique». *Ivi*, 75-76.

[81] M. FEBVRE, *L'état present de la Turquie...*, cit., 65: un episodio che egli narra, accaduto a Bagdad, mostra che il cappuccino ha potere sul demonio.

sciplinamento e l'educazione dei costumi. Non a caso, su questo terreno, vi sono molti punti di contatto tra le missioni esterne e le missioni interne.

Alla fine del secolo, una versione più secolarizzata della storia dell'impero ottomano e dell'Islam sembra possibile, forse perché i missionari hanno acquisito conoscenze più corrette o più precise, ma soprattutto perché una certa curiosità senza spirito di controversia o di apologetica appare legittima sia agli autori che ai loro lettori. Nello stesso tempo, l'atteggiamento verso l'altro pare divenire più rispettoso, più aperto, e più autocritico o autoriflessivo. Ci si chiede allora perché la pubblicistica missionaria sull'islam e sui paesi ottomani si arresti e scompaia nel secolo dell'illuminismo. Forse questa secolarizzazione del discorso orientalista, che fa dell'islam un sistema religioso come un altro, con il pericolo di accreditare un certo relativismo, entra in contraddizione con l'impegno missionario dei religiosi. È soltanto durante il ventesimo secolo che la riflessione sull'islam riprende su nuove basi fra i missionari cattolici, e porta allora a un aggiornamento dell'impostazione cattolica nei confronti della religione musulmana[82].

---

[82] D. Avon, *Les Frères prêcheurs en Orient. Les dominicains du Caire [années 1910-années 1960]*, Paris 2005, 1029.

JESUITS AND ISLAM IN SEVENTEENTH-CENTURY EUROPE: WAR, PREACHING AND CONVERSIONS[*]

Emanuele Colombo

During the second half of the seventeenth century, fear of an incumbent invasion by the Ottoman Empire provoked eschatological and millenaristic interpretations throughout Europe, as had happened often before in history[1]. In this perspective, the coming of the Turks coincided with the coming of the end of the world and of the Antichrist.

The decisive battle occurred in Vienna on September 11 1683, when the Holy League defeated the strong Ottoman army[2]. This event was celebrated as the victory of Christianity over Islam, and led to a proliferation of prophetic interpretations on the significance of this victory[3]. The success of the Holy League also had an important effect on the missions to Muslims, both in Europe as well as in the Islamic lands.

Ever since its recognition as a religious order by Pope Paul III in 1540, the Society of Jesus had a great interest in the Islamic world[4]. At the end of the seventeenth century, Europe saw a mul-

[*] I am grateful to Brad S. Gregory, Sabine MacCormack, Ronnie Po-Chia Hsia and Ziad Elmarsafy for their suggestions.

[1] See G. RICCI, *Ossessione turca. In una retrovia cristiana dell'Europa moderna*, Bologna 2002; ID., *I Turchi alle porte*, Bologna 2008; G. POUMARÈDE, *Pour en finir avec la Croisade. Mythes et réalités de la lutte contre les Turcs aux XVIe et XVIIe siècles*, Paris 2004.

[2] See J. STOYE, *The Siege of Vienna*, Edimburgh 2000[2].

[3] See for example G. FOX, *An answer to the speech or declaration of the Great Turk*, London 1688.

[4] From the very beginning of its history, the Society of Jesus had a particular fascination with Islam. Ignatius wanted the first Jesuits to read the Qur'an and to study the history of Islam and, during the first years of the Society's life, Jesuit houses were opened in many predominantly Muslim re-

tiplication of books written by Jesuits related to Islam and to the missions which preached to Muslims, notably, "handbooks" for the conversion of Muslims; books of controversies; catechisms; transcriptions of real or imaginary dialogues between Muslims and Catholics; as well as anthologies of sermons aimed at converting Muslims. In these same years, martyrologies of the Society of Jesus strove to emphasize the presence of Jesuits killed for their faith by Muslims in Muslim lands[5].

Although many of these books have been lost, I would like to review in this paper the most important remaining books about Islam written by Jesuits and printed in Europe during the 1680s, in an attempt to grasp what the image of Islam was and how the Jesuits approached Muslims in that period[6].

The Italian Jesuit Nicolò Maria Pallavicino[7], a famous Roman theologian, wrote three very controversial books: *Le moderne prosperità della Chiesa Cattolica contro il Maccomettismo* (1686), specifically devoted to Islam; *L'evidente merito della fede cattolica ad*

gions. See T. MICHEL, *Misionología. Islamismo*, in DHCJ, 2709; J.W. O'MALLEY, *The first Jesuits*, Cambridge-London 1993.

[5] See for example: M. TANER, *Societatis Iesu usque ad sanguinis et vitae profusionem militans, in Europa, Africa, Asia et America, contra Gentiles, Mahometanos, Judaeos Haereticos, impios, pro Deo, Fide, Ecclesia, Pietate. Sive vita, et mors eorum qui ex Societate Jesu in causa Fidei, et Virtutis propugnatae, violenta morte toto orbe sublati sunt*, Pragae 1675.

[6] See T. MICHEL, *Jesuit writings on Islam in the seventeenth century*, "Islamochristiana", 15 (1989), 57-85.

[7] Nicolò Maria Pallavicino († 1692) was a theologian of the Sacred Penitentiary, a «qualifier» of the Holy Office and the personal theologian to Queen Maria Cristina of Sweden. He was author of many controversialist writings. N.M. PALLAVICINO, *Le moderne prosperità della Chiesa Cattolica contro il Maccomettismo, in cui si dimostra la cura usata da Dio col Cristianesimo contro i Turchi, e si commendano que' potentati, e Duci, che hanno formata la Sagra Lega, o sono concorsi ad essa: mostrando ai primi la necessità di continuarla, e ad altri di intraprenderla, con dare a vedere l'obbligo, che hanno i cristiani di concorrere a distruggere l'Imperio Ottomano*, Komarek, Roma 1688 (Pezzana, Venezia 1688); ID., *L'evidente merito della fede cattolica ad essere creduta per vera. In cui si dimostra la verità di quelli articoli, che sono fondamento non solo della vera Religione, ma di qualunque Religione*, Komarek, Roma 1689; ID., *La grandezza della Madre di Dio contro le moderne eresie, in cui si rifiutano le antiche e moderne eresie contro la Divina Maternità, e le altre Doti della Vergine*, Komarek, Roma 1690.

esser creduta per vera (1689) and *La grandezza della Madre di Dio contro le moderne eresie* (1690), the latter two books written in defense of Catholicism were also written against Islam. *L'incredulo senza scusa* (1690), by the celebrated Italian preacher and theologian Paolo Segneri[8], is a defense of the reasonableness of the Catholic faith which includes several references to Islam. The Spanish Jesuit Manuel Sanz[9], who was stationed many years in Malta, published in 1691 a "brief treatise" to convert the Turks, while the French Jesuit Michel Nau[10], a missionary for almost 20 years in Syria, published two books in Paris: *Religio Christiana contra Alcoranum* (1680) and *L'état présente de la religion mahométane* (1684). Finally, Tirso González de Santalla[11], a renowned theologian and,

---

[8] Paolo Segneri († 1694) was born in Nettuno (Rome), studied at the Collegio Romano and was a very famous theologian, preacher and polemist. In 1692 he was named personal preacher of the Pope Innocent XII, and theologian of the Sacred Penitentiary. He died in Rome in 1694. Cf. DHCJ, 3547-3548. P. SEGNERI, *L'incredulo senza scusa, dove si dimostra che non può non conoscere quale sia la vera Religione, chi vuol conoscerla*, Agnelli, Milano 1690. There are a great many editions of this book.

[9] Manuel Sanz († 1719) was a Spanish Jesuit of the Sicilian province. He was a missionary in Malta, where he became rector of the Jesuit college and qualifier of the Inquisition. M. SANZ, *Breve trattato nel quale con ragioni dimostrative si convincono manifestamente i Turchi, senza che in guisa veruna possano negarlo, esser falsa la legge di Maometto, e vera solamente quella di Cristo*, Bisagni, Catania 1691 (Spanish translation: Seville 1693). On the situation in Malta see A. BROGINI, *Malte, frontière de chrétienté (1530-1670)*, Rome 2006.

[10] Michel Nau († 1683) was born in Tours, and in 1665 was assigned to the Jesuit house of Aleppo, where he remained until 1682. M. NAU, *Religio Christiana contra Alcoranum per Alcoranum pacifice defensa ac provata*, Martinum, Lutetiae Parisiorum 1680; ID., *L'état présent de la religion mahométane, contenant le choses, les plus curieuses qui regardent Mahomet et l'établissement de la secte*, Boüillerot, Paris 1684 (1685; 1687).

[11] Tirso González de Santalla († 1705) was a theologian, missionary and in 1687 became the thirteenth General Superior of the Society of Jesus. He wrote many books of moral theology. See E. REYERO, *Misiones del P. Tirso González de Santalla, XIII prepósito general de la Compañía de Jesús*, Santiago 1913; DHCJ, 1644-1650; B. VINCENT, *Musulmans et conversion en Espagne au XVIIᵉ siècle*, in *Conversions islamiques: identités religieuses en Islam méditerranéen*, M. García-Arenal éd., Paris 2001, 193-203; ID., *Les jésuites et l'islam méditerranéen*, in *Chrétiens et musulmans à la Renaissance*, B. Bennassar - R. Sauzet éds., Paris 1998, 518-531; F.L. RICO CALLADO, *Misiones populares*

at the same time, a preacher of "popular missions" in Spain, during the 1670s preached regularly to the Spanish Muslims, with much success. Later, upon becoming the thirteenth General Superior of the Society of Jesus, he decided to share his experience and wrote the *Manuductio ad conversionem Mahumetanorum* (1687)[12], an authoritative guide aimed at converting Muslims, which had widespread diffusion and underwent many translations.

War

As we can imagine, the books published in the 1680s were influenced both by fear of the approaching Turks and the enthusiasm that followed the victory of Vienna[13]. In these books, explicit references are made to the military events, which are not seen as extraneous to missionary activities. What was occurring on the oriental front influenced the perception of Muslims held by the missionaries operating in such places as Andalusia or on the Sicilian coasts. In 1688, Nicolò Maria Pallavicino celebrated the "current prosperity of the Church". In his vision the defeat of the Ottoman army was a very important sign of this prosperity.

---

en España entre el Barroco y la Ilustración, Valencia 2006; E. COLOMBO, *Convertire i musulmani. L'esperienza di un gesuita spagnolo del Seicento*, Milano 2007; ID., *La Compagnia di Gesù e l'evangelizzazione dei musulmani nella Spagna del Seicento: il caso González*, "Revue Mabillon", forthcoming; ID., *Tirso González de Santalla e la predicazione gesuitica ai maomettani nella Spagna del Seicento*, "Italia Sacra", forthcoming.

[12] T. GONZÁLEZ DE SANTALLA, *Manuductio ad conversionem Mahumetanorum in duas partes divisa. In prima veritas religionis catholicae-romanae manifestis notis demonstratur. In secunda falsitas mahumetanae sectae convincitur*, Villa-Diego, Matriti 1687 (Bencard, Dilingae 1688-89; Muzio, Neapoli 1702). Only the first part: Bencard, Dilingae 1691; Fiévet, Insulis 1696; Lipsiae 1697. A translation in Polish by Theophil Rutka, Lwów 1694; a manuscript translation in Arabic is conserved at the Vatican Library. In this article I quote from the edition of Dillingen 1688-89.

[13] On the perception of the war, and on the concept of "the Just War" there is a wide bibliography. See A. PROSPERI, *La guerra giusta nel pensiero politico italiano della Controriforma*, in ID., *America e Apocalisse e altri saggi*, Roma-Pisa 1999, 249-269.

The great Ottoman Empire armed itself and laid siege to Vienna, with over 200,000 soldiers, and with more terrible means of warfare [...] than ever seen before in the history of the Turkish monarchy. [...] Poor Italy, poor Rome, if Vienna were to fall![14]

The cause of the victory, in Pallavicino's view, was both political-military as well as religious: the two planes were inseparable.

The topic of my book is religious, even though it speaks of war; indeed, the aim of this war is the defeat of Islam, and this defeat aims to strengthen Christianity, rather than to strengthen the Secular powers. The victory attained and the conquests made in this war are the effect of a special Divine intervention, of something miraculous[15].

Pallavicino thought that the war against the Ottoman Empire was a good occasion to gather the divided Catholic World. The Christian princes, who usually shunned one another "as if they had the fever", had to know that the Turk was more dangerous, because "he had the plague!"[16].

The Popes must sound the trumpet and awaken the Christian princes. Many bloody wars were waged between Christian princes; should they not be brought together against the Turks?[17] [...]

The defeat of the Ottoman Empire, in Pallavicino's view, was a providential possibility for Christians to convert Muslims. In four centuries they had not had a similar occasion, and they had to profit by circumstances[18].

---

[14] N.M. PALLAVICINO, *Le moderne prosperità...*, cit., 23-24.

[15] *Ivi, A chi legge.*

[16] *Ivi*, 186-187.

[17] *Ivi*, 192.

[18] *Ivi*, 170-171; 251 s. T. Michel reveals Pallavicino's selective use of history, for propagandistic goals. «His silence concerning the significant role of Orthodox Russia in the Holy League, the earlier Venetian refusal to take part in an anti-Ottoman Holy League which led to the papal interdict of 1605, and the contemporary opposition of Catholic France leads to the conclusion that Pallavicino has been highly selective in his use of history». T. MICHEL, *Jesuit writings on Islam...*, cit., 81.

The triumph of Christianity over Islam was thus simultaneously a military as well as a religious victory. The military victory was religious because it could only be explained as a miracle, due to the disadvantaged position of the Holy League; furthermore, the missions were described as a battle, a spiritual war. Members of religious orders were also able to contribute to this battle, through the "conquest of souls", converting Muslims in mission lands as well as in the west. Pallavicino remembers with affection the "hundreds of sons of Saint Ignatius" spread across the world; many of them were "working to carry away the Turks from Mohammed to Christ". Being unable to be part of this mission himself due to his old age, he nonetheless struggled "with pen and ink" and put his knowledge and studies at the service of the Society, with the same goal in mind[19].

The arguments about war – military victory as a sign of divine intervention and "holy war" as an instrument of Christian victory against the heresies – generated contradictions, which were not easy for Catholic authors to sustain. On the one hand, the extraordinary growth of the Ottoman Empire could have been considered evidence that God was sustaining Muslims. However, according to Pallavicino, the success of Mohammed was hardly miraculous, just as it is not miraculous that "embers when tossed onto dry wood generate a fire". In fact, in his view, Islamic heresy spread easily because it allowed concupiscence, carnality, and did not challenge human nature, but rather allowed every kind of "laxity and wickedness". Concerning the "holy war", one classic argument of Catholic treatises accused Mohammed of using the sword rather than reason in order to gain new converts; Christianity, on the contrary, proposed reason as a method of evaluation and of knowledge of the truth. So, how was it possible to justify the exaltation of the war without falling into a contradiction? The argument often used was that of a "defensive war". To quote Pallavicino:

> Against the Turks, every offensive war is simply defensive, [...] since for the Turks peace is only preparation for another war[20].

---

[19] N.M. PALLAVICINO, *L'evidente merito della fede cattolica...*, cit., 3.
[20] N.M. PALLAVICINO, *Le moderne prosperità...*, cit., 189.

The image of the defensive war is present also in more "paci-fist" authors. In giving Catholics information about Islam, Michel Nau tries with his book "to wrench the arms away from Muslims", in order to stop their terrible offensive. Again, in the dedication of González' *Manuductio* to Emperor Leopold I, there is the same bellicose idea of mission, and the Jesuits are presented as "defen-sive soldiers of the Church".

> May His Majesty permit even us of the Society of Jesus, as defensive soldiers of the Church, to be able to make our contribution to this holy battle. And, while in Hungary, many a Heracles, adorned in lau-rel wreaths, combat with swords the Mohammedan Hydra, whose monstrous heads are as many as their terrible errors, we wish to fight this same battle with pen and ink[21].

What were the weapons used in this battle, fought with pen and ink? What are the arguments used by the Jesuits, expressed in their books? They are primarily traditional medieval arguments.

First is the condemnation of the figure of Mohammed, the "first-born of the Adversary", who was described in an insulting manner with regard to his moral conduct, and portrayed as an evil man. He was a liar, and pretended that his epilepsy was the sign of the gift of prophecy[22]. The moral theme is dominant. The falsity of what they call the "Mohammedan heresy" appeared evident to these Catholic authors in light of the sexual customs of Islam; in particular the treatment of women, both in the practice of polygamy and in the ease with which men could abandon their wives. Additionally, the image of paradise as a realm of sensory satisfaction was not only against Christianity, but also against the very nature of man. "What would these Philosophers [Seneca, Socrates and Horace] have said", González demanded, "listening to Muhammad declaring that the supreme happiness of man is in sensory pleasure?"[23].

The second argument retrieved from the past is the demon-stration of the "falsity of the Qur'an using the Qur'an itself"[24].

---

[21] T. GONZÁLEZ DE SANTALLA, *Manuductio...*, cit., II, *Dedicatory*.
[22] P. SEGNERI, *L'incredulo senza scusa...*, cit., 507.
[23] T. GONZÁLEZ DE SANTALLA, *Manuductio...*, cit., II, 69.
[24] González, Sanz and Nau propose this argument in similar way. See, for

Manuel Sanz demonstrated the unreasonableness of Islam in light of contradictions contained in the Qur'an. For instance, the validity of the Gospels is at times affirmed and at other times rejected; the notion of "holy war" is deemed necessary in one *Sura* and denied altogether in another passage; and dietary prohibitions are justified by "absurd and incredible fables". Readers of such "legends" should laugh heartily, González observed, confident that anyone who encounters such lies should be able to recognize their inherent irrationality. The customs derived from Islam, furthermore, run contrary to history, philosophy and mathematics[25]. González, for example, rallied against the unscientific use of astronomy in order to support religious interpretations. How is it possible, asked the Jesuit, to believe in a doctrine which so systematically contradicts science and reason?

Thirdly, Islam was seen as being hostile to the critical capacity of man: Mohammed prohibits disputes against the Qur'an and forbids any discussion on the precepts of Islamic law. To quote González:

> If a man holds an authentic gold coin, he would not be afraid of having its weight tested by the goldsmith. If the Mohammedan religion is afraid of being tested, and prohibits examination into whether it is indeed God-given, this means that it is not the law of God, but a voluntary creation of a pseudo-prophet in order to oppress people and to maintain its own power[26].

A political interpretation of this hostility towards knowledge can be found in Pallavicino's book: "The Ottoman Family is the enemy of Wisdom, because Wisdom discovers the insanity of the Muslim sect and makes minds learned and incapable of being slaves"[27].

In an imaginary dialogue with a Muslim proposed in his book, Manuel Sanz incited his interlocutor – a recent convert to Catholicism – to ask all his questions:

example, the title of the Latin book by Nau: *Religio Christiana contra alcoranum per alcoranum pacifice defensa et approbata.*
[25] See the chapter «Error Alcorani contra Mathematicam» in T. GONZÁLEZ DE SANTALLA, *Manuductio...*, cit., II, 253 s.
[26] T. GONZÁLEZ DE SANTALLA, *Manuductio...*, cit., II, 32.
[27] N.M. PALLAVICINO, *Le moderne prosperità...*, cit., 51.

My friend Mustafa, ask all you want, because Christian priests are different from Turkish *papaz*, who refuse to give reasons for the Muslim law. They do that because they do not know and will never know these reasons, simply because these do not exist. But we have reasons, thanks be to God, and we always answer questions; rather, we *take pleasure* in answering them[28].

Muslims were understood as living in a sort of fatalism that devalued human liberty. Manuel Sanz said that Muslims whom he asked when they would convert, replied, «When God wills it», as if they had no responsibility in this decision.

In all these books there is a particular emphasis on the value of miracles – essential proofs of the truth of the Catholic faith. They are present also in the Islamic tradition, but these are "private miracles", not documented in any way, and so they were considered as false. Segneri used the same argument with the issue of "sanctity", an important evidence of the truth of the Catholic Church, which was completely absent in Islam[29].

The Jesuits presented Islam according to the traditional view, as a heresy, because elements of Christianity were misinterpreted and distorted in it. Furthermore, in their view, Islam was the complete synthesis of all the heresies in the history of the Church: although already defeated by the Councils, these heresies were proposed anew by Islam[30].

---

[28] M. SANZ, *Breve trattato...*, cit., 80; the same idea in P. Segneri: «La Fè Cattolica di nulla ha goduto di più, che di tali esami, sicurissima di apparire tanto più bella, quanto più contemplata». P. SEGNERI, *L'incredulo senza scusa...*, cit., 651. See also M. NAU, *Religio Christiana...*, cit., 6.

[29] P. SEGNERI, *L'incredulo senza scusa...*, cit., 678-679. Both González and Segneri emphasize the accuracy of the Catholic Church in examining the proofs of miracles.

[30] «Mahumetus in suo Alcorano haereses renovavit, quas Ecclesia Catholica in pluribus Conciliis Generalibus damnaverat». T. GONZÁLEZ DE SANTALLA, *Manuductio...*, cit., II, 88; 208; N.M. PALLAVICINO, *Le moderne prosperità...*, cit., 12: «Il Maccometismo è quasi un Mare magno di tutte le eresie». It is a «classic» argument by Ricoldo di Montecroce († 1320), which became very popular in the anti-Islamic treatises in the West. See N. DANIEL, *Islam and the West. The Making of an Image*, Edimburg 1960, *passim*; ID., *The Arabs and Medieval Europe*, London 1979, 242. For the use of this argument in fifteenth century Spain, see A. ECHEVARRIA, *The Fortress of Faith. The At-*

All these arguments emphasized the value of reason, which is "the foundation of human nature". Using reason, all people are able to and *must* discriminate between what is untrue and what exalts human nature. Christian faith, these authors argued, is strictly connected with reason, not because reason allows one to totally comprehend God, but because there is some *valid evidence* that Christianity is possible and that it is not against reason. At the same time, reason is able to show contradictions and the falsity of Islam. Sanz concluded his explanations of the arguments of Christian faith in this way:

> Now, Mustafa, reason *obliges* you to confess, whether you like or not, that it would be a terrible foolishness and an evident deceit to follow Mohammed and his Qur'an[31].

For the same reason, after his exposition of the foundations of Catholic dogma, Paolo Segneri added, using the title of his book, that "the man who does not believe cannot be excused"[32].

All these arguments – the immorality of Mohammed, the incompatibility of the Qur'an with human reason, the lack of consideration for the critical capacity of man, the falsity of supposed miracles, the idea of Islam as a heresy – are traditional arguments from controversial medieval and early-modern books[33]. Apparently, therefore, there is nothing new in these treatises of the seventeenth century. All these books were printed in the occident and were written by occidentals and for occidentals; they seem to have served primarily to reinforce a pre-existing judgment rather than add any new knowledge about Islam. However, a

---

titude towards Muslims in Fifteenth Century Spain, Leiden-Boston-Köln 1999, 164-165.

[31] M. Sanz, *Breve trattato...*, cit., 77.

[32] «Quale scusa avrà davanti al Tribunale di Dio chi non vuole credere? [...] Non potrà egli dir altro, se non che al certo fu stolto, e tardo di cuore. Tardo, perché non si arrese alla verità qual incredulo; stolto, perché nel ricusare di arrendervisi, operò contra ogni lume ancor di Ragione, quale imprudente». P. Segneri, *L'incredulo senza scusa...*, cit., 17-18.

[33] Cf. N. Daniel, *Islam and the West...*, cit., 271-307. For the sources of Tirso González see E. Colombo, *Convertire i musulmani...*, cit., 159 s.; T. Michel, *Jesuit writings...*, cit., 67-68.

deeper consideration of these texts reveals certain aspects of discontinuity with the past.

First, these medieval and early-modern arguments are embedded in the historical context of the seventeenth century. The "current prosperity of the Church" coincided, in these authors' views, not only with the defeat of Islam, but also with the defeat of Lutheranism and Calvinism. Often, in these books, the same arguments that were used to refute Islam, were also used against these other "heretics". For example: the arguments of the "falsity of miracles" and of the "absence of sanctity", were useful weapons against Lutherans[34]; Islamic fatalism was also compared with the doctrine of predestination held by Calvinists. Lutheranism, in Pallavicino's mind, was allied with Islam, teaching that it was not licit to struggle against the Turk[35]. Sanz and González repeated on several occasions that the preaching directed towards Muslims provided useful arguments against the many Lutherans and Calvinists engaged in commercial activity in Malta and Spain. Even in the more theoretical works by Pallavicino and Segneri, Muslims and Jews were often compared with Lutherans and Calvinists[36]. Finally, Turks and heretics were also associated as enemies of the Marian devotion, which held great importance during the seventeenth century[37].

---

[34] In González there is also the idea that Islam, like Lutheranism, affirms that men can be saved without the "good works". T. GONZÁLEZ DE SANTALLA, *Manuductio...*, cit., II, 265-266.

[35] N.M. PALLAVICINO, *La grandezza della Madre di Dio...*, cit., 24.

[36] It is possible to find the same kind of controversy in the Lutheran and Calvinist world, where Islam is compared to Catholicism. See for example the book written by the reformed Spanish monk Cipriano VALERA (1532-1625), *Tratado para confirmar los pobres cautivos de Berbería en la católica y antigua fe y religión cristiana, y para consolar, con la palabra de Dios, en las aflicciones que padecen por el evangelio de Jesucristo*, M.A. de Bunes Ibarra - B. Alonso Acero eds., Sevilla 2004. See also M. SUTCLIFF, *De Turcopapismo, hoc est, de Turcarum et papistarum adversus Christi ecclesiam et fidem conjuratione*, Londini 1599 (1604).

[37] See for example Pallavicino's book, *La grandezza della Madre di Dio...*, cit. «Gli errori contro la divina maestà della Vergine, dispongono gli animi al Maccomettismo» (*ivi*, 17 s.). See also in this book the contribution by Stefania Nanni.

A second novelty is the presence in these books of much more authentic information about Islam, which became available during the seventeenth century[38]. González made certain attempts, with limited success, to gain a deeper understanding of Islam. He did not read Arabic, but he made critical use of occidental sources and used many interesting and accurate books[39]. This approach gained him the admiration of Ludovico Marracci (1612-1700), one of the most famous translators of the Qur'an in the seventeenth century, who considered the *Manuductio* "an excellent work, as dignified as its author"[40]. Michel Nau, who knew Arabic and Syriac, cited the Qur'an in Arabic script, and also used Arabic sources. While the French Jesuit's arguments and demonstrations are not fundamentally new, he seemed to be anxious to really understand the Qur'an, and to put himself in a Muslim's place, trying to predict the Islamic reaction to Christian argument. He was rather sympathetic to the Qur'an, claiming that "Christian truth lies implicit in the Qur'an, waiting only to be drawn out of it; and he draws it, sometimes, with delicacy"[41]. He also seemed more

---

[38] See N. DANIEL, *Islam and the West...*, cit., 294 s.

[39] Two original sources of González are: Juan DE ANDRÉS, *Confusión de la secta mahomética y del Alcorán*, Valencia 1515 (critical edition, M.I. García Monge ed., Mérida 2003) and Lope OBREGÓN, *Confutación del Alcoran y secta mahometana*, Granada 1555. For these two authors see J. EL KOLLI, *La polémique islamo-chrétienne en Espagne (1492-1640) à travers les réfutations de l'Islam de Juan de Andées et Lope Obregón*, thèse de doctorat, Montpellier 1983. González uses also an Arabic *Historia Saracenica* translated in Latin by Thomas van Erpen and published in Lyon in 1625. In the first chapter of the *Manuductio* there is an accurate «Life of Muhammad» with a *summa* of many occidental studies. See T. GONZÁLEZ DE SANTALLA, *Manuductio...*, cit., II, 2 s.

[40] «Novissime autem prodiit ex Hispania, *Manuductio ad conversionem Mahumetanorum*: opus prorsus egregium, ac praeclarum, atque Authore suo dignum, nempe, Reverendis P. Thyrsi Gonzales de Santalla e Societate Iesu, olim in Salmaticensi Academia Sacrae Theologiae Primario Antecessore Emerito: nunc vero eiusdem Societatis Praeposito Generali dignissimo. Quo sane opere tam valide, ac nervose Mahumetanica Secta a fundamentis diruitur ac destruitur, ut omnis alia argumentorum ac rationum machina, superflua esse videatur». L. MARRACCI, *Prodromus ad refutationem Alcorani*, Typis Sacrae Congregationis de Propaganda Fide, Romae 1691, 7. A bibliography on Ludovico Marracci is found in L. SARACCO, *Marracci Ludovico*, DBI, LXX, Roma 2008, 700-702.

[41] N. DANIEL, *Islam and the West...*, cit., 285. It is very interesting the at-

disposed to accept the moral virtues of Muslims: for example the zeal of fasting, of their prayers, and of the pilgrimage, even if he hastened to say that they were not signs of the truth of Islam, but only of the virtue of the people[42].

A third aspect of originality is the value of "experience" we can find in the authors who were active in missions (Sanz in Malta, González in Spain, Nau in Syria). They mentioned repeatedly that they had gained much information about Islam "from the street", i.e. from speaking directly with Muslims, and there is evidence of this in their books, as in their detailed descriptions of rites and traditions[43]. They also showed a more sympathetic attitude towards Muslims, as we will see.

Preaching

Many Jesuits in this period were convinced of the urgency of preaching to Muslims, especially since they saw this as fighting the "defensive war".

The issue was particularly interesting. For a long time, throughout the sixteenth century, General Superiors of the Society of Jesus such as Laynez, Borgia and Acquaviva instructed Jesuit

---

tempts of Michel Nau to do a «Christian reading» of the Qur'an, for example trying to demonstrate that the Qur'an teaches the trine nature of God. M. NAU, *Religio christiana...*, cit., *passim*. The same argument in T. GONZÁLEZ DE SANTALLA, *Manuductio...*, cit., II, 74 s. («Liber tertius, in quo ex dictis Alcorani, et ex Scripturis Divinis, quas admittit, et ex Divinis visionibus, et miraculis probatur Divinitas Christi, et Trinitas Personarum»).

[42] M. NAU, *L'état présent...*, cit., *Avertissement*.

[43] «Cum ego Malacae Mahumetanis praedicavi, anno 1670, nobilis vir, qui in urbe Oran diu commoratus fuerat, mihi narravit, Mahumetanos, qui me concionantem audiebant, contra me obmurmurare, quia eorum Prophetam *Mahomam* appellabam, existimantes id a me dici in ludibrium, et irrisionem sui Legislatoris, quem ispi Muhammed accentu brevi nominant, et ita deinceps ego nominavi, ut benevolentiam illorum captarem». T. GONZÁLEZ DE SANTALLA, *Manuductio...*, cit., II, 15. Michel Nau describes their pilgrimages, marriages and prayers very well: it is clear he is describing a reality he has seen. (M. NAU, *L'état présent...*, cit., *passim*). This attitude to «learn from the streets» was sometimes present in Spain, also in the Middle Age and in the Early-Modern Age. See N. DANIEL, *Islam and the West...*, cit., *passim*. A. ECHEVARRIA, *The Fortress of Faith...*, cit., *passim*.

missionaries in Islamic lands to refrain from proselytizing or entering into polemics with Muslims. Rather, they were to direct their attention towards offering spiritual service to Christians living in those regions[44]. For different reasons, these prudent attitudes also became common in the West. In Spain, for example, the *morisco* Jesuit Ignacio Las Casas criticized the missionaries who argued against Mohammed and the Qur'an, sometimes in a harsh manner[45]. But in the West, the most common argument against such preaching to the Muslims was its "uselessness": their conversions would be impossible, so it would have been in vain to preach to them.

At the end of seventeenth century, the situation was different and the books under review here emphasized the *possibility* of preaching. Manuel Sanz, in his *Breve trattato*, argued strongly against the idea that was held in Malta, even by Christians, that Christians did not need to debate with Muslims to try to convert them; rather, it was sufficient to maintain the *status quo*. Sanz, on the contrary, insisted on the importance of preaching, in order to contribute to the divine plan. He was scandalized by the many Christians in Malta who prevented their Muslim slaves from converting to Christianity so that they would not lose money from the redemption.

> What is more detestable is that the slaves often ask to be instructed, or to be called with a Christian name, and their masters do not want this, and sometimes they threaten them, and prevent them from asking to become Christians[46].

Nau confirmed that it was possible to speak with Muslims about Islam and Muhammad, "but only with an intimate knowledge of their religion".

When in 1669 González for the first time asked the bishop of Malaga permission to preach to the Muslims, the bishop was very skeptical, and the Jesuit had to insist in order to convince him[47].

[44] T. MICHEL, *Misionología. Islamismo*, cit.

[45] See F. DE BORJA DE MEDINA, *La Compañía de Jesús y la minoría morisca*, "Archivum Historicum Societatis Iesu", 113 (1988), 3-136, [25-28].

[46] M. SANZ, *Breve trattato...*, cit., 261.

[47] T. GONZÁLEZ DE SANTALLA, *Manuductio...*, cit., II, 60-62.

In short, there was some resistance to the prospect of preaching to the Muslims.

The authors of these books always provided many "secondary reasons" for their preaching activity. If the Muslims would not convert, public preaching would still be useful in preventing the phenomena of "renegades", or to convert Lutherans, Calvinists and Jews, who were by chance in the places of the missions. Above all, public preaching was used to strengthen the arguments for the Catholic faith in the people who, being already Catholic, were not able to explain the reasons for their faith, and did not have the desire to spread it. Here, it is interesting to observe that these books were addressed to Catholic people[48], and the declared goal of these authors was to teach Catholics to know their religion better, and to stir in them the "fire of missions". Many sentences from the Gospel quoted in these books are an invitation to the missions[49]: Pallavicino, with his belligerent attitude, wanted "to build a small armory, to give missionaries the instruments to defeat the sects"; Michel Nau addressed his work to "all the people who will work for the conversions of Muslims' souls", while Segneri said that his book was not primarily addressed to convert the "unbelievers", but to resolve the believers' doubts. Sanz wanted to help the Christians of Malta, who had Muslim slaves in their houses, to answer their objections about the Christian faith. Finally, González repeatedly insisted to his Spanish interlocutors that "it is time to convert Muslim people", but above all that it was time, especially for people who were already formally Catholic, to be converted.

When the authors left the wishes of theorizing about Islam, and proposed their actual missionary experience, the "climate" of their reports radically changes. While they spoke of Islam as a dangerous heresy, they described the Muslims they met in a dif-

---

[48] It is possible to understand the aims of these authors, in the two letters *To the Christian reader* in M. SANZ, *Breve trattato*; in the *Introduction* of González' *Manuductio*; in the *Advertissment* of Nau's *L'état présent*.

[49] In T. González' *Manuductio* and in M. Nau's *Religio christiana*: «always have your answer ready for people who ask you the reason for the hope that you have». (1 Pt 3,15). In the *Manuductio*: «If you do not believe that I am he, you will die in your sin». (Jn 8,24). In Nau's *Religio christiana*: «go out to the whole world; proclaim the Gospel to all creation». (Mk 16,15).

ferent way: they were virtuous men who had been denied the opportunity of knowing the truth – "deceived innocents" – and there was often a kind of sympathy towards them.

Michel Nau wanted to disavow a common prejudice in Europe. Talking about his missionary experience, he affirmed that

> There is almost no one who does not have the false conviction that it is forbidden to talk to the Turks about religion, and that missionaries in Islamic lands hold their tongues on these topics [...]. By the grace of God, Mohammedans are not such ferocious wolves. If you pay honor to them and treat them with humility and friendliness, according to the Gospel, they will listen carefully and will ask you to speak about religion[50].

Sanz consecrated a long section of his *Breve trattato* to an imaginary dialogue with a Muslim. It was certainly a contrivance to explain the theological arguments in an easy way, yet, the tone of serenity is dominant, and the Jesuit took the effort to make the Muslim comfortable, to find arguments to "break the ice", and tried to put himself in the Muslim's shoes, treating him with respect and dignity.

In González's *Manuductio* we can read several episodes drawn from his experience, because the author considered them "more persuasive evidence than theological arguments". He never tired of emphasizing that he had witnessed with his own eyes what he narrated.

González insisted on the value of the freedom of his interlocutors, which had always to be respected. The missionary had to preach by exalting human freedom, explaining that the Christian religion is contrary to any coercion. Faith had to be embraced freely and nobody could be forced to believe. It would have been in accord with the mentality of the time to oblige slaves to listen to the preachers, in the same way that "a sick man could be forced to see a doctor even against his own will"[51]. However,

---

[50] M. NAU, *L'état présent...*, cit., II, *Avertissement*.
[51] T. GONZÁLEZ DE SANTALLA, *Manuductio...*, cit., II, 304. «Attirer, convaincre, susciter la demande de baptême telle est bien la tache des religieux.

the Jesuit insisted that such participation had to be of one's own voluntary accord.

The concern to be understood by his interlocutors is evident in Gonzalez's book: he was not content with proposing some dialectical speeches, but tried to affect Muslims. The missions to the Muslims in Spain were carried out in plazas, theatres, or on the courtyards of the houses of the Society. These locations had to be spacious as well as places where speakers could be publicly visible. It was preferred that Muslims not enter Churches and thus profane them, even though experience confirmed that they "did not behave in a hostile manner". Theatricalism was another character of the Jesuit missions. This emerges in González's *Manuductio*[52], in which he recounted how in Seville a confrere tried to explain to the public the seriousness of damnation and the need to convert.

> Then, the Jesuit, turning his back to the public and facing the wall, wiped the sweat off his brow with his hand, and then placed his palm on the wall and exclaimed in a loud voice: "O wall, listen to the Word of God, and be witness to the fact that I have preached the truth to these insensible people". And then, turning to face the Muslims, he spoke to them menacingly, "I, I will be strict against you before God on the Day of Judgment. I will condemn your stubbornness before the supreme judge. [...] I believe that your minds are sufficiently convinced; however, your wills resist and still rebel. O good God! Melt the hardness of their hearts!" With these and other words he thundered at them[53].

Les jésuites et probablement tous les ordres religieux au XVIIe siècle écartent la conversion forcée, ce qui constitue une explication supplémentaire à la présence de tant de musulmans sur le sol espagnol. La démarche adoptée, fidèle à l'enseignement de saint Thomas d'Aquin s'oppose au courant qui, à partir de Duns Scot, justifie la licéité de la conversion forcée. On sait ce qu'il en advint au XVIe siècle avec les conversions massives des morisques contraints de choisir entre l'exil e le baptême. Au milieu du XVIIe siècle, cette position n'a pas disparu, mais n'est plus dominante». B. VINCENT, *Musulmans et conversion...*, cit., 199.

[52] On the use of the theatre in the Society of Jesus: J.M. VALENTIN, *Theatrum catholicum. Les jésuites et la scène en Allemagne au XVIe et au XVIIe siècles*, Nancy 1990; G. ZANLONGHI, *Teatri di formazione. Actio, parola e immagine nella scena gesuitica del Sei-Settecento a Milano*, Milano 2002; C.J. MCNASPY, *Teatro Jesuita*, in DHCJ, 3708-3714.

[53] T. GONZÁLEZ DE SANTALLA, *Manuductio...*, cit., II, 229-230.

EMANUELE COLOMBO

González placed such an emphasis on gestures because he was dealing with people for whom "signs are more meaningful than words". If, during the preaching, anyone would seek baptism, the missionary would have to embrace him warmly and place a rosary around his neck. In the case of a woman, however, the missionary would avoid embracing her; this would be carried out instead by a Christian woman from the nobility.

The linguistic problem was another important issue in the seventeenth-century debates about missions. The Society of Jesus insisted on the study of Arabic, although often without success, because of the level of difficulty involved in learning it. For Michel Nau the knowledge of Arabic and Syriac was very important, as we can understand from his books and his biography. The attitude of the Jesuits in the West was different: in the first decades of the seventeenth century, for example, Ignacio las Casas severely criticized Spanish Jesuits who preached to Muslims in Spanish[54]. In the *Manuductio*, the theme of the language-barrier does not emerge explicitly, because in most cases, González's interlocutors were able to understand (and in some cases, even read) Spanish[55]. However, the author admitted that he was fortunate to find, during his missions, some interpreters, such as the converted and baptized nephew of an African king[56].

Conversions

"The conversion of a Turk is almost impossible", wrote Pallavicino. The authors of the books under review knew very well how difficult the conversion of a Muslim was, not because the arguments

[54] «Frente a la postura oficial y mayoritaria contraria, la estima de la lengua Árabe como lengua de transmisión del mensaje evangélico fue común, en la Compañía, a la mayoría de sus miembros implicados en este apostolado, pero, a pesar de los intentos que se hicieron para el aprendizaje del árabe, muy pocos lo llegaron a aprender suficientemente». F. DE BORJA DE MEDINA, *La Compañía de Jesús...*, cit., 22. «Il semble que la connaissance de la langue arabe ait été très peu répandue parmi les religieux». B. VINCENT, *Musulman et conversion...*, cit., 200.
[55] T. GONZÁLEZ DE SANTALLA, *Manuductio...*, cit., II, 303.
[56] *Ivi*, 40 s.; E. REYERO, *Misiones...*, cit., 289 s.

were difficult to understand (we have seen in Segneri's book that "the man who does not believe cannot be excused"), but because they often did not listen. According to Pallavicino, "the Muslims do not convert because they block their ears; otherwise they would convert". At the same time, these authors were convinced that it was a duty of every Christian to make an attempt[57].

The conversion of the Muslims in these books was not presented as the mechanical consequence of a series of demonstrations, but as a very delicate process, always involving Muslims' freedom. While these works have an apologetic tone, as we can often see in the emphatic narratives, it is also true that these authors did not hide the failures, challenges and difficulties of their missions. Some missions had no results; many Muslims did not convert and returned to their homes openly denouncing the missionaries. One young Muslim lady, who after González's preaching wanted to seek baptism, was dissuaded by her husband. Often, people of authority within the Muslim community exercised their own influence against the missionaries[58]. In Marbella, a Muslim Qur'anic expert publicly repeated that he would never convert, and that it would be easier for the Pope to become Muslim[59].

This realistic vision is clear also in the dialogues presented by our authors. In Catholic polemics, the "dialogue" was a traditional way to expose the arguments and to show the reader how a discussion with a Muslim could have been. The usual form was a conversation between the Christian writer and an imaginary Muslim, in which the Christian gradually answered all the objections and doubts of the Muslim, who by the end admitted his errors and requested baptism.

In the *Manuductio* it is very interesting to note Gonzalez' admission that his reasoning did not ultimately convince the Muslim, who decided to remain with his religion:

[57] A widespread idea was that if it was not always possible to preach to Muslims in Islamic lands, for security reasons, it was the duty of the Christians to try to convert them in Europe. See, for example, *Relación de los maravillosos efectos que en la ciudad de Sevilla ha obrado una misión de los Padres de la Compañía de Jesus*, Sevilla 1672, cit. in E. COLOMBO, *Convertire i musulmani…*, cit., 84 s.

[58] T. GONZÁLEZ DE SANTALLA, *Manuductio…*, cit., II, 298.

[59] E. REYERO, *Misiones…*, cit., 240.

Friend Hamid, before God you will not able to plead ignorance; I have manifested the truth to you. If you still doubt the truth of what I have said, ask God to show you the truth, so that He may illuminate the darkness of your mind and lead you to salvation. After having heard all these arguments, if you remain doubtful that the religion of Christ is necessary for your eternal salvation, ask God to enlighten you. So that you be worthy of His light, avoid vices, practice piety, love God above all things and your neighbor as yourself, and diligently keep the Ten Commandments, for to these things all men are obliged. And then, after many signs of love and a friendly embrace, the Moor went away[60].

This conclusion suggests that the dialogue probably really did occur. It is not in the form of a conventional model, and it shows the realism of the author, who did not report only successful conversations. Also in Michel Nau's Latin book there is a peaceful dialogue between a Christian and a Muslim concerning the Christian Religion that ends in the same way. Here too, in a climate of friendship, the Muslim does not convert. Some Muslims, despite sincerely desiring conversion, were simply unable to understand the Catholic faith. González insisted that they should be treated with respect, gentleness, and Christian charity. Preachers would have to council them to pray to their own God for illumination and to help them to understand the truth.

While the conversions from Christianity to Islam in the Mediterranean area are well studied, it is more difficult to determine the number of conversions in the other direction. Recent studies stand against the commonly held idea that there were only a small number of conversions from Islam to Christianity in sixteenth-and seventeenth-century Europe[61].

A close examination of the case of González confirms this[62].

---

[60] T. GONZÁLEZ DE SANTALLA, Manuductio..., cit., II, 155. Translation by T. MICHEL, Jesuit writings..., cit., 71.

[61] C. LARQUIÉ, Captifs chrétiens et esclaves musulmans au XVIIe siècle: une lecture comparative, in Chrétiens et musulmans à la Renaissance..., cit., 391-404; S. BONO, Conversioni di musulmani al cristianesimo, in Chrétiens et musulmans à la Renaissance..., cit., 429-445.

[62] It is very interesting to compare the information of the Manuductio with the documents (letters, reports) conserved at the ARSI, and partially published in E. REYERO, Misiones..., cit.

He assisted in about 180 baptisms of Muslim slaves in 10 years, and it is often possible to find evidence to confirm many of these conversions. In Spain, baptisms were an important social event and occasioned a feast for the entire city; the nobility was involved, both because slaves worked for their families, and because nobles would usually stand as godfathers for the converted[63]. Slaves usually inherited their godfather's name, and it is very interesting to discover new family trees created by conversions. During the baptisms celebrated in Madrid in 1670 described in González's *Manuductio*, we can find many important members of the Spanish Court standing as godfathers. González insisted on the importance of having magnificent and "baroque" celebrations for the baptism: everybody, in fact, could understand the importance of the sacrament from the beauty of the ceremony[64]. The conversion of noble persons of the Islamic world was usually celebrated as a miracle[65].

In González' *Manuductio* the missionaries' concern for the religious education of catechumens often appears. This issue was really important, because there was a strong debate in Spain about the lawfulness and usefulness of forced baptisms, and so Jesuits in the sixteenth century also took a stance against this custom. In many episodes described in the book, the religious education of catechumens was given over the course of a few weeks by missionaries or by the local clergy. However, the situation has further nuances. In Manuel Sanz' view, the catechumen should not be abandoned, just as "the gardener does not abandon the plants after he has planted them, but sprinkles them with particular attention"[66].

---

[63] Usually the social condition of the slave did not change after their conversion; rarely did the master of a converted slave decide to free him, or did the godfather give him the money to redeem himself.

[64] T. GONZÁLEZ DE SANTALLA, *Manuductio...*, cit., II, lib. VI cap. V: «Quantum expediat, quod Mahumetani ad Fidem conversi magna cum solemnitate baptizentur».

[65] For example the conversion of a prince of Morocco, Muley Larbe Xerife, baptized in Seville in 1671. His godfather was the Duke of Medinaceli, and he collaborated with the Jesuits in the following missions. «Princeps iste non modico nobis adjumento fuit ad conversionem Mahumetanorum, qui eum ut legitimum Regni successorem colebant, et antequam Fidem Christi susciperet, ei necessaria ad victum, et vestitum suppeditabant». *Ivi*, 40-41.

[66] M. SANZ, *Breve trattato...*, cit., 42. The same image of the gardener in P. SEGNERI, *L'incredulo senza scusa...*, cit., 1.

The *Manuductio* signals attention to the fact that Jesuits were not to baptize those who were not yet adequately prepared. In Malaga in 1669, when a Muslim girl asked for baptism, the missionaries asked the Bishop whether it would be appropriate to baptize her immediately. The Bishop found several elements in favor of her case: her young age; the fact that she was living with a Christian woman and far from other Muslims; and that she knew some prayers and fundamentals of the Christian faith. As a result, she was able to receive the sacrament, and was instructed over the course of the following weeks. On the other hand, a different case occurred in Madrid in 1670 when a young Muslim man, awestruck by the solemnity of the liturgy, went up to the altar and pleaded in a loud voice to be baptized. In this case, the Christian authorities judged that it would be better to postpone the conferral of the sacrament, since the man had not been instructed.

Conclusion

The printed sources used in this article belong to different literary genres (controversial books, handbooks for missionaries, dialogues) and reflect experiences of different places (Rome, Spain, Malta, Syria). The commonalities in the books of Paolo Segneri, Nicolò Maria Pallavicino, Michel Nau, Manuel Sanz and Tirso González are most surprising considering these differences. Furthermore, their common denominator – their having been written by Jesuits and published in Europe during a very important decade – allows us to make some remarks about Jesuits' attitudes towards Islam during that period.

The war against the Turks deeply influenced the missions. What had happened in Vienna and in Eastern Europe had a strong connection to what was occurring in the worldwide missions; the political and military events gave the missionaries a new impetus. The authors of these books seemed to object resolutely to the widespread prejudice, even within the Catholic Church, that converting Muslims was impossible. The victory of Vienna – an unexpected success and an evident sign of divine intervention – was a good omen and a strong incitement for preaching to the Muslims, which was often considered an impossible mission. The obstacles did not discourage the Jesuits – neither in Islamic lands, nor in Europe for that matter.

The Jesuits' attitudes towards Muslims, as they appear in these books, were ambivalent. Islam was a heresy, because it was a religion that threatened the Catholic Church theologically as well as militarily; but it was also a form of "idolatry" because of its "incomprehensible and strange piety". "There is not a big difference", wrote Michel Nau, "between Islam and idolatry, i.e., between those who adore idols and those who do not adore the true God". According to Paolo Segneri,

> There are three different ways to be an infidel to the one true religion: the first one is to accept both the Old and the New Testament, interpreting them as much as one likes (i.e. Lutheranism and Calvinism). The second one is to accept only the Old Testament (Judaism). And the third one is to accept neither the Old, nor the New Testament. It is a form of paganism, but Islam is the paganism of our days[67].

"Heresy" and "idolatry": the Jesuits' attitude towards Muslims seemed to flutter between these two categories.

On the one hand, Islam was considered a heresy, the "mare magnum" of all the errors already condemned by the Church, according to an ancient argument that would be used in the West until the nineteenth century. This argument was updated in order to compare Islam with the two most dangerous adversaries of the Catholic Church in the Modern Age – Lutheranism and Calvinism. Jesuits struggled against heretics with controversial books, treatises of theology, "demonstrative reasons"; they declared that, considering the proofs of the truth of the Catholic Church, "the man who does not believe cannot be excused".

On the other hand, there was a different practical non-theorized attitude, in particular among the authors who had a missionary experience. Muslim piety should not be condemned, but respected as a way of reaching the truth, a possibility of approaching Christian morality. "Avoid vices and pray to your God", González usually said to the Muslims who, despite sincerely desiring conversion, could not be converted. He mentioned having met

[67] P. SEGNERI, *L'incredulo senza scusa...*, cit., 7.

many people "living in a good way in their sect", because they had adhered to their religious precepts. Again, Michel Nau wondered at their constancy in prayer and fasting, and at their desire to undertake the pilgrimage to Mecca, in contrast to Catholic laxity. In his view, Muslim piety did not seem to be an expression of a heresy – if so it would have to be condemned – but rather seemed to be the expression of the religious dedication of these men. Sometimes, it seems, Jesuits used the "accommodation" with Muslims, which was a common Jesuitical attitude in the extra-European lands. They tried to understand the different civilizations they met, and considered the pagan piety a positive attitude which could be used to make conversion easier. The "ignorance" of the people could often be judged "invincible"[68], involuntary, and therefore not imputable. Muslims were – as González often wrote – "deceived innocents", because they had not yet had the possibility to meet the Truth. Finally, in this attitude, theatre, music, and magnificence of ceremonies became instruments – more effective than theological demonstrations – for evangelization[69]. In the second half of the seventeenth century, the Jesuitical attitude of "accommodation" reached its apogee and entered into a period of crisis. In 1694 there was the famous scandal of Chios. On the Aegean island, which was occupied by the Venetian army, three hundred Muslim women were found, who declared themselves to be Christian. The Jesuits of Chios were accused of tolerating their religious simulation and their simultaneous belonging to two religions[70]. In the same years, the Chinese Rites controversy was be-

---

[68] «Ignorance is said to be invincible when it cannot be dispelled by the reasonable diligence [...]. In the case of invincible ignorance, the agent is inculpably unaware of the nature of a situation or of the obligations it involves». *New Catholic Encyclopedia*, VII, Washington 2003, 315.

[69] Some recent studies shows many connections between the Jesuits' attitude towards "Indians" in South America and towards "moriscos" in Spain at the end of the sixteenth century. See Y. EL ALAOUI, *Jésuites, Morisques et Indiens. Étude comparative des méthodes d'évangélisation de la Compagnie de Jésus d'après les traités de José de Acosta (1588) et d'Ignacio de Las Casas (1605-1607)*, Paris 2006; P. BROGGIO, *Evangelizzare il mondo. Le missioni della Compagnia di Gesù tra Europa e America (secoli XVI-XVIII)*, Roma 2004, 147 s. It would be interesting to do the same kind of work on the Jesuits' attitude towards Islam.

[70] See PH. ARGENTI, *The Occupation of Chios by the Venetians*, London

coming ever more serious, and many influential voices in the Catholic Church declared themselves against the Jesuits' missionary attitudes.

The ambivalence towards Islam, a kind of "special status", is also confirmed by comparing with the Jesuits' attitude towards Jews in the same period. In the books I am reviewing, Judaism is always presented alongside Islam: since the Middle Ages, Muslims and Jews were compared in Catholic treatises. The arguments used to refute them were similar, and the most relevant objections against Catholicism – the mysteries of trinity and incarnation – were the same[71]. Nevertheless, in these books it seems that the "perfidious Jews" were more dangerous, more difficult to convert, and seldom was their piety considered as a positive attitude, but rather, as an obstacle to reaching the truth[72].

I suggest further research in this field, especially in two possible directions.

The first possibility is an extension of the studies on the printed sources of the Society of Jesus about Islam. This kind of source is sometimes neglected, given the amount of archival documents we have about the Society of Jesus. But we should not forget the importance of these books and treatises, which often went through many editions and translations – especially their importance to the formation of a mentality within the Society of Jesus and more generally in the Catholic Church[73]. It would be interesting to study the Jesuits' attitude towards Islam in the books written in different places and periods. In the first decades of the life of the Society of Jesus, in a completely different context, it is possible to find some books with many similarities with the books of the end of seventeenth century, for example in the works of Antonio Possevino

1935, *passim*. Among the controversial books and pamphlets, see *Le mahometisme toleré par les Jesuites dans l'Isle de Chio*, 1711.

[71] See N. DANIEL, *Islam and the West...*, cit., *passim*.

[72] This attitude is also evident in Jesuits' books expressly dedicated to the Jews. See, for example, G.P. PINAMONTI, *La sinagoga disingannata, ovvero via facile a mostrare a qualunque ebreo la falsità della sua setta, e la verità della legge cristiana*, Ercole, Roma 1694.

[73] Moreover, it would be interesting and useful to do a complete inventory of the many books on this topic that have been lost after the suppression of the Society.

(1534-1611). He busied himself with the creation of a Holy league against the Turks, encouraging war in his *Il soldato cristiano*; at the same time he promoted studies of Islamic piety and philosophy, and was also aware of the linguistic problem[74]. Again, at the end of the eighteenth century, a few years before the suppression of the Society, we can find in some Jesuits' books a comparison between Islam and the other "heresies"; it is the same argument put forward by Pallavicino, Segneri and González, updated to the new situation of the Church, where the enemies were atheists and rationalists[75].

A second possible line of research is to compare the contents of the printed books with archival documents. Research currently underway on the Jesuits' mission to Muslims in seventeenth-century Spain confirms the approach of the *Manuductio*; in the archival sources it is possible to see the "special status" of these missions in the minds of Jesuits: they are considered similar to the "popular missions", preached for the re-catholicization of Spain, but they are also compared to the missions in the "Indies", because of the peculiarity of the interlocutors, as well as the linguistic, cultural and social problems entailed[76]. The *Formula of the Institute*, one of the first documents of the Society of Jesus, declared that Jesuits were available to go everywhere, «even among the Turks», the word "Turk" meaning "Muslim" in general; but soon they discovered that it was also possible to meet "Turks" in Europe, and even in their own cities.

---

[74] See A. POSSEVINO, *Il soldato cristiano con l'istruttione dei capi dello esercito catolico. Libro necessario a chi desidera sapere i mezzi per acquistar vittoria contra heretici, turchi, et altri infedeli*, Eredi di Valerio e Luigi Dorici, Roma 1619; ID., *Bibliotheca Selecta qua agitur de ratione studiorum in Historia, in Disciplinis, in salute omnium procuranda*, IX, *Ratio agendi cum Iudaeis, Saracenis, et Agarenis, sive Mahomethanis, et Sinensibus*, Ex Typogr. Apostolica Vaticana, Romae 1593; S. LATOR, *Il padre Antonio Possevino e l'Islam*, "Studia Missionalia", 1 (1943), 215-225; D. CACCAMO, *Conversione dell'Islam e conquista della Moscovia nell'attività diplomatica e letteraria di Antonio Possevino*, in *Venezia e Ungheria nel Rinascimento*, a c. di V. Branca, Firenze 1973, 167-191.

[75] See for example B. STATTLER, *Demonstratio evangelica sive religionis Iesu Christo revelatae certitudo accurata methodo demonstrata adversus theistas et omnes antiqui et nostri aevi philosophos antichristianos, quin et contra iudaeos et mahumetanos*, Matthei Rieger et filiorum, Augustae Vindelicorum 1770.

[76] See F. DE BORJA DE MEDINA, *La Compañía de Jesús...*, cit., 26. ARSI, Tolet. 37ª, f. 460; 466v; Litt. Ann. 1609, 95.

INDICE DEI NOMI